LÉGENDE D'UN DORMEUR ÉVEILLÉ

Née à Paris en 1973, Gaëlle Nohant vit aujourd'hui à Lyon. *Légende d'un dormeur éveillé* est son troisième roman après *La Part des flammes* (Prix du livre France Bleu – Page des libraires, 2015) et *L'Ancre des rêves*, récompensé par le prix Encre Marine. Elle est également l'auteure d'un document sur le rugby et d'un recueil de nouvelles, *L'Homme dérouté*.

Paru au Livre de Poche :

L'Ancre des rêves

La Part des flammes

GAËLLE NOHANT

Légende d'un dormeur éveillé

ROMAN

ÉDITIONS HÉLOÏSE D'ORMESSON

ISBN : 978-2-253-07377-2 – 1re publication LGF

À Robert Desnos,
qui m'accompagne depuis l'adolescence.
Par ce roman, j'ai voulu lui rendre
un peu de tout ce qu'il m'avait donné.

À Jacques Fraenkel,
le petit garçon à qui Robert Desnos
racontait des histoires.

J'ai vécu dans ces temps
et pourtant j'étais libre

Robert DESNOS, « L'Épitaphe »

À ta santé Robert
et même si tu es mort
à ton rêve éveillé

Jacques PRÉVERT, « Aujourd'hui »

PREMIÈRE PARTIE

Tu es libre et tu ris et tu parcours la terre

1

Il avait oublié les odeurs puissantes des Halles, les voix hurlées, le choc des charrettes croulant sous les légumes et les fruits. Il est heureux de retrouver sa ville. Le premier soleil enlumine les gargouilles de la tour Saint-Jacques. Les balayeurs abandonnent le parvis de la gare Saint-Lazare et aux terrasses voisines, l'odeur du café se mêle à l'encre fraîche des quotidiens du matin. La vieille clocharde de la rue de Seine replie soigneusement son lit de journaux. La sirène d'un remorqueur sous le Pont-Neuf, le tremblement des réverbères qu'on éteint, les cigarettes qui rougeoient entre chien et loup, à cette heure incertaine où ceux qui vivent à contretemps, ceux dont c'est l'ivresse, vont s'écrouler quelques heures. Robert est de ceux-là. Pour lui, la vie ne saurait se limiter au jour. Il y a trop à faire, tant de musiciens à écouter, de vins à boire et d'amis à saluer ! Il dort le moins possible et des cernes profonds ombrent son drôle de regard myope. Sans ses lunettes, tout devient flou. Pourtant il les préfère sans carreaux, ses yeux toujours en voyage entre ce monde et d'autres. D'autant qu'il doit sans cesse en nettoyer les verres embués avec la pochette de soie qu'il assortit à ses cravates.

Il a emporté l'essence de Cuba avec lui : une collection

de souvenirs et de disques, et surtout Alejo Carpentier. Dans ce voyage qui l'a enchanté, le plus beau est sans doute qu'ils se soient trouvés. Il l'a rencontré dès son arrivée à La Havane. En descendant du grand paquebot *Espagne* qui transportait la délégation des écrivains invités au congrès de la presse latine, un attroupement de journalistes attendait «le poète surréaliste». S'écartant du groupe, un jeune homme au teint halé, en costume immaculé, lui a tendu la main avec un franc sourire:

— Alejo Carpentier, écrivain et musicologue. Je serai votre guide pendant votre séjour. Mon père est d'origine française, ma mère russe, j'aime votre langue et je rêve de découvrir Paris!

— Robert Desnos, a répondu Robert en lui rendant son sourire, poète et bon vivant, membre de la racaille surréaliste, comme nous appellent les vieilles barbes.

Le rire d'Alejo a scellé le départ d'une amitié flamboyante. Ils ne se sont plus quittés. Après quelques verres, le jeune homme lui a proposé de lui faire visiter le vrai Cuba derrière les soirées de gala et les façades en trompe-l'œil. Robert ne s'est pas fait prier pour se dérober à l'agenda mondain de la délégation française. Ensemble, ils ont arpenté les quartiers populaires au petit jour, passé des nuits à regarder les danseurs de *son* ployer leurs corps souples et sensuels, tandis que les passantes leur lançaient des œillades rieuses et qu'un orchestre les berçait. Il n'oubliera pas ce petit village que les gens de là-bas appellent La Playa. Le rhum blanc, les comptoirs éclairés de bougies. Une nuit, deux formations se sont affrontées devant la plage, les musiciens mêlaient leur sueur et leur fièvre et la mer respirait dans l'ombre.

Cuba lui est entré dans le corps à la manière d'un alcool fort. Il sent que ce pays âpre et langoureux, où l'on danse comme on fait l'amour, l'a changé. Son besoin d'indépendance y a été fouetté. Il n'a plus envie d'endurer, d'attendre, de se plier à la volonté des autres. Il rentre plus entier et plus indocile.

La seule qui ait le pouvoir de le mettre à genoux, c'est Yvonne. Le Y qui ouvre son prénom est le delta ondoyant qui l'aimante et le repousse. Yvonne est une étoile de mer. Pour l'aimer, il faut accepter d'être blessé.

— Elle doit être belle, ta chanteuse, pour que tu sois aussi mordu, lui a dit Alejo sur le bateau du retour, alors qu'ils regardaient se rapprocher les côtes de France.

— Elle est plus que belle, a-t-il murmuré. Elle est émouvante. Quand elle chante, elle ressemble aux chanteuses de ton pays, Carp, elle se donne à qui l'écoute. Et alors, comment ne pas succomber ?

— Mais Robert, avec tant de passion, tu n'as jamais réussi à coucher avec elle ?

— Oh si, j'ai souvent couché avec elle. En rêve… Au point que j'ai souhaité ne plus m'éveiller. Je confondais la nuit et le jour, la veille et le sommeil. Je n'arrivais plus à séparer ce que j'avais vécu de ce que j'avais désiré.

— L'opium devait t'y aider un peu, a souri Alejo.

— Non mon vieux, ce n'était pas l'opium. La voix d'Yvonne est plus puissante que les drogues.

J'aime l'éclat que laissent aux jeux profonds les larmes intérieures.

Robert ferme la porte de son atelier. La nuit le cueille avec son odeur d'herbes brûlées et de pisse de chat. La cour qui jouxte l'atelier est devenue le quartier général de tous les félins du voisinage. Il a adopté le tigré, Jules, et aussi la petite noiraude à la gorge blanche et délicate. Il leur donne à manger quand il peut. Quand il n'a plus un sou, c'est la disette pour tout le monde, mais allez raisonner des chats ! Ils miaulent toute la nuit à la porte.

Il remonte la rue Blomet, longe le bal antillais dont il est un habitué. À travers les vitres teintées, il distingue les doudous coiffées de turbans colorés et sourit à l'idée que tout à l'heure, il fera découvrir le Bal nègre à Alejo Carpentier. Il sait que Carp sera conquis, comme il l'a été le soir où il est entré par hasard avec Joan Miró, André Masson et quelques autres. Il n'en était pas revenu de ce voyage aux Caraïbes entre les quatre murs d'un bistro. Il avait dansé la biguine jusqu'à l'aube.

À mesure qu'il approche de Montparnasse, les rues se peuplent d'une foule hétéroclite et le noir s'éclaire aux enseignes tapageuses des dancings. Dans le flot des noceurs qui se mêlent sur le boulevard, il croise nombre d'amis sans les reconnaître, et quand ils l'interpellent, son visage s'éclaire. Aragon et la milliardaire Nancy Cunard, que précède le tintement d'ivoire des bracelets qui ornent ses avant-bras, lui proposent de les rejoindre plus tard au bar de la Coupole. Antonin Artaud qui le frôle lui annonce que la fin du monde est proche, il en a déchiffré les signes. Robert aime Antonin, sa hauteur dégingandée, ce visage de dieu grec où brûlent des yeux de prophète libertaire. Il devine que son charisme découle d'un déchirement de l'être ; ce point d'insoutenable sur lequel il se tient, bravant la terreur qu'il lui inspire. Antonin pose affectueusement sa main sur son épaule avant de disparaître dans la rue Delambre.

Remontant en direction du carrefour Vavin, Robert s'engage rue Bréa et pénètre dans un bar bondé d'où s'échappent de grandes clameurs. Le chahut vient du fond de la salle, où un groupe de jeunes gens chante à tue-tête, avec frénésie. Les femmes sont vêtues de robes luxueuses et minimalistes. Leurs visages maquillés évoquent à Robert des mannequins s'animant derrière des vitrines éteintes. À travers le prisme de sa myopie, ces peintures de guerre lui rappellent Louise Lame, l'héroïne de *La Liberté ou l'amour !*, le long poème qu'il a fait paraître voilà un an. Louise Lame, cette femme libre, sensuelle et cruelle qui erre dans Paris, abandonnant un à un ses vêtements au fil de sa promenade. Dans la vraie vie les héroïnes sont rares, même à Montparnasse où les héritières se confondent avec les modèles, les ouvrières et les prostituées. Il n'y a qu'Yvonne qui puisse approcher la tendre cruauté de Louise Lame. Yvonne aux yeux violets, à la voix déchirante.

Tandis qu'il progresse à travers cette foule qui rit et gesticule, enveloppée de volutes de fumée et de senteurs musquées, Marcel Noll l'arrête au passage, maigre sentinelle postée près du bar. Au sein du groupe surréaliste, il ne fait pas partie de ses intimes et il a été surpris qu'il l'invite ce soir. Les traits anguleux de Marcel se fendent d'un sourire tandis qu'il salue Robert et ses yeux, derrière ses lunettes rondes, ont un pétillement inhabituel. Le barman leur sert deux verres de Suze et ils trinquent à ce beau printemps 1928, à la révolte, à ce qui va finir, à ce qui n'a pas commencé.

— À l'amour ! ajoute Marcel avec grandiloquence.

— À l'amour, répète Robert qui ressent la nostalgie des beautés cubaines qui consolaient son corps d'une longue chasteté : Rocio, aux yeux brillants de larmes, Livia qui ne résistait pas à l'appel d'une danse, ou Cruz la fervente qui priait pour la protection des siens.

Il songe que les corps sont faits pour aimer, et qu'on ne devrait pas avoir à choisir entre la liberté et l'amour.

Marcel et lui reprennent un verre. Robert parle de Cuba. Il vient de boucler une série d'articles pour *Le Soir* racontant ce qu'il a vu là-bas, la beauté et la misère, la musique, les conséquences de la dictature de Gerardo Machado sur ce pays où l'on meurt indifféremment pour l'amour et la liberté. Marcel l'écoute distraitement, impatient d'évoquer la raison cachée de ce rendez-vous.

— Et toi mon petit père, quoi de neuf ? demande Robert et Marcel se trouble, son regard cherche le fond de la salle où le groupe de fêtards enchaîne les chansons paillardes tandis que les filles improvisent un charleston déluré sur la piste.

Marcel se penche vers lui :

— La femme blonde, là-bas, qui danse en robe noire pailletée… C'est ma maîtresse depuis quinze jours. J'en suis fou.

Robert plisse les yeux mais sans ses lunettes, c'est peine perdue à cette distance, il ne distingue qu'une silhouette qui se trémousse en riant trop fort.

— Qui est-ce ? interroge-t-il.

— C'est Youki, la compagne de Foujita. Tu l'as vue partout, c'est sûr. Tout le monde la connaît, elle est presque aussi célèbre que Kiki !

Robert hausse les sourcils avec une moue dubitative. Il a dû la croiser dans ces innombrables soirées où Foujita, le peintre japonais le plus réputé de Paris, vient vêtu de déguisements qu'il coud lui-même, aussi beaux qu'inattendus. Il ne s'en souvient pas. Sans doute parce qu'il n'aime pas ce genre de femmes, trop voyantes à son goût. S'il est le confident de toutes les putes de Paris, en amour il a besoin de raffinement et d'élégance.

— Où l'as-tu rencontrée ? demande-t-il à Noll qui contemple sa maîtresse avec l'expression d'un péquin qui a gagné à la loterie.

Marcel vide son verre avant de répondre avec un plaisir non dissimulé :

— Elle est venue il y a trois semaines à la galerie surréaliste avec une amie. Elle a fait sensation en arrivant dans sa Delage avec chauffeur ! Foujita l'avait chargée de lui ramener les derniers numéros de *La Révolution surréaliste.* André a été charmant, et je n'ai pas été en reste. Elles sont reparties conquises. André leur a conseillé tes jeux de mots de Rrose Sélavy et *La Liberté ou l'amour !*. On s'est revus par hasard à Montparnasse… « Et voilà », comme disent les Amerloques ! Youki n'est pas femme à tergiverser quand un homme lui plaît. Et Foujita ne pense qu'à son travail, alors elle a ses occupations, tu vois. Elle sort beaucoup.

— Je vois, sourit Robert, battant des cils dans un nuage de cigare. Et il n'est pas jaloux, Foujita ?

Marcel éclate de rire :

— Il ne peut espérer garder une femme comme Youki pour lui seul !

Comme la cohue devient intenable au bar, Robert et Marcel se fraient un chemin jusqu'aux tables serrées près de la piste de danse, prenant la place d'un couple qui s'envole vers d'autres cieux musicaux et alcoolisés. Devant eux, les danseurs rivalisent de souplesse. De là où il est, Robert a une vue précise de la fameuse Youki. La robe noire qui moule son corps pulpeux souligne la blancheur de sa peau. Son visage encadré de cheveux blond vénitien coupés à la garçonne accroche la lumière comme pour la garder pour lui seul. Les autres filles sont des figurantes éclipsées par son rayonnement.

La femme nue marche environnée de claquements d'invisibles étoffes ; Paris ferme portes et fenêtres, éteint ses lampadaires. Un assassin dans un quartier lointain se donne beaucoup de mal pour tuer un impassible promeneur.

Louise Lame toujours, habillant ses pensées de gants de soie et d'une fourrure frémissante de la vie du léopard sacrifié pour elle.

— Comment va Breton ? demande-t-il à Noll.

— Je pense que sa liaison avec la charmante Suzanne Muzard n'est pas étrangère à son intérêt passionné pour les voluptés charnelles ! dit Marcel avec un sourire entendu. On est toujours plongés dans l'enquête sur la sexualité. Tous les soirs, il nous mitraille de questions et prend des notes. Les habitués de la brasserie Radio ont les oreilles qui chauffent à force de nous entendre parler de triolisme et d'orgasme simultané ! Tu n'es pas allé le voir depuis ton retour ?

— Je suis rentré hier..., répond Robert avec agacement.

Le diktat qu'André Breton exerce sur les réunions

quotidiennes du groupe surréaliste lui pèse de plus en plus.

— J'ai pris du recul par rapport à la relation surannée qu'André entretient avec moi, ajoute-t-il, mais je passerai le voir dans la semaine. Et puis je vois bien l'intérêt de faire l'amour, mais en disserter ne m'intéresse pas, ajoute-t-il en vidant son verre.

— Bah. C'est plus drôle que tous ces débats sur le communisme, observe Marcel en sirotant un autre verre de Suze. Tu envisages de prendre ta carte ?

Le sourire de Robert illumine son visage de rêveur lucide tandis qu'une éternelle mèche rebelle retombe sur son œil gauche :

— Le jour où on m'encartera n'est pas arrivé, mon petit pote !

Youki les interrompt en rejoignant leur table. Sa peau est lustrée d'une sueur que Marcel lécherait volontiers. Elle tend à Robert une main où brillent plusieurs bagues :

— Bonsoir, je suis Youki Foujita. Êtes-vous l'un de ces maudits surréalistes qui m'empêchent de dormir depuis trois semaines ? Vos textes plus fous les uns que les autres me volent mes rares heures de sommeil ! précise-t-elle en riant. Et mon mari se plaint, mais tout est de sa faute. C'est lui qui m'a parlé de vous !

Robert se présente à son tour.

— Le fameux Desnos…, murmure la jeune femme d'un air malicieux. Il paraît que vous vous cachiez dans un pays lointain. Vous avez des yeux d'huître, c'est joli. On vous l'a déjà dit ?

On ne lui a jamais dit. Des yeux d'huître. Pourquoi pas ? Ses yeux étranges, où se mêlent le bleu, le vert et le gris, ont les reflets de la mer quand elle se casse sur les falaises crayeuses par temps de pluie. Ce sont des miroirs qui débordent pour embrasser l'infini. Des yeux qui aiment, caressent et pleurent, des yeux ouverts derrière les paupières… des yeux de poète.

— Je vous lis, Robert Desnos, continue Youki en lui lançant un regard canaille. J'aime beaucoup votre Louise Lame. Et ce Corsaire Sanglot, quel tempérament ! Cette électricité entre eux est très réussie.

— Vous êtes-vous procuré les passages censurés ? demande Robert qui éprouve l'envie de la choquer, comme un enfant tire les nattes d'une jolie petite fille.

Marcel lui explique que pour faire paraître *La Liberté ou l'amour !* malgré la censure, Robert a dû couper les passages érotiques. Le lecteur peut les obtenir en librairie en échange d'un bon.

— Bien sûr ! l'interrompt Youki sans se troubler. Je n'aurais manqué pour rien au monde la découverte du Club des Buveurs de sperme, ironise-t-elle.

Robert éclate de rire. Après que le serveur a apporté leurs cocktails, il extrait les pailles de leurs enveloppes de papier qu'il entortille en forme d'araignée. Puis il fait tomber une petite goutte de liquide qui anime les pattes de l'insecte de papier.

— Vous connaissez ? lui demande-t-il.

— Naturellement, répond-elle sèchement. C'est un jeu surréaliste.

— C'est moi qui le leur ai appris, dit-il. C'est ainsi qu'on recueille le suc des breuvages servis dans ce club qui vous a séduite.

Youki se lève pour rejoindre ses amis sur la piste et sa hâte trahit qu'il a réussi à la troubler. Marcel Noll est furieux, à en juger par le pli serré de ses lèvres et le blanc qui s'installe dans la conversation. Mais Robert aime jouer les poil-à-gratter, les provocateurs. Il n'est pas de ces artistes polis qu'on exhibe en société, qu'on assied entre un colonel en retraite et une demi-mondaine s'efforçant de faire oublier par sa conversation qu'elle doit sa fortune à ses talents d'horizontale. Et puis choquer, c'est encore le meilleur moyen de cacher un trouble qui vient d'éclore. De prétendre ignorer l'excitation qui allume des flammèches dans son abdomen, des tremblements imperceptibles le long de ses phalanges, pareils au tressaillement de cristal des coupes de champagne du *Titanic.* En regardant Youki danser à la barbe des poseurs dont sa beauté éteint l'éclat factice, Robert a le pressentiment de ce qui adviendra. Cela lui arrive souvent, il est habitué à ces éclairs de conscience traversant le brouillard. Il enveloppe le profil boudeur de Marcel d'une bienveillance fraternelle. Ce qui arrive les dépasse tous deux. L'amour à sa naissance a la cruauté des bêtes sauvages. C'est ainsi, depuis la nuit des temps.

Il importe peu de savoir quels furent les préambules de la conversation du héros avec l'héroïne. Il leur fallait des fauves en amour, de taille à résister à leurs crocs et à leurs griffes.

Robert prend congé de Marcel et disparaît dans la nuit encore jeune, pressant joyeusement le pas à l'idée d'aller retrouver Alejo au Bœuf sur le toit.

2

Après une nuit blanche, Robert emmène Carp prendre un café aux Halles. Un jour crachin et pensif se lève derrière les tours de Notre-Dame. Ils ont étiré la nuit comme on déroule une soie miroitante dans l'atelier d'un grand couturier, envisageant une centaine de robes sans se décider pour aucune. Leurs visages fatigués, aussi blêmes que ce ciel de coton, ont gardé l'empreinte d'un rire qui ne voulait pas finir. Alejo reconnaît que pour ce qui est de la fête, les Montparnos n'ont rien à envier aux Cubains. Mais maintenant, place aux choses sérieuses, ils doivent trouver un emploi à Alejo. À l'instant où il a accepté de le cacher dans sa cabine sur le paquebot qui rentrait en France, Robert a pris un engagement qui ne s'arrêtait pas à la traversée. Il l'héberge dans son atelier en attendant qu'une chambre se libère à l'hôtel du Maine et compte bien lui trouver du travail. La première idée qu'il a eue, c'est un échange de bons procédés : tandis que Robert racontera La Havane aux lecteurs du *Soir,* il fera visiter Paris à son nouvel ami, nourrissant ses chroniques parisiennes destinées aux lecteurs du journal *Carteles.* Robert est devenu expert dans l'art de joindre l'utile à l'agréable. C'est important, quand on vit d'expédients et qu'on ne sait jamais de quoi demain sera fait.

Alejo Carpentier s'est meurtri les pieds sur la piste du Bal nègre, mais il est reconnaissant à Robert d'étancher sa soif de Paris. Et tandis qu'ils cheminent dans la pénombre bleutée, le poète parle sans trêve en allongeant le pas, une pensée accouchant d'une image de laquelle jaillit un souvenir, un vers d'Apollinaire, de Mallarmé ou de Rimbaud, aussitôt balayé par une armée de fantômes. Dans ces rues plongées dans la torpeur de l'aube, Robert voit le Paris enfui de Marville se mêler à celui d'Eugène Atget. Il ressuscite Fantômas, le Paris rouge de la Commune et de Robespierre. Sans nostalgie, il enregistre le passage du temps sur le visage de sa ville. Les fiacres remisés dans les arrière-cours, débités pour faire du petit bois, les métiers disparus, les avenues où bourdonne désormais un trafic incessant d'automobiles et de tramways, les derniers troupeaux de chèvres chassés par le vacarme de la tôle martelée… Dépassant Notre-Dame sur leur droite, ils traversent la Seine par le Pont-au-Change, et Robert confie à Alejo que de tous les ponts de Paris, c'est son préféré :

— Quand je l'emprunte, j'embrasse tout le quartier de mon enfance et je vois la tour Saint-Jacques, qui veille sur moi depuis que je sais marcher. Alors, si tu veux bien, on va commencer par aller la saluer.

Ils frissonnent sous la bruine et accélèrent le pas à l'approche des Halles. Devant eux refluent quelques charrettes halées par des percherons qui suivent une file de camions : les retardataires regagnent la ceinture de banlieues qui nourrit la capitale. Traversant la place du Châtelet en évitant les omnibus et les taxis qui klaxonnent furieusement, ils se rapprochent de la tour dressée dans le gris tel un guetteur de pierre. Les gargouilles les surveillent d'en haut, épiant les appels des porteurs et les cloches de Saint-Eustache.

— Je suis un enfant des Halles, explique Robert en remontant le col de sa veste. Je suis né dans le quartier de la Bastille mais j'ai grandi ici, entre les prostituées et les vendeurs à la criée. Et tu vois, sous la tour, c'est le premier square de Paris. Ma mère m'y emmenait après l'école, souligne-t-il avec une pointe de fierté.

Poussant un portillon, ils pénètrent dans le jardin. Alejo s'extasie : comme elle est étrange dans sa hauteur dissymétrique, avec ses statues de saints et ce bestiaire mythologique qu'on dirait assemblé pour un rituel occulte ! Robert lui montre la coquille sculptée sur la paroi. Vestige de l'ancienne église Saint-Jacques-la-Boucherie, la tour est une étape sur la route de Compostelle. Les alchimistes y cherchent le souvenir de Nicolas Flamel et de son trésor enfoui sous les fondations. Pour les surréalistes, elle est le sémaphore qui ouvre sur d'autres réalités, plus profondes et sibyllines.

— Tu vois ces dragons ? Quand j'étais môme, j'ai vu des hommes les descendre pour les restaurer. La nuit suivante, il m'a semblé entendre leurs ailes de pierre siffler au-dessus de ma chambre…

Tournant le dos à la tour, les deux amis empruntent la rue Saint-Martin, sombre et tranquille à cette heure où dorment les ivrognes et les écoliers. Ce lacis de ruelles noires réveille en Robert l'ennui des soirées familiales, ces infinis compacts où il perçait des galeries en s'inventant des vies sauvages jalonnées de naufrages et de Peaux-Rouges galopant au soleil rasant.

Jouxtant l'église Saint-Merri, un immeuble modeste occupe l'angle de la rue des Lombards.

Là, devant cette porte, je m'arrête.
C'est de là qu'elle partit.
Sa mère échevelée hurlait à la fenêtre.

Robert montre une fenêtre éteinte au deuxième étage :

— J'ai grandi là. Mon père était mandataire aux Halles. Le soir, quand je n'arrivais pas à dormir, je regardais à la fenêtre. Je voyais les hommes accoster les prostituées en bas, sur le trottoir. J'observais leur manège. Ils passaient une première fois, revenaient, hésitants... Une des filles demandait du feu, allumait une cigarette avec un geste sensuel, un dialogue s'engageait. Je trouvais ça mystérieux et fascinant, que pouvaient-ils se dire ?

— Tu t'entends bien avec ton père ? interroge Alejo.

— Ça a été compliqué, longtemps..., sourit Robert. Quelle colère il a piquée quand je lui ai annoncé que je m'arrêtais au certificat d'études ! Je voulais être poète, je n'en démordais pas. Il m'a jeté : « C'est tout ce que tu as trouvé ? Dans ce cas, tu te débrouilleras seul ! » C'était un marché rude, mais honnête. Comment aurait-il pu me comprendre ? Son monde, c'est les Halles, les terriens aux mains larges, les populos qui vont se rincer le gosier après le travail. Mon père est fier d'avoir de quoi nourrir sa famille, d'être arrivé, de serrer la louche au maire d'arrondissement.

— Et de toi, il est fier ? insiste Alejo.

À ses yeux, Robert est nimbé du prestige de ce club

fermé qui a mis le feu à la littérature académique et envoyé rouiller les écrivains établis avec les barbelés des tranchées. Alejo a du mal à concevoir qu'on ne partage pas son admiration pour ces dandys libertaires, et ça amuse Robert car la majorité des gens les voit comme des parasites qui dissipent leur vie dans l'alcool et la fête.

Le poète ferme les yeux sur les repas du dimanche, le ton lapidaire de Lucien Desnos quand il passe son fils à la question, appuyant là où ça fait mal, parce que les rêves et la poésie, c'est bien beau, mais ça ne remplit pas l'assiette. Ces vers obscurs publiés dans des revues confidentielles, qui les lit, qui les achète ?

— Je crois qu'il espère surtout qu'un de ces jours, je vais trouver un moyen sérieux de gagner ma vie !

— Et ta mère, elle aime ta poésie ?

Robert hausse les épaules, jette un dernier regard à la fenêtre éteinte et se remet en marche. De sa mère il n'a rien à dire. Entre eux, l'amour se glisse dans les interstices, quelques notes en sourdine que couvrent les tempêtes du père, un geste tendre, une attention discrète, un plat affectueusement mitonné pour son garçon qui ne mange pas à sa faim.

Tournant dans l'étroite rue Aubry-le-Boucher, Robert raconte le jour où une patrouille de police a arrêté ici même un cordonnier qu'on avait injustement condamné pour proxénétisme. Une fois libéré, Liabeuf était sorti armé d'un revolver et de ses tranchets pour retrouver les deux flics qui l'avaient envoyé au trou et leur faire la peau. Puisqu'il n'y avait pas de justice, il la ferait lui-même. Il avait eu le temps d'y penser en prison, de mûrir sa vengeance. Mais dans cette rue sans histoires, tous les cognes lui étaient tombés dessus et il avait eu beau vendre chèrement sa peau, on l'avait remis entre quatre murs. Les anarchistes l'avaient défendu, des libre penseurs avaient signé des plaidoyers vibrants, on avait manifesté dans Paris... Les bonnes gens n'avaient pas sourcillé.

— Imagine un peu, continue Robert dont les yeux s'embrasent de lueurs fauves : la nuit du trente juin 1910, la guillotine est prête. On attend Liabeuf. L'atmosphère est explosive. Dix mille personnes grondent derrière la haie de flics qui entoure l'échafaud, crient son nom, exigent qu'on le libère. Il arrive sous bonne garde, on le hisse sur la bascule, ses cheveux noirs hirsutes, sa barbe en broussaille, sa chemise blanche dont on a coupé le col. Il a crié son innocence jusqu'au bout, c'était assourdissant, et tout ça s'est terminé en émeute. Quand j'ai entendu parler de lui, Liabeuf a rejoint Fantômas au panthéon de mes héros. Je t'ai parlé de Fantômas ?

Liabeuf ou son fantôme maudissait les menteurs
Du côté de la rue Aubry-le-Boucher.

En arrivant aux Halles, Alejo est saisi par les montagnes de victuailles qui s'entassent sur le carreau, devant les cathédrales d'acier et de verre des pavillons Baltard. Chaque pas est un appel au ventre et ces merveilles narguent sans pitié leur estomac vide : colonnes de carottes et de choux violacés, éboulements d'artichauts, pyramides de fruits juteux dont les couleurs éclaboussent la tristesse du ciel. Autour de cette abondance circule une foule empressée qui discute, soupèse, examine, compare le cours du jour avec celui de la veille, tandis que les vendeuses au détail, vêtues de châles et de jupes rêches, font l'article avec cet accent parigot qui n'a guère changé depuis Gavroche. Robert et Alejo s'écartent devant un groupe de forts des Halles portant ces carcasses écorchées que Chaïm Soutine affectionne pour ses natures mortes. Le peintre les laisse pourrir des jours entiers devant son chevalet malgré les plaintes du voisinage. Chaque nuit, une nouvelle marée de nourriture recouvre le quartier, et son écume vient lécher les trottoirs jusqu'à la porte des bistros d'où s'échappent des éclats de voix, des rires et des notes d'accordéon. Ils s'engouffrent dans un troquet. Il y fait chaud de tous ces gaillards venus se restaurer et lorgner les serveuses qui ne s'effarouchent pas de si peu, et savent remettre en place ceux qui les prendraient pour les pensionnaires de l'hôtel de passe de la rue voisine. Robert a quelques sous en poche, ils commandent deux cafés crème, du pain et du saucisson et s'installent au comptoir, près d'un groupe de bouchers aux tabliers tachés de sang attablés devant un plat de pieds panés.

— Tu vois, explique Robert à Alejo qui se régale du spectacle, ici c'est le cœur de Paris, son poumon et son estomac. Un gars qui débarque un beau matin a de grandes chances d'y trouver du boulot, et même un toit. S'il sait bosser, on l'accueillera sans chercher à connaître ses secrets. Pas vrai Dédé, que j'ai raison ? lance-t-il au patron, un homme rougeaud aux cheveux blancs qui a une cigarette coincée derrière l'oreille.

— Bien sûr que c'est vrai ! J'en connais moi, qui sont arrivés comme tu dis, et qui sont plus repartis ! Y en a qui avaient eu des ennuis avec la police, mais ici tout le monde leur a foutu la paix, du moment qu'ils étaient réglos…

— Il faut quand même tenir, physiquement ! intervient Alejo qui se verrait mal charrier près de deux cents kilos sur son dos. Ils enchaînent combien d'heures chaque nuit ?

— Douze, quatorze heures ? évalue le taulier en haussant les épaules. Mais la plupart de ceux qui sont ici, si vous leur demandez, y vous diront qu'ils aiment le métier. Même s'il est dur. Moi, j'ai bossé en usine. On avait la tête comme un compteur à gaz, avec les machines. Ici, y a pas de patrons, on est libres et ça, ça n'a pas de prix !

Robert sourit, il a dû hériter de cette sagesse populaire son goût d'une liberté qui ne se marchande pas. La fatigue le terrasse brusquement dans la chaleur du bistro. Il peut s'endormir partout, à une table de café, sur un banc, au beau milieu d'une conversation. Il lui suffit de s'absenter, d'entrer dans ces états flottant entre la veille et le sommeil. Ce don fascine André Breton depuis leur première rencontre.

— Je vais rentrer, dit-il en se redressant. Tout à l'heure je rejoins Man Ray pour tourner la dernière scène de *L'Étoile de mer.* Si on ne finit pas trop tard je passerai voir Yvonne.

— Ne t'inquiète pas, lui dit Alejo avec sa délicatesse habituelle, cet après-midi je retrouve quelques amis sud-américains dans le quartier des Abbesses. Je peux y rester pour la nuit, si ça t'arrange.

Robert le rassure : ils se retrouveront rue Blomet, maintenant il connaît le code du cadenas, ROM. C'est le sésame qui déverrouille son petit royaume de poésie et de musique, et c'est ainsi qu'il aime sa tanière : ouverte à tous ceux qui lui sont chers et qui viennent à l'improviste, chargés d'une bouteille de rhum ou d'un vieil enregistrement crachotant de cake-walk à écouter émerveillés. Ou juste les mains vides, joyeux et endiablés.

*

Tandis qu'il marche vers l'atelier de Man Ray, Robert repense à la soirée d'adieux que Man et Kiki ont donnée pour lui avant son départ pour Cuba. Comme elle lui semble loin ! Yvonne était là, ils ont bu des vins délicieux, son amour riait, Kiki a chanté et il a récité des vers de Victor Hugo. Oui c'est ça, il s'en rappelle maintenant, parce que Kiki a fini par lui réclamer gentiment : « Du Desnos, du Desnos ! » Alors il a sorti une feuille froissée de sa poche, dépliant le récit en forme de poème qu'il avait écrit à une table du Dôme. En lisant, il les sentait suspendus à sa voix, il entendait la densité du silence de Man Ray, son excitation. Quand il a terminé, le photographe lui a dit avec son accent inimitable :

— Robert, ton poème c'est un film, tu sais ? *Just the script I was looking for. Nothing to change.*

Se levant pour finir son verre, d'une démarche que l'ivresse rendait chancelante, l'Américain a demandé à Robert s'il l'autorisait à mettre ses mots en images. Kiki applaudissait, ravie :

— Quelle idée merveilleuse ! Je veux participer, Man. Laisse-moi jouer la femme fatale.

Man a hoché la tête en souriant, et Yvonne a souligné qu'avec Kiki la brune, il fallait un blond, pourquoi pas

André de la Rivière ? Et pour jouer l'intrus qui enlève Kiki au héros, qui mieux que Robert lui-même ?

— On va tourner le dernier scène après Cuba, Bob, a réfléchi Man Ray. *Better this way.* Je promets, le film est prêt quand tu reviens.

Ce projet euphorise le poète. Depuis toujours, les écrans de cinéma sont le prolongement de ses rêves. La belle Musidora des *Vampires* et la troublante Pearl White des *Mystères de New York* ont régné sans partage sur ses nuits d'avant Yvonne, et Murnau, dans son *Nosferatu*, n'a-t-il pas inventé la formule magique des déambulations surréalistes ? « Quand il eut passé le pont, les fantômes vinrent à sa rencontre. » Robert n'entend pas limiter sa poésie à un seul support. Pour lui, l'écriture est ce territoire mouvant qui doit se réinventer sans cesse, demeurer une insurrection permanente, une fontaine de lave, des corps joints dans la danse ou l'amour, une voix qui descelle les pierres tombales et proclame que la mort n'existe pas, une expérience sensorielle. En cela, il se sent proche de Man Ray, qui ne conçoit pas de tourner un film où les scènes s'enchaîneraient logiquement, et propose un poème filmé à l'inconscient du spectateur.

La porte de l'atelier de la rue Campagne-Première s'ouvre sur un désordre de toiles entassées contre le mur, d'objets déroutants, de lampes de toutes les tailles et de matériel photo. Le soleil, qui a fini par se frayer un passage à travers les nuages, joue avec les formes géométriques et caresse les rondeurs d'une statuette africaine en bois verni. Robert décèle à certains signes que Kiki et Man viennent de se disputer : le trait de kôl hésitant sous les yeux de biche de la jeune femme et son rouge à lèvres qui bave légèrement. Quand leur relation est au beau fixe, Man la maquille lui-même, soulignant avec soin les contours de sa bouche dont il assortit le rouge à la couleur de ses paupières, qu'il farde de cuivre, de bleu roi, d'argent ou d'opale selon son humeur. Certaines nuits, le visage de Kiki a l'aspect intimidant d'un masque nô. Robert est habitué à leurs conflits passionnés suivis de réconciliations ferventes. Kiki et Man, c'est un amour fou entre une tornade affectueuse et un artiste qui dissimule ses passions derrière un calme flegmatique. Mais Robert connaît assez Man Ray pour savoir que sa froideur recèle de fortes amitiés, une jalousie d'amadou, un cœur prompt à saigner.

Kiki saute au cou de Robert et les yeux de hibou de Man s'éclairent. L'Américain cultive une élégance nonchalante faite de pantalons à pinces et de chemises blanches, et de ces cravates sages qui lui donnent l'air d'un vieil étudiant de Harvard.

— *Here you are!* s'exclame-t-il. On pensait que tu ne rentrerais jamais !

— Je rêve ou tu es bronzé ? s'interroge Kiki en l'observant avec une attention mutine. Mais oui, tu es superbe ! As-tu ramené une belle Cubaine dans tes bagages ?

— Non, un Cubain ! répond Robert d'un ton pince-sans-rire.

Il s'amuse de leurs mines perplexes et leur raconte sa rencontre avec Alejo et comment il a décidé, au moment des adieux, de le cacher dans sa cabine.

— Il venait de passer plusieurs mois enfermé au Prado, la prison politique. Le gouvernement cubain ne l'aurait pas laissé partir, il n'avait même pas de papiers. J'ai opté pour une solution plus radicale ! J'ai donné à Alejo ma carte de presse et mes documents de congressiste. Il est monté sur le paquebot avant moi et s'est glissé dans ma cabine. Quand est venu mon tour d'embarquer, j'ai prétendu que j'avais perdu mes papiers et demandé à mes collègues de confirmer mon identité. Nous avons attendu d'être hors des eaux territoriales cubaines pour aller voir le subrécargue. Il n'était pas ravi, mais que pouvait-il faire, avec tous ces journalistes à bord ? Alejo avait prévenu des amis à Paris qui lui avaient déjà obtenu un visa d'entrée en France, il demandait l'asile politique… Finalement tout s'est bien terminé !

— Quel chic type tu fais ! dit Kiki en l'embrassant sur la joue, l'enveloppant de son parfum poivré.

Elle en profite pour lui murmurer à l'oreille :

— Man est d'une humeur de chien, ça fait des semaines qu'il ne dort plus pour tenir sa promesse !

Cette information contrarie Robert. Man Ray, qui travaille comme un forçat pour honorer ses commandes tout en nourrissant son œuvre personnelle, n'avait pas besoin de cette pression supplémentaire.

— Ok, tout est dans le boîte, lui annonce Man avec satisfaction, il ne manque plus que le dernier scène avec toi, Bob ! *Are you ready ?*

— Bien sûr ! s'exclame Robert. Tu as réussi à finir à temps ? C'est incroyable !

— Oui, j'ai fini, et j'ai des idées pour le musique, je te fais écouter tout à l'heure, répond le photographe en déplaçant un grand projecteur, et une ombre de sourire traverse ses yeux noirs. Dans le scène où Kiki se déshabille, pour passer la censure j'ai couvert l'objectif avec de la gélatine fondoue. Tu vas voir, *I think its interesting !* Ok, on y va, *the others are supposed to meet us in Montmartre.*

La Voisin de Man Ray est une merveille d'automobile dont la carrosserie jaune citron étincelle dans le soleil qui éclabousse les murs lépreux des immeubles, couverts d'affiches à l'effigie du Bébé Cadum ou des peintres de Ripolin. Au sein du groupe surréaliste, Man est l'un des seuls à pouvoir se payer une voiture de ce genre, et l'ironie veut que ce soit grâce à ces travaux photographiques qu'il méprise, n'accordant de valeur qu'à sa peinture. Tandis qu'ils démarrent en trombe, abandonnant Montparnasse et les terrasses du Dôme, de la Coupole et du Select plongées dans une oisiveté paresseuse, les pensées de Robert roulent au rythme de la Voisin que Man Ray conduit avec une sorte d'impatience rageuse. À tombeaux ouverts, songe-t-il, comme cette expression est belle, en parfaite harmonie avec cette phrase qu'il a écrite pour ***L'Étoile de mer, Il faut battre les morts quand ils sont froids.***

De ***tombeaux*** à ***morts*** et à ***froids***, sa pensée cruelle glisse vers Yvonne dont la tuberculose s'aggrave. Il la voit allongée dans le cabinet secret où elle a suspendu des maquettes de bateaux en bouteilles, car c'est de là qu'elle appareille pour ses contrées lointaines. Il lui suffit d'allumer sa pipe et de laisser l'opium l'emporter plus loin que la brûlure de ses poumons, plus loin que les mensonges qu'elle se raconte pour supporter ce qui la tue, plus loin que l'amour de Robert. Elle y tient, à cet amour, même si elle ne le lui rend pas, hormis ces miettes qui lui échappent par inadvertance, poussières d'étoile qu'il recueille précieusement et qui éclaireront quelques nuits solitaires, peut-être davantage s'il est économe.

Il revoit le masque d'angoisse sur le visage de René Crevel, l'autre soir, au Bœuf sur le toit. René sent approcher la mort d'Yvonne dans sa cage thoracique. Ils partagent le même mal, jumeaux tuberculeux reliés par le sifflement des bronches, le souffle court, le goût du sang. René regarde la mort en face et l'apprivoise au long de ses séjours dans les sanatoriums, de ses nuits d'écriture. Yvonne la fuit dans l'étreinte de l'opium ou de la cocaïne, en s'oubliant dans le chant, les bras de ses amants et de ses maîtresses. Et Robert, que dit-il à la mort ? Il lui enjoint d'être douce si elle doit prendre Yvonne, comme une chanson de marin entraînant dans son sillage le vent du large, le grincement des cordages, les tatouages sentimentaux, le claquement des voiles.

Mon cœur bat l'extinction des feux,
Mes yeux sont la nuit.
Je veille mes lendemains avec anxiété.

Se disputant avec sa compagne sur la route à prendre, Man Ray en vient à des allusions perfides sur les nouvelles fréquentations de Kiki, auxquelles elle répond vertement qu'elle ne peut pas passer ses soirées à attendre qu'il ait photographié toutes les grues de Paris :

— N'est-ce pas, Robert ? J'ai une tête à attendre comme une nonne que monsieur le grand photographe ait fini de tirer le portrait de ces perruches ?

— Ah non, personne n'oserait te traiter de nonne !

sourit Robert, qui ajoute : Il faudrait savoir, ce sont des grues ou des perruches ? Parce que ce n'est pas la même chose.

Kiki éclate de rire :

— Il a les deux dans sa galerie ! Man n'est pas regardant, du moment qu'elles paient. Et après, il me reproche mon amitié avec Henri Broca !

— *That high-hat prick is getting on my nerves !* siffle Man entre ses dents.

— Traduction ? le coupe Kiki qui comprend juste assez d'anglais pour flirter avec les Américains qui enquillent des whiskies au Dingo Bar.

— Man ne se sent aucune affinité pour Henri Broca, et préférerait que tu aies trouvé un autre éditeur pour tes souvenirs, traduit Robert tandis qu'ils traversent la place de la Madeleine et manquent d'écraser une élégante aux bras chargés de paquets.

— Ah oui ? Il en a de bonnes ! Je suis déjà bien contente d'avoir trouvé un éditeur, moi ! Et au moins il est drôle, Henri ! Et distrayant ! Ça me change…

Robert a pour Kiki une affection indéfectible, mais elle ne résiste jamais à la provocation et il comprend que Man aspire parfois à un peu de repos. Quant à Henri Broca, le directeur de *Paris-Montparnasse*, il n'a rien d'un mécène et vu sa manière de dévorer Kiki du regard, il n'entend sans doute pas se limiter à ce projet éditorial. Il y a quelques jours, n'a-t-il pas fait paraître dans son journal une caricature de Kiki en matrone gironde, traînant derrière elle un petit Man Ray aux yeux sévères ? La légende était à l'avenant : « N'ayant pas trouvé un Pékinois à son goût, Kiki adopta le doux Man Ray, qui tâche à lui rendre la vie facile, et a bien raison. » Voilà qui a dû aller droit au cœur de l'intéressé. Quand ils arrivent au croisement de la rue des Saules, Jacques-André Boiffard, l'assistant réalisateur de Man Ray, et André de la Rivière les y attendent avec une partie du matériel. Man Ray tournera la scène avec une petite caméra à main que Robert admire pour sa légèreté et son élégance. L'Américain a tellement aimé l'effet de flou créé par la gélatine sur l'objectif qu'il veut s'en servir pour la dernière scène du film. Et Robert se dit que ce flou lui va bien, à lui qui ne s'est jamais trouvé beau. Les spectateurs ne distingueront à l'écran que les contours de son visage, et seront libres de l'imaginer plus séduisant qu'il n'est. Sinon, songe-t-il, il ne serait guère crédible que Kiki le préfère à André de la Rivière, ce grand blond dont la beauté régulière n'a rien à envier à celle de Max Ernst !

Pendant que Man et Jacques-André s'entretiennent de l'aspect technique de la scène, Kiki confie à Robert que Man lui échappe. Dans le travail, dans ces silences prolongés qui érigent un mur entre les amants, ces petits secrets qu'ils ne partagent plus, ces fous rires et ces connivences qu'ils peinent à retrouver. Man ne manifeste ses sentiments que par de soudaines bouffées de jalousie, mais la jalousie n'est-elle pas l'amertume qui reste quand tout ce qui était doux s'est étiolé ?

— Tu sais comment il est, tempère Robert. C'est un bourreau de travail, il lui faut de la tranquillité, de la concentration… Et toi tu le bouscules, tu ne le laisses jamais en repos.

Kiki secoue la tête avec une moue impatiente :

— Oui, c'est vrai, mais c'est pour le faire réagir. Il est si froid, Robert. Ça me brise le cœur. Il n'a jamais été du genre à faire de grandes déclarations, mais à sa façon de me toucher ou de me regarder, je sentais qu'il était fou de moi. Maintenant il se conduit en propriétaire ! Comme si je pouvais supporter ça, moi, un propriétaire !

— Tu es si impulsive, ma Kiki, lui murmure Robert avec un sourire. Sois un peu patiente, essaie d'être gentille, pour voir. Donne-lui une chance de revenir vers toi.

La jeune femme lui sourit à son tour de ses grands yeux noirs et brillants, ses yeux de petite fille sentimentale déguisée en vamp :

— D'accord, d'accord. Je vais essayer Robert, mais je te préviens, s'il ne revient pas presto, je le planterai là, j'attendrai pas mille ans. La vie est trop courte !

Un peu plus tard, Man Ray filme sa compagne en train de marcher seule au milieu de la rue, dans la lumière dorée de l'après-midi. Au moment où la haute silhouette d'André de la Rivière vient la rejoindre et qu'il lui prend la main, on dirait le *happy end* d'une comédie romantique, lorsque les malentendus se dissipent et que les nuages s'écartent du chemin des amants. Ils se parlent doucement et comme l'a voulu Man, ce qu'ils se disent n'appartient qu'à eux. C'est à cet instant que Robert surgit, posant sa main sur l'épaule d'André avec l'insolence naturelle d'un voleur de femmes. Il s'approche de Kiki, l'enlace et l'enlève, c'est aussi simple que ça, un forfait qui laisse le héros interdit. Et Man Ray cadre en gros plan le visage flouté de l'homme, son expression incrédule, dépitée.

Quand Robert reverra la scène, le jour de la première

du film au Studio des Ursulines, il sera frappé par ce que Man a mis de personnel dans ce film : le délitement d'une passion solaire, ce lien charnel qui se distend jusqu'à se perdre. Et parce que *L'Étoile de mer* est à mi-chemin entre Man et lui, il réalisera que le hasard qui lui a fait jouer le rôle du ravisseur amoureux, lui qui en a si peu l'expérience, avait comme toujours une valeur prophétique.

Ma plume est une aile et sans cesse, soutenu par elle et par son ombre projetée sur le papier, chaque mot se précipite vers la catastrophe ou vers l'apothéose.

3

Entre les rideaux d'Yvonne George bruisse une nuit languide et parfumée, une nuit d'arbres frissonnants, d'ombres chinoises surprises par les phares d'une Hispano-Suiza, de promeneurs attardés et de chuchotements tendres. Le calme de Neuilly surprend toujours Robert, lui qui habite une rue où les coups de marteau se mêlent aux vociférations des ivrognes. Dans la cour, une usine de construction mécanique met son moteur en marche dès sept heures du matin. Robert s'est habitué à ce bruit qui évoque la sirène d'un paquebot et a fini par le bercer, donnant une couleur maritime à ses rêves. Il y a aussi l'hôtel d'en face, un meublé minable d'où s'échappent jour et nuit les hurlements d'enfants maltraités et de couples qui s'entretuent. Le miaulement des chats de gouttière, les fêtards égarés, la voiture du laitier, le crissement des freins, les descentes de police… En comparaison, le quartier d'Yvonne est une oasis immobile dont rien ne vient troubler le luxe discret et la possible volupté.

Son appartement, où règne la désinvolture de ceux qui vivent dans un lieu comme s'ils y étaient de passage, ouvre sur un jardin qui embaume dans le noir. Quelques pièces en enfilade, un long divan où les chats d'Yvonne font leurs griffes, une paresse orientale, un blues langoureux échappé d'un gramophone, un flacon de fine débouché sur la table basse, et des visiteurs trop nombreux au goût de Robert. Yvonne n'est jamais seule, et il doit composer avec cette cour qui la flatte et l'entoure d'attentions asphyxiantes.

J'appelle à moi les tornades et les ouragans
les tempêtes les typhons les cyclones
les raz de marée
les tremblements de terre

La fraîcheur s'attarde dans ce bras de nuit qui se dissout lentement dans la brume de l'aube. La plupart des fâcheux sont partis, les derniers s'éternisent dans le cabinet secret : Lily, son habilleuse-amante, est plongée dans la dérive solitaire des fumeurs d'opium. Un imprésario collant et obséquieux occupe le deuxième divan en équerre, vaincu par la drogue. Baignés par une lueur douce sur deux nattes côte à côte, Robert et Yvonne flottent dans le seul espace où il parvient à la rejoindre, l'opium aidant. De ses yeux mi-clos, elle le regarde avec cette mélancolie qu'efface par instants un sourire radieux. Son visage émacié perd son rayonnement. La tuberculose et l'opium se disputent les reliefs de sa beauté. Il ne restera bientôt plus rien de cette reine de la scène qui tient Paris dans le pouvoir de sa voix. Dans son souffle, Robert guette le râle, la toux chaotique, les gouttes de sang sur l'oreiller.

Coucher avec elle
Pour l'aurore partagée

Pour le minuit identique
Pour les mêmes fantômes

— Pendant que tu étais à Cuba, murmure Yvonne en tendant vers lui ses longs doigts graciles dont les bagues jouent avec la lumière, j'ai eu peur de te perdre. Tu étais si loin, tout à coup…

— Tu étais avec moi, là-bas, répond Robert doucement. Tu ne me quittes jamais.

Il caresse ses doigts, les retient. Elle les lui abandonne un instant puis sa main lui échappe, se replie sur son ventre amaigri que l'on devine à travers la soie du peignoir.

— Tu as dû rencontrer de belles filles. Tu m'as sans doute oubliée, quand tu étais avec elles.

— Quelle importance ? sourit Robert. Pour t'oublier, il faudrait que je m'oublie moi-même.

— Ils veulent que je donne une série de concerts à l'Olympia, murmure Yvonne. C'est Jean qui est derrière tout ça. Il dit que ce serait bien, avant que je parte en cure. Et toi, mon poète, qu'en penses-tu ?

Robert fronce les sourcils à la mention de Jean Cocteau. Sa virtuosité, son côté touche-à-tout et cette propension à tourner casaque ajoutent à l'agacement qu'il provoque. Cocteau fait partie du cercle des intimes d'Yvonne, il le côtoie depuis des années et cette proximité forcée s'ajoute à toute l'eau de mer qu'il doit avaler pour aimer cette femme. Mais s'il est honnête, il doit reconnaître que la haine qu'il ressentait hier pour l'une des têtes de turc favorites du groupe surréaliste s'est dissoute dans un sentiment plus mélangé, maintenant qu'il le connaît et le fréquente. Yvonne les réunit, même si Robert s'en défend. Avec René Crevel et Henri Jeanson, ils appartiennent à cette garde rapprochée qui aime Yvonne jusque dans ses vacillements, son égoïsme et sa cruauté.

— Si tu t'en sens capable, cela fera patienter tes admirateurs jusqu'à ton retour…, répond-il après un silence.

Il lui suffit de lire cette soif dévorante dans ses prunelles pour deviner qu'elle ne chantera plus, que ces concerts seront les derniers avant que cette course mortelle entre la maladie et la drogue ne s'achève. Le corps d'Yvonne est un champ de bataille où la victoire des ténèbres est déjà scellée. L'opium étend sur toute chose une douceur compréhensive. Même la violence de la mort en paraît capitonnée.

— C'est vrai, tu as raison, ça les fera patienter. Je risque d'en avoir pour des mois, entre la cure et le sanatorium. Tu crois que j'arriverai à chanter tous les soirs pendant une semaine ? Je me sens si lasse…

Robert lui saisit doucement le poignet et caresse cet endroit vulnérable où la peau semble toujours plus nue :

— Si tu n'en as pas la force tu arrêteras, ma chérie. On dira que tu es souffrante. Et puis je serai là pour t'accompagner, et le public te donnera l'énergie dont tu as besoin.

Il songe à tout ce qu'il a risqué pour elle. Ses nuits d'errance dans Paris à la recherche d'un fournisseur, sa fuite effrénée, un soir, dans les ruelles obscures derrière la place Clichy, pour échapper au coup de filet de la police passage Lathuille. Cette conversation périlleuse avec un ami flic à la Brigade mondaine qui était venu l'attendre à côté des locaux du *Soir*, les coups de gueule du docteur Théodore Fraenkel, inquiet de le voir s'intoxiquer par amour, la réprobation d'André Breton. Depuis qu'il a été foudroyé par Yvonne au Bœuf sur le toit, cet amour a tout exigé, tout consumé de lui.

Tout son corps ne sera qu'une proie décevante
Pour les fausses amantes et pour les faux amours
Et sans pitié
L'amant le véritable sacrifiera tout pour celle qu'il aime

— Nous avons été si heureux, n'est-ce pas ? sourit Yvonne et son regard brillant contemple des souvenirs dorés par l'opium. Depuis que nous sommes amis, ne t'ai-je pas comblé ? N'as-tu pas rencontré des gens passionnants ? Tu ignorais la volupté de fumer ensemble, quand l'esprit voyage à la vitesse de la lumière et que les âmes se parlent sans intermédiaire.

— C'est vrai, concède Robert, mais j'aurais tout donné pour que tu m'aimes.

Yvonne pose son index sur ses lèvres :

— Non, pas de ce mot entre nous. Il gâche tout, tu ne vois pas ? Ce moment, cette nuit… Tu es mon frère et mon plus tendre ami, pourquoi exiger davantage ? Regarde, le jour est là. Tu entends les oiseaux ? Je les ai nourris tout l'hiver, maintenant ils viennent par centaines sous mes fenêtres. J'espérais des mouettes, je les aime tellement, mais on est trop loin de la mer ici.

Robert se lève comme si on l'avait giflé. Yvonne redresse à demi son corps engourdi, et battant des cils, s'alarme :

— Tu pars déjà ? Reste encore !

— Je dois aller travailler, dit-il sèchement.

— Mais il est encore tôt. Quand reviendras-tu ? Ce soir ?

Robert jette un regard froid aux fumeurs assoupis. L'odeur puissante et écœurante de l'opium sature l'espace de ses arômes de chocolat grillé. La petite pipe chinoise d'Yvonne brûle encore sur le bord du plateau laqué, près de la lampe remplie d'huile. Il regarde son Étoile allongée devant lui, ce corps qui sans cesse se dérobe et se refuse, acceptant d'autres bouches des baisers de toute espèce. L'amertume mêlée à la fumée lui remonte dans la gorge.

J'ai tant rêvé de toi qu'il n'est plus temps sans doute que je m'éveille.

— Ce soir je ne peux pas, répond-il avec plus de douceur.

Il se penche pour l'embrasser sur les lèvres, un de ces baisers qu'elle lui octroie quand elle sent qu'il s'échappe. Sa langue glisse sur la sienne comme pour lui faire entrevoir un horizon défendu. Mais quand il essaie d'aller plus loin, elle l'arrête.

Il referme doucement la porte de cette fumerie clandestine où il a passé bien des heures, sans jamais laisser l'opium l'asservir. Il ne fume qu'ici et arrive très bien à s'en passer. S'il accepte la tyrannie de l'amour, pour tout le reste, il est un poète sans dieu ni maître.

Hélant un taxi sur le boulevard, il sent que sa patience envers elle s'est usée. Cette pointe de lucidité est balayée par le remords de l'avoir trouvée si diminuée. Son regard aux abois, profondément cerné, est la proie des ombres. Il l'emporte avec lui.

J'ai tant rêvé de toi que tu perds ta réalité.

*

Dans la cour du 45 rue Blomet, un attroupement de félins accueille Robert avec force miaulements. Il les engueule, les repousse et les caresse d'un même mouvement, saluant au passage André de la Rivière, son voisin, qui rentre chez lui après une nuit bien remplie. Tout en ouvrant le cadenas de son atelier, il attrape son courrier dans la boîte aux lettres et grimace en reconnaissant l'écriture d'André Breton sur le dessus de la pile.

Il n'y a pas si longtemps, il décachetait ses lettres avec une excitation impatiente. Mais aujourd'hui, si André lui écrit c'est sur un ton subtilement comminatoire, lui expédiant des questionnaires à remplir, des questions fermées, des invitations pressantes à s'engager plus avant dans « l'action directe au service de la Révolution », entendre le communisme. Lorsque Robert ne se rend pas au rituel sacro-saint de l'apéritif à la brasserie Radio, Breton le note et cela vient nourrir les griefs accumulés contre lui. Et plus il le rappelle à l'ordre, plus le poète s'éloigne de ces injonctions, de cette insistance à obtenir de lui des garanties de surréalisme. Robert estime qu'il n'a rien à prouver. Il était surréaliste avant la naissance du mouvement. André Breton n'a-t-il pas écrit de lui qu'il était celui d'entre eux « qui, peut-être, s'était le plus approché de la vérité surréaliste » ? Il voyait en lui un prodige « parlant surréaliste à volonté ». À l'époque, Robert explorait le continent des sommeils, ces états seconds depuis lesquels il écrivait ou dictait des équations poétiques qui les suspendaient tous à ses lèvres.

Pourquoi votre incarnat est-il devenu si terne, petite fille, dans cet internat où votre œil se cerna?

La formule magique de ces jeux de mots étourdissants tenait en deux mots: Rrose Sélavy. Il avait emprunté ce personnage à Marcel Duchamp qui l'avait créé à New York. Rrose Sélavy était devenue sienne, épousant ses obsessions et son humour, son anticléricalisme, sa sensualité et ses réflexes libertaires. Robert n'avait qu'à s'endormir pour se glisser dans les pas dansants de Rrose. Telle la fée verte qui phosphore au cœur de l'absinthe, elle ouvrait de son nom des mondes souterrains, enivrants et sulfureux.

Oubliez les paraboles absurdes pour écouter de Rrose Sélavy les sourdes.

Quatre ans plus tard, les réunions du groupe surréaliste tournent trop souvent au procès de l'un d'entre eux, Breton cumulant les rôles de procureur et de juge. Ils ont exclu Antonin Artaud et viennent de radier Philippe Soupault, pourtant l'un des « Mousquetaires » du mouvement. Il se dégage de cette parodie de justice un relent d'autoritarisme qui attriste Robert autant qu'il l'enrage. Comment les surréalistes ont-ils pu laisser leur liberté sauvage se figer sous la forme d'un Comité de salut public ? Robert a beau avoir un faible pour Robespierre qui réunit ses deux prénoms, Robert et Pierre, il n'aime pas voir Breton se transformer en accusateur.

Les chats s'égaillent dans l'atelier inondé de lumière. Robert leur verse le lait déposé devant sa porte. Pendant qu'ils sont occupés à laper, il s'assied sur le bord de son lit, met ses lunettes et décachette la lettre. Mais à mesure qu'il lit, son visage s'empourpre de colère.

Croisant Youki Foujita, André Breton a appris de sa bouche que Robert s'était mal conduit à son encontre, et il trouve ça inadmissible. Inadmissibles, les plaisanteries scabreuses sur l'araignée en papier et sur le Club des Buveurs de sperme en présence d'une dame. Inadmissible surtout, cette manière provocatrice de flirter avec la maîtresse d'un autre surréaliste, qui s'en est offusqué à juste titre. Inadmissibles enfin, les mots employés pour parler du groupe surréaliste et de leurs sujets de préoccupation du moment. Robert aurait évoqué sa relation surannée avec le chef du mouvement surréaliste, et ce mot « suranné », si blessant, est venu réveiller des motifs de discorde plus anciens. Comme ce journalisme que Robert s'obstine à pratiquer pour gagner sa vie, galvaudant son talent avec la presse bourgeoise au risque de discréditer sa démarche surréaliste. André estime qu'entre eux, les incompréhensions sont allées croissant et que l'heure est venue de couper les ponts. En fin de lettre, il rappelle son affection profonde, et souligne qu'il lutte depuis des mois pour préserver ce lien qui se distend, qu'il a fait quantité d'efforts dans ce sens, efforts non payés de retour. Rompre cette « relation surannée », n'est-ce pas ce que souhaite Robert ? Breton est navré d'en arriver là, mais il ne voit pas d'autre solution.

Robert n'en croit pas ses yeux, il relit les lignes

en forme de couperet, l'écriture élégante, pressée, la signature qui ressemble au paraphe d'une lettre de cachet. Comment Breton ose-t-il lui faire la leçon de cette manière, lui qui ne voit aucun inconvénient à coucher avec la maîtresse de son ami Emmanuel Berl ? Cette tartufferie l'amuserait s'il n'en était victime. Et ce falot de Noll qui est allé rapporter au maître... Comme si Robert n'avait pas mieux à faire que de lui voler cette reine de Montparnasse ! Il revoit Antonin Artaud le jour de son éviction, ses yeux étincelants où s'attardait un rire moqueur. Il froisse la lettre et l'envoie rouler derrière une grande toile de Picabia. Ils ne veulent plus de lui ? Eh bien ça tombe bien, parce que lui ne veut plus d'eux. Je vous salue, messieurs.

Vous avez le bonjour,
Le bonjour de Robert Desnos, de Robert le Diable, de Robert Macaire, de Robert Houdin, de Robert Robert, de Robert mon oncle,

Il ouvre la deuxième lettre. C'est un message de Man Ray, qui a retenu le Studio des Ursulines pour la première de *L'Étoile de mer*. Il joint à son courrier une première liste d'invités. Robert la parcourt et raye tous les noms des surréalistes, à commencer par celui de Breton. Et pour que Man comprenne qu'il ne s'agit pas d'une erreur, il rajoute dans la marge : « Je ne veux aucun surréaliste à la première du film. À l'exception de nous deux. » Il imagine l'expression perplexe de Man quand il lira ces mots qu'il a pris soin de souligner. Avisant une photo d'André Breton prise par Man Ray sur le coin de sa table, il saisit son coupe-papier et la transperce par le milieu, droit entre les deux yeux.

*

Lorsque Robert pénètre dans le bar de la Coupole, il est cinq heures et l'endroit est encore désert. Il vient régler son ardoise à Bob, le barman. Il aime bien ce grand type au parler pointu en veste blanche et nœud papillon, passé maître dans l'art de l'impertinence pince-sans-rire. Depuis l'ouverture de la Coupole, cette soirée mémorable du 20 décembre 1927 où le champagne a coulé jusqu'à l'aube sous les fresques des Montparnos, Bob a été le témoin complice et discret d'innombrables conversations flambées au rhum ou au whisky, de rencontres explosives ou enchantées, d'amitiés scellées dans l'alcool, de contrats inespérés arrachés à la camaraderie d'un instant... Ce qu'il sait l'aurait fait embaucher illico par Joseph Fouché. Qualité rare, Bob sait tenir sa langue et on raconte qu'il a déjà accumulé assez de pourboires pour s'acheter une maison à Versailles.

Comme le poète n'a pas ses lunettes, c'est en arrivant à hauteur du bar qu'il remarque la jeune femme qui sirote un porto au comptoir, ses cheveux courts serrés sous un chapeau cloche, sa jupe soulignant le galbe de ses jambes croisées. Quand elle lève les yeux vers lui, il reconnaît la compagne de Foujita.

— Bonjour, Robert Desnos, lui dit-elle avec un sourire mutin. Voulez-vous vous joindre à moi ?

Il lui sourit en retour et vient s'asseoir près d'elle.

— Vous avez déchaîné sur moi les foudres d'André

Breton ! lui déclare-t-il avec un pétillement dans l'œil. Il exige le divorce, et à cette heure il a déjà dû interdire aux surréalistes de me serrer la main s'ils me croisent dans la rue.

Le beau visage de Youki se trouble aussitôt :

— Mon Dieu, c'est à ce point ? Je suis désolée. Marcel Noll était si contrarié l'autre soir que j'ai voulu faire de l'esprit à vos dépens, pour vous rendre la monnaie de votre pièce. Quand j'ai vu qu'André Breton le prenait si mal, je lui ai dit que je plaisantais, et qu'il en fallait bien plus pour me choquer ! Je pensais que l'affaire n'irait pas plus loin.

Robert la regarde avec la mine d'un gamin qui a quelques bêtises d'avance.

— Ah, vous pouvez être fière, tiens... C'était ma vie, ce groupe. C'est bien simple, je songe à abréger mes jours. Bob, as-tu une corde à me prêter ? J'ai laissé la mienne à Soutine, il en avait besoin pour traîner une carcasse pourrie jusqu'à son atelier.

— J'en ai une, dit Bob sans sourire, mais elle a déjà servi à deux pendaisons. Je ne garantis pas la solidité.

Youki éclate de rire.

— Bon, vous n'allez pas laisser madame boire toute seule, quand même..., souligne le barman.

— C'est vrai, et puis ça aggraverait sa mauvaise opinion de moi. Sers-moi donc un porto, va.

Robert trinque avec Youki qui l'observe attentivement avant de s'exclamer :

— Vous avez des yeux magnifiques. On vous le dit tout le temps, non ? Quand vous souriez comme ça, on vous donnerait le bon Dieu sans confession. Dans le fond, vous n'êtes pas si insupportable.

— Moi ? Je suis très gentil, répond doucement Robert qui s'attendrit sous son regard.

— Et ce voyage ? Vous ne m'en avez rien dit.

Il évoque Cuba, la forteresse d'El Morro étincelant dans le soleil levant, les docks, la ville blanche, ses larges avenues de pierre et d'asphalte. Il la fait rire en caricaturant les invités du congrès de la presse latine, ces pingouins vaniteux flattés d'être l'objet de toutes les attentions d'un dictateur.

— Machado avait intérêt à nous dorloter ! Il espère emprunter une forte somme à la France pour redresser la situation économique de son pays. Il voulait nous en mettre plein la vue : hôtel somptueux, déjeuners créoles, combats de coqs, réceptions clinquantes… Pour ma part, j'ai préféré découvrir le vrai visage de La Havane.

Il parle d'Alejo Carpentier, de ses amis du groupe Minoriste qui ont tous tâté de la prison politique, de cette jeunesse pauvre mais triomphante qui ne sépare pas l'engagement de la vie. Il raconte les danseuses de *son* et de biguine, leur grâce envoûtante. Il recrée pour elle l'atmosphère des petits villages du bord de mer, les lampions dans la nuit, les bals jusqu'à l'aube. Youki l'écoute passionnément et quand il s'arrête pour siroter quelques gorgées de porto, elle ne peut contenir son enthousiasme :

— Vous êtes un merveilleux conteur, Robert. Il faut que je vous présente Foujita, il va vous adorer ! Venez dîner chez nous ce soir, on fera une petite dînette improvisée. Vous verrez, notre maison est délicieuse.

Robert ne songe pas à refuser. Devant le charme de Youki, il n'est que reddition souriante, et imaginer la rage de Breton et de Noll ajoute un piment supplémentaire à son trouble. Ils se quittent réconciliés et lorsque Robert retrouve Henri Jeanson et Alejo Carpentier dans un café des boulevards, il est ensorcelé.

— Mais enfin, tu ne connaissais pas Youki ? le coupe Henri Jeanson, avec une moue sceptique. Tu l'as vue partout, voyons. Tiens, le jour où tu as entendu Yvonne chanter au Bœuf pour la première fois, tu m'as dit qu'à la table des Japonais, les filles faisaient trop de boucan, tu te souviens ? La plus bruyante, c'était Youki ! Et à l'ouverture de la Coupole, elle a chanté *La Madelon* en canon avec Pascin en finissant les verres…

— Donc si je comprends bien, jusqu'ici tu la croisais partout mais tu ne la voyais pas, et maintenant tu ne vois qu'elle ? Décidément, les poètes ne font rien comme tout le monde ! observe Alejo Carpentier.

— Eh bien, peut-être…, murmure Robert. Peut-être n'avons-nous pas arrêté de nous croiser sans nous voir. Mais se voir et se rencontrer, c'est différent ! Et là, aujourd'hui, je vous annonce que j'ai rencontré cette femme. À partir de maintenant, elle est unique et inoubliable.

Ses amis éclatent de rire et lèvent leurs bocks de bière à Robert et à son goût des amours impossibles. Jeanson leur raconte que lorsqu'il a fait la connaissance de Youki, elle s'appelait Lucie, et vivait seule à Paris après avoir perdu coup sur coup ses parents et la grand-mère qui l'avait élevée. Dans cette avalanche de malheurs, elle avait eu la chance d'hériter d'une coquette somme qui lui avait permis de monter à Paris.

— C'était déjà un beau brin de fille. Joyeuse, fêtarde, aimant les hommes et l'amour, elle ne s'ennuyait jamais !

C'est Foujita qui l'a baptisée Youki. Je crois que ça veut dire pétale de rose en japonais.

— Mais ça ne t'embête pas qu'elle couche avec Marcel Noll ? interroge Alejo qui en bon Latin n'aime pas partager.

Robert vide son verre en souriant :

— Pas du tout. Je vois la chose comme temporaire. Qui pourrait coucher longtemps avec Noll ? Il est fade et on ne peut pas dire que sa conversation fasse voyager loin !

— Ah, Robert, tu es dans de beaux draps ! le coupe Jeanson dont le visage incroyablement mobile conserve quelque chose de l'enfance. Yvonne va être jalouse.

— Yvonne est mon amour fou, répond Robert avec gravité. Les femmes passent dans ma vie et elle demeure, depuis ce jour de novembre où tu m'as entraîné au Bœuf sur le toit pour l'écouter chanter. Rappelle-toi, je ne voulais pas y aller, à cause de Cocteau.

— Je me souviens très bien, répond Henri. Si j'avais pu me douter que tu en prendrais pour perpète… J'y aurais réfléchi à deux fois !

Robert ne s'en offusque pas. En ami sincère, Henri s'inquiète de le voir souffrir depuis quatre ans les mille morts d'un amour sans issue. Comment pourrait-il comprendre que cette souffrance lui est chère ? Au contact d'Yvonne, son cœur de charbon est devenu diamant. Ces épreuves n'ont pas été vaines, elles l'ont forgé. Comment pourrait-il en regretter une seule ?

Jamais d'autre que toi en dépit des étoiles et des solitudes

*

Le square Montsouris est une petite rue pavée et pentue, bordée de constructions Art déco noyées sous la verdure qui abritent une colonie d'artistes. Le parc est leur jardin d'agrément. Tsuguharu Foujita, qui vit aujourd'hui très confortablement de sa peinture, voulait se rapprocher de Montparnasse. C'est une maison de trois étages avec un grenier et une terrasse. Youki la lui fait visiter en attendant le peintre, qui s'est retiré dans son atelier avec son chat. De grandes fresques de Foujita décorent les murs de l'élégante salle à manger, et en entrant au salon, la jeune femme lui montre le bar que son mari a racheté à Georges Simenon.

— C'est l'endroit que nos invités préfèrent. Et quand il fait bon, le soir, on descend dans le parc. Derain et Braque habitent en face. C'est Derain qui nous a prévenus que cette villa était à louer. Foufou m'en a fait la surprise. J'ai été conquise au premier coup d'œil !

Vêtue d'une longue robe de mousseline mauve perlée, les cheveux ceints d'un bandeau orné d'une améthyste, Youki est une enfant gâtée qui sautille d'un pas dansant sur ses escarpins neufs. Robert se demande ce qu'elle penserait de lui si elle savait qu'en vue de cette soirée, il a dû faire un détour par l'hôtel du Maine pour récupérer l'unique paire de chaussures correcte qu'Alejo et lui se partagent quand ils doivent être élégants. À cet instant, elle se tourne vers lui et lui prend la main avec spontanéité, et ce geste trouble Robert. Après la distance d'Yvonne, la communication charnelle que Youki instaure avec tant de naturel lui fait l'effet d'une brûlure sur un épiderme glacé.

— D'où vient votre prénom ? demande-t-il pour donner le change.

— C'est du japonais, ça veut dire « Neige rose ». Foujita prétend que c'est la couleur de ma peau. Je n'aimais pas mon prénom, alors il m'a rebaptisée, et je m'y suis si bien habituée que je ne réponds plus quand on m'appelle Lucie.

Lorsque le peintre descend de son atelier, ils ont déjà bu plusieurs coupes et Robert ne sait ce qui l'enivre le plus, de Youki ou du vin. Il se lève pour serrer la main fine de Foujita, qui porte un kimono rouge sang sur un pantalon de soie. Son visage étroit, avec ces yeux qui rient derrière les petites lunettes rondes cerclées et sa frange taillée au millimètre, est l'un des plus célèbres de Montparnasse. Et même si les deux hommes figurent sur les photos de groupe de fêtes assez décadentes pour forcer le respect d'un empereur romain, ils n'avaient jamais fait connaissance. Le peintre arrête Robert qui lui sert du champagne : il ne boit pas d'alcool.

— Je bois pour deux ! s'écrie Youki qui vole la coupe à moitié remplie.

— Tu bois trop, répond Foujita, sans qu'on sache s'il plaisante.

— Un matin, Foufou a déboulé dans ma chambre pour me reprocher de ne jamais lui avoir parlé de l'avant-garde surréaliste, poursuit Youki imperturbable. Aussitôt dit, aussitôt fait, je suis allée rue Jacques-Callot et je nous ai abonnés à *La Révolution surréaliste* ! Mon amie Mado m'accompagnait. Quand je suis rentrée, j'ai dit à Foufou : « J'ai rencontré des gens épatants ! Ils donnent envie de tout casser, d'envoyer bouler la banalité pour révéler le miracle, le merveilleux. »

Foujita hoche la tête en souriant :
— Elle n'arrêtait plus de parler, elle était... fatigante !
— D'accord, je te fatigue. Mais tu vois, je ne me suis pas contentée de les lire, je t'ai ramené un surréaliste !
Foujita confie à Robert qu'il a un visage extraordinaire, qu'il aimerait peindre. Et le poète se sent si bien en leur compagnie qu'il oublie qu'il n'a pas dormi depuis quarante-huit heures et laisse glisser la nuit, parlant à bâtons rompus de son travail poétique, de Cuba et de ce métissage qui fait la force et la beauté de sa musique. Il questionne Foujita, et le peintre lui raconte son arrivée à Paris avant la guerre, ses premières années difficiles à Montmartre, la faim et le froid coupant dans un atelier de misère, sa détresse d'expatrié venu chercher la réussite pour ne trouver que solitude et désillusions. Auréolé d'une réputation de peintre prodige au Japon, il a vite compris qu'il lui faudrait tout désapprendre et repartir de zéro. Et c'est ainsi, à force de remises en question et de doutes, qu'il a fini par trouver sa voie au carrefour de deux cultures et est parvenu à se faire un nom dans le monde impitoyable de l'art parisien. Robert est séduit, cet homme dégage un mélange de passion, d'exigence et de profonde gentillesse. C'est une complication, car Robert s'enflamme au moindre contact de celle que Foujita a baptisée d'un nom nouveau, Youki l'amante et la muse dont la nudité s'étale partout sur les grandes toiles.

Lorsqu'il se décide à partir, elle le raccompagne jusqu'à la porte. Sur le porche, elle l'attire et l'embrasse sur la bouche comme s'il était naturel de congédier ainsi ses invités. Sa langue douce enveloppe la sienne le temps d'un baiser qui s'éternise et musarde, puis elle se détache de lui sans brutalité et le pousse vers la nuit, laissant une empreinte de chaleur au creux de ses omoplates.

Robert fait quelques pas chancelants dans la nuit fraîche avant de se retourner vers la maison éclairée. Il se demande s'il a rêvé cette scène ou s'il l'a désirée assez fort pour qu'elle advienne.

Corsaire Sanglot, au troisième étage d'une maison, pense toujours à la légendaire Louise Lame, tandis que celle-ci, au troisième étage d'une autre maison, l'imagine tel qu'il était le soir de leur séparation, et leurs regards, à travers les murailles, se rencontrent et créent des étoiles nouvelles, stupéfaction des astronomes. Face à face, mais dissimulés par combien d'obstacles, maisons, monuments, arbres, tous les deux conversent intérieurement.

4

Robert griffonne sur la table d'un troquet du boulevard Bonne-Nouvelle en attendant André Breton qui est en retard ou ne viendra pas, lui envoyant un pneumatique qui rejoindra les précédents dans la pile, « Souffrant, alité, rendez-vous remis à une prochaine fois, votre ami A. Breton ». Le soir qui descend hésite comme lui entre colère et clémence, fronçant ses nuages au-dessus de l'embrasement de lumière où se noie le jour. Robert dessine une sirène aux yeux troubles, le genre qu'il ne faut pas croiser quand on est un honnête chalutier traçant sa route vers la haute mer, le genre à vous sourire pour mieux vous perdre au fond des flots noirs. Ses cheveux clairs accentuent le contour de ses prunelles sombres.

Hier, dans l'appartement de son ami Théodore Fraenkel, Youki s'est donnée à lui. Prêtée serait plus juste, si prêter n'impliquait pas un don à moitié, une retenue qui ne peut résumer ce moment déplié à l'infini sur la toile de son imaginaire. Théodore, dont l'âme se partage entre un humour implacable et une inguérissable mélancolie slave, aime les rendez-vous clandestins, les cinq à sept, les secrets d'alcôve. Il lui avait tendu sa clé, souriant de ses yeux de guerrier mongol : « Vous me raconterez ! »

Malgré l'affection et la complicité qui le lient à Théodore, Robert ne voit que des choses à lui taire. Ce souvenir, il y tient déjà plus qu'à l'étoile de mer qui veille sur lui depuis son bocal, qu'à l'épée de verre suspendue au-dessus de son lit ; c'est un grain de sable qui scintille pour celui qui sait voir. La blancheur aveuglante du corps de Youki, le tremblement d'un papillon de nuit dans le halo bleu de la lampe, l'écho d'un groupe de fêtards turbulents remontant vers Montmartre. Ce continent sauvage à lui délivré pour qu'il s'y ébroue, que son désir y galope comme s'il était le premier cavalier, transporté au-delà de ses forces. Et tout ce temps, le sentiment de la chercher sans bien savoir où elle se tenait, dans quel repli tendre de ce corps offert qui semblait un leurre de volupté et de soie. L'impression qu'elle se laissait prendre pour mieux se dérober, que plus il s'enfonçait en elle moins il la possédait, exacerbant sa soif inextinguible. C'était comme si Youki lui avait abandonné son corps et s'était retirée. Aller à la rencontre de la mer, prêt à être giflé et renversé, pour ne trouver qu'un sable qui fuit sous les pas et des mares d'eau tiède où la lumière fait danser les puces de mer.

Il dessine un sourire à sa sirène de papier.

Je te trouve semblable à toi-même,
aussi cruelle et aussi douce,
Et ne m'accordant tellement
que pour me faire plus violemment regretter le peu
que tu me refuses.

Dans le delta qui termine sa queue de poisson, il

souligne le Y, et par là, invite Yvonne à entrer dans le tableau. Yvonne et Youki, les sœurs siamoises qui se partagent son cœur et qu'on ne peut détacher l'une de l'autre sans le déchirer.

Ô sœurs parallèles du ciel et de l'Océan !

Observant attentivement la nageoire bifide de la sirène, il y voit cet os du bonheur qu'on appelle l'os des souhaits. Robert est l'os des souhaits qu'Yvonne et Youki se disputent et si l'enjeu est son bonheur, il est suspendu à cette tension insupportable qui ne peut s'achever que dans la brisure redoutée. Qui l'emportera, de la sirène ou de l'étoile ? La femme poisson a la volupté triomphante et vorace, son chant éveille le désir et l'oubli, rend l'idée de la mort séduisante… mais l'étoile invite tous les miroitements sur son ventre. Elle est le bercement de lune sur le lac immobile, la voix qui nous murmure qu'on est seul et nu et qu'il en sera toujours ainsi. Elle est l'astre des amants éconduits, elle les console et les saigne d'un même mouvement. Il a suffi à Youki de planter ses yeux noirs dans les siens et de lui dire : « Je veux que tu me présentes ton Yvonne. Je veux la rencontrer. » Il a accepté. Mais se rendre à l'Olympia, dans le sanctuaire de son Étoile, avec Youki à son bras, c'est y faire entrer de la nitroglycérine. Pourquoi n'a-t-il pu lui refuser cette faveur ? Il sent qu'il s'amourache à toute allure. Dans la pente, la vitesse est déjà trop grande pour songer à faire demi-tour.

Absorbé, il n'a pas vu entrer la jeune femme qui s'assied en face de lui. Elle est belle, avec son carré de cheveux blonds bouclés et ce sourire d'enfant à fossettes dont les yeux frondeurs démentent l'innocence.

— Bonjour, Robert. André ne viendra pas, il est terrassé par une migraine. Il voulait t'appeler mais je lui ai dit que je viendrais à sa place. Tu me manquais !

Robert plisse les paupières et s'illumine en reconnaissant Suzanne Muzard.

— Je suis content de te voir, Suzanne, dit-il. On peut dire que je gagne au change. C'est une migraine diplomatique ? Tu peux être honnête va, je jouerai les dupes.

La belle Suzanne fronce les sourcils, en proie à un dilemme intérieur.

— Tu sais… je n'ai pas envie de me mêler de vos affaires. J'ai bien assez des miennes, s'excuse-t-elle.

Robert hausse les épaules et rit, d'un rire éraillé par sa nuit blanche avec Youki.

— Bah. Tu as raison, on s'en fiche, l'important c'est que tu sois là ! Tu as le temps de boire un verre ou il t'attend pour lui masser les tempes ?

Suzanne pouffe à son tour :

— Il ferait beau voir qu'il ne me laisse pas le temps de papoter avec mon vieux copain, tiens ! Qu'est-ce qu'on boit ?

Ce qu'il préfère chez Suzanne, c'est le naturel avec lequel elle vit, séduit et s'enivre. Quand il l'a connue, elle était pensionnaire d'un bordel de la rue de l'Arcade. Une nuit, ils s'y sont retrouvés par hasard avec Aragon, Drieu la Rochelle et Emmanuel Berl. La gêne initiale a inauguré une soirée étrange dont aucun des participants n'a jamais pipé mot. Au petit matin chancelant, ils se sont retrouvés sur le trottoir, se frottant les yeux comme au sortir d'un rêve. Dans les semaines suivantes, Emmanuel Berl a dû se rendre à l'évidence : il n'arrivait pas à se passer de Suzanne. Il l'a arrachée à une vie dont elle s'accommodait encore et l'a installée dans un appartement. Il désirait en faire son exclusivité. Ayant une épouse, il devait se contenter de cette passion clandestine, de baisers furtifs échangés au petit jour, de mots crus chuchotés à l'oreille. Mais il tenait à la présenter à ses amis surréalistes. Mal lui en a pris : dès qu'André Breton a vu sa jeune maîtresse, son obsession a été de la lui souffler. Seulement Suzanne, songe Robert avec un sourire intérieur, n'est pas le genre de fille à rester docilement dans les bras d'un amant possessif. En amour, elle tient de la crevette rose qui s'échappe en piquant la main qui fait mine de la saisir. Elle a réussi la prouesse de rendre fous ses deux amants, que ne sauvent ni leur armature intellectuelle ni leur prestige autoritaire. On dirait des wagons bringuebalés sur le grand huit, et l'affection de Robert pour ce brin de fille fragile et ensorcelant se teinte désormais d'une admiration amusée.

— Ils servent ici un excellent saint-joseph, digne de toi, ma jolie !

Ils trinquent à la santé des cœurs brisés qui battent plus fort à l'instant où on les transperce.

— André est impossible en ce moment. Son divorce n'est pas prononcé, la guerre avec Simone n'en finit pas... Je suis à bout de nerfs, confesse Suzanne en goûtant le côtes-du-rhône.

— D'où la migraine diplomatique ? sourit Robert. Et Berl, que fait-il pendant ce temps ?

— Il a cherché à me joindre hier, mais il est tombé

sur André qu'il l'a accueilli fraîchement ! Il m'a écrit qu'il veut m'épouser. C'est tentant, mais je suis partagée. Quand je suis avec Emmanuel, André me manque. Mais il suffit que je m'installe rue Fontaine pour me sentir prise au piège. Pourtant j'aime André. D'ailleurs je les aime tous les deux. Seulement ils veulent une gentille petite Suzanne et je veux qu'on m'aime pour ce que je suis. Ah, ce n'est pas simple ! Il y a des moments où j'ai envie de m'enfuir très loin. Mais toi, comment vas-tu Robert ? On me dit que tu es en main ?

Robert salue la justesse de l'expression. Les mains de Youki le brûlent encore, telle une paire de menottes ardemment désirées. Avant de répondre, il repousse la mèche qui vient toujours chatouiller son œil gauche.

— J'ai rencontré une femme selon mon cœur, résume-t-il. Rien n'est simple, mais je suis heureux.

— La maîtresse de Marcel Noll ! souligne Suzanne avec un sourire taquin.

— Youki n'appartient à personne, corrige Robert. Ni à son mari ni à ses amants. Noll ne sait que pleurnicher auprès de Breton. Avec si peu d'amour-propre, c'est étonnant qu'il n'ait pas fait une carrière politique !

— Tout de même..., proteste la jeune femme, il a tenté de se suicider il y a deux semaines. Ça ne te touche pas ?

Robert fait mine de réfléchir :

— Même là il n'a pas été fichu d'arriver à un résultat, répond-il. Je te choque ? Allons, ce suicide était d'un théâtral ! Tu y as cru, une fille intelligente comme toi ?

— Hum. C'est vrai que son désespoir est un peu surjoué ! répond Suzanne en éclatant de rire. Mais André est très inquiet. Il a passé une nuit entière à son chevet.

Cher Robert, il faut croire que nous sommes fatals, toi et moi ! André me répète que je le torture. Emmanuel m'accuse de jouir de son désarroi. Pourtant on n'a pas l'air trop méchants, si ?

— Moi je peux être méchant si je veux, répond le poète avec une expression madrée. Toi ? Tu es comme les chats. Si tu es cruelle c'est par inadvertance. Ils me font rire, tes prétendants éperdus. Pas un pour rattraper l'autre. Pas un pour t'aimer dans cette liberté dont tu as tant besoin, et qui te rendrait encore plus belle.

Suzanne a cessé de sourire. Dans ses yeux, il déchiffre une tristesse qui vient de loin. Quand il l'a connue, elle était encore cette petite fille échappée d'Aubervilliers avec ses genoux couronnés et son enfance moins dure que d'autres, mais dont elle ne souhaitait rien garder, ou si peu. Il la revoit assise sur les marches de l'escalier qui menait aux chambres exotiques du bordel, l'égyptienne et la japonaise, les confidences qu'elle lui chuchotait en attendant sa prochaine passe, son regard frondeur qui vous défiait de la suivre et vous semait en route. Et ce rire léger, en guise de diversion, qui se brisait sur les dernières notes.

— D'où comprends-tu aussi bien les filles, toi ? murmure-t-elle.

— Je ne suis pas sûr de les comprendre, répond Robert en souriant. Mais au moins je n'essaie pas de les changer. Je les aime pour ce qu'elles donnent quand elles n'y sont pas forcées. Toi, par exemple, ce serait mal te connaître que d'imaginer que pour être heureuse, il te suffit d'avoir une robe blanche et qu'on t'appelle madame. Madame Breton ou madame Berl, d'ailleurs ?

— Ils m'usent tellement que je finis par ne plus

savoir ce que je veux. Emmanuel me plaisait beaucoup au départ avec son élégance, sa distinction. Et puis je le voyais comme un monsieur, on n'était pas du même monde. J'étais fière d'être arrivée à le séduire au point qu'il me sauve du bordel. La tête de la patronne, le jour où il lui a dit qu'il m'emmenait ! Je suis sortie à son bras comme une princesse, les filles me regardaient comme si on n'avait jamais tapiné ensemble. Et puis après, je ne sais pas… Ce sont les petits détails qui appauvrissent tout.

Elle parle de la condescendance d'Emmanuel, de cette manière qu'il a de lui faire sentir que pour devenir sa femme, il faut qu'elle saute à travers des cerceaux, qu'elle apprenne de nouveaux tours, et surtout qu'elle lime et rogne ce qui pourrait trahir sa vie d'avant, son enfance pauvre, le naturel avec lequel elle souhaite bon appétit ou le bonjour. Il faut garder la grâce de son sourire à fossettes mais arrêter de pointer ce bout de langue sulfureux. Choisir des vêtements qui épousent ses formes sans les souligner comme à l'étal, les suggérer à travers la soie fine d'un corsage qui porte bien son nom, le corps sage, peu de bijoux mais bien choisis, se tenir droite, dire bonsoir madame sans ajouter le nom, ne pas rire trop fort et que ce rire se suspende en vol au lieu de finir dans la gorge. Emmanuel a pour elle un amour ambivalent, parfois insincère et gêné aux entournures. Robert l'écoute avec attention, il lui est arrivé de subir cette condescendance au sein du groupe surréaliste, lui dont l'unique snobisme est de ne pas trier ce qu'il aime en fonction du bon ton. Entre *Les Pieds Nickelés* et *Les Chants de Maldoror* il refuse de choisir, son esprit curieux se nourrit de tout ce qu'il voit, goûte et respire. Il revendique le droit d'aimer Fantômas et la poésie crépusculaire de Nerval, les alexandrins, les cadavres exquis et les slogans dada, les petits matins incendiés au-dessus des fortifs, les heures douces coulées à l'ombre du parc Montsouris, le champagne lapé sur les lèvres de Youki et le mauvais vin que vous sert la patronne d'un bistro poisseux où quelques clochards finissent leur nuit au chaud.

— André n'est pas plus facile à vivre. Il n'y a que dans un lit que nous nous entendons bien, sourit-elle. Il est exclusif, passionné… Ça a quelque chose d'irrésistible, comme une tempête, on brûle de se laisser prendre, même si on sait qu'on finira brisée sur la plage. Pour le reste je dois batailler sans cesse. Tout doit tourner autour de lui, du surréalisme, de ce qu'il aime, de ce qu'il rejette… Il aimerait que je sois là, toujours tendre et bien disposée, prête à faire l'amour quand il le désire et à me taire, sauf quand on me demande d'intervenir dans la conversation. Tu sais que j'ai dû me battre pour participer aux jeux surréalistes ? J'ai profité d'un moment où il ne pouvait rien me refuser, précise-t-elle en éclatant de son rire mutin. Mais quand j'ai voulu venir aux séances sur l'enquête sur la sexualité, il a refusé net ! Il m'a répondu que la présence des femmes fausserait l'objectivité des réponses. C'est vrai ça, à quoi ça sert de demander leur avis aux femmes avant de les baiser ? Ce qui m'amuse, c'est que tout ce que je lui ai fait découvrir, il en disserte comme s'il le pratiquait depuis des lustres. La sodomie par exemple…

— Tu as converti André à la sodomie ? demande

Robert en écarquillant ses yeux myopes. Tu es encore plus forte que je ne pensais !

— Oui, mais exclusivement entre homme et femme ! sourit Suzanne, creusant les fossettes qui ponctuent sa bouche bien dessinée. Entre deux hommes, il trouve ça pervers.

— C'est parce que je ne supporte pas ce genre d'hypocrisie que je n'ai pas participé à sa fichue enquête…, gronde Robert dont la colère s'est réveillée. Comment peut-on être un tel jésuite et se prétendre surréaliste ?

— Justement, il trouve que tu l'éloignes du groupe, lui confie Suzanne en vidant son verre. Il met ça sur le compte de tes nouvelles fréquentations, des femmes que tu vois, du milieu de la presse qui t'aurait changé, et pas en bien. Il dit que tu gâches ton talent. Mais c'est bizarre parce qu'en même temps, on dirait qu'il t'admire de lui résister, de n'en faire qu'à ta tête.

— Je m'éloigne peut-être, mais c'est lui qui annule tous nos rendez-vous, rétorque le poète en se levant. Je dois filer, jolie Suzanne. On m'attend. Dis à ton amant que je lui conseille d'aller se faire sodomiser dès ce soir au Bal Tabarin, c'est souverain contre la migraine !

Le fou rire de Suzanne l'accompagne jusqu'au coin de la rue Poissonnière. S'il garde de l'affection pour Simone Breton et fréquente Lise Deharme avec plaisir, il doit reconnaître que parmi les femmes qui ont séduit le chef de file du surréalisme, Suzanne demeure sa préférée. Peut-être y a-t-il une pointe de sadisme dans ce constat, car il ne doute pas que cette dernière lui fasse endurer mille morts pour les extases charnelles qu'elle lui procure. D'ailleurs, n'en est-il pas toujours ainsi ? Le désir a un prix, et plus il est jeune et neuf, avec un œil de velours et des dents aiguisées, plus il se montre tyrannique. André aura beau devenir communiste, agiter les slogans surréalistes et excommunier qui bon lui semble, il n'échappera pas à Suzanne qui le tient entier dans sa petite main. Pas plus que Robert n'échappera à sa belle Youki dont l'insolence sent la poudre.

De vieilles douleurs deviennent douces au souvenir
Des jeux plus jeunes s'ouvrent sur un univers lavé.
J'ai connu cette aube grâce à toi.
Mais se lèvera-t-elle jamais
Sur les douleurs que tu provoques ?

*

— Ah, tu es là, mon poète... J'avais peur que tu ne viennes pas ! s'écrie Yvonne.

— Bien sûr que je suis là. J'ai perdu du temps à l'entrée, il fallait traverser la foule de tes admirateurs, plus nombreux que jamais !

Il est déjà venu la veille, il sera là chaque soir jusqu'à la fin de ces concerts censés récolter l'argent nécessaire à la prochaine cure d'Yvonne.

— As-tu dîné ? interroge-t-il, soucieux.

— Tu sais bien que je ne peux rien avaler avant la scène, proteste-t-elle, mais il devine qu'elle vient de sacrifier au rituel de ses poudres empoisonnées aspirées ou injectées à même la veine, pour tromper le trac.

Elle est si abîmée que ses maquilleuses rivalisent d'artifices pour lui rendre un éclat éphémère. Sa main triomphe des siennes sans effort, et c'est lui maintenant qui exige :

— Je veux que tu manges un peu, tu as encore le temps.

— On ne donne pas d'ordre à la grande Yvonne George, répond-elle en le toisant de toute sa hauteur avant d'éclater de rire, car la drogue démasque son orgueil et le lui tend pour ce qu'il est : une parodie.

Celles dont le sourire est subtil et méchant,
Celles dont la tendresse est un diamant qui flambe

Il a tellement aimé cette femme qu'il est arrivé que sa vie se résume à cet amour. Une année entière a ainsi été dépensée à la seule activité de l'aimer. C'est le visage que gardera pour lui l'année 1926. Une année en suspens, à guetter un appel téléphonique, un message griffonné à la hâte sur une table de la Coupole. « Mon vieux Robert, je suis venue te chercher ici. Rentrée la nuit précédente et il me faut te voir au plus vite. Je quitte la Coupole maintenant car trop patraque, je serai à Neuilly. »

Il abandonnait un dîner en cours, un article à terminer, un rendez-vous surréaliste au Certà ou au Cyrano, une discussion sur le jazz ou la politique. Il traversait Paris, gagnait ses recoins mal famés, cerclés d'ombres équivoques. Il lui apportait sa dose d'opium et acceptait d'y goûter pour la rejoindre. Il se désagrégeait au fil de ces voyages. Il avait fini par sentir qu'il atteignait ces limites au-delà desquelles il perdrait le chemin de lui-même. Il s'était sauvé presque malgré lui, se sevrant de la drogue au prix d'un désert d'insomnies et de manque. Il aimait trop la vie, ou n'était-ce pas elle qui tenait trop à lui ?

Le travail et l'effort de vivre
M'ont rendu le sommeil délicieux.
C'est d'un autre amour que j'aime la nuit.

C'est vrai qu'il aime le travail, l'odeur de l'encre et du papier fraîchement imprimé. Il aime lire ses initiales au bas d'un article dans l'édition du jour, l'onde de fierté qui parcourt son échine devant le poème achevé, les mots saisis en plein vol, poignardés vifs. Son écriture est une possession et un vertige, une plongée, une odyssée sans limites et sans boussole. Elle est la seule puissance capable de l'arracher à la perdition amoureuse, à l'exquise souffrance d'aimer.

— Il est temps, ma chérie, murmure à la chanteuse son amante et habilleuse, cette Lily que Robert assassine souvent en rêve.

Yvonne rattrape Robert et le retient à l'instant où il se dérobe, suppliante :

— Reste avec moi, mon poète… Et si je n'ai pas la force ?

C'est à ce moment délicat que surgit Youki, éclatante de beauté et de jeunesse dans une robe de soie orange qui ondoie au moindre de ses mouvements. Ses cheveux retenus par une aigrette en argent sont plus blonds que la veille, et un sautoir assorti court le long de son décolleté. À l'instant, Robert mesure l'impair qu'il a commis en l'invitant ce soir. Elle pousse un cri joyeux en l'apercevant et si elle a la présence d'esprit de ne pas se jeter à son cou, leur intimité n'échappe pas à Yvonne dont le visage se crispe. Robert salue Youki d'un discret signe de tête qui réussit à être blessant envers chacune.

Ses yeux couleur d'orage tentent de lui dire que l'instant est mal choisi pour aborder la chanteuse et qu'il la lui présentera plus tard, dans le soulagement qui suit les applaudissements, ce transport d'amour du public qui la régénère et la vide. Mais Youki ignore le message et tend à Yvonne une main gantée de blanc :

— Robert, puisque tu ne me présentes pas je vais le faire moi-même. Je suis Youki Foujita, l'une de vos admiratrices. Je mourais d'envie de vous rencontrer !

— Mademoiselle, cingle Yvonne, retirant d'un mot à Youki toute respectabilité conjugale, Robert aurait dû vous prévenir : je ne rencontre personne avant le concert. Je suis surprise qu'on vous ait laissée entrer jusqu'ici.

— Pardonnez-moi, répond Youki que rien n'intimide, mais j'étais si impatiente ! Je vais aller vous écouter et je reviendrai plus tard, notre poète fera de vraies présentations. Je vous laisse, à tout à l'heure.

Youki disparaît dans un tumulte soyeux et Robert tente de l'excuser auprès d'Yvonne.

— Voyons, tout le monde sait qu'on ne dérange pas un artiste avant le spectacle !

Sur cette réponse couperet, Yvonne lâche son bras et gagne la coulisse telle une reine accomplissant seule ses derniers pas vers l'échafaud.

Toujours avoir le plus grand amour pour elle
Il n'y a pas de trahison corporelle

Robert se replie dans l'obscurité. Il aime les encoignures et les portes cochères, ces lieux d'où regarder sans être vu. De son poste, il peut veiller sur

Yvonne en imaginant Youki assise dans le noir du parterre, son visage reflétant la lumière de la scène. Cette soirée où elles sont ensemble, séparées mais inextricablement liées à travers lui, a valeur de message. Égaré par le sentiment de sa possible déloyauté, son esprit est retenu en amont des profondeurs où il pourrait comprendre ce qui se joue. Et tandis qu'Yvonne entonne *Pars*, une de ses chansons les plus célèbres, il lui semble l'entendre pour la première fois. Comme si le pouvoir lui était donné d'échapper enfin à ce carcan d'amour sans retour.

Tu n'es pas la passante, mais celle qui demeure. La notion d'éternité est liée à mon amour pour toi.

Yvonne suspend la salle à son souffle et commande aux émotions des spectateurs avec la ferveur d'une dompteuse aux bras griffés. Inondée de lumière, sa carnation est bleue à force d'être pâle et ses prunelles de noyée réveillent le désespoir de ces amants dont on oublie le nom et la peau, qu'on croise dans la rue sans les reconnaître, et ce déchirement de n'être rien pour celui qui a essuyé vos larmes avec dévotion, un matin, dans une chambre d'hôtel dont le sommier grinçait. C'est d'abord de cette voix que Robert est tombé amoureux. Yvonne va mourir, le parfum de sa chevelure se dissoudre avec les fleurs de cerisier emportées par le vent, le toucher de sa main être effacé par d'autres mains, mais sa voix échappée d'un gramophone continuera de déverser en lui une tristesse insondable.

Quand le concert se termine, il attend la fin des

rappels, l'orage d'applaudissements, la pluie de bouquets et de larmes. Il est le premier à accueillir Yvonne en coulisse. Elle le laisse embrasser ses cheveux lustrés de sueur avant de s'échapper vers d'autres bras. Alors il s'efface et remonte le fleuve des spectateurs à la recherche de Youki. Soudain, il redoute qu'elle ne soit partie sans l'attendre, vexée par l'accueil glacial de la chanteuse. Il détaille les visages avec nervosité et l'aperçoit de dos, conversant avec un type élégant que cette bonne fortune égaye. Robert ignore le poseur satisfait et enlace Youki qui sursaute légèrement :

— Enfin je te retrouve. As-tu aimé le concert ?

— Elle est impressionnante, ton Yvonne. J'ai trouvé qu'elle chantait encore mieux que la dernière fois, au Bœuf. Elle tremble comme une feuille, on a peur qu'elle vacille et puis non, elle tient jusqu'au bout. On dirait que sa voix la porte.

Elle ajoute à destination de son prétendant :

— Vous connaissez Robert Desnos ? Un des poètes les plus audacieux de l'avant-garde !

— Avant tout, le cavalier de madame, ajoute Robert en embrassant la joue de Youki.

Le poseur ne connaît pas Robert. Rien d'étonnant, il a une tête à acheter du Claudel pour le laisser moisir dans sa bibliothèque. Il prend congé, comprenant que ce n'est pas ce soir qu'il repartira avec la plus belle femme de la soirée.

— Tu avais peur de t'ennuyer, ma belle ? chuchote le poète à sa maîtresse.

— J'avais surtout peur que tu m'oublies ici ! rétorque la jeune femme. Quand Yvonne est là, tu ne me vois plus !

Il proteste, comment pourrait-il ne plus avoir d'yeux pour elle alors qu'il est son esclave consentant, brûlant d'écarter cet océan de soie orangée pour revivre le bouleversement de son corps nu ? Yvonne, comme toutes les divas, a besoin d'être le centre des attentions et il lui pardonne ce caprice. Mais sa joie, ce soir, est de permettre la rencontre des deux femmes qui lui sont les plus chères. D'être le pont où elles se croisent et se dévisagent. Il réalise l'importance de ce moment qui confronte celui qu'il fut et celui qu'il est devenu après La Havane. Un amour bâti autour de l'absence, un amour de fumées et de mirages, cohabite désormais avec une passion si charnelle que ses yeux se ferment éblouis sur son rayonnement.

Il ne renie rien, n'abandonne personne.

Dans la loge d'Yvonne, on a emporté les fleurs pour laisser place au cercle des intimes : Cocteau et la princesse Violette Murat rivalisent de prévenance, Jeanson ne devrait plus tarder et Crevel a disparu dans la petite salle de bains, secoué par une violente quinte de toux.

— Mon Étoile, tu as été plus émouvante que jamais..., assure Robert à la chanteuse à qui la princesse Murat tend vainement un verre d'eau sucrée. Tu as transporté le public et moi avec !

— Je te remercie, mon poète, répond Yvonne qui ajoute : Je vois que tu as ramené ta jeune amie, entrez, mademoiselle ! Les choses ont mal commencé entre nous, mais voyez-vous j'ai l'indélicatesse en horreur et avant le concert, j'ai plus de trac que de patience. Enfin n'en parlons plus. Vous êtes la femme du merveilleux

Foujita, si j'ai bien compris ? Et Robert vous compte parmi ses amies. Vous avez beaucoup de chance.

— Eh bien, j'espère que cette chance est partagée, répond Youki en s'avançant.

Robert n'aime pas ce dialogue à fleurets mouchetés. Yvonne est trop cassante et il redoute la spontanéité de sa jeune maîtresse.

— Youki t'admire beaucoup, tu sais, insiste-t-il. Chez les Foujita, tes disques passent en boucle !

— Quel honneur, répond Yvonne sans s'émouvoir. Et donc ma chère, vous êtes modèle, c'est ça ?

— En fait je ne pose que pour mon mari, répond la jeune femme que cette conversation hérissée de sous-entendus irrite et ennuie. J'ai la chance de faire ça pour mon plaisir.

— C'est une chance, en effet, répond Yvonne en la détaillant froidement. Ma chère Kiki et moi ne pouvons en dire autant. Nous avons connu la faim et le froid avant d'avoir droit à quelques attentions.

Voilà une façon déloyale de reprocher son train de vie à Youki, songe Robert. Peut-on lui faire grief d'être la femme d'un peintre à succès ? La plupart des artistes de la bohème d'hier, ceux qui comme Foujita peignaient le ventre vide, ont aujourd'hui assez de clients pour manger à leur faim et certains se révèlent aussi flambeurs qu'ils étaient astucieux du temps de leur misère. Robert songe souvent qu'il vaut mieux être peintre que poète, lui qui court sans cesse après l'argent, dont l'esprit n'est jamais en repos.

— Pour être franche, répond Youki en levant son joli menton, je ne peins pas, je ne chante pas, je m'ennuie à la pose, mais j'ai un vrai talent : mon cul. Et croyez-moi, il mérite tous les égards. Sur ce, je vais aller retrouver mon mari. Quand il a fini de peindre, il a besoin de sa Youki ! Bonne soirée messieurs dames, et bravo pour le concert.

Joignant le geste à la parole, elle dégage son bras et les plante là, royale, tandis que le sourire de Cocteau trahit son admiration amusée et que la princesse Murat hausse les épaules.

La dureté d'Yvonne, Robert n'a jamais pu s'y habituer, ses mots lacèrent ce qui lui est cher. Tandis qu'un projet de dîner à la Coupole s'improvise, il réalise qu'il n'a pas envie de rester. Il se penche vers son étoile tranchante et effleure ses lèvres. Elle se redresse et déclare en détachant les syllabes :

— Je déteste cette femme.

Nimbée de son destin douloureux, Yvonne s'autorise à blesser qui bon lui semble. Robert lui a déjà tant pardonné. Tout à l'heure, il inscrira dans l'agenda qui tient dans la poche intérieure de sa veste : « Yvonne me dit : Je déteste cette femme. » Ces mots hâtivement tracés sur la page du jour y resteront gravés tel un tatouage.

— Tu es épris d'elle, ajoute Yvonne avec amertume. Par quoi te tient-elle ? Le sexe ? Pour ça elle m'a l'air très douée.

— Tais-toi, lâche Robert entre ses dents. Tu dis des bêtises jalouses et injustes. Je m'en vais, je reviendrai demain soir.

Yvonne le retient, désarmée soudain, l'implorant de ses yeux dont le dessin de khôl larmoie.

— Non, ne pars pas, reste, je t'en prie, reste… Je me sens si mal ce soir, j'ai si mal à l'intérieur, je hurle, tu vois, je hurle.

Il hésite quelques secondes et croise le regard de René Crevel, ciel limpide où planent de grands oiseaux noirs.

— D'accord, je reste, mais je partirai tôt. J'ai des articles à rendre à la première heure.

René le remercie d'un sourire d'archange blessé, lumineux et triste.

Ô douleurs de l'amour!
Comme vous m'êtes nécessaires et comme vous m'êtes chères.

5

Un rayon de soleil glisse à travers les verrières de l'atelier où Robert griffonne fiévreusement, dans un désordre de papiers, de livres en piles précaires et d'objets incongrus. Deux articles à corriger avant d'aller les déposer au *Soir* et de tanner le comptable. Sa paie tarde à venir et le propriétaire réclame le terme. Il y a aussi tous ces poèmes à trier en vue de la publication d'un recueil qu'il a baptisé *Corps et biens.* Il s'est couché tard, la soirée n'en finissait pas de s'étirer de derniers verres en conversations, Foujita très en forme blaguait avec Kisling et Pascin, et Youki taquinait Alejo Carpentier sur le sujet sensible de sa dernière conquête. Lorsque le Japonais a résolu d'aller se coucher, Youki et Robert se sont rendus au Bal nègre avec le reste de la joyeuse bande jusqu'à ce que la faim les pousse vers un troquet encore ouvert où grignoter sur le pouce. Un peu avant l'aube, ils ont fait l'amour rue Blomet avant d'aller retrouver Foujita déjà au travail dans son atelier où le chat Miké montait la garde. Robert a si peu dormi que les mots dansent devant ses yeux douloureux. Sa pensée s'immobilise parfois avant de battre des ailes.

Il relit ses papiers du jour : un éloge de la chanteuse

de jazz Sophie Tucker et un article sur le Mont de Piété de la rue des Francs-Bourgeois, que Robert fréquente trop à son goût. L'autre jour, allant y déposer certains trésors, il a eu l'idée de croquer quelques habitués : du joueur invétéré qui s'est ruiné la veille à la vieille dame qui fait mine d'être là pour la première fois. Sa conclusion reflète son étonnement : « ***Pauvres ou riches, ils sont tous honteux d'être là. La pauvreté n'est pourtant pas déshonorante.*** » Dans sa chronique, il rapporte le propos d'une bourgeoise à la mode entrant dans ce lieu fréquenté par les Juifs du quartier : « ***Qu'est-ce qu'il y a comme youpins ici ! Qu'est-ce qu'ils viennent faire ?*** » Et la réponse flegmatique et douce de l'employé : « ***Ces youpins, madame, viennent faire ici ce que vous-même y faites. Ils viennent emprunter.*** »

Robert a ajouté à leur échange cette touche d'humanité qui est sa signature : « ***Et il se replonge dans ses paperasses en homme qui sait ce que vaut l'humanité et combien une vie vaut une autre vie, une race une autre race, une misère une autre misère.*** »

Il jette un œil à sa montre, il a juste le temps de nourrir les chats avant de filer au journal. Il n'a aucune nouvelle d'Yvonne depuis plusieurs jours, il devrait s'en alarmer, mais il a l'esprit ailleurs.

Geôle de foi
Folle joie

Ce soir, Robert dîne chez un ami journaliste. Avant de s'y rendre, il prend le temps d'une flânerie sur les quais où les pêcheurs sont encore postés, la cigarette au coin des lèvres. La douceur vespérale invite à la contemplation et sur le ruban vert du fleuve, la lumière éclabousse le feuillage. Il aime ces longues promenades durant lesquelles il prend le pouls de la ville. Les rencontres qu'il fait lui inspirent des portraits saisis sur le vif, avec le roi des ramasseurs de mégots, avec cet homme qui perce les pièces de monnaie pour qu'elles portent bonheur, ou encore ces jeunes femmes rencontrées au Luna Park, installées en déshabillés sur des lits basculants dont les font tomber, plus de cent cinquante fois par jour, les lanceurs de boules de bois qui atteignent leur cible.

Tournant le dos à la Seine, Robert s'engage dans la rue Saint-Paul. Sous le génie de la Bastille, un attroupement attire son attention. En s'approchant, il reconnaît l'enfant noir au centre du cercle de badauds. C'est August, un gamin de Louisiane qu'il a secouru un jour dans le métro : ayant voulu ajouter le son de sa petite trompette aux sifflets du départ, il avait semé la confusion et provoqué la colère du chef de gare. Quand Robert l'a aperçu, on le conduisait *manu militari* devant ce dernier et il tentait vainement de se faire comprendre. Robert, qui parle couramment l'anglais, s'est proposé comme traducteur. Une fois le malentendu éclairci et l'enfant relâché, August a tenu à lui payer un verre dans une brasserie voisine pour le remercier. Ils ont devisé en vieux compères, et le môme lui a raconté son enfance à La Nouvelle-Orléans et son arrivée à Paris avec son père et ses frères qui vendent des journaux américains aux terrasses de Montparnasse. Depuis, ils se sont revus à plusieurs reprises, et August lui a fait découvrir près des Invalides un bar qui sert une authentique cuisine du Mississippi : gombo, pain de maïs et crêpes au sirop de canne. Robert en garde un souvenir ému.

Le poète entre dans le cercle et salue l'enfant en souriant. August lui répond joyeusement. Il porte un magnifique pantalon jaune serré aux chevilles, un turban rouge et vert et une veste orange à boutons de nacre. N'importe qui aurait l'air d'un clown à sa place, mais August a la beauté altière d'un prince du désert et ne provoque qu'un amusement admiratif tandis qu'il vante les mérites de la grande maison de cafés et cacaos qui l'a engagé il y a un an comme « agent de publicité ». C'est un titre auquel il tient. « Je ne suis pas épicier, tu comprends, ça n'a rien à voir », a-t-il précisé un jour à Robert en haussant un sourcil.

— Messieurs dames, laissez-moi dire bonjour à mon ami Robert ! s'exclame August en interrompant son discours. Je suis content de te voir, mon ami, comment vas-tu ? As-tu le temps de boire un verre ? J'ai presque fini !

— Non August, pas le temps, on déjeune ensemble demain si tu es libre, répond Robert et le môme acquiesce avec un sourire flambant de candeur et d'intelligence.

En s'éloignant, Robert songe qu'il va en briser des cœurs ce gosse, les petites filles du quartier de l'École militaire n'ont pas fini d'en faire des insomnies dans leurs lits sagement bordés. Il va consacrer un article à August, et à travers lui à ces Noirs américains qui sont plus heureux ici que chez eux, même s'il arrive qu'un patron de brasserie refuse de les servir ou si certains les dépeignent comme « des sauvages qui mordent sans conscience la main qui les nourrit, rétifs au travail et lascifs à toute heure».

L'appartement de son collègue donne sur une rue passante. Dans le grand salon clair, la fumée de cigarette tamise la lumière qui descend d'un grand lustre Art déco et les convives, journalistes pour la plupart, commentent l'actualité avec l'assurance des gens qui pensent que rien ne leur échappe, sous prétexte qu'ils hantent les salles de rédaction et les antichambres des ministères et ne ratent aucun bal diplomatique. Quelque chose séduit Robert dans cette arrogance de prétendre savoir comment marche le monde, quelle pente il dévale. Il aime l'énergie qui naît de cette prétention, les discussions à bâtons rompus, les calembours politiques, les formules lapidaires. Cet humour noir lui rappelle le bon vieux temps des soirées dada, autant de gifles cherchant la joue adéquate. Mais au final, rien ne se crée à partir de cette distance caustique, aucune perspective, rien qui traduise la complexité des êtres, l'infini de leurs contradictions.

À la différence de ses confrères, Robert a la ressource de pouvoir descendre en lui-même, écouter ses voix souterraines, affronter le vertige de la solitude, ce désert balayé par les ombres. Quand il remonte à la surface, ses yeux sont lavés et sa perception s'est aiguisée. Il distingue le moindre détail, les rides à la surface du bassin du Luxembourg, le gosse barbouillé de larmes que son père vient de talocher et traîne dans la rue des Abbesses, cette femme en manteau noir qui sort du cinéma de la place Clichy, avec sur le visage l'empreinte des émotions qui l'ont traversée durant la séance. Cette attention au monde fait de lui ce passant invisible, cette pellicule que tout impressionne. Ses mots tentent de capturer le frémissement, l'instant où quelque chose d'inédit se produit, un accident, une rencontre miraculeuse ralentissant la course éperdue de chacun vers sa mort.

— Ce qui est bien avec Briand, c'est qu'il est d'une nature confiante…, commente Luc Vernet, un grand type maigre que ses favoris blancs font paraître plus vieux que son âge. Il reconnaît que l'Allemagne a une armée de cent mille cadres, tous officiers et sous-officiers, et que ça ne correspond pas à l'idée qu'on se fait d'un pays démilitarisé. Il admet que sa marine de commerce réduite à néant en 18 est aujourd'hui l'une des premières du monde et que s'il lui venait l'idée de l'utiliser pour faire la guerre, ce serait inquiétant. Mais nonobstant, il reste optimiste ! Il compte sur la bonne volonté de l'Allemagne pour préserver la paix. Enfin, heureusement qu'on a la SDN pour faire trembler le pangermanisme ! conclut-il.

Les rires fusent.

— Si la France était forte, elle n'aurait rien à redouter de l'Allemagne, le coupe Alain Laubreaux, dont le visage luit de transpiration. Un État fort, à même d'inspirer la crainte et le respect, voilà la meilleure stratégie pour garantir la paix ! Évidemment ce n'est pas avec les fantoches dégonflés qui nous gouvernent qu'on se fera craindre… Qu'en pensez-vous, Desnos ?

Robert hausse les épaules. Il déteste être pris à parti, surtout par ce Laubreaux qui lui inspire une antipathie instinctive depuis qu'il le croise dans les salles de rédaction. Ce gros garçon avec sa mèche gominée plaquée sur le front a le regard des tortionnaires de cour de récréation.

— Un de mes meilleurs amis est allemand. Il ne me craint pas, ce qui ne nous empêche pas de nous entendre le mieux du monde, lâche-t-il.

Il se lève et va se mettre à quatre pattes pour jouer avec Tango, le fox-terrier de son hôte, qui s'ennuie aussi ferme que lui. Des souvenirs remontent de cette soirée à la Closerie des Lilas où le Mercure de France donnait un banquet en l'honneur de Saint-Pol-Roux, présidé par Rachilde et toutes ces vieilles barbes littéraires confites dans l'alcool de poire et le patriotisme. C'était il y a trois ans à peine. Les surréalistes étaient arrivés tôt pour distribuer un tract contre Claudel. Les choses avaient dégénéré parce que cette vieille chouette prétentieuse de Rachilde avait déclaré à *Paris Soir* que c'était un crime qu'une Française épousât un Allemand. Ce soir-là, elle l'avait répété droit dans les yeux de Max Ernst. En réponse, ils avaient déclenché une bagarre générale. Il revoit Michel Leiris hurlant « À bas la France ! » à la fenêtre, et lorsque les badauds l'avaient sommé de descendre s'il était un homme il s'était précipité, tellement brûlé de colère qu'il ne craignait personne et avait bien failli finir lynché. Pendant ce temps-là, avec Aragon, Breton, Soupault, Morise et Boiffard, ils se suspendaient aux lustres et distribuaient des gifles. Il n'était pas le dernier. Il n'est jamais le dernier quand il s'agit de se battre, et s'il n'est pas le plus efficace, il est opiniâtre et courageux, il ne lâche pas tant qu'il tient sur ses jambes.

Ils n'ont jamais eu peur d'user de leurs poings pour châtier la bêtise des nationalistes qui s'autorisent des millions de morts pourrissant dans les ossuaires des tranchées. Depuis les premiers slogans dada, l'insolence surréaliste puise sa force dans ces amitiés qui se rient des frontières et des traités d'alliances militaires. Ont-ils tant changé ces dernières années ? Malgré leurs points de discorde, Robert n'hésiterait pas à défendre un de ses amis s'il était attaqué.

Frontières qui serpentez sur les cimes vous n'entourez pas les cimetières abrités par nos fronts.

Tandis qu'il gratte le ventre de Tango et fait mine de lui disputer un jouet en mousse, il entend ses collègues estimer les risques que le fantôme de la grande Allemagne, qu'on s'est pourtant évertué à écraser sous la roue méthodique du traité de Versailles, ne se relève de ses cendres pour menacer l'Europe. La voix de Laubreaux lui ressemble, elle est chargée de cette vanité de réduire ceux qui lui déplaisent ou le contrent. Robert peine à cerner ce personnage qui est arrivé il y a quelques années de Nouméa où son père menait de fructueuses affaires. Il a commencé à écrire dans la presse toulousaine avant de rejoindre Paris. Dans le milieu journalistique on le situe à gauche, mais il se signale surtout par un goût de la diffamation qui lui a déjà valu de nombreux procès. Une chose est sûre, pense Robert, Laubreaux n'est pas du côté des faibles. Quand il parle des petites gens, c'est avec la suffisance d'un homme qui prétend leur expliquer ce dont ils ont besoin.

— Tiens, vous avez vu, l'affaire Weiler passera en jugement à l'automne, déclare Jean Berger, le journaliste qui les a conviés chez lui ce soir. Drôle d'histoire... Il paraît que le mari assassiné piquait des crises de démence depuis son retour des tranchées. Sa femme l'aurait tué parce qu'il la menaçait.

Robert tend l'oreille. Il se souvient d'autant mieux de l'affaire Weiler qu'elle est liée au bal antillais de la rue Blomet. L'ingénieur Robert Weiler et son épouse Jane y avaient en effet passé la soirée en compagnie d'une jeune Martiniquaise avec laquelle ils avaient dansé tour à tour quand, après l'avoir invitée en vain à les suivre vers d'autres réjouissances, ils prolongèrent la nuit par d'autres plaisirs avant de regagner leur domicile de la rue Chalgrin. Il était près de trois heures du matin lorsque Jane Weiler appela la police pour signaler qu'elle venait de tuer son mari de plusieurs balles de revolver. Depuis, les journaux se sont arraché les témoignages des proches du couple, de leur bonne ou encore de l'ex-mari de la meurtrière, et les hypothèses les plus farfelues ont animé les conversations parisiennes.

— On se demande qui est net, là-dedans..., répond Laubreaux. La meurtrière est une divorcée sulfureuse qui a connu son mari dans une maison de rendez-vous et a été sa maîtresse pendant plusieurs années. Le mari a un profil d'hystérique à tendance violente. Et ne parlons pas de la négresse lubrique qui leur a tourné la tête à tous les deux ! Ce procès promet des rebondissements, mais il aura un mérite : celui de démontrer qu'on ne s'encanaille pas impunément au Bal nègre.

— Le Bal nègre n'y est pour rien ! proteste Pierre, le fils de leur hôte. Et la Martiniquaise non plus. Elle a juste dansé avec ces gens, ça ne fait pas d'elle une putain !

Robert s'est retourné en entendant l'intervention de Pierre. Il aime bien ce garçon et le croise dans les couloirs du *Soir* quand il vient chercher son père. Il arrive que ce dernier l'emmène au bistro où Robert déchire à belles dents l'actualité du jour avec Henri Jeanson. Leurs blagues réjouissent Pierre. Cet adolescent aux cheveux rétifs et au nez trop grand lui rappelle celui qu'il était au temps du lycée Turgot, la tête dans les nuages et les pieds toujours en promenade, rêvant de Révolution et d'emmerder le bourgeois.

Avant de lui répondre, Alain Laubreaux lui allonge une gifle retentissante, aussi tranquillement qu'il corrigerait un chien qui vient de pisser sur ses chaussures anglaises.

— Toi, tu parleras quand tu sauras de quoi tu causes ! Tu y es déjà allé au Bal nègre ? Si ton père t'y autorise, il a tort. Depuis que Desnos en a fait un lieu à la mode, tout ce que Paris compte de richards en mal de sensations y défile, et ça se colle contre les nègres et ça carbure au rhum… Comment s'étonner que ces imbéciles perdent la boule et se conduisent comme des sauvages ? À trop fréquenter les bêtes on finit par mordre.

Les mains de Robert se sont refermées machinalement. Il regarde Pierre, l'empreinte des doigts de ce type sur sa joue imberbe dessine une étoile rouge. Au tremblement de sa lèvre, Robert pressent qu'il va riposter, peut-être frapper à son tour. D'un geste souple et rapide, il le tire en arrière et lui chuchote :

— Je sais ce que tu allais faire. J'aurais fait la même chose à ton âge, c'est une connerie. Ce type est un sanguin, tu n'auras pas le dernier mot. Attends quelques années et tu régleras tes comptes d'homme à homme. Tu comprends ?

— C'est un salopard, siffle Pierre entre ses dents. Je veux lui casser la gueule.

— Mais tu ne vas pas le faire, tu es plus malin que ça. Tu as lu *Le Comte de Monte-Cristo* ? Prends le temps de mûrir une belle vengeance… Et pour l'instant, laisse-moi faire.

Il retourne s'asseoir sur le fauteuil en diagonale d'Alain Laubreaux. Depuis l'esclandre, un malaise règne dans le salon. Les convives ont préféré changer de sujet et commentent l'admission des premières athlètes féminines aux Jeux olympiques d'Amsterdam. Le spectacle de femmes en vêtements moulants devrait réjouir les spectateurs et couvrir les voix de ceux qui dénoncent une perversion de l'esprit olympique encourageant l'androgynie et le saphisme.

— Je vous ai entendu, tout à l'heure, déclare Robert en fixant Laubreaux à travers ses lunettes.

Autour d'eux, la conversation se tarit comme si elle n'avait été qu'un intermède.

— À quel propos ? répond son interlocuteur, un sourire goguenard étirant ses lèvres charnues.

Ses petits yeux noirs étincellent de satisfaction.

— Juste avant de gifler ce pauvre gosse qui ne vous a rien fait. Vous avez dit que j'avais fait du Bal nègre un lieu à la mode. Vous faisiez référence à l'article que j'ai écrit ?

— En effet, répond Laubreaux. Votre dithyrambe

était si efficace que dès la semaine suivante, un ballet de limousines et de cocottes défilait rue Blomet !

Robert ne cille pas, ne lâche pas son adversaire :

— Vous avez raison, Laubreaux. Ça me fait mal de le reconnaître mais je n'aurais pas dû écrire cet article. Je me suis laissé emporter par mon enthousiasme, ça m'arrive souvent. Et vous savez pourquoi je le regrette ? Ce n'est même pas pour le défilé mondain. Non, le plus pénible, c'est qu'en rendant hommage au Bal nègre, j'y ai attiré des hyènes puantes de votre espèce, et que votre regard visqueux salit ces gens que j'aime, ces musiciens et ces danseurs magnifiques dont vous n'êtes pas digne de cirer les chaussures, même si votre papa s'est enrichi sur le dos des indigènes de Nouméa. Vous avez le complexe de supériorité des petits Blancs, des peine-à-jouir qui prennent ombrage du plaisir des autres. Vous n'êtes rien, Laubreaux. Rien. Une chiure de mouche sur la toile de l'univers.

Les tornades tournent dans ma bouche
Les ouragans rougissent s'il est possible mes lèvres
Les tempêtes grondent à mes pieds

Son adversaire a pâli si brutalement que sa figure ronde en devient translucide. Son regard est un concentré de haine pure que Robert affronte dans un grand calme intérieur. Tel un cobra dont la tête enfle à l'instant de frapper, Laubreaux crache sa réponse. Il dit qu'il perçoit dans la violence de Robert les inflexions étrangères que laissent transparaître ses traits, même si son nom les déguise. Il a un flair redoutable pour débusquer les youpins planqués derrière leurs noms d'emprunt. Il se lève et ajoute qu'il ne continuera pas à se laisser insulter de la sorte et préfère finir cette soirée en meilleure compagnie. Personne ne le retient. Dans cette assemblée il est moins populaire que Robert, et si l'on redoute son ironie assassine, il n'inspire pas l'empathie.

Robert compte un ennemi de plus. Ça n'a pas d'importance. Il n'est pas de ceux qui traversent l'existence avec prudence, sans mouiller leurs chaussures.

— Vous l'avez mouché ! s'écrie Pierre après le départ de Laubreaux. C'est vrai que vous êtes juif ?

— Non, sourit Robert. Mais s'il croit m'avoir insulté, il se trompe.

*

Ils sont installés sur les banquettes bleues alignées comme des wagons, dans ce café à deux pas de Montmartre où quelques clients font mine de ne pas voir ces dandys qui pourtant attirent l'attention. Depuis quelques semaines, ils délaissent le café Cyrano, sous les ailes du Moulin Rouge, pour cette élégante brasserie Radio qui occupe le rez-de-chaussée de l'hôtel du même nom. Leur rituel quotidien a besoin du brassage du café qui charrie les murmures de la ville, ses scandales et ses miracles.

La première fois que Robert a rencontré les surréalistes, dans le passage de l'Opéra aujourd'hui disparu, il ne connaissait que Benjamin Péret qui, malgré sa promesse de l'introduire auprès du groupe, se dérobait sans cesse. Peut-être craignait-il que Robert, qui n'était pas un lettré aussi brillant qu'Aragon et se cherchait encore, ne soit pas une recrue assez prestigieuse. Ce jour-là Robert l'avait longtemps attendu au rendez-vous convenu. Puis, le cœur lourd, il s'était décidé à gagner seul le café Certà, engoncé dans son uniforme de troufion en partance pour un service militaire qu'il avait choisi de faire au Maroc. Il avait osé se présenter à Breton qui présidait en fond de salle, entouré d'Éluard, de Péret le fourbe et de Philippe Soupault. Il s'en souvient comme d'un moment d'humiliation, son complexe d'autodidacte lui serrait la gorge. Il était reparti sans avoir impressionné quiconque, intrus oublié aussi vite qu'apparu, juste bon à marcher au pas et à fumer le kif, égarant son regard à l'horizon de ces villes arabes aveuglées de lumière où la beauté des femmes se tient en embuscade.

Un cri s'approche de nous, presque à nous toucher, mais il expire juste au moment de nous atteindre.

Aux yeux de Robert, les surréalistes et les dadaïstes, qu'on pouvait encore confondre en ce temps-là, incarnaient une liberté aussi farouche que la sienne. Ils enterraient joyeusement les valeurs sacrées de leurs aînés, la famille, la patrie, et cette morale bourgeoise qui s'accommode du bordel et du viol mais brocarde la liberté d'aimer. Ils entrechoquaient et frottaient les mots, cherchant l'étincelle d'une poésie surgie de l'étrange et de la surprise, de l'amour des objets hors d'usage et des terrains vagues. À son retour du Maroc, Robert avait rejoint les surréalistes car l'inconscient, le merveilleux et le rêve étaient son territoire de toujours, le seul dont il se sentait un arpenteur légitime. De l'écriture automatique aux cadavres exquis, ils avaient inventorié un bestiaire halluciné, parcouru une jungle qui se perdait au-delà des cartes, s'étaient laissé hanter, émouvoir par des fleurs de verre, des femmes forêt, des étoiles encore non nées.

Ils avançaient sur la crête des vagues, tutoyaient la mort et le vertige. Leur rire était un crachat envoyé au ciel. Ils n'avaient que faire d'être raillés, méprisés, excommuniés. Ils revenaient d'entre les morts, la boue des tranchées les avait recrachés *in extremis*. Ils n'allaient pas rester sur leurs bancs à écouter les maîtres, lever le doigt, dire pardon mais je ne suis pas d'accord avec votre manière de distinguer les cadavres, de prétendre qu'il y a de nobles charognes, des boucheries bénies, que nous naissons pour mourir au nom d'une cause qu'on choisit pour nous. Ils criaient : Ce que nous appelons vie, c'est cette cavalcade qui piétine vos charniers, ce débridement de l'être qui vous fait horreur. Le merveilleux, la révolte et le blasphème sont nos invités permanents. Nous abolissons les frontières que vous avez tracées pour vous protéger de vous-mêmes. Nous n'avons de patrie que celle des rêves que nous partageons, des femmes que nous aimons, des vins qui nous enivrent. Nous sommes votre pire cauchemar, la porte d'entrée de vos désirs refoulés, des insurrections à venir. Nous sommes l'insomnie des ministres de l'Intérieur, des gardiens d'asile, des maréchaux de France. Nous incarnons le désordre, nous fracassons le langage pour que vous ne puissiez plus endormir, mater, endoctriner, faire plier les volontés à l'aide de la grammaire, de la morale et du dogme. Nous préparons des lendemains indociles, nous guettons les rencontres improbables, les incendies amoureux, le tressaillement des consciences réveillées et de la liberté qui se déplie.

Pendant six ans, Robert a été le voyant de leur obscurité, le prophète de leur impiété, le pourfendeur des impostures, jouant des poings et de sa verve assassine, décoiffé et couvert d'ecchymoses.

Mais quand ils parlaient, c'était d'amour.
Ils auraient pour un baiser
Donné ce qui leur restait de sang.

Ces derniers temps il déserte les rendez-vous surréalistes. Sa ferveur s'est érodée à mesure qu'André Breton devenait plus cassant et radical et que leur cercle d'énergies libertaires se refermait, excluant ceux qui avaient démérité aux yeux du chef, chaque jour plus nombreux. Robert aime que le surréalisme ne soit pas une posture mais une exigence, un engagement. Depuis le début, il accepte l'autorité de cet homme qui ressemble à sa propre statue, dont l'aura intimide jusqu'à ses détracteurs. Il a déployé toute sa virtuosité poétique pour le séduire, gagner son admiration. Breton l'a d'ailleurs distingué dans le premier *Manifeste du surréalisme*, dressant de lui un portrait qui restera son reflet le plus élogieux. Mais Robert ne supporte plus les diktats d'André, son intransigeance, sa manière de les juger à l'aune de leur vie sentimentale, de soutenir qu'on peut refuser tous les compromis, demeurer à distance de l'impureté qui fait tourner le monde.

Il salue Aragon, que Nancy Cunard a rendu plus vivant, moins serein et plus élégant. Admirant son foulard de soie perle, Robert décèle une ombre sur son visage qui ressemble aux présages déchiffrés dans le marc de café. Aragon est content de le voir, il lui sourit derrière les lignes de sa fatigue et son col de chemise froissé, ces signes d'un vacillement secret qui peut être lié à Nancy l'infidèle ou à une cause plus profonde.

Prévert est toujours en retard bien qu'il habite l'hôtel. André le lui pardonne, peut-être parce que les envolées humoristiques de Prévert l'enchantent. Comme si ce dandy gouailleur, qui n'écrit pas plus qu'il ne peint mais hisse le monologue au rang d'art surréaliste, débusquait en lui l'enfant qui raffole de la fête foraine. Un jour, Breton et Prévert sont arrivés au café hilares, les yeux rouges d'un fou rire impossible à contenir. Croyant qu'il en était la cible, Aragon est reparti sur-le-champ. La réalité était tout autre : Prévert avait convaincu Breton, ce contempteur de toutes drogues, de s'essayer au haschich.

Heureux de retrouver ses amis surréalistes, Robert en oublie les tensions des dernières semaines. Il a même plaisir à revoir Éluard qui l'a toujours irrité, peut-être parce qu'ils ont en commun cette nature sanguine qui bat sous la surface d'un calme apparent. Éluard, c'est le chouchou du maître, toujours une mise impeccable, une raie à faire pâlir un géomètre. Son visage de jeune premier, sa courtoisie, ses mains de pianiste, sa poésie sensuelle et limpide. Un soir, alors qu'il était plongé dans le sommeil hypnotique, Robert a tenté de le poignarder dans l'atelier d'André. Il ne s'en souvient pas, mais savoure encore la définition acerbe que cette persifleuse de Rrose Sélavy lui avait alors soufflée : *P. Éluard : le poète élu des draps.*

Robert glisse quelques mots à Leiris, avec lequel il a passé une partie de la soirée à écouter du jazz derrière la place de la Concorde. Puis, considérant les chaises vides, il pense à Tzara et Fraenkel qui se sont éloignés, à Artaud, Soupault, Naville, Masson, Vitrac et Limbour tombés en disgrâce, auxquels il faudrait ne plus serrer la main quand on les croise dans la rue, dont il faudrait oublier les noms, les calembours, les fulgurances poétiques et l'amitié.

Nous étions quatre autour d'une table
Buvant du vin rouge et chantant
Quand nous en avions envie.

Ils prennent place autour des tables qui leur sont réservées chaque soir. André Breton préside, vêtu de son éternel costume de velours vert, mais la belle ordonnance de son visage léonin est mise à mal par sa lèvre inférieure tuméfiée. Un mauvais coup distribué par la mère d'Antonin Artaud, l'autre jour, dans l'escalier de l'hôtel où les deux poètes se sont croisés, puis battus, consommant une discorde qui couve depuis des mois. Madame Artaud, qui rendait visite à son fils, n'a pas hésité à châtier le surréaliste prétentieux qui tourmente son cher Nanaqui et venait de saboter ses représentations de Strindberg au théâtre Alfred Jarry. Par ce geste, songe Robert, elle a mérité la reconnaissance de tous ceux que la raideur autocratique de Breton indispose.

— Nos troupes se réduisent, observe André que ce constat semble désappointer. Man Ray s'est excusé, un travail urgent le retient. Noll est absent, je vous en parlerai dans un instant. Artaud est exclu définitivement, c'est une décision irrévocable que je vous demande de respecter en évitant tout contact avec lui. Comme certains d'entre vous le savent, un différend m'oppose à Naville à propos du trotskisme, et tant qu'il n'aura pas été réglé d'une manière cohérente avec la direction qui est la nôtre, je lui ai demandé de s'abstenir de venir aux réunions. Prévert est en retard comme toujours… Enfin, je suis heureux que Desnos ait retrouvé le chemin de la brasserie Radio, même si son activité de journaliste et ses liaisons avec les reines de Montparnasse lui laissent peu de temps libre.

— C'est un plaisir de vous retrouver en grande forme, répond Desnos, goguenard. J'ai vu Crevel l'autre jour, il ne viendra pas, il pense que ses préférences amoureuses lui ont valu d'être mis à l'écart de l'enquête sur la sexualité. Je lui ai dit qu'il se trompait sûrement, mais il n'a rien voulu entendre. Peut-être faudrait-il crever l'abcès qui blesse Crevel ?

— Bravo ! répond Breton avec un petit rire. Crevel a raison, j'ai estimé que son point de vue ne pourrait enrichir notre réflexion commune. Je me suis déjà expliqué sur ce point, j'accuse les pédérastes de proposer à la tolérance humaine un déficit mental et moral. Notre enquête s'efforce de sonder ce qui relie l'amour charnel à l'amour passion ou à l'écueil du libertinage. À définir les contours de ce mystère qui nous attache éperdument aux femmes. Je suis disposé à en discuter avec Crevel quand il le voudra. Cela n'a d'ailleurs rien à voir avec l'affection et l'estime que nous lui portons à titre personnel.

Robert se demande si André n'userait pas désormais d'un *nous* monarchique, et cette pensée le fait sourire.

Autour d'eux l'attention est inégale. Aragon et Éluard écoutent imperturbables, et bien malin qui pourrait déchiffrer ce que ces réflexions leur inspirent. Derrière ses petites lunettes rondes, Queneau plaisante à voix basse avec le peintre Yves Tanguy, qui ressemble à une huppe mal réveillée s'efforçant de retrouver son nid dans la brume.

— Je le lui dirai, même si je ne comprends pas en quoi l'homosexualité est incompatible avec notre conception surréaliste de l'amour, s'entête Robert.

— Il y a beaucoup de choses que vous ne comprenez pas, ces derniers temps, l'interrompt André d'un ton lapidaire. Votre cerveau doit être obscurci par un trop-plein de distractions.

Ils sont interrompus par l'arrivée de Marcel Duhamel et de Prévert qui, bafouillant une excuse interminable avec un sérieux de pitre, arrive à faire pouffer une grande partie de l'assistance.

Ils partagent cette nature dissipée, ce goût de l'école buissonnière et des farces et attrapes. La gravité dans le jeu, la légèreté dans le grave. Même leur manière de se disputer, la férocité qu'ils déploient pour détester ou mettre en pièces, porte la grandiloquence et la démesure d'un jeu volontiers cruel, où l'on peut mourir.

Les lois de nos désirs sont des dés sans loisir.

André profite de l'arrivée des retardataires pour leur rappeler que si tous les membres du groupe n'ont pas fait le choix d'adhérer au Parti communiste, la question de l'engagement politique se pose à chacun. Robert remarque que ceux qui ont pris leur carte se sont rassemblés en bout de table autour de Breton, formant un demi-cercle qui les exclut symboliquement.

— Plus que jamais, il s'agit d'être à la hauteur de l'intention surréaliste. Les comportements que nous avons tolérés jusqu'ici ne méritent plus la moindre indulgence. Certains d'entre vous persistent à se commettre dans la presse bourgeoise sous prétexte de gagner leur vie. Je maintiens qu'on peut survivre sans se compromettre, et qu'un surréaliste le doit ! martèle André en tapant du poing sur la table.

Le mandarin-curaçao tremble dans son verre.

— Dans ce cas, comment puis-je gagner ma vie ? interroge Robert, sarcastique. Je travaille peut-être pour la presse bourgeoise, mais je m'efforce d'y défendre mes valeurs. Ça me permet de manger, mais c'est aussi le moyen de toucher un grand nombre de gens. Je n'ai jamais écrit un article de complaisance, et je ne renie pas une ligne que j'ai publiée.

— Le seul fait que vous écriviez pour eux vous compromet ! rugit Breton. Vous n'avez qu'à trouver une autre solution, que sais-je moi, épousez une femme riche, puisque vous avez un faible pour les maîtresses de luxe… J'ai fait le même reproche à Aragon, et il m'a entendu. Il n'y aura plus de dérogations. Le surréalisme se passe des viveurs et des dilettantes qui marchandent avec leur conscience.

— En ce qui me concerne, je vous obéis en tout, Breton…, intervient Prévert qui vient de vider son verre. Je meurs de faim très dignement. On ne peut pas me reprocher de faire quoi que ce soit pour gagner ma vie. Ces jours-ci, je travaille à quelques scénarios pour mon ami Duhamel. Je lui dois bien ça, il m'a hébergé si longtemps. Mais si ça me compromet, surtout dites-le-moi, j'en ferai le sacrifice et me consacrerai à la sieste.

Même l'humour de Prévert n'arrive pas à distraire Breton de sa cible du jour.

— Desnos était d'accord pour publier sous pseudonyme. Pourquoi ne pas lui demander de s'y tenir ? propose Aragon qui souhaiterait, en louvoyant habilement, détourner la colère du chef vers un sujet moins glissant.

Aragon aime le journalisme et n'entend pas y renoncer. Ils croient tous deux à la possibilité de faire bouger les lignes, d'ébranler les préjugés. Ils se mêlent au mouvement du monde et tentent d'en infléchir les virages mortels.

— Aragon a pris l'habitude de ces stratégies d'évitement qui ne font que retarder l'échéance d'un engagement. Nous en avons un bon exemple avec ce roman-fleuve qu'il persiste à écrire malgré mes réserves et mes avertissements répétés.

Aragon a blêmi. La pâleur de son visage en accentue l'ombre insaisissable.

— Je vous avais prié de considérer ce livre comme un fantôme, puisqu'il n'était ni achevé ni publié. Ce fantôme n'existe plus aujourd'hui. Il est inutile d'en reparler.

Le roman d'Aragon, qui portait le beau nom de *La Défense de l'infini*, est devenu cette ombre où s'abîme sa loyauté envers un homme dont l'exigence ne cesse d'enfler, pense Robert avec émotion. Près de mille cinq cents pages, des années de travail anéanties en quelques minutes, comment un tel sacrifice pourrait-il être pardonné ? Aragon avance en tentant de concilier l'inconciliable : son besoin vital d'écrire des romans et l'interdiction surréaliste frappant ce genre bourgeois. Sa liaison avec la fille d'un milliardaire et son adhésion au Parti communiste. Ses carrefours sont autant d'impasses, pour les franchir il doit trancher des nœuds gordiens, renoncer à ce qui lui est cher. Si Robert éprouve de la compassion pour son ami, il a conscience de se tenir sur la rive, à distance du courant. Non qu'il n'ait pas le cran de se jeter à l'eau, mais il obéira alors à sa seule impulsion. Personne ne lui dictera ce qu'il doit faire ou penser.

Le quatrième dit : « Quels souvenirs ?
Cet instant est un bivouac
Ô mes amis nous allons nous séparer. »

L'aveu d'Aragon a eu le mérite de réduire André au silence. Éluard profite de l'accalmie pour demander où est Noll, dont personne n'a de nouvelles depuis plusieurs jours.

— Marcel s'est enfui avec la caisse de la galerie surréaliste…, leur annonce André avec une solennité propre à déchaîner les sarcasmes de Robert.

— Je suis très inquiet, précise-t-il. Il a déjà tenté de se tuer et ce vol est le geste d'un homme désespéré.

Robert fourbit une repartie cinglante quand Youki apparaît à la porte du bistro, dans une longue robe de mousseline blanche qui la déshabille plus qu'elle ne la vêt. Il était convenu qu'elle passe le retrouver après la réunion surréaliste. Elle est en avance, ce qui n'est pas surprenant car Youki gère son emploi du temps avec une grande désinvolture. La conversation se tarit à son approche.

— Bonsoir, les surréalistes ! De qui étiez-vous encore en train de médire ? interroge-t-elle gaiement.

— Ma chère Youki, nous parlions justement de notre ami Marcel Noll, qui a dérobé nos fonds. Il espère sans doute vous reconquérir grâce à ce butin, répond Breton avec un mélange de courtoisie et de froideur.

— Pauvre Marcel…, murmure la jeune femme en hochant la tête. Il faudra lui dire que je ne suis pas une putain qui va au plus offrant ! Cher André, me pardonnerez-vous si je vous enlève Robert ? Mon mari l'a invité à dîner ce soir, et nous allons finir par être en retard.

— Dans la mesure où nos discussions sont loin d'être terminées, je laisse à Desnos la liberté de partir ou de rester, répond André avec un flegme trompeur.

Robert se lève, soulagé de couper court à son procès qui n'a que trop duré. Partir ou rester, parfois le choix est aussi simple que l'invitation d'une jolie femme dans la tiédeur du soir.

— Cher André, ce que vous appelez discussion imposerait le respect à Fouquier-Tinville ! Je veux bien qu'on passe au crible chaque mot que j'écris, d'ailleurs je les assume tous. Mais que ça vous plaise ou non, je revendique le droit d'aimer qui bon me semble et de gagner ma vie comme je veux, et surtout comme je peux.

— C'est précisément ce qu'on vous reproche, répond André. Cette superficialité qui transparaît dans vos choix, ce manque d'exigence, cette paresse indigne d'un surréaliste dans lequel nous avions placé tant d'espoirs. Préférer les voyous de presse à la recherche surréaliste, le libertinage à l'amour…

— Je n'ai jamais séparé le sexe de l'amour, rétorque

Robert. Je n'en discute pas, je le vis, je le fais. Je suis allé si loin dans l'amour que j'ai pensé ne jamais en revenir. J'ai affronté ses grimaces. Aujourd'hui j'en connais aussi le sourire. Je ne vais pas m'en plaindre ni m'en excuser. Mais vous, André, si exigeant envers nous tous, comment conciliez-vous le grand amour surréaliste avec le fait d'avoir abandonné la femme qui vous a inspiré votre plus beau livre ? Pauvre Nadja. Vous arrive-t-il de penser à elle, seule et oubliée entre les murs de son asile ?

André se trouble, l'étau de sa mâchoire s'est relâché et il cherche ses mots, désarçonné :

— Je n'ai pas abandonné Nadja. Elle devait être internée, j'étais impuissant à l'aider. Tout le mal que je pense des hôpitaux psychiatriques ne change rien à l'affaire.

— Non, en effet. Le mal que vous en pensez ne change rien. Vous vous êtes débarrassé de cette pauvre fille quand elle a cessé de vous être utile, lance Robert en prenant le bras de Youki.

Cette dernière réplique sème le silence et la gêne.

— La poésie c'est du joli, mais vous feriez mieux de baiser, ça manque de femmes ici. Vous avez besoin de vous dessaler ! s'exclame Youki tandis qu'ils marchent enlacés vers l'auto flambante qui les attend devant la brasserie.

*

À peine sortis du café, la pluie les a douchés. Le chauffeur n'arrivait pas à fixer la capote de la voiture, l'opération a pris de longues minutes qui ont suffi à noyer leurs vêtements et à ruiner la coiffure de Youki, tandis qu'ils riaient à perdre haleine, cherchant les étoiles derrière les trombes d'eau, la tête renversée pour mendier des baisers ruisselants. L'averse redoublait de fureur quand ils ont atteint le square Montsouris et se sont précipités sous le porche, accueillis par Miké et Boutchi qui miaulaient de concert pendant que Foujita s'affairait en cuisine et qu'Henri Jeanson fumait sa pipe dans le salon en écoutant un disque de jazz New Orleans. Youki est allée se changer, mais Robert a préféré rejoindre son ami d'enfance et se sécher devant le feu de cheminée. Il a ôté sa chemise et sa veste et s'est installé devant l'âtre pour se réchauffer. Tandis qu'ils conversent, son bonheur est si manifeste qu'Henri lui en fait la remarque.

— Eh bien oui, je suis heureux, constate Robert comme pour lui-même. Quel événement ! Entendons-nous bien, j'ai toujours été plutôt doué pour la joie de vivre. Mais…

— Je ne t'ai jamais vu comme ça, Robert, observe Henri en tirant sur sa pipe. Et je te connais depuis un bail !

Youki les retrouve au salon, radieuse dans un kimono rouge assorti à celui de son mari. Foujita leur sert des verres de saké. C'est une soirée japonaise dont le peintre a concocté le menu avec soin : poissons crus marinés, navets confits dans la saumure de bière et autres délices dont la seule idée les met en appétit. Il est loin, le temps où Henri Jeanson et Robert trompaient leur famine à coups de cafés crème dans les bistros de Saint-Michel ! Pourtant, Robert mange rarement à sa faim. Il lui arrive de sourire de cette drôle de vie partagée entre privations et bombance, où peuvent s'enchaîner une soirée à la Coupole et plusieurs jours à errer le ventre vide. Tout à l'heure, la blague de Prévert n'était pas seulement drôle, elle était vraie : ils savent crever de faim avec élégance. *A contrario,* ils partagent sans réserve le peu qu'ils ont, invitent tout le monde dès qu'ils ont une bonne fortune, et rien ne les met plus en joie qu'une grande tablée où le vin coule à profusion.

Lorsque Henri et Robert se retrouvent, la conversation est un feu d'artifice de reparties savoureuses et d'anecdotes sur leur jeunesse tapageuse. La mélancolie se pose parfois au détour d'un souvenir, le temps d'évoquer cette fille dont ils s'étaient épris tous les deux et qu'ils ont dû partager, ce qui a failli mettre fin à leur amitié.

— Voyons, c'est toi qu'elle aimait ! affirme Henri à Robert qui proteste, jurant l'avoir entendue prononcer le prénom de son rival dans un moment décisif.

Youki et Foujita sont au spectacle, et le Japonais pleure de rire lorsque les deux complices racontent leur expédition punitive contre l'abbé Bethléem, sinistre individu qui s'était donné pour mission de combattre l'immoralité sous toutes ses formes, et affichait chaque semaine une nouvelle liste de livres proscrits. En réponse, Robert et Henri avaient mis à sac le magasin de souvenirs pieux de l'église Saint-Sulpice, sous les yeux effarés de la vendeuse qui assistait tétanisée à ce saccage. « Vous n'allez pas chercher la police ? » avaient-ils fini par lui demander.

L'ingénue avait eu cette réponse désarmante : « Mais… Je ne peux pas laisser le magasin. »

Les deux malfaiteurs serviables se proposant pour

garder la boutique, elle s'était laissé convaincre de porter plainte.

— Mais pourquoi vouloir tant la police ? les coupe Foujita entre deux hoquets.

— On voulait surtout un procès ! précise Henri avec un clin d'œil. Un joli procès, juteux à souhait, qui nous offrirait une tribune. Et croyez-moi, on ne s'est pas privés de faire défiler, en guise de témoins de moralité, tout ce qu'on pouvait réunir de plus scandaleux aux yeux de l'abbé Bethléem : des danseurs nus, des meneuses de revue, des musiciens noirs, un couple de lesbiennes contorsionnistes... Sans parler des copains surréalistes qui en ont fait des tonnes, enchantés de participer à cette franche rigolade !

Au final, après quelques journées à inscrire dans les annales du pittoresque judiciaire, le juge, qui ne savait plus où donner de la tête et semblait dans la plus grande confusion, avait condamné conjointement Robert, Henri et l'abbé Bethléem.

— Le prêtre a été condamné aussi ? s'étonne Youki que cette idée séduit.

— Oui, confirme Robert, tout sourire. Je crois que le pauvre type s'est un peu mélangé les pinceaux au moment de rendre le verdict. Nous étions très satisfaits, et même si l'amende était salée, nous nous en sommes acquittés sans douleur !

— Robert, plus je te connais, plus je t'aime, déclare Foujita en lui tapant sur l'épaule.

La sincérité de cet aveu touche le poète. L'amitié qu'il ressent pour le peintre le désarçonne et l'enchante. Les longues soirées partagées avec le couple ont fait naître une complicité profonde. Robert admire l'exigence de Foujita, la singularité de son talent, son perfectionnisme, sa recherche permanente d'une voie nouvelle. Et même s'il préférerait avoir Youki pour lui tout seul, il sait qu'elle est plus à sa place ici que dans son atelier de poète fauché. Parfois, quand elle arrive à l'improviste, chargée de citrons qu'elle vient d'acheter au Bal nègre pour le punch, il se prend à rêver qu'elle pourrait rester. Mais au bout de quelques heures exquises, elle s'en va toujours.

Pour distraire son émotion, il se lève et se met à danser un fox-trot frénétique et maladroit.

— Tu es joyeux comme un enfant…, murmure Youki qui va mettre un nouveau disque sur le phonographe et lui ébouriffe les cheveux au passage.

Robert tâte sa poche à la recherche d'une cigarette. Puis c'est la boîte d'allumettes qu'il ne trouve plus et lorsqu'il finit par la dénicher dans sa veste, elle lui échappe des mains et s'ouvre en dispersant son contenu. Il s'agenouille pour ramasser lorsque la voix d'Yvonne couvre le brouhaha des conversations, déchirante et nue, échappée du gramophone à pavillon rouge qu'il a offert aux Foujita. S'il ne s'est pas préparé à l'entendre, le timbre de son Étoile lui arrache l'âme, réveillant les nuits blanches et les chimères sans merci. Mais ce soir, tandis qu'il collecte les allumettes égaillées sur le plancher, dans un éclair de conscience, il réalise que cette voix n'a plus le pouvoir de le blesser. Il ressent un grand vide, la fin d'une douleur torturante qui l'étreignait depuis si longtemps qu'elle avait fini par faire partie de lui.

Je ne l'aime plus.

Ne plus aimer Yvonne, c'est être libre d'aimer la vie sans cet étau entravant sa poitrine, sans payer toute joie de son poids en désert. C'est écarter les rameaux noirs d'une forêt profonde pour découvrir un paysage baigné de soleil. C'est renoncer au vœu d'un amour qui n'aurait de fin que sa mort ou celle d'Yvonne, accepter une forme de défaite. Il continue à ramasser les allumettes, une à une, comme il effeuillerait une marguerite.

Je l'aime. Je ne l'aime plus. Je l'aime encore. J'ai cessé de l'aimer.

La dernière allumette est une carte de mort, de celles que la voyante retourne avec prudence et un regard indéchiffrable.

Évade-toi de l'eau, des prisons, des potences
Adieu, je partirai comme on meurt un matin.
Ce ne sont pas les lieues qui feront la distance
Mais ces mots : Je l'aimais ! murmurés au lointain.

Alors il aperçoit le profil de Youki qui s'éclaire d'une douceur fugace, et reconnaît ce nouveau visage de son amour qui n'a pas effacé le premier, qui s'est juste superposé à lui et lui demeure attaché comme les deux faces d'un même louis d'or.

6

La clarté lunaire dessine les ombres de l'atelier, gainant l'épée de verre accrochée au-dessus du lit. Robert a passé le seuil de cette zone brouillée où le rêve emprunte les vêtements du réel au point que seules quelques dissonances, quelques syncopes dérangeantes permettent de les distinguer l'un de l'autre.

Il voit le peintre Pascin trébucher ivre dans son complet noir, le chapeau melon glissant impeccablement sur l'œil. Il se rattrape au chambranle de la porte et cligne en direction de Robert d'un air de dire « Tu vois, mon ami, je ne suis pas encore mort ». Pascin lui indique les couples enlacés au fond de la grande salle. Parmi eux, Youki danse avec un homme vêtu d'un costume colonial et se colle si étroitement à lui que leurs épidermes se confondent. Robert brûle de le détacher de Youki. Un rire interminable éclate, mécanique déréglée qui signale Mado Anspach, maîtresse du peintre Derain et meilleure amie de Youki :

« Mon pauvre Robert… te voilà détrôné ! Tu espérais faire la saison ? Mais c'est long une saison, et Youki est très demandée. Je préfère te prévenir, j'ai réservé la nuit ! »

Mado se remet à rire, les yeux injectés de sang. Sa bouche trop rouge ressemble à une blessure.

Un peu plus loin, Man Ray et Théodore Fraenkel jouent à la roulette russe et l'invitent à se joindre à eux. Robert prend le revolver. Il appuie le canon contre sa tempe et presse la détente. Le coup éclate et le couvre de flocons blancs, il se figure un oreiller éventré.

« Je ne peux pas mourir, je suis déjà mort », constate-t-il en souriant.

Il rend l'arme à Théodore, et s'éloigne, cherchant une issue car il étouffe. Dehors, il découvre une grande terrasse surplombant un à-pic de ténèbres. René Crevel se tient debout sur le garde-fou et le pouls de Robert s'emballe en le voyant si près du vide, il se précipite et lui attrape les jambes pour l'empêcher de basculer. À ce contact, il se trouble et Crevel se penche pour lui confier avec douceur :

« Je savais que tu viendrais. Breton m'a prévenu, nous n'avons qu'un poumon pour deux. »

À ces mots, une douleur fulgurante traverse la poitrine de Robert, il se réveille dans le décor familier de son atelier, et par réflexe, cherche la silhouette d'Yvonne au pied de son lit. Pourtant il y a bien longtemps que son fantôme ne vient plus le visiter la nuit.

En 1926, elle lui est apparue chaque nuit durant des semaines. Ses apparitions ont commencé en novembre. Selon un rituel immuable, elle s'asseyait au pied de son lit sans prononcer un mot. Une nuit pluvieuse, le bas de sa robe et ses escarpins étaient souillés de boue. Elle portait parfois une robe de scène rouge et noir qu'il aimait particulièrement, tantôt une longue jupe mauve et un manteau au col de fourrure. Il était déjà couché quand elle arrivait. Bien qu'il ait fermé sa porte à clé, il entendait les gonds rouler et le bruit du pêne cassé de la serrure qu'il fallait repousser pour ouvrir la porte. S'il dormait déjà, son parfum le réveillait et il se dressait sur son lit, hagard et vacillant. Le temps d'accommoder sa vision, il la distinguait aussi clairement que si les lampes avaient été allumées. Les lignes de son corps étaient nimbées d'une phosphorescence bleue qui répondait à la lueur brasillante du poêle. Elle l'observait des heures durant, avec sur le visage cette tristesse sans remède que rompait parfois le charme d'un sourire.

Un soir il a dormi dans le lit d'une autre femme, mais l'imaginer seule devant le feu éteint, dans l'atelier désert, lui a causé tant de peine que par la suite il a pris soin de demeurer chez lui toutes les nuits, débarrassant le fauteuil et attisant les braises pour qu'elle n'ait pas froid.

Quand il s'est enfin résolu à poser la main sur celle de son fantôme, elle l'a calmement retirée sans s'évanouir à ce contact. La nuit suivante, il a glissé son poignard malais sous son oreiller, comme s'il était envisageable qu'il puisse la tuer. Au matin la lame gisait intacte près de son lit. Peu à peu, les souvenirs de ses visites sont devenus incertains au point que sa raison pouvait les contester. Du jour au lendemain, elle n'est plus venue. Il l'attendait en vain jusqu'à l'aube. Puis le sommeil a repris ses droits et il a cessé de s'éveiller à l'heure de ses visites nocturnes.

Puis au réveil nos yeux se fermèrent
et l'aube versa sur nous les réservoirs de la nuit.

Il tâtonne à la recherche de ses lunettes et se lève, encore prisonnier de ce vestibule entre la veille et le sommeil. Il écarte les piles de papier et les livres, dégage un coin de table, attrape un crayon et une feuille. Il s'est remis à écrire après deux ans de panne. Il se demandait si cette voix s'était tue à jamais. Parfois le saisissait l'angoisse de ce silence. Plus rien ne venait lui parler du fond de lui, de ces contrées mystérieuses. Un soir, il a senti l'urgence des mots retenus par le bâillon invisible, le voile se déchirer et l'océan cogner à ses tempes. Sa poésie a surgi de ce déséquilibre où dansent les images et les sons, où se déplient une anémone vénéneuse fleurissant sur les épaves, et cette sirène à la nudité d'acier dont le chant tranche les amarres et les veines. Double visage d'un amour où s'écorcher le cœur. Double nature hybride, capricieuse et changeante.

Cette nuit c'est Youki qu'il cherche, Youki qui est partie vers un pays de nacre, voguant sur le paquebot *Katori Maru*, Youki retournée à son élément, à son insouciance royale. L'avait-il perdue, avant le tremblement de terre fiscal qui a mis fin à leur existence insouciante, forçant les Foujita à rallier le Japon au plus vite pour réunir les cent mille francs réclamés par le fisc ? Lui échappait-elle déjà, prévenant l'aveu d'un amour qui la lassait dès son préambule ? Elle se coule dans d'autres bras, ne souhaitant pas s'attacher un prétendant qui cumule les handicaps de la laideur et de la dèche.

Il ne renonce pas, il sait que l'amour exige loyauté et patience. Sa voix où roulent le tonnerre et l'apothéose, qui allume des constellations et réveille les morts, cette voix qui est son orgueil ne lui est d'aucun secours pour être aimé d'elle. C'est pourtant à elle qu'il s'adresse, usant d'images dont la beauté déguise ce qu'il n'ose lui dire : son désespoir et son impuissance, la tragédie rejouée d'un amour prodigué à celle qui n'en veut pas. Mais peut-être faut-il aller plus loin dans le don de soi, puiser plus profond pour que les mots atteignent leur cible, ouvrent une brèche dans son armure de femme poisson. Alors il déchaîne un ouragan poétique, sa colère déchire les alexandrins, la beauté du monde est dévastée, minée par l'omniprésence de la mort. Puis l'accalmie vient avec l'espérance d'un front en sueur, la mort se terre à nouveau, l'étale de basse mer découvre les coquillages et la dentelle des coraux. Peut-être suffit-il de croire au miracle d'être aimé pour ce qu'on est, malgré les prétendants qui veillent au grain, les très riches et les très beaux, les innocents aux mains pleines.

Me pardonnant si des brouillards bandent mes yeux
Si j'ai l'air d'être ailleurs si j'ai l'air d'être un autre
Me pardonnant de croire au noir au merveilleux
D'avoir des souvenirs qui ne soient pas les nôtres

Quand ses doigts engourdis demandent grâce, que son corps est un vertige de faim et de fatigue, il s'arrête et enfile ses chaussures de pauvre, tellement rafistolées que Man Ray pourrait les faire figurer dans sa prochaine exposition surréaliste. C'est en marchant qu'il disperse les brumes de l'écriture et retrouve ses bonheurs quotidiens : respirer l'aube parisienne, saluer un ami, boire un café au comptoir en parcourant le journal, croiser Picasso aux abords du passage Jouffroy ou de la gare

Saint-Lazare et se demander pourquoi ils sont aimantés par les mêmes lieux, savourer cette rencontre rituelle qui les relie mystérieusement. Oublier que Youki est à des milliers de kilomètres, qu'Yvonne dépérit au sanatorium, qu'il a été licencié par *Le Soir.* Se satisfaire d'une foulée alerte, d'une jolie femme croisée sur le pont des Arts, de sentir son corps vigoureux et son cœur prêt à en découdre.

*

Il est troublant de croiser René Crevel rue Fontaine après avoir rêvé de lui. Robert tombe sur lui à la Cabane cubaine. Se rendre dans la rue d'André Breton sans passer le saluer ajoute au plaisir du jazz. Depuis ce fameux soir à la brasserie Radio, André a durci ses positions, multiplié les exclusions et les diktats. Sommé de prendre parti, Robert demeure sur son quant-à-soi libertaire. La dernière carte postale d'André, envoyée de l'île de Sein l'été dernier, demandait :

« N'avez-vous vraiment plus rien, mais plus rien à faire avec moi ? »

Robert l'a rangée sans y répondre.

Même sans lunettes, il reconnaît la silhouette élancée de Crevel près de la scène. Son élégance nerveuse le touche, peut-être est-ce d'avoir rêvé qu'il allait basculer dans le vide. En s'approchant il le voit sourire, le visage incliné vers les musiciens.

— Bonjour mon vieux, j'ignorais que tu étais rentré ! lui dit-il en lui tapant sur l'épaule.

René se retourne, son sourire s'élargit et creuse une fossette :

— Ils m'ont relâché. J'ai toujours peur qu'ils me séquestrent à jamais. Je hais la Suisse, Robert, si tu savais comme je hais leurs fichues montagnes, leur air pur, et ces momies enroulées dans leurs couvertures... Je rêve de chaleur, de lumière, de Provence. Mais il paraît que c'est mauvais pour les vampires et les tuberculeux.

— Tu aimes le jazz cubain ? Je suis sous le charme d'Eduardo Castellanos. Tu sais qu'ils ont rebaptisé la boîte en son honneur ? La Cabane cubaine, ça sonne quand même mieux que leur Palerme à la noix !

Le regard pâle de René s'attarde sur un jeune guitariste noir qui le fixe en retour, comme on rend un baiser.

— Je suis passé voir André, lâche le jeune homme avec embarras. Il voulait me parler. Il est très remonté contre toi et tous les autres, Leiris, Bataille. J'ai essayé de vous défendre.

— C'est gentil mais tu perds ton temps, le coupe Robert avec bonne humeur. Il ne nous manque pas, tu sais, on vit très bien sans mandarin-curaçao et leçons de morale. On se voit entre nous, chez Masson, chez Fraenkel. On fréquente d'autres troquets, on n'a plus besoin de se cacher pour aller au concert ou pour danser la biguine... On revit !

— Tu as fait une croix sur le surréalisme, alors ?

Robert réfléchit avant de répondre.

— J'ai fait une croix sur Breton, ce n'est pas pareil. Le surréalisme ne lui appartient pas, même s'il aimerait nous le faire croire.

René hoche la tête :

— Et toi Robert, comment vas-tu ? Yvonne m'a dit que tu étais venu la voir à Arcachon. Elle pensait que tu n'aurais pas le temps. Tu lui as fait une jolie surprise.

— Pour Yvonne je trouve toujours le temps, dit Robert. Comment je vais ? Plutôt bien pour un type qui n'a aucun moyen d'existence et dont la vie sentimentale est un fiasco absolu. Comme je n'ai plus un rond, j'ai arrêté de manger et retrouvé le poids de mes dix-huit ans. Forcément, les femmes se pâment sur mon passage. Le problème, c'est que je n'ai même plus de quoi leur payer un verre !

René éclate de rire :

— Je sens qu'il est temps que je t'emmène voir Madame Rachel. Ça te fera du bien.

— Je n'ai pas un rond et tu me proposes une virée au bordel ?

— Madame Rachel n'est pas une maquerelle, Robert, corrige René hilare. C'est une voyante. Et c'est moi qui régale, alors tu ne peux pas refuser.

Madame Rachel reçoit dans son petit cabinet de la rue Marcadet, sur la butte Montmartre. À cette heure de l'après-midi, le quartier semble assoupi à l'exception des rares passants remontant vers la place du Tertre et d'un groupe d'Apaches qui devisent clope au bec à l'angle d'un bistro dont la devanture annonce du bouillon de bœuf et des liqueurs de marque. Les petites maisons de guingois et les immeubles galeux protègent des vies sans éclat mais dont la grandeur n'est pas absente, songe Robert qui les connaît bien. Sur le trottoir d'en face, l'hôtel Labat a l'air abandonné, avec son charme désuet, sa tourelle pointue et ses fioritures Second Empire. Les belles demoiselles sont parties avec leurs ombrelles et leurs bottines à boutons, dans un froufrou de dentelle blanche.

Ils franchissent un porche bas et s'engagent dans

une entrée à l'odeur de lessive et d'encaustique. Au fond de la cour humide où quelques plantes grimpantes survivent dans le jour avare, une plaque modeste indique : « Madame Rachel, cartomancie, chiromancie, divination ». René frappe et ils pénètrent dans une salle d'attente tapissée de tentures mitées. Quelques fauteuils, un guéridon orné d'un napperon brodé, un vase d'inspiration chinoise où une orchidée dépérit avec dignité. Ils patientent une vingtaine de minutes avant d'entendre un raclement de chaises, l'écho étouffé d'une conversation, le bruit de la porte d'entrée. Lorsque Madame Rachel vient les chercher, Robert découvre une dame au regard souligné de mauve, habillée d'une robe imprécise que rehaussent trois sautoirs de perles noires. Ses cheveux bruns nuancés de mèches argentées sont ramassés en chignon bas, et ses boucles d'oreilles évoquent deux gouttes de sang suspendues.

— Bonjour, dit René. Aujourd'hui je vous ai amené un ami poète. Je compte sur vous pour lui annoncer un futur au regard doux. Aimez-vous le bonheur, Madame Rachel ? Il faut l'aimer pour savoir le prédire.

— Le bonheur diffère pour chacun de nous, répond Madame Rachel. Ce que vous appelez bonheur causera peut-être de grandes souffrances à votre voisin. Par qui commençons-nous, par votre ami ? Suivez-moi, jeune homme, n'ayez pas peur.

Robert la suit au fond du couloir jusqu'à une pièce encombrée d'objets qui attisent sa curiosité. Il y a là une profusion de trouvailles qu'il aimerait inventorier une à une : d'antiques boules de verre dépolies, des cristaux, des statues d'inspiration égyptienne…

Le cabinet donne sur une cour. Son unique fenêtre filtre une lumière de confessionnal. Robert s'installe en face de la voyante, devant la table de bridge dont une courtepointe en velours prune escamote les pieds.

— Bien. Maintenant donne-moi la main avec laquelle tu écris.

Robert tend sa main droite au-dessus de la table. Madame Rachel la déplie et l'observe longuement, dans un silence à peine troublé par le cliquetis d'une pendule.

— Je vois que tu as une main de feu, tu laisses ton instinct et tes impulsions guider ta vie. Ta ligne de tête montre beaucoup de créativité et un certain idéalisme.

Robert hoche la tête.

— Tu es en train de rompre avec un passé qui t'entrave. Tu y arriveras en exprimant ta colère. Elle est devenue plus forte que ta peine, plus forte que ta culpabilité.

Robert revoit Yvonne lui envoyer un baiser depuis le perron du sanatorium et son visage vieilli et creusé, tandis qu'elle frissonnait dans le vent d'orage.

— Dois-je vraiment défaire les liens qui m'attachent au passé ? demande-t-il dans un souffle.

— Ton chemin passe par là. Tu dois te libérer pour avancer. Tiens, regarde. Ta ligne de cœur est bien dessinée, et elle est double. C'est le signe d'une grande générosité, en amour et en amitié, et que tes sentiments l'emportent sur ta raison. Je vois une femme que tu aimes mais qui s'éloigne.

— Est-elle amoureuse de moi ?

— Son cœur est ailleurs. Elle te quitte, mais elle reviendra. Donne ta main gauche.

Robert tend sa main gauche, suspendu au magnétisme de cette voix basse et mélodieuse.

— Sur le plan matériel, c'est difficile, reprend Madame Rachel. Il y aura un répit, mais ça ne durera pas. Des projets très nombreux, une forte créativité. Ta santé est bonne mais il y a un risque d'épuisement, trop d'angoisse et de tension nerveuse…

Robert ne peut réprimer un sourire. Lui qui espérait qu'on lui annoncerait un grand amour ou un gain à la loterie, il n'en a pas pour l'argent de René. Madame Rachel ferme les yeux quelques minutes, et Robert sent la chaleur circuler entre leurs mains, à travers ces doigts qui effleurent sa paume, ne forcent rien, se contentent d'accueillir et de ressentir.

— Ta route est droite, elle ne sinue qu'en apparence. Elle traverse une obscurité dans laquelle je ne peux pas entrer. Des dangers, un éloignement. Mais je vois aussi de la lumière autour de toi, beaucoup de chaleur et de rencontres. Tu ne dois pas t'écarter de ton chemin.

Qu'elle vienne à moi dire en vain la destinée que je retiens dans mon poing fermé et qui ne s'envole pas quand j'ouvre la main et qui s'écrit en lignes étranges.

Madame Rachel libère sa main. L'entretien est fini. Robert se racle la gorge et plaisante pour masquer son trouble :

— Tout ça c'est joli, mais il n'y a pas de quoi se remonter le moral. Mon chemin m'a l'air farci d'emmerdements ! Si au moins il y avait, je ne sais pas. Une femme étourdissante.

— Il y a une femme, je te l'ai dit. Elle reviendra,

à condition que tu restes sur ta trajectoire. Si tu désespères, tu te perdras et elle avec.

— À vous écouter, je réalise que j'aimerais être à votre place, avoue Robert. Être l'instrument du destin pour des gens qui m'auront oublié demain mais garderont une parole, un pressentiment…

— Je n'ai pas choisi ce métier, répond Madame Rachel en se levant. Il m'a choisie, et il a bien fallu que je cède, au bout du compte. Les vies des autres me traversent, et même si je les laisse filer comme le sable entre les doigts, il en reste toujours des traces. Et ces traces finissent par peser.

Un peu plus tard, Robert et Crevel remontent la rue des Saules, dépassant le Lapin Agile où on s'active déjà pour le service du soir. Un vieil homme lève son chapeau à leur approche et leur souhaite une longue vie et une belle soirée.

— Je m'arrangerais d'une vie brève, si je pouvais me libérer de ce qui m'emprisonne, soupire René en le saluant en retour.

Sa conversation avec la voyante ne l'a pas rasséréné. Qu'espérait-il ? Il en rit dans l'air glacé de novembre qui rougit ses joues imberbes d'enfant mal grandi. Il ne sait plus ce qu'il veut. Être délivré de ces liaisons avec des gigolos où il se perd et se trahit, répète-t-il, car il sait que ces attirances ne sont qu'illusions, le mensonge de la nuit. Comme la drogue, elles promettent un oubli trompeur qu'il faut aller chercher toujours plus loin, au prix de tout ce qu'on était.

— Regarde Yvonne, elle respire toujours mais elle est déjà morte. Et le pire tu vois, c'est qu'elle est encore assez vivante pour savoir ce qu'elle perd. C'est ce qui m'attend. Une mort lente dans un sanatorium, seul et sans amour.

Robert proteste, ému par la détresse de cet archange noctambule qui se débat pour échapper à ses ombres. Il pose sa main sur l'épaule de René dans un geste de tendresse fraternelle, mais le jeune homme se dérobe, le fixe de ses yeux de ciel gelé :

— Tu sais Robert, je regrette les sommeils, avoue-t-il. À l'époque, il m'a semblé que je m'approchais de ce qui me tue. Que j'en étais si près, presque à le toucher. Je crois qu'André a eu peur pour nous. Peur qu'on ne revienne pas de cet endroit où on s'enfonçait un peu plus loin à chaque fois. Même si je comprends sa peur, je lui en veux encore.

Robert reste silencieux. Lorsque André Breton a décidé d'arrêter l'expérience des sommeils hypnotiques, la confiance que Robert avait placée en lui s'est fendillée. Le sentiment d'une injustice, un rejet si blessant qu'il ne peut le comparer qu'à la douleur d'une rupture amoureuse. Les sommeils, c'était leur affaire, à Crevel et à lui. Les autres étaient réduits au rôle de figurants ou de truqueurs. Certains sabotaient l'expérience par des diversions, des ricanements. La plupart d'entre eux étaient partagés entre fascination et effroi.

Je vous somme, sommeils, de
m'étonner
et de tonner.

L'idée était venue de Crevel. Lors d'une séance d'hypnose, une voyante avait décelé chez lui un don de médium. Il proposait à Breton de recréer les conditions d'une séance de spiritisme. Le but n'était pas d'invoquer des esprits auxquels aucun d'eux ne croyait, mais d'ouvrir grand les vannes de l'inconscient, de se laisser dériver là où les emporterait ce vent invisible. Ils avaient formé un cercle, leurs mains reliées les unes aux autres dans la pénombre de l'atelier de la rue Fontaine. Robert et Crevel s'étaient endormis les premiers. Ayant échoué à les suivre, André est devenu le grand ordonnateur des sommeils, posant sa main sur celle du dormeur qu'il interrogeait, recueillant des bribes de mots ou de phrases.

René avoue qu'il cherchait par ce moyen à perdre le contrôle, à se trahir. Peut-être espérait-il braver le fantôme de son père pendu que sa mère l'avait forcé à fixer un temps interminable, la chair violacée et les yeux sortant des orbites, et elle dents serrées près de ses gosses tremblants, avec ce visage de cire où ne roulait pas une larme. Il y avait aussi, terré quelque part, ce petit frère qu'elle avait envoyé crever à la campagne, décidant que sa tuberculose n'était qu'un gros rhume. René l'entend encore houspiller l'enfant en larmes, « Arrête de pleurnicher voyons, chez nous on ne s'écoute pas, rien de mieux que le grand air et la nature, je viendrai te chercher aux prochaines vacances. » Après la mort de son cadet, René rêvait de sa mère sous les traits d'une araignée qui avait fait le vide pour qu'ils demeurent dans un face à face silencieux et sanglant.

— Depuis qu'elle est morte, j'arrive à en parler, lâche René. Elle m'a appris que l'amour pouvait être enchevêtré à la haine. Tu te souviens comme ils étaient violents, mes sommeils ? Non bien sûr, toi aussi tu dormais, tu ne peux pas te souvenir.

Robert acquiesce, il n'a que des traces mémorielles de ces moments où il parlait, écrivait et dessinait en dormant. À son réveil, il découvrait ce qu'il avait dit en lisant les comptes rendus, contemplait avec stupéfaction les aphorismes poétiques et les dessins à la précision énigmatique que sa main avait tracés au crayon.

Peu à peu, le besoin de s'endormir leur était devenu si nécessaire qu'ils avaient de plus en plus de mal à s'éveiller de leurs transes. Ils s'endormaient partout, au café, dans l'appartement prêté par un mécène, chez les Éluard… Et plus ils dormaient, plus leur comportement devenait imprévisible et dangereux. Robert endormi avait enfermé le reste du groupe à clé dans le bureau d'André. Un autre jour, Crevel avait déclaré d'une voix d'outretombe qu'il venait de leur jeter un sort, ils mourraient tous de la tuberculose qui le rongeait. Robert avait poursuivi Éluard avec un couteau dans le jardin de la maison d'Eaubonne. André Breton avait retrouvé plusieurs surréalistes dans le couloir, prêts à se pendre à des nœuds coulants suspendus aux portemanteaux sur l'injonction de René, qui serrait déjà le lacet autour de son cou. Les merveilles et les monstres se confondaient, les funambules dansaient sur la ligne de crête. André a mis un terme aux sommeils hypnotiques. René est retourné à ses fantômes et Robert au sien.

Ce vertige de tomber en plein jour au cœur de l'attention des autres, d'accomplir sous leurs yeux ces voltiges miraculeuses, ces triples sauts périlleux, de lâcher la corde, puis la main, Robert ne l'a jamais retrouvé.

Dans la nuit, il n'y a pas d'anges gardiens mais il y a le sommeil.

— Si on avait continué, poursuit Crevel alors que la coupole du Sacré-Cœur apparaît entre les toits d'ardoise, peut-être aurais-je pu regarder en face l'ombre qui s'étend sur ma vie. Je ne le saurai jamais. J'ai rencontré une jeune fille. Elle s'appelle Mopse, elle vit à Berlin. Elle est spirituelle et jolie, je voudrais l'aimer autant qu'elle m'aime. L'épouser, avoir un enfant... Si je pouvais me guérir de la drogue et du reste ! Robert, ce qui me terrifie le plus, c'est de vivre sans amour. Je sais que ce n'est pas un remède facile, qu'il peut être balayé au premier souffle. Mais sans amour rien n'a de sens, rien ne nous retient, toutes les nuits se ressemblent.

— Es-tu amoureux de cette fille ? Est-ce que tu la désires ? demande Robert.

Ce que René vit comme une malédiction n'est que le poison lentement instillé d'une éducation sans tendresse, le ravage de cette morale bourgeoise qui apprend à se détester, à faire son propre malheur. Il souffre de son homosexualité comme de la tuberculose. Il la passe sous silence, ne l'évoque qu'à contrecœur. Lorsqu'il cède à ses désirs, c'est dans une perdition dont il revient défait.

— Je l'aime autant que j'en suis capable, répond le jeune homme. Elle est mon dernier espoir. Si elle le savait, elle fuirait à toutes jambes..., sourit-il tristement, et Robert s'émeut de le voir si beau et si malheureux, dans cette rue escarpée où des chiens pelés jouent à se poursuivre, sous les yeux ravis d'un groupe de mioches juchés sur un escalier de pierre.

*

Robert et Crevel ont fini la soirée dans la moiteur électrique de la Jungle, l'une des boîtes de nuit préférées des Montparnos. Il est déjà tard quand le poète regagne la rue Blomet. Coincés sous la porte de l'atelier, une lettre de Youki et le dernier numéro de *La Révolution surréaliste.* Robert dépose son butin sur la table et s'emploie à donner aux chats, qui ronronnent furieusement dans ses jambes, les restes de viande qu'il a obtenus dans un restaurant du quartier. Pendant qu'ils se jettent dessus, Robert décachette la lettre de Youki avec trop de hâte et ses doigts déchirent l'enveloppe et le beau papier à lettre japonais. Ça n'a pas d'importance puisque Youki et Foujita sont sur le chemin du retour. Ils viennent d'arriver à New York d'où ils prendront un paquebot pour rallier la France. Une joie fulgurante l'embrase et il s'assied au bord de son lit, savourant les lignes dansantes qui effacent ces longs mois d'absence. Ils seront là bientôt, il ira lui-même les chercher au Havre, et même s'il pleut ce sera un beau jour. Il calme son impatience pour savourer chaque ligne de sa Youki si vivante et si gaie, qui lui a tant manqué que tout lui paraît insipide depuis son départ : « Je ne te cacherai pas que je laisse derrière moi un nouvel amour. Il se démène comme un beau diable pour me rejoindre à Paris. Il y sera vers avril, probablement. Probablement aussi que tu me diras "c'est un con" suivant ta forte expression. Tu m'as reproché un jour de n'aimer que des cons. J'avais envie de te répondre que c'était probablement pour cette raison que je ne t'avais pas aimé. »

Il ferme les yeux sous l'intensité de la brûlure. Il avait oublié le venin sous l'écaille brillante. Pour la Sirène, la mer est vaste et les marins nombreux. Quelle vanité de se croire assez singulier pour limiter sa faim !

Après des heures de lutte, le sommeil le recrache sur la plage dévastée de son lit et il se lève vacillant, poignardé par une certitude aveuglante. Il retourne l'atelier à la recherche de ces lignes qui ont traversé la brume du sommeil hypnotique, dans la nuit du 29 juillet 1925, et qui depuis ne l'ont jamais quitté, même s'il n'a cessé de les repousser, comme les falaises la houle qui les ronge. Il les retrouve sous une montagne de dessins, de poèmes, d'articles et de notes et les relit à la lueur du poêle qui réchauffait le fantôme d'Yvonne :

Je ne serai jamais bien aimé

Avant les avertissements de la voyante, avant la lettre de Youki, avant qu'il sache que les deux visages de son amour auraient la même dureté minérale, sa ligne de cœur brisée était inscrite dans ces *Prophéties* où grondent des fracas de guerre, des flammes d'incendie, des naufrages et des disparitions. Il se souvient des paroles que lui a murmurées Madame Rachel en le raccompagnant à la porte : « Dans ta main, j'ai vu que tu as une sensibilité au monde qui ressemble à la mienne. Ne t'en réjouis pas trop… C'est un cadeau empoisonné. »

À cet instant, il en réalise la justesse et l'amertume.

Que puis[-je] bien faire si loin de Paris et durant si longtemps, si longtemps.

*

Au sommaire de *La Révolution surréaliste*, l'annonce d'un *Second manifeste du surréalisme* promet du sang et des larmes, sourit Robert qui commence à le lire dans la clarté matinale de ce dimanche d'hiver où il n'a rendez-vous avec personne. Au fil des pages, son amusement cède place à l'incrédulité. Alors que le premier *Manifeste* affirmait l'unité d'un groupe de rêveurs lucides, le deuxième est une entreprise de purge qui ne vise pas seulement à exclure les indésirables mais s'acharne à ruiner leur crédibilité. André Breton dévore ses enfants avec la fureur d'un dieu antique, son talent et sa mauvaise foi en guise de foudre et de trident. À lire ces attaques personnelles et ces griefs mesquins, Robert se sent à la fois trahi et sali par cet homme qu'il a longtemps vu comme un mentor légitime, et qui demeurait au-delà de leurs différends un repère auquel se mesurer, s'affronter. André étrille Robert : il a renié le surréalisme, il s'est vendu à la presse bourgeoise, il a démenti les espoirs placés en lui et stagne désormais dans sa poésie rétrograde et ses alexandrins boiteux, par faiblesse de caractère et autocomplaisance. Pour faire bon poids, André a cru bon d'ajouter une anecdote pleine de sel qui dépeint Robert comme le poivrot de service. Et puis il y a cette phrase si blessante : « Depuis lors, Desnos, grandement desservi dans ce domaine par les puissances mêmes qui l'avaient quelque temps soulevé et dont il paraît ignorer encore qu'elles étaient des puissances de ténèbres, s'avisa malheureusement d'agir sur le plan réel où il n'était qu'un homme plus seul et plus pauvre qu'un autre, comme ceux qui ont vu, je dis : vu, ce que les autres craignent de voir et qui, plutôt qu'à vivre ce qui est, sont condamnés à vivre ce qui "fut" et ce qui "sera". »

Robert sort en claquant la porte. Marcher, c'est la seule chose à faire quand il n'est que rage. Marcher, tandis que son esprit martèle au rythme de ses pas les mots auxquels plus tard il lâchera la bride. Sa colère est un miroir traversé d'un poing sanglant qui l'étoile en milliers d'éclats meurtriers. Il y a des mois qu'il s'est éloigné du groupe surréaliste, et il sait que la survie du clan repose sur le rejet des individus qui cessent de croire en lui. Mais il n'a pas mérité un tel rejet.

Dans quelques heures, comme presque tous les soirs, il ira retrouver Prévert, Bataille, Masson, Queneau et les autres excommuniés aux Deux Magots. Ils décideront quelle consistance donner à cette fureur, comment la pétrifier sous forme d'arme blanche, d'arme de poing, de poing serré.

7

Les répudiés du *Second manifeste du surréalisme* sont réunis en terrasse face à Saint-Germain-des-Prés, même si cette fin décembre ne concède que de rares traits de soleil entre les gouttes froides dispersées par le vent. Le jour s'épanche dans un soir polaire et bleuté. Ils sont installés aux petites tables rondes, si joyeux de se retrouver que la camaraderie prend le pas sur l'orgueil blessé et la déception.

— Il est quand même plaisant d'être débarrassés de cette saloperie de mandarin-curaçao ! s'écrie Queneau, parce qu'il y a du positif dans toute situation désagréable.

— Breton vient de porter un coup terrible à ce cocktail immonde, ajoute Leiris. Au train où il décime les effectifs surréalistes, il sera bientôt seul au bistro. Les producteurs de curaçao vont faire la gueule.

Ils trinquent à tout ce qu'ils ne seront plus forcés d'avaler. Robert forge sa colère à la flamme du vin et de l'amitié. Il partage avec tous ceux qui sont ici le goût de la musique, des discussions hors des clous et de la liberté, la seule patrie qui mérite qu'on meure pour elle. Certains appartenaient au groupe de la rue Blomet, à l'époque où Masson et Miró occupaient les ateliers sis au 45. Robert y a vécu de merveilleuses soirées avec Leiris, Limbour, Vitrac et bien d'autres qui passaient par là, s'attardaient le temps d'une discussion passionnée, s'enivraient de fêtes et de libations. La rue Blomet et la rue du Château attiraient ceux qui étouffaient rue Fontaine, ceux que lassaient les débats gravitant autour de l'astre rouge du communisme, ceux dont le rire cisaillait les certitudes et le sacré sans épargner les dogmes surréalistes. Prenant ombrage de ces pôles libertaires qui glissaient vers la dissidence, Breton a resserré les rangs. Les voilà dehors derrière les portes closes, rejoints par Prévert, Queneau et Morise qui ne supportent plus les excommunications.

— Je ne suis pas surpris par la violence du *Manifeste*, commente Georges Ribemont-Dessaignes. Quand il nous a invités à ce guet-apens au bar de la rue du Château, il y a quelques mois, Breton m'est apparu pour ce qu'il est : un Staline au petit pied, drapé dans son orgueil et son intransigeance. Je le lui ai écrit, du reste ! Le torchon qu'il a commis lui ressemble. Sous cet angle il est révélateur.

— La police des mœurs du PC n'a rien à lui envier, approuve Robert en vidant son verre.

— C'est ça, des méthodes de flic, dénonciations, chantage et procès de moralité..., le coupe Ribemont-Dessaignes dont les fines moustaches frémissent d'indignation. Chiappe et Breton, même combat !

— J'avoue que j'ai été amusé par ce qu'il dit de moi, ajoute Georges Bataille de sa voix courtoise, en détachant les mots. Je trouve flatteur de lui inspirer autant de dégoût.

Bien qu'il n'appartienne pas au mouvement, Bataille

a provoqué l'ire de Breton en attirant nombre de surréalistes dans l'orbe noir de *Documents,* la revue qu'il vient de lancer. Robert y écrit, de même que Leiris, Limbour ou Masson, et Prévert a des projets de collaborations futures. Le matérialisme de Bataille les séduit, les questionne. Ils ont envie de s'y confronter, d'observer la chair corrompue jusqu'à en déceler l'intrigante beauté, d'en sonder le mystère. Là où Breton accuse Bataille de « ne vouloir considérer au monde que ce qu'il y a de plus vil », Robert estime qu'il invite chacun à élargir son regard, à ne rien lui refuser.

— Moi il ne me fait plus tellement rigoler, Breton, le coupe Prévert en tirant sur sa cigarette. Quand je le regarde, je vois un monsieur qui jure son amitié la main sur le cœur pour mieux salir. Et puis je vois un tricheur. En fin de compte, il est comme les curés, qui mettent des majuscules au mot Amour et au mot Pureté et qui font leurs sales petites affaires dans la sacristie.

Alejo Carpentier observe qu'André a beau interdire qu'on l'appelle maître, il prend un plaisir évident aux marques de déférence de ses disciples et tolère des comportements dont le ridicule confine à l'adulation.

— Robert, qu'est-ce que tu as bien pu lui faire pour qu'il s'acharne sur toi comme ça ? ajoute-t-il avec une grimace, et Robert devine qu'il a été peiné en lisant ce déluge d'hostilités.

Il est vrai qu'il m'a particulièrement soigné, pense Robert qui voit dans cette charge un reniement à la mesure des espoirs qu'André avait placés en lui. N'était-il pas le Voyant d'un monde caché ? L'éclaireur ? André a puni sa désobéissance en lui retirant presque tout ce qu'il lui avait donné. Il a épargné le souvenir de leurs jeunes années, englobant les sommeils et les premiers poèmes surréalistes de Robert dans sa mansuétude, comme si ce prélude était intouchable ou qu'il ne pouvait se résoudre à l'abîmer. Mais cette étrange tendresse à rebours n'apaise pas le ressentiment de Robert. Au contraire, la nuance de regret perceptible sous la satire attise sa rage ; il ne la pardonnera pas.

— Ce que j'ai pu lui faire n'est rien à côté de ce que je compte lui infliger, gronde-t-il. Il justifie sa démarche en disant qu'il ne peut pas « laisser courir les pleutres, les simulateurs, les arrivistes, les faux témoins et les mouchards ». Voilà tout le prix de son amitié. Ça appelle une réponse à la hauteur de l'attaque.

— Plutôt basse, du coup ? persifle Queneau derrière ses lunettes rondes.

Les éclats de rire fusent et les bouteilles se vident tandis que le froid se fait mordant sur leurs épidermes de pauvres. Boulevard Saint-Germain, un clochard titube dans les rafales de pluie. La nuit est tombée sur les appartements bourgeois, sur les fêtes lointaines et les étoiles éteintes. L'orage a chassé les téméraires, ils sont seuls en terrasse, réchauffés par l'alcool et le bouillonnement de la colère.

— On doit répondre ! insiste Robert. Il faut frapper fort et vite, mettre fin à son impunité. Pour qui se prend-il ?

— Pour le pape ! rugit Prévert en descendant son cognac cul sec.

— Vous vous souvenez du tract contre Anatole France ? demande Robert, évoquant le pamphlet sanglant que le groupe surréaliste a écrit à l'occasion de la mort de l'écrivain, y raflant ses premiers galons de scandale et d'outrage.

Sous le titre *Un cadavre,* la satire compilait des textes qui dynamitaient le grand homme et le consensus entourant ses funérailles. Robert imagine une deuxième version du *Cadavre.* L'enterrement d'André Breton, célébré par ses pairs.

— Qui est mieux placé que nous pour prononcer son éloge funèbre ? sourit-il en levant son verre.

Autour de lui, les dissidents hochent la tête, séduits par l'idée. Retourner un morceau de légende contre son enlumineur aurait un goût de blasphème qui n'est pas pour leur déplaire.

— Ce ne serait que justice, pour un homme qui vit et prospère sur les cadavres des autres ! remarque Leiris avec une expression de dégoût.

Comme Robert, Leiris méprise cette habitude qu'a Breton de se servir de la mort de ses amis, du suicide de Jacques Vaché à celui de Jacques Rigaut en passant par la déréliction de Nadja, de s'arroger leur héritage comme s'ils lui avaient délégué tous les pouvoirs *post mortem.*

— Dans ce cas, il faut récupérer la photo qui est en couverture de *La Révolution surréaliste*, lance Georges Limbour. Celle où Breton a les yeux fermés.

— Oui, mais à condition de lui ajouter la couronne d'épines qu'il mérite, en tant que messie de la nouvelle religion surréaliste, souligne Bataille de sa voix d'enfant de chœur, provoquant quelques rires où Robert entend plus d'amertume que de joie.

Un peu plus tard, ils se séparent sur le trottoir tel un groupe de conspirateurs à l'approche du forfait, et

Robert songe à Breton qui dort dans son atelier sans se douter qu'à un battement d'ailes de son lit, la Révolution qu'il appelait de ses vœux est en train de naître, et que son acte fondateur sera de déboulonner sa statue.

*

Le lendemain matin, Robert se réveille avec la tête dans un étau et l'intuition qu'ils s'égarent, que ce projet aura l'effet inverse de celui qu'ils escomptent, donnant le beau rôle à Breton au lieu de lui laisser celui de l'accusateur public enivré de pouvoir et d'impuissance. Quand il s'en ouvre à Georges Bataille, quelques heures plus tard, ce dernier admet que c'est un risque, mais lui oppose qu'il est trop tard, la machine est lancée, les textes des signataires ont commencé à arriver et à ce stade, il n'envisage pas de suspendre leur vengeance de plume. Et puis comme le disait Robert, on ne peut pas laisser le *Manifeste* sans réponse, et tant qu'à y répondre, autant le faire avec excès.

Robert sent que Bataille rêve d'une apothéose où ils détruiraient ce en quoi ils ont cru à travers le symbole d'André, brûleraient ce qui les a construits, nourris, réunis. Ce qui a fini par compter plus que l'enfance et presque autant que la guerre où certains sont morts pour renaître dans une peau dure luisant de tous ces éclats brisés, ces cauchemars hurlant sous la surface. Une part de lui a envie de céder à cette rage, de la laisser l'emporter dans son souffle et peu importent le saccage, les souvenirs réduits à néant, les amitiés amputées qui continuent à démanger longtemps après, en passant à l'angle du boulevard Bonne-Nouvelle ou sur la place Dauphine, ou le jour où l'odeur de l'atelier de la rue Fontaine remonte par surprise d'un livre emprunté, puis oublié. Il promet un texte à Bataille et s'en va comme on s'enfuit, pour ne pas entendre le son mat d'un cadre qui se fendille : la photo d'un groupe de jeunes gens échevelés, étourdissants de beauté, de singularité et d'insolence, frères choisis, enfants du hasard objectif et de l'étincelle poétique.

Et les idoles se couchaient derrière leurs croix
Quand devant elles ils passaient droits.

Déambulant distraitement sous un soleil bas, il passe devant le Maldoror. C'est lui qui a baptisé cette nouvelle boîte de Montparnasse. Le patron cherchait un nom assez original pour se démarquer parmi les enseignes nocturnes. Robert a suggéré celui-ci, riant d'avance du tour qu'il jouait à Breton en touchant à Lautréamont, l'un des rares poètes à être sortis indemnes de la grande lessive du *Second Manifeste.* Leiris observerait, narquois comme il peut l'être, que ce que Breton préfère chez Lautréamont, c'est sa mort prématurée et sans gloire, laissant une biographie opaque et une œuvre à la beauté inhumaine. Il ferait preuve de mauvaise foi car ils ont salué unanimes le génie des *Chants de Maldoror*, ce triomphe de l'imaginaire sur la vie, épopée sauvage qui ressemble à une mer démontée et en épouse les syncopes. Robert a voulu provoquer Breton en mêlant ce nom sacré entre tous à la trivialité d'un dancing, lieu que Breton abhorre d'autant plus qu'il n'entend rien à la musique. Combien de fois ont-ils dû lui cacher qu'ils allaient à un concert ?

Le nom de Maldoror a intrigué et attiré une foule de fêtards en mal de nouveauté, et le propriétaire se précipite pour serrer la main de celui dont l'intuition lui a porté chance. Il lui montre la carte de « vampire permanent » qu'il a fait faire à son nom, et qui lui garantit des consommations à moitié prix. Robert le remercie et accepte un Clacquesin à la crème de mûre, même s'il n'en raffole pas. Surplombant la piste de danse déserte, une chanteuse métisse répète seule avec un pianiste noir. Comme Robert ne porte pas ses lunettes, il ne voit pas à quel point elle est jolie. Mais il le pressent en écoutant sa voix de velours exquisément éraillée, la voix de quelqu'un qui a décidé un jour de ne plus avoir peur, de ne plus avoir honte, mais a gardé ce timbre qui dérape au moment de s'élancer vers sa plénitude.

Elle chante l'homme qu'elle aime, *The Man I love,* et soudain Robert s'imagine être cet homme qui l'attend, la veste sur l'épaule et la cigarette aux lèvres, avec un rien d'impatience qu'il exprime en tapant légèrement du pied sur le plancher de l'infâme boui-boui où elle chante, dans cette ville américaine où les Noirs entrent par la porte de service, même quand c'est eux qu'on vient écouter.

« He'll look at me and smile, I'll understand
Then in a little while, He'll take my hand... »

Mais ici, ce soir, elle est seule. Personne ne l'attend pour porter ses partitions et apaiser l'angoisse qui vient avec le trac. Elle est crâne, ça se sent, et quand elle a fini de chanter elle remercie le pianiste et descend les marches aussi simplement qu'elle les a montées, enfile son petit manteau gris en fausse fourrure et la toque assortie, et c'est là que ses iris dorés accrochent ceux de Robert et qu'elle s'arrête, étonnée. Ils se dévisagent et rient que leurs regards aient décidé de se rencontrer avant eux. Le patron aurait pu les présenter, mais il a disparu, tant mieux, Robert préfère que son bavardage ne perturbe pas cet instant fragile. De près, sa beauté est intimidante et les traits de son visage ont l'air d'avoir été peints au pinceau. Le dessin de ses lèvres ourlées, la délicatesse de son nez, sa carnation pain d'épices le désarment comme on est saisi soudain par la force d'un tableau. Elle lui tend la main en riant de son trouble :

— Bonjour, je suis Bessie de Saussure. Je vais chanter ici ce soir et tous les autres soirs. Comme ça vous saurez où me trouver.

— Robert Desnos, vampire permanent, balbutie-t-il en lui offrant le premier vrai sourire de la journée.

— Là d'où je viens, à La Nouvelle-Orléans, on n'a pas peur des vampires…, répond-elle en souriant de ses yeux où erre une langueur intranquille.

C'est ainsi que ça commence, pendant que Youki embarque sur un paquebot rutilant à destination du Havre, le cœur lové dans de nouvelles amours, pensant peut-être au poète fauché qui l'attend de l'autre côté de l'Atlantique, comme on pense à un chien qu'on a laissé à la porte sans se demander s'il vous aimera encore au retour.

C'est ainsi que ça commence, avec la voix si troublante de Bessie quand elle chante en le regardant, à travers la douche de lumière bleue et la fumée de cigarette, à travers ces hommes qui la désirent le temps d'une chanson, désirent la nouveauté de son corps comme on aspire à se perdre dans un pays lointain. Avec sa main qui se pose sur la sienne dans un restaurant de quartier où ils sont seuls au milieu d'une salle bondée et bruyante, avec sa main qui se pose et efface pour un instant ses vieilles cicatrices. Avec sa bouche de miel et de mangue dont le baiser chasse la ciguë qu'il avale en aimant Youki, avec son abandon émouvant à un homme qu'elle connaît peu, qui ne l'aime pas autant qu'elle le mérite, mais auquel elle se donne dès le premier soir, dans une petite chambre au sixième étage d'où l'on aperçoit le clocher de Saint-Sulpice. Il y a des dragées sur la table de nuit, une photo de Louis Armstrong punaisée sur la vilaine tapisserie du mur, des rideaux de dentelle à la fenêtre.

Pourquoi ne peut-il oublier dans ses bras que Youki est sur ce bateau, qu'elle se rapproche, qu'elle s'endort et se réveille chaque jour un peu moins loin de lui ?

Un matin, il se lève avec deux vers en tête qu'il se hâte de griffonner sur un carnet :

Le matin s'écroule comme une pile d'assiettes
En milliers de tessons de porcelaine et d'heures

Il n'a que ce début et ne sait ce qu'il deviendra, de quoi parlera le poème. Il referme le carnet et embrasse les paupières de Bessie, d'une teinte plus sombre que son corps et plus douces que des ailes de papillon. Elle soupire, déplie ses bras et lui ouvre son corps jusqu'en ses profondeurs nacrées de coquillage poli par la mer, la mélodie basse de sa voix chavirée, et ses yeux à demi clos l'invitent et le retiennent jusqu'au spasme qui relâche l'étreinte et les rend à eux-mêmes.

Il a envie de la dessiner, de la peindre.

Caressant les courbes de son corps de sable, il croise des marques pâles, comme des dents plantées au hasard, stigmates d'un passé dont il ignore tout, dans un pays sensuel et sauvage, dur aux métisses dont la beauté trahit un amour interdit.

S'il pouvait l'aimer, il serait à l'abri de sa Sirène capricieuse, il n'aurait plus mal au milieu de la nuit, dressé dans le noir, pris dans le tissu effiloché des rêves.

S'il pouvait.

C'est à elle qu'il montre en premier, un soir, l'édition de luxe de son long poème de désespoir amoureux, *The Night of Loveless Nights*, superbement illustrée par le peintre Georges Malkine. Bessie ose à peine l'ouvrir, émerveillée par l'objet, et il se sent rempli de fierté. Comme un chercheur d'or, contemplant la poussière dorée au creux de ses paumes, oublie ses mains en sang, l'usure et la fatigue. Elle passe un long moment à étudier une gravure où l'on voit un paquebot échoué sur la glace, effleurant du doigt les femmes nues qui dansent sur le pont :

— Peut-être que j'étais là aussi, sur ce bateau ? Avec Joe, peut-être qu'on s'exerçait au charleston ?

Joe, c'est son amie Joséphine Baker. C'est pour la rejoindre qu'elle est venue à Paris. Elle a d'abord vécu chez elle avant de dénicher cette chambre. Joe et elle se ressemblent, elles préfèrent coucher avec des Blancs, rêvent d'être enceintes mais n'ont que faire du mariage.

— Bob, as-tu déjà imaginé avoir un enfant à toi ?

Robert sourit sans répondre. Ce paquebot échoué le ramène à Youki dont le bateau accostera dans quelques jours au Havre, et il sait qu'il sera là, même s'il a du travail à ne savoir qu'en faire et si peu d'argent à dépenser. Il sent déjà l'humidité du quai, l'odeur du varech, il entend la corne de brume du transatlantique qui manœuvre avec lenteur, il ne peut pas plus s'y dérober que la vague à l'étrave.

Un enfant. Il pense à August, petit prince exilé de son royaume de bayous et d'alligators, vendant du cacao à des Parisiens qui ne voyagent pas plus loin que la Villette.

*

Le pamphlet *Un cadavre* est paru le quinze janvier, relayé par une presse qui se régalait de sa cruauté, de sa violence, de ses attaques sous la ceinture, et en vient à plaindre Breton de faire l'objet de ce lynchage. Robert avait vu juste, la couronne d'épines ajoutée à son portrait de gisant lui va un peu trop bien. Ils l'ont érigé en martyr en le perçant de douze flèches saignantes d'épithètes vengeresses, « faux frère et faux révolutionnaire », « inspecteur », « contrôleur du Palais des mirages », « littérateur crevé », « jésuite de première force » ou « lion châtré ». Dans les jours qui suivent, Robert réalise que la polémique les a emportés au-delà de toute raison. Telles des balles de coton prises dans un ouragan, ils sont incapables d'échapper au mouvement. Comme le souhaitait Bataille, la violence se déchaîne et rien de bon ne semble vouloir en sortir. Le linge sale du surréalisme est exposé au grand jour et cette boue qui n'en finit pas de monter les poursuit jusque dans leurs rêves.

Un après-midi où il gèle si fort que Robert claque des dents sans s'en rendre compte, il rejoint Suzanne Muzard au café du Dôme. Il lui trouve une petite mine. Son visage semble éteint, épuisé nerveusement et ses doigts tremblent tandis qu'elle allume une cigarette :

— Qu'est-ce qui se passe, Robert, tu es devenu fou ? lance-t-elle au bout d'un temps interminable à s'observer en silence dans le blanc de l'œil.

Il réprime le réflexe de lui répondre sur le même ton, mais c'est Suzanne qui se tient devant lui, Suzanne qu'il a consolée dans ses bras le jour où elle sanglotait parce qu'un sale type l'avait martelée de coups de poing pour le prix d'une passe. Alors il reste silencieux et s'applique à faire reculer sa colère.

— Je croyais qu'on se comprenait, nous deux, dit-elle d'une voix cassée. Mais là je ne te reconnais pas. Cette agressivité, cette méchanceté… Tu sais, je suis bien placée pour savoir qu'André n'est pas facile. Il peut être odieux quand il veut, avec ses jugements à l'emporte-pièce. Mais là, c'est une guerre que vous menez. Tu crois vraiment qu'il mérite ces insultes, cette… haine, parce qu'il n'y a pas d'autre mot ? Tu es sûr que tu ne le regretteras pas, quand ce sera irréparable ?

Robert enlève ses lunettes et essuie les verres, se donnant le temps de répondre :

— Quand j'ai connu Breton, dit-il calmement, j'étais un jeune troufion avec de grands rêves mais sans moyen de les réaliser. J'avais fui mon milieu, ma famille. Tu connais ça ! André, à cette époque… C'était quelque chose. Il avait beau être à peine plus vieux que nous, il avait déjà… une stature, une aura. Il en imposait par sa culture et son assurance. Il ressemblait à l'adulte qu'il serait. Je crois qu'il a toujours été adulte, en fait, commente-t-il en hélant le serveur. Deux cafés, s'il vous plaît.

Suzanne l'écoute en silence, aspirant de temps à autre une bouffée de cigarette.

— Personne ne nous prenait au sérieux, à l'époque. Mais André s'en moquait, il s'en faisait même une gloire. On n'était pas là pour séduire mais pour déranger, bousculer. J'avais envie de le suivre, d'attirer son attention. Je pratiquais l'écriture automatique, je rêvais éveillé, je cherchais toujours le sentier le plus escarpé… Et puis il y a eu les sommeils, qui m'ont révélé à André. Il m'a vu, enfin. Pas seulement vu, mais admiré. Il m'a confié un jour que je lui montrais ce qu'il n'arrivait pas à voir. C'était la première fois qu'on me distinguait, et que ça vienne de lui, ça avait une importance incroyable.

Suzanne hoche la tête, et une douceur vient fléchir le pli de ses lèvres.

— Je ne vais pas nier que je me suis éloigné de lui ces derniers mois, poursuit Robert. Les réunions surréalistes tournaient au procès systématique et les débats au vinaigre. Il y a eu l'exclusion de Soupault, celle d'Artaud. J'avais besoin d'air, de retrouver une forme de liberté, d'élan. J'ai rencontré d'autres gens, avec lesquels j'étais plus heureux.

— Il l'a senti et il t'en a beaucoup voulu, répond Suzanne. Il m'a dit que tu abandonnais le groupe. Pour lui c'était une trahison. Il tient à toi plus que tu ne le penses.

— S'il tient à moi, la coupe Robert, il a une drôle de

manière de le montrer. Après m'avoir évité pendant des mois, il me fait passer pour un poivrot sans orgueil ni éthique, m'insulte sur deux pages, ridiculise ma poésie, condamne mes amours… Parce que c'est bien joli, ma Suzanne, de venir me faire la leçon, mais c'est lui qui a ouvert les hostilités en crachant sur ses amis !

La colère a fini par triompher. Elle étend sur lui sa domination brûlante, et il ne veut pas qu'on lui parle des sentiments que Breton aurait à son égard. Parce qu'alors il lui faudrait reconnaître les siens, admettre la peine derrière le ressentiment.

Suzanne le regarde avec tristesse :

— Je vais quitter André, lâche-t-elle. Je ne supporte plus ce qu'il est devenu, cette personne fermée, amère. Il n'y a plus que votre fichue guerre qui le mobilise ! La rue Fontaine ressemble à un quartier général, la nuit on ne peut pas fermer l'œil, le téléphone sonne tout le temps. Le jour on nous livre des couronnes mortuaires, des chrysanthèmes… Je suis à bout, Robert. Je suis venue te parler parce que si on m'avait demandé qui était le plus intelligent, j'aurais parié sur toi. Maintenant je ne sais plus.

Avant qu'ils se séparent devant le café, elle pose une main sur son épaule :

— Mon cher Robert… André a dû te blesser profondément pour que tu sois si dur. Je suis désolée pour vous deux, c'est un beau gâchis.

Il ne répond pas, mais s'empare de la petite main de Suzanne pour l'embrasser tendrement.

Je vous vois André Breton un matin de Mai sur une route qui traverse un plateau de Bourgogne. […] Et la double menace

d'un orage dans le ciel derrière vous, d'un orage dans votre âme. [...]
Et notre rencontre après 20 ans de séparation en 1949 à Fontainebleau. C'est octobre. Le jour s'éteint sur vous

*

Youki est rentrée à la fin du mois de janvier 1930. À l'instant où elle est descendue de la passerelle du paquebot de la Cunard Line, telle une Olympia au corps plein dans sa robe fluide, ses cheveux disparaissant sous une capeline, il a su qu'il lui appartenait toujours.

Il n'avait que des mauvaises nouvelles à lui annoncer : la mise en vente de la belle maison du square Montsouris, sa voiture cédée à un prix dérisoire. Mais c'est la crise, ma jolie, elle vient d'Amérique et n'a pas fini de nous casser l'échine et de nous creuser l'estomac. Les Américains n'ont plus les moyens de flamber à Montparnasse, ils sont rentrés chez eux, peut-être les a-t-elle croisés en traversant l'Atlantique ? Gertrude Stein et Sylvia Beach sont restées, préférant mourir de faim à Paris au milieu de leurs amis.

Il a tu sa propre situation, les journaux licenciant à tour de bras, le manque de travail, le manque d'argent, ces questions lancinantes de la survie quotidienne. Il a consolé Youki dont le teint pâlissait à l'idée de sa maison perdue, lui jurant qu'avec Foujita ils lui feraient une vie heureuse, qu'elle ne manquerait de rien.

— Mais la maison, Robert, tu te rends compte ? Le parc, les bambous sur la terrasse, l'atelier de Foufou... Et les chats ?

Il y aura d'autres maisons, ma Youki. L'essentiel, c'est un toit pour te protéger de la pluie et du froid, assez de lumière pour te peindre et pour t'aimer. Les chats on les retrouvera, va. Ils ne doivent pas être bien loin, ils n'ont pas oublié l'affection de leurs maîtres.

Il leur a offert un exemplaire dédicacé de *The Night of Loveless Nights,* ce recueil dont il est si fier, qu'il a écrit avec le cœur lardé d'aiguilles. Foujita a admiré les gravures de Malkine, la danse aérée des mots sur le vélin luxueux.

— Beau bouquin, pas vrai mon vieux? a souri Robert et Foujita a hoché la tête en connaisseur.

— Oui, beau bouquin mon ami, tu as bien travaillé.

Le peintre fourmille de projets. Regonflé par son retour sur ses terres japonaises, il ne songe qu'à s'enfermer et à se remettre à peindre. Il redoute un peu moins le fisc qu'il espère apaiser avec l'argent rapporté de son périple. Il a comme Robert l'expérience de la pauvreté, devoir vivre plus chichement ne lui fait pas peur. Pour Youki, ce sera plus difficile. Robert les a déposés à l'hôtel de la Paix, boulevard Raspail, où ils vivront en attendant de dénicher un logement moins ruineux. Il n'a pas touché mot de Bessie, Bessie dont la voix accélère son pouls et fait naître le désir d'aller à la source de cet or musical, d'en dénuder le sortilège.

Il n'a pas prononcé son nom.

C'est dans ce déséquilibre du retour de Youki, alors que Bessie vient d'emménager dans son atelier, se coulant dans son désordre avec l'élégance feutrée d'un chat, que Robert apprend qu'Yvonne est au plus mal. Germaine Picabia l'appelle de son château de Mougins, paniquée, car la chanteuse veut quitter le sanatorium et lui a demandé asile.

— Elle ne supportera pas le voyage, Robert, lui dit Germaine. Elle est trop fragile ! Et avec ce mistral qui souffle sans discontinuer… Je l'aurais bien hébergée au château, mais avec mon petit Lorenzo qui est là… Je ne peux prendre le risque de l'exposer à la tuberculose, vous comprenez, et ici les hôtels ne sont pas assez confortables. Je suis si ennuyée, comment la dissuader de venir ?

Sur son conseil, Robert appelle les médecins de la clinique suisse de Montana, qui lui confirment que madame Yvonne George n'est pas en état de voyager. Le 5 avril, plusieurs quotidiens annoncent la mort d'Yvonne. Dès le lendemain, le journal *Comœdia* dément la nouvelle. Robert est glacé par ce signe. Il appelle Yvonne pour la supplier de retarder son projet. On l'informe qu'elle est partie avec son amie Nelly van Wilder et qu'elles ont fait halte à Gênes. Robert ne peut plus rien empêcher, il connaît l'entêtement d'Yvonne et devine qu'elle a rassemblé ce qui lui restait de forces pour fuir ce lieu détesté.

Le 22 avril, Robert reçoit un télégramme de l'hôtel Miramar à Gênes :

« YVONNE MORTE CETTE NUIT FITZ-GEORGES ET MOI FONT ARRANGEMENTS TRANSPORTATIONS PARIS NELLY »

Il doit relire le télégramme pour comprendre ces mots qui n'ont pas plus de sens que s'ils étaient tapés à l'envers. Il bute sur le mot « transportations », avec ce pluriel dérangeant, comme si le corps d'Yvonne était disloqué en morceaux qu'il fallait rapatrier séparément.

Un peu plus tard, il s'arrête dans un taxiphone pour appeler Yvonne, et c'est en cherchant le numéro de l'hôtel Miramar qu'il réalise qu'il ne pourra plus jamais lui parler. Il chancelle et fait quelques pas sur le trottoir en direction de la Coupole, où Yvonne lui laissait des messages de sa graphie d'opiomane. Il entre et s'approche du bar, où Cocteau est seul au comptoir, avec sur le visage une ombre qui trahit qu'il sait.

— Eh bien nous voilà orphelins, déclare Cocteau d'une voix brisée.

Robert et lui tombent dans les bras l'un de l'autre, leur longue inimitié balayée par la force de ce chagrin qui est leur secret, bien avant que la presse ne distille les détails de la mort d'Yvonne, sans pouvoir trancher entre le suicide, l'accident ou une dose fatale d'opium. Yvonne a emporté la clé de ce mystère. C'est la dernière élégance d'une femme qui avait renoncé à tant de choses.

La nuit qui suit sa crémation au Père-Lachaise, un pressentiment réveille Robert et quand il éclaire l'atelier, le bateau en bois qu'Yvonne lui a offert tremble inexplicablement sur l'étagère. Malgré la douceur de Bessie il ne dort plus, guette ces avertissements. Les derniers mots d'une lettre de Nancy Cunard remuent le couteau dans la plaie : « Vous vouliez aider Yvonne, quelle jolie façon de s'y prendre ! » Robert se reproche de ne pas l'avoir sauvée d'elle-même.

Laisser son adorée libre de se tuer à petit feu, lui fournir le poison qu'elle réclame, l'aider à se noyer si elle le désire, est-ce l'aimer d'un amour absolu, ou n'est-ce que le déguisement de la lâcheté ?

*

Ils sont plus d'une centaine ce soir, dans le grand atelier de Pascin, dansant et buvant entre les tableaux, les chevalets et les caisses de champagne, de fine et de Cointreau. On y croise ses modèles, de Kiki à Aïcha et à Zinah, et aussi ces petites filles qu'il peint comme des femmes. Toute la bande de Pascin est là, ceux qui peignent et ceux qui écrivent, les maîtresses et les musiciens, les traîne-savates qui savent que le prince de Montparnasse régale tout le monde sans regarder à la dépense. L'exubérance est reine et Robert s'y mêle avec soulagement, pressé de s'étourdir. Youki a déjà bu plus que de raison sous les encouragements de son inséparable Mado. Pascin discute avec Foujita tandis que sa femme Hermine, debout derrière lui, pose son étrange regard vrillé sur cette Lucy Krohg dont Pascin est si épris qu'Hermine doit le partager avec elle depuis des années.

Dans ce milieu, exiger l'exclusivité d'un amour, c'est outrepasser ses droits. Comme s'ils avaient une telle conscience de la brièveté de leur vie qu'ils ne pouvaient renoncer à cette multiplicité d'expériences, de tourments, d'extases. Il y a de l'avidité, de l'angoisse, et cette liberté si vertigineuse qu'on perd l'équilibre sur un sol vacillant.

Ainsi Lucy partage-t-elle Pascin avec Hermine, et Per Krohg accepte-t-il ce qui reste de Lucy après que le peintre bulgare a déposé sa fièvre et son adoration dans son corps, la mordant jusqu'à ce point d'elle-même qui lui échappe et la définit peut-être.

Robert, lui, ferme les yeux sur ce marchand d'art qui danse avec Youki. Il ferme les yeux sur l'homme qu'elle a rencontré au Japon, sur ceux qu'elle croise le matin à l'hôtel, ceux qui prennent l'ascenseur avec elle. Ceux qui lui tiennent la porte ou lui servent un troisième bourbon. Ceux qui ont une femme ennuyeuse, une liasse de billets dans la poche intérieure de leur smoking et un bateau à Deauville. Ceux qui ont tout leur temps, qui ne pensent jamais à la mort et dont la vie se dévide comme une pelote de fil dans une rue en pente.

Et Robert ? Il vit avec Bessie dont toute la beauté et tout le charme échouent à le mettre à l'abri de Youki. Foujita lui a tatoué sur le bras une banderole étoilée et une grande ourse dressée sur ses pattes arrière. Il a gravé une sirène sur la cuisse de Youki, mais c'est son épiderme à lui que la sirène démange et brûle. Quand il embrasse la douceur du monde sur les lèvres de Bessie, c'est dans la bouche de Youki qu'il se noie avec un mélange d'effroi et de joie inextinguible.

Bessie n'est qu'une halte sur une route remplie de périls. Entre ses bras, il répare ses forces.

La chanteuse les rejoint vers une heure du matin et leur raconte la mise à sac du Maldoror par les surréalistes. Alors que la princesse Agathe Paléologue y donnait un bal sur le thème de la nuit, Breton y a fait une descente avec ses affidés et ils ont créé une belle panique, terrifiant les invités en tenue d'apparat. « Nous sommes les invités du comte de Lautréamont », a lancé Breton avec une courtoisie glaciale. À ce signal, ils ont tout cassé à coups de canne et de poing, semant le chaos jusqu'à l'arrivée de la police. Et Bessie, qui a gardé de La Nouvelle-Orléans une méfiance instinctive envers les flics, s'est enfuie avant d'être interrogée. Du reste, qu'aurait-elle pu dire ? Elle ignorait que les poètes pouvaient se montrer aussi violents.

— Ah, on voit que vous ne connaissez pas encore bien Robert ! commente Kiki qui se penche sur Robert et fait mine de l'étrangler. Non, parce qu'il a l'air doux, quand on le voit. Mais il cogne comme un beau diable ! Pas vrai Robert, que tu dérouilles ceux qui t'ennuient ? interroge-t-elle en l'embrassant, et Robert acquiesce, ajoutant qu'il se serait fait un plaisir de châtier Breton et ses amis s'il avait été dans la salle.

Pour rassurer Bessie, il l'enlace et hume ses cheveux brillants là où la transpiration les frise, à la naissance de la nuque, sous le chignon piqué d'un gardénia immaculé. En relevant la tête, il croise le regard de Youki et y lit quelque chose qui ressemble à du dépit, vite balayé par un sourire et un haussement d'épaules.

Bien après, quand il est trop tard pour se coucher, Robert et Pascin ont cessé de danser, de boire et de chanter faux pour s'avachir dans un canapé aussi épuisé qu'eux. Ils ont tout donné à la nuit ou elle leur a tout pris. Bessie s'est endormie sur le lit dans la pièce d'à côté, bercée par le vacarme de la fête. C'est l'heure des confidences que l'aube blanchira, des fautes avouées sans être pardonnées, des certitudes brutales. Robert a oublié sa veste de costume sur un chevalet, sa chemise blanche est trempée de sueur et tachée de vin rouge. Pascin a atteint ce degré d'ivresse où le calme se dépose sur la furie. Les braises lucides de ses yeux rougeoient dans son visage éteint comme un hameau déserté.

— Tu sais Robert, je vais tout lâcher un de ces jours, cet atelier et tout le reste, je vais abandonner la peinture et je voyagerai. Au fond c'est ça que j'aime, me balader et dessiner ce qui me touche. Les gens ne voient que mes tableaux, mais mon talent, il est dans mes dessins. Je me fous des tableaux.

— Tes clients ne s'en foutent pas, eux, observe Robert. Tu ne viens pas de signer un contrat à l'année avec Bernheim ?

— Ne m'en parle pas, je me dégoûte, je suis devenu un maquereau de la peinture ! Les filles que je fais poser, je n'ai même pas besoin de les baiser, elles sont baisées de toute manière parce que je les vends au plus offrant. Je dois peindre mes petites femmes en chemise, je dois les peindre avec le teint rose parce que ça plaît. Hermine est contente, je peux inviter tout Montparnasse si ça me chante. Mais je piétine mes rêves de jeunesse et mon travail est au point mort, je ne fais plus rien d'intéressant. Je suis fini, Robert.

— Dans ce cas, fous le camp et va voir du pays, tant pis pour Bernheim, répond Robert. Qu'est-ce qui te retient ici ?

Les pupilles moirées de Pascin cherchent et trouvent Lucy qui trinque avec son mari à l'autre bout de la pièce, et Robert déchiffre dans ce regard la faim et le désespoir que lui inspire Youki.

— Lucy n'a pas gardé l'enfant, murmure Pascin d'une voix sourde. Tu te souviens ? Je t'avais dit qu'elle attendait un enfant de moi. Elle est partie en voyage et elle s'en est débarrassée, sans me prévenir. J'étais sûr qu'avec cet enfant tout changerait. Cet enfant c'était un signe de Dieu. Mais elle n'a rien voulu entendre. C'est une femme méchante, et j'en suis amoureux. Dis-moi Robert, pourquoi on tombe amoureux des femmes méchantes ?

Si Robert le savait. Pour aimer, il a besoin de souffrir. De désirer Youki l'infidèle, l'indifférente, l'oublieuse des bonheurs passés.

— Toi, Robert, tu n'es pas amoureux de ta belle métisse ? Je peux la peindre ? interroge Pascin avec un sourire matois. Elle est plus belle qu'Aïcha.

— Pas question, répond Robert en riant. Je sais que pour toi, peindre une femme équivaut à la posséder.

— Non. Les peindre, c'est plus fort que de les baiser. Elles écartent les jambes et je déshabille leur âme. Mais à la fin elles m'échappent, et il ne reste que la toile… Tu sais Robert, en fait tu as raison. Rien ne me retient ici.

Quelques semaines plus tard, ces mots reviennent hanter Robert quand il apprend que Pascin a mis fin à ses jours. Il s'est d'abord tranché les veines. Puis, comme la mort était trop lente à venir, il s'est pendu dans son atelier, devant la fenêtre. C'est Lucy qui l'a découvert. Sur les murs, Pascin lui avait écrit qu'il l'aimait, avec son sang. Hermine était absente de Paris.

*

Un jour que Robert montait à Montmartre avec Pascin, ils ont regardé passer un corbillard et Pascin lui a dit : « Quand ils m'emporteront, je veux que la vie s'arrête dans toute la ville. »

Aujourd'hui, jour de son enterrement, le quartier de Montparnasse est immobile sous la chaleur lourde.

Les galeries sont fermées, les terrasses désertes. Les serveurs, les patrons de bars, les modèles et les peintres, les marchands d'art et les poètes ont rejoint l'interminable cortège qui suit le cercueil. Hermine avance en tête, le visage défait. Lucy vacille sous la peine et son mari Per Krohg, saisi de compassion, la rattrape et la serre dans ses bras, l'arrimant à lui pour marcher jusqu'au cimetière de Saint-Ouen.

Les modèles sont tous venus, les petites filles ne geignent pas malgré leurs ampoules, la belle Aïcha les guide de sa démarche souple et gracieuse. Elles avancent en se tenant la main, liées par leur affection pour ce peintre généreux dont l'inconsolable tourment s'habillait de frénésie et d'excès. Que la route est longue par cette chaleur, huit kilomètres à pied, mais personne ne songerait à s'y soustraire. Un clochard ferme la marche. Le peuple de ceux qui dorment dans la rue s'est cotisé pour lui payer un costume, afin qu'il soit leur digne représentant aux funérailles de ce prince qui invitait les pauvres à ses banquets et fraternisait avec eux sans arrogance. Robert se demande si la femme et la maîtresse de Pascin pactiseront un jour pour chérir ensemble la mémoire de cet homme qu'elles n'ont pas su retenir.

Le roi de la fête est mort et désormais toutes leurs bacchanales sonneront faux. Leur insouciance s'est brisée sur sept ans de malheur.

Les plus beaux jeux du monde ont connu nos pensées,
Nous avons essayé tous les vices fameux,
Mais les baisers et les luxures insensées
N'ont pas éteint l'espoir dans nos cœurs douloureux.

Robert marche près de Foujita et de Youki. Après la soirée chez Pascin, Youki a invité Robert a dîner, ajoutant qu'elle préférait qu'il vienne seul.

« Tu m'excuses, mais je n'aime pas Bessie », a-t-elle précisé comme si c'était un détail de peu d'importance. À la fin de cette soirée intime où il l'a retrouvée aussi tendre et séduisante que lors de leurs premiers rendez-vous, elle l'a embrassé et lui a donné rendez-vous le lendemain dans un hôtel près de chez lui.

Retrouver le plaisir de son corps, l'exquise douleur, l'abandon risqué.

Elle lui a vite fait comprendre que Bessie était de trop, même si bien sûr elle ne lui demandait pas clairement de la quitter, non. Mais enfin ce n'était pas drôle de se retrouver en catimini à l'hôtel, et Bessie n'allait-elle pas finir par souffrir de l'éloignement de Robert ?

Il était douloureux de quitter celle qui lui avait tout donné sans se demander s'il méritait ce cadeau. Il fallait renoncer à un amour sans conflits, sans territoires péniblement reconquis, sans traités de paix provisoires. Renoncer à la lumière des réveils tendres, au sourire qu'elle lui offrait quand il ouvrait les yeux, un sourire dont elle avait usé avec tant de parcimonie durant son enfance, pour ne pas exciter la convoitise des hommes. Elle est partie sans pleurs et sans protestations, le laissant libre jusqu'au bout de la rattraper dans la rue, devant le Bal nègre où ils avaient dansé ensemble, dans cette sorte d'émerveillement qui nimbe un bonheur qu'on parvient à saisir avant qu'il ne s'échappe.

Comment te faire comprendre, Bessie, que je n'ai pas le choix ? Que je suis attaché à mon amour comme à une croix, qu'il serait aussi vain de vouloir m'y soustraire que de tenter d'être cet homme qui s'enorgueillirait de marcher à ton bras, de te faire des enfants d'une beauté sans pareille, de vieillir dans la lumière dorée de tes prunelles ? Je ne suis pas cet homme, je le regrette et le regretterai encore à chaque morsure, à chaque déchirement.

Être aimé par elle
Nul bonheur nulle félicité
Désir pas même
Mais volonté ou plutôt destin

Foujita et Youki essaient de le convaincre de venir habiter avec eux. Pour Robert, ce serait plus économique et ainsi, Foufou aurait de la compagnie quand Youki sort avec Mado. Devant eux, Man Ray et Kiki marchent au bras l'un de l'autre, même si Kiki a quitté Man pour Henri Broca, même si Man reste inconsolable et traîne sa gueule de bois chaque nuit avec Théodore Fraenkel à qui sa femme Bianca fait payer sa dernière infidélité.

Ce début d'été qui transpire la mort les réunit dans son étreinte moite.

Robert, cherchant vainement la silhouette élégante et nerveuse d'Aragon dans la foule, pense à leur complicité devenue tranchante et amère. Aragon a choisi le parti d'André Breton. Non seulement il ne parle plus à Robert, mais il a mis toute sa virtuosité à étriller *Corps et biens,* son recueil de poèmes qui vient de paraître chez Gallimard. Là où Robert revendique la liberté d'écrire des alexandrins si ça lui chante, Aragon ne voit que « vieille niaiserie poétique » et lieux communs. Entre autres insultes choisies il le traite de nullité, de cafouilleur lyrique, de matérialiste idéaliste. Comme ces mots blessent Robert, raillant cette voix intérieure qui est ce qu'il a de plus cher ! Il pense à ces traîtres à l'amitié, à ces faux frères qui s'arrogent le droit de décider qui est surréaliste et qui ne l'est pas, prétendent avoir inventé l'automatisme et la poudre, coulent dans le marbre ce qui doit s'envoler avec la poussière, danser dans la flamme.

Il sent remonter l'énergie sanguine de la colère. Elle lui ordonne de s'arracher à l'attraction des morts pour affronter les vivants.

Plus que jamais, il revendique ce *Troisième manifeste du surréalisme* qu'il vient de faire paraître à la barbe d'André, et tandis qu'il marche avec le soleil dans le dos, il jubile de s'en remémorer la conclusion triomphale :

« Et je proclame ici André Breton tonsuré de ma main, déposé dans son monastère littéraire, sa chapelle désaffectée, et le surréalisme tombé dans le domaine public, à la disposition des hérésiarques, des schismatiques et des athées. »

DEUXIÈME PARTIE

Va, poursuis ton chemin, il n'est plus de frontières,
Plus de douanes, plus de gendarmes, plus de prisons.

8

L'été 1930 est reparti comme un voleur, emportant sur son dos un sac de mauvais présages. Robert, Youki et Foujita ont regardé les files s'allonger aux portes des soupes populaires, entendu les clameurs montant des ventres affamés. Cette rage qui tourne comme un fauve à la recherche d'un défoulement, fût-il brutal et aveugle. Occuper des journées blêmes, sans horizon. La valse sans fin de gouvernements interchangeables, dont on ricane pour ne pas en pleurer. L'impuissance devant ces marionnettes qui n'ont que patrie et morale à la bouche. Réarmer ou pas, dévaluer le franc ou pas. Faire confiance à l'Allemagne ou redouter cette ennemie de toujours. Fermer les frontières de décrets en motions et en quotas, ou demeurer fidèles à une tradition d'accueil vieille de plusieurs siècles. Un jeu d'échecs où le peuple des humbles est toujours mat, quelle que soit la stratégie retenue.

Ils avaient besoin de retrouver leur joie de vivre. Ils ont opté pour une randonnée. Foujita leur a confectionné des vêtements solides et légers. Robert a élu la Bourgogne pour le vin et la lumière, le soleil embrasant les vignes, l'odeur de la terre retournée, les promenades nocturnes dans les villages endormis sous la lune. L'espace de quelques jours, ils ont ri et oublié le reste du monde, poursuivant leur étrange équipée avec Asahita, le neveu de Foujita. Étant le seul marcheur du groupe, Robert a dû se montrer inventif pour doper leur courage défaillant. Les longues excursions avivaient la soif. Foujita s'en tenait à l'eau mais Robert et Youki buvaient pour quatre, au point que le peintre a rêvé une nuit qu'ils le forçaient à boire et qu'il se noyait dans un océan de vin. Le lendemain matin, il les a suppliés de boire moins, il en faisait des cauchemars. Mais Robert et Youki s'entraînent mutuellement. Leur nature n'est pas épicurienne et leur gourmandise de la vie ne connaît pas de mesure. Bon an mal an, de Tonnerre à Dijon en passant par Chablis, Vézelay, Nuits-Saint-Georges et Beaune, Foujita s'est accommodé de ces compagnons éméchés et de l'amour de Robert pour Youki, qui crèverait les yeux d'un aveugle. Réunis par leur goût de la fête et de l'inattendu, ils ont semé l'étonnement et la gaieté sur leur passage, et fait des rencontres mémorables. Pourtant, si Robert n'avait pas été si heureux, il aurait noté à certains signes que Foujita commençait à se détacher de sa muse à la peau couleur de neige.

Notre voyage s'achève ici. Nous avons bu et mangé comme les dieux de l'Olympe. Nous avons retrouvé ici et là l'humanité semblable à elle-même en toutes circonstances. L'été est à maturité. Combien de temps le soleil brillera-t-il encore pour nous sur des étés semblables ?

Habituée à tenir pour acquis l'amour qu'on lui porte, Youki n'a rien vu venir. Dans cet *Autoportrait au chat* où le peintre s'est dessiné au fusain, elle n'a pas remarqué cette tristesse diffuse. Elle s'est brutalement réveillée un matin, cherchant son mari disparu. Elle a appelé Robert au secours. Robert s'y attendait. Foujita lui avait confié son désir de s'enfuir avec la jeune femme qu'il venait de rencontrer, Madeleine Lequeux. Il lui avait présenté sa maîtresse, un mannequin qui arrondit ses fins de mois en servant les clients au bar du Sphinx, le bordel le plus en vue de Paris. Foufou a pu être blessé de la liaison que Robert entretient avec Youki. Il est toujours si joyeux et bienveillant, peut-être sont-ils passés à côté de sa souffrance.

Robert a rejoint Youki à Port-Cros, où elle s'était réfugiée après avoir cherché Foujita à Marseille. Sur l'île, Youki n'était qu'à lui. Le monde, qui la lui vole sans cesse, s'était effacé. Leur perspective se limitait à un morceau de plage, des pins luxuriants, des palmiers se balançant au vent, la petite terrasse du restaurant de l'hôtel dont ils étaient les seuls clients. Ils ont connu un bonheur où Robert puise de quoi nourrir son amour les jours où la tendresse s'épuise. Alors que Foujita est rentré, puis reparti pour New York où il espère reconstituer sa cagnotte, que Youki s'étourdit dans la fête et l'éther pour oublier que son mari s'éloigne, Robert se souvient de sa Sirène offerte au soleil ardent et à l'étreinte de la mer, de cette vie de sauvageons éblouis. Il se raccroche à ces instantanés pour faire face à une femme qui l'aime un jour sur quatre et le maudit le reste du temps.

Robert écrit à Foujita à New York, le supplie de ne pas oublier Youki, de la faire venir près de lui, lui assure qu'elle dépérit et se désole de son absence. Dans ce rôle d'intermédiaire, il choisit de s'effacer, trouvant dans ce sacrifice un plaisir proportionnel à la douleur qu'il engendre.

Foujita ne cède pas, n'invite pas Youki à le rejoindre. Youki devine dans l'ombre Madie la Panthère, comme on la surnomme à Montparnasse. Un corps aussi plein et envoûtant que le sien, encore auréolé de mystère. Sa rivale est un continent que Foujita invente, écartant les lianes pour approcher ses fleurs les plus rares, son argile tendre, ses couleurs diaprées, changeantes. À Youki, le rôle de l'épouse plaintive qui récrimine parce que le marchand d'art ne paie pas, parce que Foufou lui oppose toute son inertie orientale, parce que Robert a beau faire, il ne sera jamais qu'un poète pauvre qui s'échine à lui procurer ce dont lui-même manque si cruellement : de l'argent. De l'amour.

Mais l'amour n'a plus le droit de se révéler
Par la parole de ce veilleur acharné
Obstiné à aimer et à souffrir

Youki ne veut plus entendre qu'il l'aime.

— Robert, tu m'étouffes avec ton amour ! J'ai besoin d'air, moi. Tu es toujours là, oh, sans jamais rien me reprocher, mais tu attends... Je ne te dois rien, nous sommes libres, d'accord ? J'ai de l'affection pour toi, de l'admiration, mais arrête d'espérer ce que je ne peux pas te donner.

Il n'en finit pas de s'effacer pour laisser Youki respirer. Et il lui en faut de l'oxygène, il lui faut le ciel étoilé et la ville à ses pieds, sentir palpiter sa gorge chaude sous les lèvres de ses amants, et toutes ces bouches se posent à l'endroit frémissant où gonfle cette petite veine qu'il aime tant, juste au-dessus du sein gauche. Il s'efforce de repousser ces pensées shrapnells qui éclatent par inadvertance. Et quand sa douleur ne veut plus se taire, il écrit des poèmes à Youki, simples et légers comme des comptines. Sa peine vient creuser un désamour plus ancien, les sanglots d'un corsaire de sept ans et cet océan en lui, déjà, dont le grondement enfantait des images sulfureuses.

Toutes les douleurs puisent à celles de l'enfance.

Et l'enfant que je fus a rendu mon cœur poreux aux souffrances que je ne cesse de rechercher, comme si elles étaient le préambule du bonheur.

Le manque de lumière et le froid accentuent la mélancolie de ce temps de disette matérielle et affective. Chaque jour Robert cherche du travail, des articles à écrire, mais les journaux licencient à tour de bras et ils sont nombreux à arpenter les rues à la recherche d'expédients. Sa présence est rarement la bienvenue rue Lacretelle, où Youki s'est installée après qu'il a signé le bail et s'est chargé du déménagement tandis qu'elle le houspillait avec vigueur. Heureusement Robert a gardé l'atelier de la rue Blomet où le phonographe tourne jour et nuit, ensoleillant les ciels opaques de percussions endiablées et de plaintes langoureuses. Mais la musique ne comble pas le vide laissé par les surréalistes. Certains amis ont déménagé, comme Leiris qui poursuit en Afrique ses recherches ethnologiques. Limbour voyage, Crevel s'est éloigné. Pascin n'est plus là pour l'emmener trinquer à la santé de leurs tribulations.

Un matin de décembre où il gèle à fendiller les dents, il s'engouffre dans la salle de cinéma du Studio 28, sur les flancs de la butte Montmartre. On y donne *L'Âge d'or*, le deuxième film de Luis Buñuel. Il s'est rendu à la projection privée du film au mois d'octobre, au cinéma du Panthéon. Il était assis entre Giacometti et Georges Bataille et la chevelure léonine d'André Breton, installé huit rangs devant lui, l'a gêné tout le film, engendrant des pensées parasites. Il n'a pu s'abandonner aux images de ce jeune cinéaste espagnol qu'il a rencontré deux ans plus tôt, lors d'un dîner. Robert lui avait parlé de Sade. Pour Buñuel, c'était une révélation : celle d'une liberté incendiaire se riant de la morale et de la religion. Il a d'ailleurs rendu un hommage au divin marquis à la fin de *L'Âge d'or* : le duc de Blangis, héros des *120 journées de Sodome,* y est représenté en Christ pervers sortant épuisé d'une longue orgie. Mais ce qui touche Robert dans ce film, ce n'est ni sa charge de blasphème, qui en irritera plus d'un, ni sa poésie visuelle et son humour. Non, ce qui le bouleverse c'est la force du désir, cette cavalcade irrésistible, ce courant magnétique contre lequel se dressent vainement l'ordre moral, l'État et l'Église. Que Buñuel ait su restituer à l'amour sa puissance subversive lui redonne espoir : le cinéma n'est pas mort en se mettant à parler, il réserve de belles surprises.

Robert se glisse avec émotion dans l'obscurité de la salle, épiant la respiration de ces inconnus qui tremblent devant les périls qui éloignent les amants, dont le pouls s'accélère pour des protagonistes de chair et de lumière. L'espace de quelques heures, ils aiment, souffrent et meurent pour ressusciter dans le jour aveuglant, étourdis d'avoir vécu d'autres vies que la leur. L'écran de cinéma prolonge la nuit et le rêve. La drogue des images entraîne le spectateur vers des territoires baignés de soleil et de vent. La salle a beau être pleine, Robert sent que le film désarçonne les spectateurs. Son côté décousu, les surprises qu'il ménage, comme ces amants enlacés dans la boue dont le plaisir bruyant perturbe un discours patriotique. Dans ces temps où le cinéma doit rester un divertissement familial, rien ne prépare le public au choc des images de Buñuel. Plusieurs personnes se lèvent et quittent la salle. Avec *L'Âge d'or,* le cinéaste enfonce le clou de la provocation et abat la porte qui protège le spectateur du déferlement de ses pulsions. Ce qui enthousiasmera les uns horrifiera les autres.

Un bruit dérange l'oreille fine de Robert. Un fracas indistinct à l'extérieur de la salle. Il se retourne au moment où les portes s'ouvrent à toute volée, cédant à des énergumènes qui gesticulent et hurlent « On va voir s'il reste des chrétiens en France ! » et « Mort aux Juifs ! ». Ils sont une quarantaine à faire effraction dans cet abri confiné, rallumant les lumières et projetant le contenu de plusieurs bouteilles d'encre violette sur l'écran où, ironiquement, deux personnes sont en train de descendre d'une voiture en déposant un ostensoir dans le caniveau. Les chrétiens apprécieront le pied de nez.

Les agresseurs sont partout, lançant des bombes fumigènes et des boules puantes et fondant sur les spectateurs pour les tabasser à coups de cannes et de matraques télescopiques. L'air vibre de hurlements d'effroi qui ne font que les exciter davantage. Robert reconnaît les uniformes et les bérets des jeunes patriotes, cette milice de bourgeois réactionnaires qui sent l'amidon et les idées rances. Ils n'attaquent que lorsque leur victoire est garantie par l'inégalité des forces. Le poète affronte une grêle de coups, ils sont trois sur lui, il n'a que sa colère et cette sourde envie d'en découdre mais elle valent tous les fortifiants, et il n'est pas surpris d'arriver à les repousser suffisamment pour s'extraire de la travée et gagner le hall, rapide et ramassé comme un boxeur, cherchant une arme de fortune. Autour de lui, c'est la consternation. La plupart des spectateurs ont fui et il découvre l'entrée du cinéma saccagée. Les vitrines sont brisées et dévalisées. Les toiles surréalistes de Man Ray, Dali, Max Ernst, Miró et Tanguy exposées en l'honneur de Buñuel flottent en lambeaux tels les drapeaux d'une révolution perdue. Robert voit rouge : vont-ils devoir endurer longtemps ces vandales incultes et suffisants, leurs défilés triomphants sur les boulevards parisiens, leurs coups d'éclat transpirants de lâcheté, l'impunité que leur assure la connivence du préfet Chiappe ?

Rrose Sélavy a découvert que la particule des nobles n'est pas la partie noble du cul.

Robert ramasse un morceau de verre tandis que le chahut enfle à l'approche des ligueurs. Surpris de le découvrir sur sa route, un escogriffe fin de race lui assène un violent coup de matraque sur le crâne qui fait voler ses lunettes et le sonne pendant quelques secondes. Vacillant, il se jette sur son agresseur et le renverse. Tandis qu'ils roulent sur le sol et que le ligueur lui boxe l'abdomen, Robert lui ouvre le front avec son éclat de verre, dessinant sur son front maurrassien une lézarde rouge qui a pour effet de transformer sa combativité en panique.

— Tu supportes pas la vue du sang ? Change de passe-temps ! lâche Robert qui récupère ses lunettes et se relève pour affronter le suivant.

Une douleur irradiant son ventre le plie en deux au moment où la police arrive sur les lieux et embarque tout le monde au commissariat du quartier.

*

Robert est relâché après l'interrogatoire. La blessure qu'il a infligée au ligueur relève de la légitime défense et sa victime s'en tirera avec quelques points de suture. Son traumatisme abdominal est plus inquiétant et nécessite de faire venir le docteur Fraenkel, qui emmène Robert à l'hôpital Lariboisière. Il y travaille plusieurs jours par semaine.

— Décidément, ça devient une habitude de finir amoché au poste, observe froidement le Doc en chemin. Je pensais que vous aviez admis que la bagarre de rue n'était pas votre terrain d'excellence...

— Cette fois je n'ai fait que me défendre, proteste Robert en grimaçant de douleur. Vous auriez aussi perdu votre flegme en voyant les gouapes de Taittinger mettre à sac un cinéma rempli des tableaux de nos amis !

Il veut tout raconter au Doc mais celui-ci l'arrête d'un geste :

— Économisez votre souffle. On parlera de tout ça quand je serai rassuré sur votre état. De pauvres diables décèdent tous les jours des suites d'une contusion à l'abdomen.

À l'hôpital Lariboisière, les salles sont immenses et

absurdement hautes de plafond, la lumière spectrale, et la proximité des pompes funèbres n'est pas pour rassurer. Mais le Doc a sa mine des jours sévères et Robert préfère lui obéir, surtout avec cette douleur qui lui vrille le ventre. Après un examen complet avec palpations dignes d'un roman sadien, Théodore le rassure : il n'est pas nécessaire de lui ouvrir l'abdomen tout de suite. Le Doc préfère le garder au moins quarante-huit heures sous surveillance et lui prescrit sans sourciller un examen clinique toutes les demi-heures jusqu'à sa sortie, afin de s'assurer que son ventre n'abrite pas une sournoise hémorragie interne.

— En vous quittant, voulez-vous que je passe rue Lacretelle prévenir Youki ? demande Théodore. Si vous voulez je peux lui dire que le pronostic est réservé, ce qui devrait vous garantir quelques heures de mansuétude…

— Youki m'engueule avec une régularité admirable. Même si j'étais mourant elle trouverait quelque chose à me reprocher ! articule péniblement Robert.

Théodore le scrute de ses yeux bridés et perçants, et hoche la tête :

— Elle m'a appelée ce matin pour une plaie à la bouche. Je l'ai examinée, je ne suis pas trop inquiet pour cette plaie mais elle sentait l'éther à plein nez. Vous savez ce que je pense de la drogue. Youki a des charmes évidents, mais ne retombez pas dans ce piège…

— Je ne retoucherai jamais à la drogue, répond Robert. J'ai même arrêté de fumer. Plus les moyens !

— Je m'en réjouis, répond Théodore. Je vais devoir vous abandonner, Bianca a accepté un dîner romantique. Signe de redoux qu'il faut traiter avec le sérieux qu'il mérite ! Ne flirtez pas trop avec le personnel et soyez patient, je repasserai demain matin.

Robert le rassure. Pour ce qu'il en a vu, le personnel féminin de Lariboisière n'a rien d'excitant et la douleur repousse toute tentation libidineuse. En revanche, il ne serait pas contre un peu de lecture pour tromper l'ennui. Le Doc s'engage à charger Youki de cette mission et laisse Robert sur la promesse d'une visite de sa bien-aimée au caractère de ciel breton.

Quand Youki arrive, Robert devine que Théodore a dû en rajouter un peu : elle est la proie d'une inquiétude mortelle et interroge l'infirmière de nuit avec une sévérité teintée de soupçon qui le ferait rire s'il ne souffrait pas autant. Elle exhume de son sac un roman de Jarry, un saucisson et une bouteille de bourgogne, parce qu'il ne faut pas se laisser abattre. Stoïque, Robert lui explique que ces délices lui sont défendus jusqu'à nouvel ordre.

— Mais enfin c'est absurde, s'emporte Youki. Comment peux-tu te retaper si tu ne manges rien ? Fraenkel file un mauvais coton, si tu veux mon avis ! Ce matin il est venu me voir, et il m'a dit que nous nous dégradions moralement. Tu te rends compte ? Je sais qu'il a de l'amitié pour nous, mais quel manque de tact ! Je lui ai répondu qu'on pouvait m'accuser de beaucoup de choses, mais de me complaire dans la misère, ça non !

Robert l'implore d'arrêter de le faire rire car ces vibrations sont une torture. Youki s'assied au bord de son lit et lui pose la main sur le front avec une tendresse soucieuse :

— Tu souffres, mon pauvre Robert… Ils parlent

de ce qui s'est passé au Studio 28 dans les journaux du soir. Les ligues réclament l'interdiction du film de Buñuel. Ils l'ont baptisé *L'Âge d'ordure*... Tu crois qu'ils peuvent le faire interdire ?

Robert ne répond pas, contemplant cette peau diaphane qui lui manque tellement. Elle a enlevé son long manteau cintré à col de chinchilla, depuis il s'emplit du spectacle de ses bras nus, guette le triangle de chair au bas de son dos que découvre l'échancrure de sa robe croisée.

— On ne va pas quand même pas laisser les roquets de l'Action française faire la loi dans ce pays ! s'exclame-t-il.

À son tressaillement en l'embrassant, il sent que Youki vole déjà vers les plaisirs de la soirée. Elle est en retard, Mado va encore la maudire, s'excuse-t-elle en enfilant son manteau en maraudeuse, mais il devine qu'il y a, quelque part, dans cette ville qui saoule son angoisse chaque nuit, un homme qui l'attend sans s'impatienter. Robert l'imagine grand, bien découplé, avec un menton arrogant. Il commande un whisky d'un léger signe de tête. Il n'est pas pressé, ne doute pas de sa bonne fortune. Sur son annulaire gauche orné d'une chevalière, l'alliance qu'il vient de retirer laisse une marque pâle.

Après le départ de Youki, Robert découvre le cadeau qu'elle a laissé sur la tablette près de son lit : un portrait de lui au crayon, avec pour légende : « À mon ami Robert, tu es beau. » Elle l'a dessiné, avec l'attention surprenante qu'elle porte aux êtres malgré le tourbillon de sa faim et de sa désinvolture. Jusqu'aux cernes d'ombre sous ses yeux, au sourire tapi dans ses pupilles rêveuses. Elle le voit, le regarde, il ne lui est pas indifférent. Cette découverte efface la nuit de l'hôpital et fait reculer l'homme à la chevalière dans ce brouillard où les silhouettes des amants de Youki se confondent. Vous passez, je demeure. Je serai là demain, quand l'aube vous aura effacés.

Soudain il peut croire qu'il est beau, puisqu'elle en a décidé ainsi.

*

Foujita est rentré de New York. Ils célèbrent son retour par un dîner japonais. Ce soir, ils ressuscitent les souvenirs du square Montsouris comme si rien ne les avait désunis. Foujita est reconnaissant à Robert de s'être occupé de l'appartement, d'avoir veillé sur Youki malgré son caractère.

— De quel caractère parle-t-on ? proteste Youki. Il n'y a pas plus accommodant que moi.

Youki accommodante… Foufou et Robert en pleurent de rire.

— Tu es ici chez toi, Robert, dit Foujita en leur resservant du saké. Je suis toujours content de te voir et Youki ne peut plus se passer de toi. Cet appartement est assez grand pour trois.

— Youki se passe très bien de moi ! corrige Robert avec un clin d'œil. Et puis j'ai douze chats qui m'attendent à la porte de l'atelier. Je ne peux pas les abandonner, le voisin les déteste et les fourrera dans un sac.

— Mais non Robert, le coupe Youki, Foufou a raison. Garde la rue Blomet si tu veux, mais ici tu auras ta chambre et tu pourras y dormir quand tu veux. Je vais t'installer un bureau près de la fenêtre, tu seras bien pour écrire.

Écrire. Robert ne compose plus que des chansons pour sa bien-aimée, des contes doux-amers qu'il glisse sous sa porte les jours où elle ne veut plus le voir, comme on sème dans la forêt des cailloux d'espérance infatigable.

Depuis l'enfance, il a tenu son cap tant bien que mal à travers les bourrasques, mais ces temps-ci, le doute l'assaille. Presque plus d'articles à écrire et même s'il est robuste, combien de temps pourra-t-il tenir cette vie dure, privée du confort le plus élémentaire, avec pour seuls luxes la musique qu'il écoute des nuits entières et ses longues promenades dans Paris qui ne fait pas la fière, prodiguant ses merveilles aux vagabonds ?

Dans l'impasse où il se trouve, la proposition de ses amis clignote comme une auberge au bout d'une route gelée. Et puis, côtoyer Youki tous les jours. Dormir là où elle dort. Être au spectacle des menus gestes de sa vie, de sa beauté au naturel.

Il accepte avec gratitude.

Quelques jours plus tard, sa sœur Lucienne lui écrit que leur mère est au plus mal. Robert marche des heures durant dans le froid sans se résoudre à sonner rue de Rivoli, à monter l'escalier, embrasser son père et sa sœur, entrer dans la chambre et parler à sa mère, trouver des mots assez légers pour qu'ils ne givrent pas en traversant la banquise qui les sépare. Devant cet insurmontable, il rebrousse chemin et retrouve Prévert et les autres aux Deux Magots comme s'il ne devait rien arriver de tragique.

Les jours passent et il évite la rue de Rivoli jusqu'au télégramme matinal, « mère décédée ». Pour en faire un hémistiche il faut y ajouter un possessif, ma mère décédée. Le corps est exposé au domicile parental. Robert se rend à la veillée funèbre. Des voisins sont là, des collègues de son père dont les épouses sanglotent sans retenue. Lucienne le serre maladroitement dans ses bras.

— Le dernier jour… elle a demandé après toi, lui dit Lucien Desnos avec émotion. Elle a demandé de tes nouvelles. Je lui ai dit que tu allais venir. Elle avait l'air contente.

Robert s'assied près du lit où repose Claire Desnos. Il ne la trouve pas si changée dans cette immobilité de cire, elle a juste l'air plus absente que d'ordinaire. La froideur de sa peau le glace quand il l'effleure.

Nuit des nuits sans amour, où les draps se dérobent
Où sur les boulevards sifflent les policiers

Où étais-tu, ma mère, quand j'étais seul dans l'immensité du silence ? Où t'envolais-tu quand j'avais besoin de toi ?

Une clameur montant de la rue des Lombards, la lueur des phares à travers les volets, les cloches de l'église Saint-Merri, la rumeur des Halles, le grondement d'un orage. Les nuits de fièvre où il cherchait sa main. Les soupirs de Claire quand il s'était battu, quand il avait répondu au professeur, en découvrant les premiers boutons d'une varicelle sur son ventre. Elle le grondait rarement, ne s'emportait pas, se contentait de s'extraire du monde où il l'espérait, dans ce détachement rêveur où il ne pouvait la rejoindre. La sœur de Robert ne quittait pas ses genoux, mais lui s'est toujours senti comme un intrus trouvé devant la porte, qu'on n'aurait pas eu le cœur de renvoyer à la nuit.

Après cette nuit, Robert se replie sur lui-même. Le temps glisse indifféremment derrière la verrière de la rue Blomet, les jours passent, les amis frappent à la porte et repartent déconcertés sans qu'il leur ait ouvert. Il n'honore aucun rendez-vous, ne sort qu'à la nuit pour arpenter les bords de Seine, traverser la place Dauphine, longer la Conciergerie à l'heure où elle laisse remonter des raclements de chaînes et des plaintes lugubres. Il se laisse dériver le long des courants de son monde intérieur, entre les laminaires des songes, les phosphorescences et les coraux où cristallisent les mots qu'il n'a pas encore attrapés, ceux qu'il désire comme l'insaisissable baleine blanche. De sa mère il ne dit rien, pas un mot. Sa mère si peu sienne, ce territoire retranché derrière les barbelés de l'enfance dont il ne s'approche pas, de peur de disperser ces miettes d'amour volées à la distraction qui lui ont permis de supporter de grandir.

C'est Youki qui le ramène à la vie un matin de mars. Après lui avoir laissé des messages en vain, elle est venue avec une paire de cymbales chinoises et en jouera jusqu'à ce que Robert lui ouvre. Foufou est avec elle, il supplie Robert de répondre avant qu'il ne devienne tout à fait sourd. Est-ce la vibration des cymbales qui transporte la Chine dans cette cour à l'abandon où un pied de vigne pousse entre les palissades ? Robert ouvre les yeux et déverrouille sa porte. Ses amis lui tombent dans les bras, soulagés de le trouver amaigri mais vivant. D'autorité, Youki rassemble quelques affaires et Foujita l'aide à transporter le phonographe et les disques dans le taxi. Cette nuit, il dormira rue Lacretelle après avoir nourri son estomac vide de ces délices japonais dont Foufou a le secret.

Ainsi commence leur étrange trio, et même s'il suscite des sourires et des sous-entendus, il est alimenté par une chaleur fraternelle et un plaisir à être ensemble que ne troublent ni jalousie ni amertume. Chaque soir Youki décide de dormir avec l'un des deux et celui qu'elle n'a pas choisi puise dans l'amitié de quoi effacer ses pincements de cœur. La plupart du temps, la Sirène préfère d'ailleurs les abandonner pour faire la noce avec Mado Anspach. Quand elle rentre, le corps brûlant des ivresses de la nuit, Robert lui sert un grand verre d'eau sans lui poser de questions, il ne veut pas savoir.

Youki dépend matériellement de deux artistes fauchés. Pour oublier cette réalité, elle s'étourdit avec la bénédiction de Mado, son mauvais génie.

Un soir, Robert pousse la porte alors que Youki vient de partir, laissant un sillage de parfum dans l'escalier. Foujita l'accueille dans un confortable kimono de soie noire, un tablier noué autour du cou. Il cuisine, ce que confirme le fumet prometteur qui s'échappe de ses casseroles. Le peintre est heureux, sa journée de travail a été satisfaisante et lui a laissé le temps de voir Madie avant son service du soir au Sphinx. Il est d'humeur loquace et facétieuse, et tandis qu'ils trinquent au saké et à l'eau plate, il évoque son nouvel amour. Madeleine est douce et sensuelle, elle diffère de Youki comme un lac de la mer. Il avait fini par se lasser des sautes d'humeur de la mer.

— Youki boit trop, elle me fatigue... Un jour ça va, le lendemain pas du tout. Moi j'ai besoin de calme pour travailler, que ça ne change pas tous les jours. Pourtant c'est ça qui me plaisait quand je l'ai connue : une femme française avec du tempérament, et puis sa beauté.

La beauté de Youki, cette blessure aveuglante dont Foujita n'est pas guéri, se rappelle à lui par surprise lorsque la lumière matinale ricoche sur le mur blanc pour inonder son visage endormi, à l'heure où il s'habille en silence pour aller retrouver ses pinceaux. Robert comprend que Foufou est en train de se détacher de Youki, du corps de Youki, de sa domination. Le règne de Madie est advenu, il bouleversera bientôt leur fragile équilibre.

— Alors c'est quoi, ta bonne nouvelle ? demande Foujita en lui servant des boulettes de viande marinées au gingembre et des champignons shiitake.

Le plat sent délicieusement bon, Robert y goûte avant de répondre :

— Je t'ai parlé de Jeander, mon ami journaliste ? Il a des contacts à *La Vie parisienne.* Le canard ne va pas bien. La crise a fait plonger les ventes. Du coup, ils ont eu l'idée de faire rédiger de fausses petites annonces sentimentales, tu vois. Pour émoustiller les lecteurs ! Et devine qui ils ont engagé pour le faire ? Eh oui, ma pomme ! Jeander nous a fait embaucher tous les deux, c'est un chic type. Être payés pour se marrer, c'est pas tous les jours, pas vrai ?

Robert imagine déjà des pseudonymes mystérieux et affriolants, des descriptions affolantes de jouvencelles sages rêvant d'une étreinte sauvage dans les bois, de dames d'un certain âge aux goûts singuliers. Il y a moyen de rigoler, pense-t-il en contemplant la tour Eiffel tandis que la voix de Vaughn De Leath pleure dans le phonographe.

9

Youki a pris ses quartiers d'été à Linkebeek, au cœur du Brabant flamand, laissant à Robert et à Foujita la garde des plantes d'appartement et des chats.

Le poète s'est installé au café du Dôme. L'air chaud monte des pavés brûlants, les habitués que l'été n'a pas chassés de la ville se rassemblent aux terrasses du boulevard et il en profite pour écrire à Youki que dans ce Paris désert, son absence est une vibration sans fin. Il lui envoie la chronique des derniers potins de Montparnasse pour la distraire, espérant retenir son attention qui s'envole dès qu'il lui parle de ses sentiments. Il lui tait les mille projets qu'il échafaude chaque jour pour gagner sa vie, les rendez-vous décevants, ses semelles plombées à la fin de la journée. Tout cela, il l'oublie dans la douceur de ce soir de juillet, en observant le ballet en ombres chinoises des serveurs qui slaloment entre les tables. Parfois, il retrouve Jacques Prévert le temps d'une promenade jalonnée de tournées à la santé des jolies filles et de digressions cocasses, ou passe chez Foujita qui vient d'allumer des bougies dans le salon de la rue Lacretelle. Ils conversent des heures devant la tour Eiffel illuminée de ses milliers d'ampoules, se demandent si la peinture peut devenir musique et la musique guider le pinceau sur la toile. Ils rejoignent Madie Lequeux pour un dernier verre au Sphinx, ou bien c'est elle qui sonne rue Lacretelle après son service et Robert est ému par le soulagement épuisé qu'il lit sur son visage quand Foufou lui ouvre la porte.

Youki est rentrée de Belgique. Un matin, elle réalise que Foujita est parti avec deux valises. Elle réveille Robert pour lui annoncer la nouvelle :

— Je dormais, je ne l'ai pas entendu se lever. Cette fois il ne rentrera pas. Il a emporté ses vêtements. Il est parti sans me dire adieu, tu te rends compte ?

La Sirène a l'expression d'une petite fille découvrant qu'on a volé les jouets au pied de l'arbre de Noël. Elle cherche ses bras comme si son étreinte avait le pouvoir de réparer ce qui s'est défait. Mais la seule magie dont il dispose est celle d'inventer d'autres fins aux histoires tristes. Devant la détresse de Youki, il comprend qu'elle n'a jamais imaginé que cet homme pouvait arrêter de l'aimer, se fatiguer de cette course d'endurance. Foujita est parti parce qu'il n'arrivait pas à leur dire qu'il voulait reprendre sa liberté. Il était venu de son Japon natal avec peu de bagages. Il savait l'euphorie qui accompagne un nouveau départ. Il s'est allégé d'eux comme d'un fardeau.

Deux mois plus tard, ils reçoivent une lettre postée d'une bourgade d'Amérique latine qui évoque des routes poudreuses et des ciels immenses traversés de nuages en forme de cicatrices. C'est une lettre d'adieu adressée à Youki. Le peintre lui demande de le laisser partir et d'avoir pitié de lui. Il ajoute : « Ma vie est finie, je suis fatigué et vieux, je n'ai plus la force de lutter à Paris… Ne cherche pas après moi, je t'en prie. Laisse-moi dans la simple vie que je rêve encore avec un peu d'espoir. » La fin de sa lettre est un constat doux-amer, celui d'une passion éteinte entre deux êtres trop différents : « Au fond tu n'es pas née pour moi, tu ne comprends pas mon désir, tu bois trop, je n'aime pas l'alcool, qu'est-ce que tu veux, ce n'est pas ta faute ni moi non plus, tu aimes la gaieté, mais moi je suis trop sérieux et j'ai toujours une pensée calme et triste. »

Au bas de la lettre, il a écrit quelques mots à l'intention de Robert. Il le remercie de son amitié et lui confie Youki. L'amour de Robert pour leur Sirène remuante l'a affranchi du devoir d'être le plus adulte et le plus sage, celui qui paie les factures, ramène la naufragée à bon port et se démène pour lui garantir une vie sans entraves.

S'occuper de Youki, c'est être capable de l'aimer quand elle n'est pas aimable. C'est lui donner le sentiment d'une liberté totale alors qu'elle dépend de cet argent qui lui brûle les doigts, qu'elle dépense sans compter pour régner sur les nuits parisiennes. Si Foujita a échoué malgré sa notoriété de peintre à succès, comment Robert y parviendra-t-il ?

Il devine ce que le Doc répondrait s'il le consultait. Il assaisonnerait son ironie de quelques mots tranchants lui conseillant d'y regarder à deux fois avant de s'engager à entretenir une femme si dispendieuse. « Sa seule consommation de drogue vous collera les huissiers aux fesses, ne vous leurrez pas », ajouterait-il avec sa franchise coutumière. Mais Robert peut-il cesser d'aimer Youki sous prétexte qu'il n'en a pas les moyens ?

Parce qu'il pense à Théodore Fraenkel, Robert n'est pas surpris que le téléphone sonne et qu'il soit au bout du fil. Mais sa voix est lointaine et dépourvue de timbre, comme si elle sourdait d'une mine effondrée. Le Doc lui dit avec des mots hachés :

— Bianca est morte... Elle est tombée d'une falaise à Carqueiranne. Je viens de fermer le cabinet, je pars.

Le jour de leur mariage, Robert se souvient d'avoir ressenti un pincement d'envie en contemplant leur couple sur le parvis de la mairie, la blancheur frêle et élancée de Bianca tranchant sur la peau hâlée de Théodore. Leur vie conjugale était un voilier malmené par les tempêtes. Le Doc n'a jamais su résister au frémissement d'un désir neuf, à ces femmes qui se gagnent plus âprement qu'un à-pic verglacé, qui se rendent dans un mélange de honte et d'extase. Bianca avait trouvé dans les bras de leur ami Georges Limbour de quoi étancher quelques chagrins d'amour. Elle faisait du théâtre sans y trouver l'envergure d'une carrière d'actrice. Elle avait la douceur des jeunes femmes tristes qui ne croient plus en leur bonne étoile, leur beauté déchirante.

Midi flambant fait pressentir le crépuscule
Le cimetière est plein d'amis qui se bousculent

Lorsque Théodore rentre, sa silhouette s'est courbée sous le poids d'un chagrin que ronge la culpabilité. Bianca a-t-elle trébuché ? S'est-elle précipitée dans le vide ? Elle avait refusé de rejoindre Limbour à Varsovie, il s'était consolé dans d'autres bras. Lui restait une vie d'occasions manquées et un mari volage. Ce que Théodore ne dit pas durant ces heures où il s'enferme dans sa mélancolie, Robert l'entend. Il se contente de rester là, silencieux, pendant que le Doc dissout les larmes qu'il n'a pas versées dans un concerto de Bach ou de Mozart. Ces jours sans lumière les soudent plus étroitement que les liens du sang. C'est à cette occasion que Robert décide de faire de Théodore son exécuteur testamentaire. Remplacer une sœur qui le traite en étranger par un frère d'élection. Il attendra que le Doc ait déposé un peu de sa peine sur le sable, là où la laisse de mer s'allège de ses fantômes.

Robert s'emploie à gagner de l'argent. Après le succès des fausses petites annonces sentimentales, Jeander et lui imaginent des enquêtes rocambolesques sur les bas-fonds parisiens qu'ils signent Desjean. Ils inventent des situations grivoises et des confessions troublantes pour divertir leur lectorat. Les séances de travail avec Jeander sont si joyeuses et débridées que Youki se glisse parfois près d'eux pour le plaisir de les écouter. Ils se prennent au jeu, multiplient les personnages secondaires et les scènes abracadabrantes. Cette expérience lui donne envie d'écrire un roman. Il s'y attelle durant les longues soirées où il attend Youki en se maudissant de le faire, persiste à guetter les pas dans l'escalier et s'alarme à mesure que passent les heures, jusqu'à l'aube qui débusque le désarroi dans le miroir voilé de ses yeux.

Je tends mes regards vers la lumière de ce matin
à l'aube au moment de dormir
quand s'ouvrent de nouveau les anciennes blessures
quand ça gueule d'absence et de solitude

Alors oui, écrire quelque chose qui tient au corps, de taille à cannibaliser ses pensées et tarir ses désirs. Que son encre lui assèche le cœur à mesure qu'il y déversera sa rage et sa peine, tout ce qui ne peut exister qu'en sourdine pendant que son infidèle dort d'un sommeil sans mémoire. Il commence un roman qui ne sera ni tendre ni poli. Il y parle de ces bourgeois étriqués qu'il connaît bien. Il l'appellera *Les Horreurs de l'amour*. Il révèle le sordide, la petite lâcheté quotidienne sous le vernis d'une existence lisse, les compromis passés avec soi-même pour gravir quelques marches sur l'échelle sociale. Il tourne autour de son père, campe un patriarche qui lui ressemble. Robert l'observe depuis l'enfance. Ses gestes lui sont familiers, ses rituels et ses manies, mais au fond que sait-il de lui ? Pas grand-chose. Ses journées diffèrent par des variations subtiles qu'il faut déceler comme au jeu des sept erreurs. Il fuit l'intimité et l'émotion qu'il voit comme des signes de faiblesse. Robert a le sentiment que son père dépense son énergie à éviter de le rencontrer, à demeurer en lisière, à hauteur de cartes postales et de conversations sur le temps qu'il fait. Peut-être n'arrive-t-il à l'aimer que dans cette distance, en s'appliquant à cacher ce qu'il pense de sa vie et de ses choix.

Après avoir dopé ses ventes grâce à leur talent, *La Vie parisienne* le congédie ainsi que Jeander.

Faire de nouveau le siège des rédactions, même de celles qui vous vaudraient de vous faire cracher dessus par André Breton. Placer quelques articles. Publier une annonce proposant de l'onirocritique par correspondance : déchiffrer l'avenir à travers les rêves, pourquoi pas ? Madame Rachel n'avait-elle pas perçu en lui un don de médium ?

Chargé de régler les litiges de riches locataires pour un administrateur de biens, il abhorre ce travail aux allures de pacte faustien qui l'épuise et use ses nerfs. Alors il abandonne son roman pour retourner au jaillissement de sa poésie. Il délaisse les comptines à bercer Youki pour des textes plus sombres et minéraux, l'amour pour ses feintes, les belles inconnues pour l'écho des chambres vides.

À force d'aimer, je me suis perdu dans l'océan.
[Et quel océan !
Une tempête de rires et de larmes.

Comme il est pauvre, il éprouve la douleur des mains crevassées des femmes qui travaillent dehors, dans les abattoirs et les marchés à ciel ouvert. Il ressent leurs pieds blessés dans les mauvaises chaussures, les interminables stations debout, les déambulations dans le vent, la pluie et le gel. Il entend la plainte des dos cassés sur les chaînes de montage, les oreilles vrillées par le fracas des machines qui aspirent au silence comme à un pays perdu. Il entend la grogne des ***hommes de sale caractère***, ceux qui se lèvent tôt sans que le monde leur appartienne, ceux que la colère grignote jour après jour à force d'injustices. Il entend le bruit minuscule des rêves qui se brisent dans les couloirs du métro. Il entend les pensées des vagabonds qui le croisent sans le voir parce qu'il leur ressemble, avec sa maigreur et ses souliers troués. Il mesure l'abîme entre les mondes :

celui de ces propriétaires pour lesquels le plus grand scandale est une femme seule qui reçoit de la visite après huit heures du soir, un bébé qui fait ses dents. Celui de ceux qui rêvent simplement d'une journée à ne rien faire, à regarder tomber la neige au chaud. Et qui s'endorment en brûlant d'entendre ces mots: « Vous êtes engagé. »

Rôdeuses rencontrées à l'aube
Est-ce que la nuit ne vous déchire pas

Il ne s'interrompt que lorsque les mots dansent sur la page et qu'il n'arrive plus à les saisir. Alors il sort en laissant à Youki des messages d'amour qu'elle ne lit pas, ou distraitement, quand elle passe se changer avec la hâte dédaigneuse des belles voyageuses en transit vers des villes lointaines.

Pour meubler l'absence, il rejoint Alejo Carpentier et ses amis latino-américains, ou Man Ray qui broie du noir depuis que Lee Miller, son nouvel amour, s'éloigne de son pygmalion pour battre de ses propres ailes. Cette jeune Américaine a débarqué un matin d'été pluvieux dans le bar où il se trouvait, usant de son charme volontaire pour qu'il l'accepte comme élève. Il était sur le point de partir pour Biarritz et cette fille l'encombrait avec sa beauté, ses cheveux courts et son aplomb, mais l'irritation qu'il ressentait était déjà de l'attirance et il n'a pas tardé à capituler. Ils ont vécu une fusion amoureuse où se mêlaient étroitement l'amour et le travail, les photos et les corps, au point que Man peine quelquefois à distinguer ce qui, dans ses derniers clichés, vient de lui ou de sa maîtresse. Il est tombé fou amoureux de cette guerrière têtue au visage de statue grecque qui n'entend se laisser déposséder d'aucune parcelle de sa liberté férocement conquise.

Ce soir, Robert le retrouve chez Bricktop, rue Pigalle. Man l'attend accoudé au bar, le regard inquiétant à force d'être fixe. Autour de lui la foule se déhanche au son d'un orchestre de jazz, hèle les serveurs qui poussent les portes battantes chargés de seaux à champagne, apostrophe le barman qui ne sait où donner de la tête. Bricktop vient accueillir Robert en personne. Il a consacré des articles élogieux à cette chanteuse mi-irlandaise mi-afro-américaine qui, après avoir enfiévré le Grand Duc durant des années, a ouvert son propre cabaret où l'on écoute le meilleur jazz de Paris. Bricktop est un personnage, une femme d'affaires à l'abord généreux qui n'oublie pas ses amis déshérités. Elle passe son bras autour de ses épaules et l'entraîne, un large sourire aux lèvres :

— Bob, ça fait plaisir de te voir... Toi tu vas peut-être arriver à dérider Man, moi je n'ai pas réussi. Pourtant Mabel est en grande forme, ce soir !

— Mabel Mercer chante ce soir ? se réjouit Robert qui a un faible pour cette chanteuse.

— Bien sûr qu'elle chante, qu'est-ce que tu crois, blanc-bec ? répond Bricktop avec un clin d'œil, avant de s'éloigner vers un groupe d'Américains qui la réclame à cor et à cri.

Non sans mal, Robert déniche un tabouret libre près de Man Ray et commande un side-car, l'un de ses cocktails préférés, qu'il s'efforcera de faire durer le plus longtemps possible.

— Tu fais une tête de croque-mort, mon vieux !

dit-il à Man dont les prunelles sombres s'allument à son approche.

Une tentative de sourire retombe aussitôt ébauchée :

— Je ne sais pas où est Lee... Elle est partie avec je ne sais qui tout à l'heure *and... its driving me crazy, you know !* Ma jalousie me tue. Je lui ai tout appris, je l'ai aidée à grandir *and now, she's leaving me.* Tu comprends, elle n'a plus besoin de moi ! *Always the same song...* Je suis fatigué de tout ça.

Robert n'a aucune peine à sympathiser et la similitude de leurs destins amoureux le fait sourire :

— Moi je vis avec une femme fantôme. Je sais qu'elle habite là parce que les vêtements changent de place et qu'un nuage de parfum flotte dans l'appartement quand je rentre du travail. Mais sinon...

— Mais Robert, pourquoi tu vis avec elle si elle n'est pas là ? *I don't get it.*

Robert ne répond pas tout de suite car Mabel Mercer entonne les premières notes de *Saint James Infirmary* et les conversations se taisent devant cette voix qui est celle de toutes les choses perdues, celle qui fredonne quand il est trop tard, lorsque les mots qu'on a trop souvent retenus résonnent dans le vide :

« I went down to St. James Infirmary
To see my baby there,
She was lyin' on a long white table
So sweet, so cool, so fair... »

— Parce que Foujita me l'a confiée. Parce que je l'aime. Et parce que j'espère toujours qu'un jour, elle va s'apercevoir qu'elle est tombée amoureuse de ce type auprès duquel elle vivait sans le voir, répond Robert doucement.

— On fait le paire, toi et moi, pas vrai ? sourit Man en appuyant sa main sur son épaule. *Two peas in a pod.* Comment on dit en français, pas un pour aider l'autre ?

— Pas un pour rattraper l'autre ! corrige Robert en riant.

— Quand Lee a voulu faire le film de Cocteau, j'étais très en colère, poursuit Man en vidant son verre. Assez pour casser des choses, crier… J'ai dit à Lee ce que je pense de Cocteau. Il me vole mon… *my sponsor*, et maintenant ma femme ? C'est trop !

— Charles de Noailles a financé *Le Sang d'un poète* la même année que *L'Âge d'or* ? s'étonne Robert.

Man hoche la tête et lève la main pour commander un autre bourbon sans glace.

— *Anyway*, il ne payera plus pour aucun film. Avec le scandale de *L'Âge d'or*, l'interdiction du film… Le Jockey Club l'a… comment on dit ça… *banished* ?

Robert ignorait que le vicomte de Noailles avait irrité ses pairs à ce point. Ce qu'il n'a pu manquer de remarquer, en revanche, c'est que les journaux pointaient les origines juives de sa femme Marie-Laure comme source de l'influence perverse qu'elle exerçait sur son mari, le poussant à soutenir des films amoraux, anti-chrétiens et d'inspiration bolchevique.

Mabel Mercer attaque *Ain't Misbehavin'* et sort la salle de sa torpeur. Les trompettes raniment ceux qui somnolent dans les vapeurs d'alcool et la fumée. Les poules en robes de strass et talons hauts cherchent celui qui leur offrira ce qu'elles espèrent. Des sourires s'échangent comme des poignées de main sur un guet après minuit, des mains se posent sur une taille consentante, une omoplate emperlée de sueur. Dans chaque gorge offerte au baiser du voleur, Robert voit Youki. Man lui commande un deuxième cocktail qu'il accepte avec gratitude.

Alors qu'un groupe turbulent se fraye un chemin jusqu'au bar, Robert remarque une jeune femme dont la beauté a la sophistication des modèles de haute couture. Chaque détail de sa silhouette est pensé avec soin, de ses escarpins en peau au dégradé de verts d'une robe accordée à son regard changeant, à l'étole de soie qui glisse en dénudant une épaule, et jusqu'au fume-cigarette en ivoire qui prolonge une main de danseuse. Un chignon bas d'où s'échappent quelques mèches blondes, une miniature de chapeau en équilibre et des yeux pers troublés d'images de chasse au lever du jour, de plumes ensanglantées et de battements d'ailes arrachés au silence. Un dandy élégant gesticule près d'elle, il lui ressemble par ce je ne sais quoi de virevoltant dans l'expression, cet air de vouloir être partout à la fois qui trahit les mondains. Elle se penche pour lui parler à l'oreille et il regarde dans leur direction, inclinant la tête d'un air entendu. Robert l'a déjà croisé, il cherche à s'en rappeler le contexte quand sa poitrine se contracte en reconnaissant Youki derrière eux. Un type un peu gras l'enlace, sanglé dans un costume sur mesure, et Robert perçoit, à travers le bruit, le rire feutré qu'elle réserve aux hommes auxquels elle ne s'est pas encore donnée. Elle ne l'a pas vu, il se tient là en spectateur d'une vie défendue et ce privilège le brûle comme un acide.

— *Dont do anything stupid*, murmure Man en posant sa main sur son épaule.

Man sait qu'ils se ressemblent, parfois leur nature sanguine prend le dessus et renverse les nappes blanches des banquets de noces. Mais Robert a déjà sauté de son tabouret et avance sur l'intrus, le pousse avec assez de violence pour l'envoyer cogner contre le bar, lui arrachant un cri de stupeur. Les fêtards s'écartent avec des exclamations étouffées.

— Alors c'est toi, le prétendant de la soirée ? lance-t-il à l'homme en l'attrapant par le col de sa chemise, assez proche pour sentir l'odeur mêlée de sa transpiration et de sa peur.

— Calme-toi, Robert ! s'exclame Youki. Je ne suis pas avec lui, tu m'entends ?

— Il ne t'a pas encore baisée ? gronde Robert en donnant une nouvelle bourrade à son rival qui ne se défend pas, sans doute plus habitué à sortir son chéquier dans les situations embarrassantes. C'est pour ce soir, j'imagine…

Man l'a rejoint et retient son bras qui se lève déjà pour frapper.

— *You've made your point*, lui murmure-t-il à l'oreille. *Enough now !*

Robert reprend son souffle, les yeux rivés sur le fils à papa qu'il brûle de démolir. Bricktop s'approche de lui, ronde et souriante, levant une main rassurante vers l'assistance qui s'est tue :

— Tout va bien, mes amis, continuez à vous amuser !

Elle glisse son bras sous celui de Robert et lui dit :

— Mon cher Bob, je t'invite à ma table, Mabel

aimerait faire ta connaissance. Man, tu viens aussi. La tournée de la patronne, ça ne se refuse pas.

Après un dernier regard à l'homme qui juge prudent de ne plus bouger, à Youki dont les traits expriment un mélange d'inquiétude et de colère, Robert se laisse conduire à la table de Bricktop tandis que l'orchestre donne les premières mesures d'un fox-trot endiablé, et que les conversations reprennent comme si rien ne les avait troublées. Mabel Mercer a fini de chanter et les rejoint dans la grande salle bruissante aux murs habillés de rideaux rouges. En d'autres circonstances, Robert aurait été si heureux de l'entendre parler de son rapport à la musique, mais ce soir l'écœurement et la tristesse l'emportent. Même le champagne de Bricktop a un goût de bataille perdue. Peinant à se concentrer sur les mots de Mabel, il s'excuse de sa distraction, de son impolitesse. Il a cent ans et sa tête est lourde de remords épuisants.

— Te voilà parti loin, mon ami. Là où tu es, personne ne peut te rattraper. Le blues, peut-être... lui dit Bricktop avec compassion.

Man propose à Mabel Mercer de la photographier selon un procédé qu'il a mis au point récemment, la solarisation, qui dessine un halo lumineux autour des visages comme celui qui entoure les saints sur les fresques italiennes.

— Lee raconte partout qu'elle a inventé le solarisation, ajoute-t-il à l'intention de Robert. *But its bullshit! She never invented anything...*

Robert ne répond pas car au même moment, la blonde sophistiquée de tout à l'heure s'approche de leur table en compagnie du dandy qui l'escortait à l'instant. Ils sont seuls, Youki est allée consoler ailleurs son prétendant molesté. Bricktop se lève pour embrasser l'homme et les présente à ses invités :

— Mes amis, vous connaissez Jean Luchaire, grand journaliste et amateur de jazz ? Et vous, *young lady*, rappelez-moi votre nom ? Pardonnez ma mémoire, je me fais vieille à force de ne pas dormir !

— Ghita Luchaire, répond la jeune femme avec un sourire qui tient du cheval de Troie, libérant assez de charmes pour les assujettir tous. Je suis la petite sœur de Jean.

Maintenant, Robert se souvient d'avoir croisé Jean Luchaire dans les brasseries de la rive droite à l'heure où le monde de la presse s'y retrouve. Ils ont le même âge, mais Luchaire sait attirer la lumière. Il possède ce clinquant qui donne l'illusion de la réussite et la provoque dans le même mouvement. Robert se demande où Youki a pu rencontrer le frère et la sœur, et lequel a d'abord attiré son attention. Bricktop les invite à s'asseoir et les serveurs rajoutent des chaises. La belle Ghita s'installe à la gauche de Robert, sans qu'il sache s'il s'agit d'un hasard ou d'un choix. Jean Luchaire a pris place près de Man, qui a assez bu pour devenir volubile, même si parler de lui le ramène sans cesse à Lee et à son inguérissable tourment. Mabel les quitte pour remonter sur scène le temps de quelques chansons dont la mélancolie vient calmer la fièvre des danseurs.

— J'ai beaucoup entendu parler de vous, Robert Desnos, murmure Ghita en approchant le fume-cigarette de ses lèvres peintes. Youki est intarissable à votre sujet.

— Oui, j'imagine qu'elle a beaucoup à se plaindre..., soupire-t-il avec amertume.

— Détrompez-vous, sourit Ghita. Youki admire votre force de caractère, votre détermination, votre exigence artistique. En comparaison, elle se juge faible et sans volonté.

Robert choisit d'en rire :

— Elle m'admirerait si j'étais riche !

Ils regardent les couples danser, dans cette césure où la nuit s'arrondit pour consoler ceux que l'approche du jour déchire, et qui ne trouvent la paix que dans l'oubli qu'elle leur tend. En observant Ghita Luchaire fumer nonchalamment, Robert se dit que son charme diffère du rayonnement solaire de Youki. C'est un mystère qui tient sans doute à l'angoisse qui affleure dans ses prunelles éclaboussées de vert, à cet air d'en savoir long, à son allure d'héroïne de cinéma.

— Vous savez sans doute que Youki a rompu avec son amie Mado Anspach. Mais savez-vous pourquoi ? interroge-t-elle, le scrutant à travers la fumée.

Robert hausse les épaules. Youki lui a annoncé un matin qu'elle ne voyait plus Mado et il a estimé qu'elle s'en était fatiguée comme de ces amants qu'elle abandonne sans attendre le matin. Peut-être avait-elle épuisé la frénésie de Mado. Les compagnons de débauche s'usent au fil des insomnies, leurs yeux rougis reflètent un vide contagieux qu'elle repousse en couronnant de nouveaux favoris.

Et sur mon lit tu t'abats entre minuit
et quatre heures du matin comme un grand albatros
Échappé des tempêtes.

— Quand Foujita est parti, Youki était perdue. Mado lui a expliqué qu'elle ne pouvait pas rester avec un poète désargenté. Elle avait un prétendant parfait à disposition, un jeune banquier promis à un bel avenir. En réponse, Youki a cessé de la voir. Vous l'ignoriez, n'est-ce pas ?

Robert acquiesce tandis que cette hypothèse incongrue se fraie un chemin à travers son scepticisme, que Youki ait pu le préférer à un homme riche, le préférer au point de rompre avec sa chère Mado, son mauvais ange.

— Youki est complexe. Mais elle tient à vous, chuchote Ghita et c'est comme si elle posait sa main sur la sienne, il sent qu'elle perçoit le manque et la douleur dont son amour est tramé.

Robert est rasséréné par les mots de cette inconnue échappée d'un film allemand où l'héroïne court en talons aiguilles sur l'asphalte mouillé. Le pantin de tout à l'heure ne compte pas plus que ceux qui l'ont précédé, que ceux qui viendront. Un fil invisible l'attache à cette femme qui se perd, s'abîme, efface ses traces mais éprouve toujours le besoin de lui revenir. Une femme à sa mesure, qui ne s'abandonne que lorsqu'il a cessé de l'espérer.

Je sais où je vais,
ce ne sera pas toujours gai.
Mais l'amour et moi
l'aurons voulu ainsi.

*

Parfois, on dirait que la vie se fatigue de vous éprouver. Que votre résistance a fini par la lasser, comme un enfant se détourne d'un jouet qu'il n'a pas réussi à briser. Robert sent son courage s'amenuiser. Il se fait l'effet d'un navigateur errant sur un océan couleur de cendre, mâture cassée, regardant assoiffé toute cette eau. Chaque matin il enfile un costume élimé, choisit l'une de ses cravates farfelues, range ses lunettes dans sa poche de veste et fait reculer le désespoir le plus loin possible, derrière le paravent d'un humour féroce et d'un optimisme vital qui lui permettent de ne pas peser, d'être un ami joyeux et un amant patient. Sans argent il ne pourra garder Youki, elle finira par le quitter. Sans argent, sa vie s'effiloche en luttes continuelles où sa poésie s'épuise. Il a perdu son emploi chez l'administrateur de biens. Le chômage remplit les rues de Paris de foules grondantes, de gens usés, à bout de souffle, à qui l'on explique que leur malheur vient de l'étranger, ce frère de misère qui a soudain le faciès anonyme d'un voleur de travail et de pain. Les poings se serrent dans les poches, les mâchoires se durcissent, les yeux deviennent fuyants. En Europe surgissent des dictateurs d'opérette qui prêteraient à rire s'ils n'étaient auréolés de l'odeur du sang.

Et puis un soir, l'accalmie vient. Il dîne chez Lise Meyer, jolie brune qui a longtemps incarné le tourment d'André Breton avant d'épouser Paul Deharme et de filer le parfait amour avec cet homme sur le berceau duquel les fées se sont penchées, lui octroyant beauté, allure, intelligence et cet œil franc et rieur qui attire une sympathie immédiate. Robert les voit souvent. Paul Deharme est l'un des hommes clés de Radio-Paris.

À son contact, Robert comprend que la TSF est un outil riche de promesses, un continent vierge dont l'exploration ne passionne encore qu'une poignée de pionniers. Robert discute avec Paul et s'anime en découvrant qu'il rêve d'appliquer le surréalisme à la radio, de créer un théâtre invisible qui parlerait à l'inconscient de milliers d'auditeurs dans l'intimité de leur salon ou de leur chambre, leur ouvrant des portes dérobées, des voyages sans boussole.

Dans leur appartement de Neuilly où une volière cohabite avec une jungle de plantes vertes, des meubles étranges et des tableaux, Robert ne se sent plus seul mais adopté dans sa singularité, avec ses cadeaux étranges et ses moments d'absence, quand une ombre le traverse ou qu'un vers martèle son cerveau dans une pluie d'étincelles. Ce soir, le bien-être le pousse à rendre les armes, il accepte de ne pas savoir fabriquer d'or pour sa bien-aimée. Paul Deharme lui parle avec cette note d'admiration et de respect qui redresse son échine et lui rappelle qu'il ne se résume pas à une valeur marchande.

— Tu vois Robert, pour moi la radio est un art encore balbutiant, dit Paul avec dans ses yeux clairs une flamme de bâtisseur. Je ne sais pas si je t'ai parlé de cette pièce que j'avais fait radiodiffuser il y a quelques années, *Incident au pont du hibou.*

Robert secoue la tête en souriant au-dessus des cheveux de Hyacinthe, la petite dernière des Deharme qui s'est juchée sur ses genoux parce qu'elle n'arrive pas à dormir.

— La pièce raconte la fin d'un soldat sudiste que les soldats de l'Union ont capturé et se préparent à pendre. Dans les dernières secondes de sa vie, le pendu imagine qu'il parvient à se libérer, tombe à l'eau, échappe aux balles des poursuivants et gagne la forêt, rentre chez lui, ouvre la porte de sa maison. J'avais choisi de raconter l'histoire au moyen d'un speaker anonyme qui s'adressait à l'auditeur et le mettait dans la position du condamné, jusqu'au moment où un roulement de tambour et un ordre crié donnaient le signal de la pendaison.

— C'est une idée épatante ! s'écrie Robert dont l'enthousiasme fait sursauter la petite fille ensommeillée.

— Je devais recréer le drame par le seul pouvoir d'évocation des sons et des mots, continue Paul Deharme. Le but était de laisser toute sa place à l'imagination de l'auditeur. Tu vois, en somme je voulais créer un genre de rêve dirigé. C'était expérimental, bien sûr... Mais ça a bien fonctionné et j'ai envie d'aller plus loin.

— Je réfléchis depuis longtemps à des moyens de travailler sur le rêve, les miens et ceux des autres. Mener ce genre d'expérience me passionnerait, avoue Robert qui s'émerveille de rencontrer un esprit aussi proche du sien.

— Et pourquoi pas ? lance Lise Deharme de sa voix de charmeuse de serpents. Paul, tu cherches désespérément de nouveaux talents. Robert me paraît la recrue idéale, non ? Un surréaliste te serait précieux pour éclairer les chemins de l'inconscient. Et puis Robert, tu as cette qualité rare d'exprimer les choses les plus complexes avec des mots simples, de rester ludique même quand tu es grave. Tu n'es jamais élitiste ni ennuyeux. Vraiment, je trouve que vous êtes faits pour travailler ensemble !

Un silence suit sa déclaration, le temps que chacun en mesure l'impact.

— Lise, tu as le chic pour me mettre sous le nez des évidences trop aveuglantes pour que je les voie ! s'exclame Paul. Lorsque j'ai demandé à Robert de faire cette causerie sur le surréalisme à Radio-Paris, il y a quelque temps, je me suis fait la réflexion qu'il avait une voix pour la radio, le bagout nécessaire et cette chaleur dans la voix qui le rend sympathique. J'ignore pourquoi je ne suis pas allé au bout de ma réflexion. Mais toi, Robert, serais-tu prêt à me suivre dans mes divagations ?

Robert hoche la tête et ce n'est pas seulement sa bouche qui sourit, c'est tout le visage. Il sent que son corps se déplie, se détend, qu'un sang chaud irrigue ses artères.

Champagnes ruisselez dans les constellations
Si les vins sont pareils aux étoiles liquides

10

L'année 1933 débute dans une euphorie que Robert n'a pas connue depuis les premières années du mouvement surréaliste. À l'automne, il a été embauché comme courtier en cinéma par Informations et Publicité, l'agence de Paul Deharme, qui réalise des écrans publicitaires pour la radio et le cinéma, des émissions pour Radio-Paris et son concurrent privé le Poste parisien. Les émissions sont enregistrées au Studio Foniric, rue Bayard. Robert travaille dans les bureaux de la rue de Chateaudun, loin des studios, mais il faut bien commencer quelque part. Heureux, il pressent que les constellations se sont enfin alignées sur sa route.

Délivré de la pression de chercher un emploi, il déborde d'énergie. Son regard s'aiguise sur ce monde qui se durcit et élève des murailles bureaucratiques pour signifier aux réfugiés que les temps hospitaliers sont révolus. Avec cette crise qui n'en finit pas de saigner l'Europe, il paraît qu'on ne peut plus se permettre d'être généreux, seul compte le jeu délicat de la diplomatie et comme les dieux grecs, il réclame des sacrifices. Depuis le 30 janvier, Adolf Hitler est le chancelier de l'Allemagne et il se trouve un nombre grandissant de voix françaises pour s'en réjouir. Les pacifistes rejoignent les nationalistes revanchards qui réclament le retour à l'ordre moral et la Révolution nationale. Ils rêvent que l'exemple allemand fasse tache d'huile et espèrent un homme à poigne pour relever ce pays corrompu, amolli par ces métèques qui sucent le sang de la France. Les ligues battent le pavé du quartier latin et Robert n'arrive pas toujours à retenir ses poings quand il les croise. Des rixes accompagnent les défilés au pas cadencé avec bérets et chemises noires, sans parvenir à couvrir le grondement sourd des foules qui marchent poing levé, dont la patience s'est érodée, qui n'ont plus envie de subir la dictature des patrons, qui visitent les usines sans les voir avant de remonter dans leurs belles voitures et de regagner leurs maisons hérissées de grilles. Le cœur renâcle, le cœur refuse, alors ils ébranlent la ville comme un troupeau rendu à sa sauvagerie primitive, dont le harnais n'a pas effacé la fierté.

Et celui qui souhaite une fièvre typhoïde
Pour enfin se reposer dans un beau lit blanc...

Robert laisse parler sa colère dans *Les Sans Cou*. Il écrit ce recueil pour les guillotinés au petit jour, les révolutionnaires privés de Révolution, les fusillés sans sommation, les exclus de tout partage, les transparents de ce monde. Ceux qui n'ont ni rime ni raison pour calmer leur pouls emballé, ceux que l'injustice réveille tel un estomac en feu, ceux qui volent aux étalages, ceux dont les chiens reniflent la trace dans les bois et qu'on enterre dans la fosse commune.

Notre bois n'est pas celui dont on fait les gibets et
[dont on fait les croix.
Il est du bois dont on fait les barriques et les navires,
Et peut-être aussi les cercueils,
Et certainement les pals.

Étrange moment où la violence cohabite avec cette insouciance qui se pose sur les bals musettes, les promenades des amoureux, les marchés aux puces, les pique-niques en bord de Seine, les dimanches ensoleillés, les ponts transfigurés par la lune.

Quand il rentre de ses excursions nocturnes, fatigué et heureux, Robert prend le temps de fabriquer deux recueils de poèmes pour les enfants Deharme, qu'il illustre avec des gouaches aux couleurs vives représentant des fleurs imaginaires et des animaux extravagants. Il plaisante de ses tourments en inventant pour Tristan une *Grenouille aux souliers percés,* un *Chat qui ne ressemble à rien.* Pour la petite Hyacinthe qui ne supporte de s'endormir qu'en écoutant les grandes personnes, il met en scène la vie secrète des plantes, de *L'arbre qui boit du vin* au *Salsifis du Bengale.* Il invite les enfants dans sa fantaisie débridée, où l'on rit parfois avec une petite boule au creux du ventre, car la beauté de la vie recèle des virages cruels.

Le lundi vingt-sept février, Youki et lui sont au pied des marches de la mairie du 18e lorsque Théodore Fraenkel les descend au bras de Marguerite Luchaire. Il a suffi que Robert lui parle du charme de Ghita pour que le Doc veuille la connaître. Il lui a suffi de la rencontrer pour en tomber amoureux. Robert n'en est pas surpris, Ghita possède un mélange de séduction, de distinction et d'humour, et assez d'intelligence pour désarmer le Doc. Elle a éloigné les ombres de Théodore, il ne joue plus à la roulette russe et s'est remis à sourire. Le soleil réchauffe son décolleté et sa robe si légère qu'une bourrasque l'emporterait. Youki et Marie-Berthe, la jeune épouse de Max Ernst, s'extasient devant la grâce de la nouvelle madame Fraenkel.

— Espérons qu'il ne la trompera pas trop, celle-là, murmure Marie-Berthe à Youki qui lui répond avec des yeux brillants :

— L'important, ce n'est pas qu'il soit fidèle, c'est qu'il soit généreux !

Robert éclate de rire et s'abstient de lui faire remarquer que la générosité ne consiste pas seulement à offrir son cul à tout le monde, inutile de la fâcher et de gâcher cette belle journée. Max Ernst les rejoint après avoir signé le registre, et Robert et Youki embrassent les mariés qui leur demandent mi-sérieux mi-taquins quand viendra leur tour.

— Dès que Youki aura divorcé de Foujita ! répond Robert qui constate avec plaisir que l'intéressée n'y semble pas opposée.

Ils sont une poignée d'amis à se joindre au cortège familial, quittant la rue Caulaincourt pour emprunter les escaliers qui grimpent vers les Terrasses, à l'angle de l'avenue Junot. C'est une élégante brasserie Art déco où le Doc a ses habitudes, et il fait assez doux sur l'esplanade pour y trinquer à la santé des nouveaux mariés. Les membres de la famille de Ghita se reconnaissent à leur beauté allurée, comme s'il suffisait d'un peu de bonne volonté pour y parvenir et que la chance n'y était pour rien, celle d'être bien nés, d'avoir été élevés dans plusieurs pays d'Europe et d'avoir côtoyé dès l'enfance une société brillante et cultivée, nourris de lectures choisies, de sonates de Mozart et de fresques de Giotto.

Près du buffet, le père de la mariée discute avec son fils Jean. Ghita avait si bien brossé son portrait à Robert qu'il reconnaît sans peine cet écrivain et libre penseur dont les traits encore séduisants expriment du caractère et de l'assurance. Quand Robert et Max viennent les saluer, le père et le fils parlent de l'Allemagne :

— Je t'avoue que nos amis sont très inquiets, murmure Julien Luchaire, baissant la voix à leur approche.

— Papa, laisse-moi te présenter deux surréalistes de talent, Max Ernst et Robert Desnos. Ah mais non, Desnos, j'oubliais que vous n'êtes plus surréaliste…

— Je suis toujours surréaliste, corrige Robert en souriant. Max peut en témoigner.

— Robert Desnos est surréaliste même quand il dort ! répond Max Ernst, avec cet accent allemand prononcé que vingt ans dans ce pays n'ont pas atténué, ce talisman emporté dans l'exil, préservé à travers les rencontres et les métamorphoses qui l'ont éloigné de son enfance à Brühl, de la brume escamotant les jardins d'Augustusburg et le pavillon de Falkenlust, de la lumière poussiéreuse qui baignait l'atelier de son père. Il doit faire un effort pour retrouver l'odeur de terre mouillée et de crottin, le goût d'une friandise oubliée, mais son accent est l'estampille de l'enfance, la trace de cette *Sehnsucht* qui retient une mémoire périssable, cette part de lui qu'il ne laissera personne lui arracher.

— Je vois, vous avez pris le parti de Desnos contre Breton ! s'amuse Jean Luchaire en leur tendant deux coupes de champagne.

— Je n'ai pas de parti, répond Max Ernst, une lueur espiègle dans ses yeux presque transparents. Et je n'ai pas de patrie non plus. Ça me simplifie la vie.

— Il dit ça, mais en 18 il était artilleur, c'est lui qui a tiré l'obus qui a blessé Apollinaire ! lance Théodore en passant près d'eux.

Max proteste en riant mais le Doc, taquin, lui oppose qu'il aurait du mal à prouver son innocence.

Ils lèvent leurs coupes au bonheur de Théodore et de Ghita.

— Mon père me confiait à l'instant l'inquiétude de ses amis juifs allemands, dit Jean. Je la partage, mais je crois que l'Allemagne revient de si loin qu'elle a besoin de passer par cette phase de nationalisme agressif. Nous leur avons imposé un traité absurde et humiliant, nous avons dépecé l'Autriche-Hongrie… Certains aspects de l'hitlérisme nous effraient, mais il faut aller plus loin, essayer de comprendre. Hitler EST l'Allemagne, aujourd'hui, qu'on le veuille ou non. Si nous l'acceptons, nous pouvons aider ce pays à choisir la paix. Si nous ne dialoguons pas et nous contentons de le condamner, il reprendra ses rêves de puissance et de domination et nous fera la guerre. Voilà l'enjeu : la paix, ou la guerre. Je pense qu'en tant que surréalistes, vous êtes d'accord sur le fait qu'il faut préserver la paix à tout prix.

— Si Hitler est l'Allemagne, que sont mes amis Georges Grosz, Paul Klee, Otto Dix ? Que sont Heinrich Mann, Bertolt Brecht, Lion Feuchtwanger, Ernst

Toller ? Et moi, que puis-je bien être ? interroge Max avec un sourire dubitatif.

Julien Luchaire approuve et trinque silencieusement avec lui. La plupart des hommes que Max vient de citer sont ses amis et ceux de sa troisième épouse, Antonina Vallentin, Juive d'origine polonaise qui a longtemps travaillé dans la presse berlinoise et écrit désormais des livres et des critiques d'art.

— En tant que surréalistes, ajoute Robert, nous abhorrons le nationalisme et sommes très attachés à cette chose encombrante qu'on appelle liberté. Je ne sais pas si Hitler EST l'Allemagne, mais il est la guerre. Il suffit de l'écouter. Comment un homme dont la haine est le combustible pourrait-il choisir la paix ?

— Hum… Je crains que ce ne soit pas si simple, répond Jean Luchaire. Il faut que je vous présente Otto Abetz, Desnos. C'est un grand ami de la France. Il a œuvré au sein de la République de Weimar avant de rejoindre le parti nazi. Nous travaillons depuis des années à améliorer l'entente entre nos deux pays. Nous avons créé le Comité d'entente des jeunesses pour le rapprochement franco-allemand. Abetz vous plairait, c'est un vrai socialiste et un fervent défenseur de la paix. Il aime tellement la France qu'il vient d'épouser ma secrétaire !

— J'ai du mal à comprendre qu'on puisse « défendre la paix » et militer pour un parti qui s'assied si tranquillement sur la liberté d'autrui, objecte Desnos avant de vider sa coupe.

— Cet autoritarisme n'est qu'une étape. Il y a dans Hitler quelque chose du chien qui gronde pour marquer son territoire… Mais je crois que la nouvelle Allemagne n'a pas fini de nous surprendre, répond Jean Luchaire comme s'il commentait un match de tennis qui peut se retourner à tout moment.

Le lendemain, en apprenant que le Reichstag a brûlé dans la nuit et qu'Hitler, accusant les communistes d'un crime qui sert ses intérêts, a fait emprisonner des centaines de militants et interdire les journaux et les affiches de tous les partis concurrents, Robert repense à l'optimisme de Luchaire.

Aux élections suivantes, le parti nazi et ses alliés remportent la majorité des suffrages, y compris en Bavière et à Cologne, ces enclaves qui leur étaient hostiles. Dans certaines villes, la participation atteint près de quatre-vingt-dix-sept pour cent. Les jeunes et les abstentionnistes se sont déplacés en masse pour choisir le visage de l'Allemagne de demain, cette Allemagne délivrée de ses vieilles chaînes, relevée du néant, de la misère et de la suie, où les coupables sont tout désignés, ces responsables de la défaite, de la honte, d'une nuit de quinze années à errer courbés, ceux qui jettent le mauvais sort, qui attirent la peste et les dix plaies d'Égypte mais qu'il suffirait d'écarter, d'effacer, pour que le jour se lève.

Dans ce pays qui accorde le droit de vote aux hommes et aux femmes dès l'âge de vingt ans, ce champion de la démocratie en Europe, une énorme vague a tout balayé par la voie des urnes, et cette vague s'appelle Hitler.

Et les rois ont mangé la galette et la fève.

Cette vague les menace tous. Robert ne se voile pas les yeux devant l'affluence des signes, les intellectuels juifs qui gagnent la France, cherchant à adoucir l'amertume de l'exil au soleil de Bandol, la déchéance de la nationalité et la remise en question du droit du sol, la propagande toute-puissante qui s'insinue jusque dans la presse française fascinée par les mises en scène wagnériennes, les haies de drapeaux rouge sang, l'océan des bras tendus, ces millions de cœurs battant au même rythme.

Sans prise sur la marche somnambule d'un monde aimanté par les symboles morbides, les raccourcis dangereux, les apothéoses flambant au bord de l'abîme, Robert se calme dans un travail acharné. À ses activités pour Informations et Publicité, il ajoute celle de parolier pour le cinéma et se mesure à des nouvelles contraintes. Lui qui ne supporte pas de faire corps découvre le plaisir de faire équipe, d'être un rouage sur la chaîne de talents qui s'harmonisent pour qu'un film voie le jour. Le rythme de la chanson entraîne les mots, ils doivent s'y couler sans dissonances, chacun à sa place, dans une limpidité et une précision mathématique. Ce défi le passionne, comme il est difficile d'écrire quelque chose de simple ! L'exercice tient parfois du casse-tête, il peste et griffonne en marge : « ***Chanson, viens dehors qu'on s'explique !*** »

L'heure a sonné de faire ses preuves : Paul Deharme lui donne carte blanche pour créer une émission radiophonique en hommage à Fantômas, qui lancera le feuilleton de Marcel Allain dans *Le Petit Journal.* Robert est heureux, fébrile et concentré. Il n'a pas oublié son exaltation d'enfant, un matin de 1911, en découvrant sur les murs de la rue Saint-Martin cette silhouette masquée portant cape et haut-de-forme qui serrait dans sa main un couteau ensanglanté et s'apprêtait à écraser Paris. Il se souvient des volumes achetés trente-cinq centimes et dévorés dans la nuit, de ce tourbillon de péripéties qui sentaient le soufre. Il se rappelle s'être engouffré un matin pluvieux de mai 1913 dans un cinéma des boulevards qui donnait *À l'ombre de la guillotine*, le premier volet de l'adaptation de Louis Feuillade, et d'en être ressorti rêveur et ébloui. Fantômas, c'est le monde disparu d'avant-guerre, les Apaches et les pierreuses, les omnibus à chevaux, la bourgeoisie capitonnée, les exploits de la bande à Bonnot. C'est aussi la morale bafouée, l'ordre dynamité par un assassin génial tenant du magicien et du fantôme, artiste de l'illusion et de la métamorphose. Fantômas vit sans remords ni rédemption. Il n'est pas de ces bandits qu'on rachète. Il n'obéit à personne, n'a de fidélité qu'envers lui-même, possède la séduction du mal. Pourtant, du plus profond de son effroi, le lecteur désire le voir échapper à la guillotine et ridiculiser ses adversaires avant de retourner à la nuit, soufflant sur la ville une nuée de mauvais rêves. À l'âge où Robert était cet enfant égaré dans une famille qui ne parlait pas sa langue, Fantômas incarnait la tentation de se dissoudre dans d'autres vies, et le plaisir du masque : changer de visage et de peau, provoquer le destin. Plus tard, il fut séduit par sa liberté radicale, son mépris d'un pouvoir érigeant l'injustice en projet de société et la tartufferie en morale.

Robert a conscience d'être à un tournant de sa carrière. Il lui est donné de diriger un projet ambitieux, d'imposer sa vision artistique et de toucher des milliers d'auditeurs. Il disposera de tous les moyens techniques du Studio Foniric, il est libre de constituer son équipe. Ce qui importe, c'est que le résultat soit à la hauteur des espérances. Il plonge dans le travail, en émergeant le temps de déambulations sur les traces de la Belle Époque ou de discussions enflammées avec Paul Deharme et Alejo Carpentier, qui assume la direction musicale du projet. Robert voudrait recréer plusieurs épisodes de la série sous la forme de tableaux animés, et pour les relier, il rêve d'une complainte dans la lignée de celles de Mandrin ou de Lacenaire, dont les couplets versifiés mêleraient l'humour au sensationnel. C'est par là qu'il doit commencer.

Alejo lui suggère de faire appel à Kurt Weill. Ils l'ont rencontré en décembre 1932, lors d'un concert organisé par Charles et Marie-Laure de Noailles. Weill était alors l'étoile montante de la musique allemande. Mais en mars dernier, directement menacé en tant que Juif et sympathisant communiste, il a dû fuir son pays pour se réfugier en France. Les nazis viennent de brûler ses œuvres dans un gigantesque autodafé, avec les livres des artistes « décadents ».

— Kurt ne peut plus rentrer en Allemagne, expose Alejo, et ici il n'est plus aussi populaire… L'antisémitisme grandit avec les sympathies pro-hitlériennes. Il a besoin de travailler, et je crois que sa musique correspond à ce que tu cherches.

Robert applaudit à cette idée et l'exilé Kurt Weill accepte avec reconnaissance, soulagé de pouvoir distraire son angoisse dans la composition. La partition qu'il leur propose colle si bien à l'atmosphère du début du siècle que Robert se met aussitôt au travail, composant sans relâche les vingt-cinq couplets de la complainte et son final, qui sera chanté en chœur après que chacun des couplets aura été entonné par une voix différente :

Allongeant son ombre immense,
Allongeant son ombre immense
Sur le monde et sur Paris
Quel est ce spectre aux yeux gris
Qui surgit dans le silence ?

Fantômas, serait-ce toi
Qui te dresses sur les toits ?

Robert l'écrit en deux nuits sans une rature, ne s'interrompant que pour compulser les romans d'Allain et Souvestre, qu'il a emportés rue Lacretelle lorsqu'il a dû se séparer de son atelier de la rue Blomet, et rangés sur les étagères près de *Nick Carter* et des *Pieds Nickelés.* Quand il pose le point final, satisfait et fourbu, il a le sentiment d'avoir remporté le premier défi de Fantômas.

Il était si absorbé qu'il n'a pas entendu rentrer Youki. Il heurte ses escarpins en allant se servir le verre de la victoire devant la fenêtre, et contemple la tour Eiffel nimbée de cette brume spectrale où se diluent lentement les restes sanglants d'une dépouille invisible. Sirotant le vin râpeux devant la fenêtre, il sourit à l'idée que ce projet radiophonique réunit tout ce qu'il aime, la chanson et le théâtre, la poésie et le divertissement. Après avoir rendu visite à Kurt Weill dans son hôtel miteux, il s'attellera à son deuxième pari : ressusciter un Paris disparu en l'espace de douze sketches radiophoniques.

Sa fatigue est une ivresse, il a l'impression de flotter.

Dans les jours suivants, il embauche des ténors de l'Opéra, des acteurs, des chanteurs des rues, des siffleurs et des accordéonistes, des clowns et des speakers. Une centaine de personnes travaillent à faire de *Fantômas* la « superproduction radiophonique » que les éditions Fayard et *Le Petit Journal* espèrent. Marcel Herrand incarnera le téméraire journaliste Jérôme Fandor, qui partage le goût de Robert pour les amours impossibles et s'est épris d'Hélène, la fille du tueur qu'il traque jusqu'à l'obsession.

Son Fantômas, le poète l'imagine sous les traits ardents de l'homme qui connaît la séduction de l'abîme, et cette rage d'incendier la terre à hauteur de la nuit dont il est le captif et le maître. Il déniche Antonin Artaud à la terrasse de la Coupole où il aime s'abstraire du monde, plongé dans un livre ou simplement à distance, posant sur la vaine agitation des fourmis humaines ce regard sombre où brûle un tourment indéchiffrable.

Peu de gens peuvent se permettre de déranger Antonin sans risquer d'être frappés d'un anathème. Robert est de ceux-là, peut-être parce qu'il déchiffre derrière sa froideur sa peur d'être abandonné, livré à la guerre qui fait rage en lui. Il admire sa révolte, que des années de souffrance physique et mentale n'ont pu mater, le courage avec lequel il arrache sa vie lambeau par lambeau à la domination de la douleur et de la drogue. Antonin souffre depuis l'enfance. Mettant ses symptômes sur le compte d'une syphilis héréditaire, les médecins l'ont soulagé avec des opiacés dont il ne peut plus se passer. Il voit sa vie comme une « longue désintoxication ratée» entrecoupée de brèves rémissions et de descentes brutales. Du fond de cette guerre il parvient à écrire, à peindre, à jouer et à mettre en scène, et dans cet effort de créer, puise la force de tenir dans l'espérance d'un armistice, d'un battement d'ailes dispersant les nuées de corbeaux et les noirs augures, les tenailles qui enserrent son crâne, les sifflements moqueurs qui décapent les apparences pour en dénuder la vérité grinçante.

— Et vous êtes là, comme si je n'avais fait que vous attendre, dit Antonin en levant les yeux de son livre.

Sa veste de velours sombre au col relevé, sa chevelure noire en bataille et ses traits émaciés lui confèrent la beauté hautaine d'un poète décadent, mais ses yeux sont ceux d'un mystique exhortant la foule à se purifier de ses vices. Robert lui serre la main et s'installe près de lui, s'enquiert de sa santé, de son travail. Antonin lui confie qu'il a rencontré une femme qui pourrait être celle qu'il a longtemps attendue. Mais aussitôt, il avoue qu'il craint qu'elle ne se joue de lui. Il la voit tantôt comme une âme sœur, tantôt comme une séductrice perfide. Elle s'appelle Anaïs Nin. Elle exerce sur lui un pouvoir fait de féminité, de douceur et d'une clairvoyance qui peut être cruelle. À peine l'avait-il rencontrée qu'il redoutait de la perdre. C'est une femme qui se tient au milieu des hommes avec la majesté d'une reine des abeilles, se laisse vénérer. Comment pourrait-elle s'attacher à lui ? Les drogues annihilent en lui toute virilité, il ne peut être l'amant qu'elle espère.

Robert comprend la difficulté de croire qu'une créature rayonnante et sensuelle puisse aimer un papillon de nuit. Il ne peut rassurer Antonin sur ce point, mais il a une diversion à lui proposer.

Accepterait-il de prendre part à un grand divertissement populaire, une expérience pionnière menée à la TSF, ce médium boudé par les élites ? D'incarner un monstre de séduction et de noirceur ? Ayant piqué sa curiosité, Robert expose le projet Fantômas.

— Aurai-je la liberté de le jouer aussi terrifiant que je le souhaite ? interroge Antonin en fronçant les sourcils. Il faut rendre à Fantômas sa dimension de violence et d'anarchie. Je ne peux accepter de l'interpréter qu'à cette condition.

— Je n'en attendais pas moins de vous ! sourit Robert.

Dans les semaines suivantes, le studio de la rue Bayard devient une ruche bruissante. Robert s'intéresse au minutage des séquences, admire l'ingéniosité des bruiteurs pour recréer les sons de la Belle Époque : le pas des chevaux martelant les pavés, le timbre du receveur de l'autobus, le couperet de la guillotine… Il passe de l'un à l'autre, accordant à chacun son attention bienveillante. Il leur est devenu essentiel. Sa camaraderie instinctive et sa chaleur relient ces gens disparates, musiciens, acteurs et techniciens. Dirigeant une équipe pour la première fois, il se découvre un talent pour mobiliser les enthousiasmes et les volontés.

L'avant-veille de l'émission, Robert emmène Antonin dîner chez les Deharme, quai Voltaire. Ils viennent de quitter Neuilly pour Paris et Robert a peint lui-même les motifs du bar qui trône en bonne place dans le salon.

Lorsque Tristan et Hyacinthe ont donné un récital des poèmes que Robert a composés pour eux et que Lise est parvenue à les coucher, Antonin se détend enfin, à l'intérieur de ce petit cercle où il ne se sent pas jugé, où l'on n'attend pas de lui un bavardage mondain au-dessus de ses forces. Dans l'après-midi, les acteurs ont répété les sketches de l'émission et Paul a été conquis par l'interprétation d'Antonin :

— Après-demain, c'est le grand soir. Votre Fantômas va faire frissonner dans les chaumières ! s'exclame-t-il en leur servant un Pommard long en bouche. Votre ricanement m'a donné la chair de poule.

— À moi aussi, renchérit Lise qui chantera le couplet de la *Complainte* qui évoque ces roses noires dont le parfum capiteux provoque une langueur mortelle. J'ai retrouvé mes terreurs de petite fille. Dans la vieille maison de Montfort-en-Chalosse, les nuits d'orages furieux, il me semblait entendre rire les spectres et je serrais les dents en remontant les draps sur mon visage…

— C'est le but que je poursuis, répond Antonin dont les yeux s'éclairent à de lointains brasiers. Secouer le public, réveiller ces êtres qui ne comprennent pas qu'ils sont morts. Leur faire éprouver le choc qui leur permettra de voir l'envers du monde où ils avancent aveugles et sourds, ce monde qui court à sa perte. Je veux les ouvrir à une nouvelle réalité, où le matériel et le spirituel ne seraient plus scindés mais indissociables, l'âme et le corps subjugués par la puissance des grands mythes, de la naissance et de la mort. Je veux ébranler leurs nerfs, toucher leur sensibilité pour qu'elle s'aiguise et perçoive des émotions plus subtiles, qui lui étaient inaccessibles.

— Vos propos rejoignent mes convictions, approuve Paul Deharme. Vous avez vu dans mon bureau cette reproduction du tableau de Brueghel, *La Parabole des aveugles*. Les auditeurs ne sont pas aveugles, mais nous devons en faire des voyants. La TSF est un outil formidable car elle permet une forme de suggestion, comme un rêve dirigé. Robert, je crois que grâce à toi nous allons accomplir un pas important dans cette voie. Trinquons à Fantômas, et à Desnos qui nous a réunis pour cette belle aventure !

— C'est à moi de te remercier, Paul, murmure Robert les yeux brillants. Tu m'as tiré de la nuit où je me débattais pour m'ouvrir les portes d'un métier merveilleux. C'est la première fois que je gagne ma vie avec un travail qui me passionne et m'enchante, et je le dois à ta confiance, ou à ton inconscience... Pour ce qui est d'ébranler les nerfs des auditeurs, Antonin, je vous promets que nous ferons ce qu'il faut ! conclut-il, gravant dans sa mémoire cet instant où il pressent que son chemin s'infléchit et se précise, cette particule d'éternité qui condenserait toutes ses raisons de vivre, la création, l'amitié, la liberté et l'amour, si Youki était là.

Le 3 novembre 1933 à 20 h 15, la soirée Fantômas est lancée sur les ondes de Radio-Paris. L'émission a été précédée d'une grande campagne de presse et le public est au rendez-vous. Le succès est tel que *La Grande Complainte de Fantômas* est rediffusée sur les postes régionaux et enregistrée sur phonographe. Tout Paris a tremblé en entendant le rire glaçant de Fantômas, vibré aux amours d'Hélène et de Fandor, frémi devant les crimes de l'assassin masqué. Tout Paris fredonne désormais la *Complainte* de Robert, des fleuristes des Halles aux maçons en équilibre sur les toits, de l'enfant qui vise un bigarreau sous le préau à la vieille dame qui remonte la rue des Martyrs en traînant son cabas derrière elle. La démarche de Robert est plus légère et plus assurée, le timbre de sa voix résonne joyeusement dans le froid de décembre lorsqu'il quitte la rue Lacretelle pour se rendre rue Bayard, saluant la concierge dont l'œil s'est adouci depuis qu'elle sait que Robert est l'auteur du refrain qu'elle sifflote en balayant la cour. Il est fier d'avoir fait ses preuves dans un monde qui n'était pas le sien, qui l'est devenu.

Cette nouvelle confiance en lui l'a paré aux yeux de Youki d'une séduction inédite. Ces dernières semaines, il lui est arrivé de rentrer à l'improviste, chargée de victuailles ou de vin, et quand il s'étonne de ne voir aucun invité, elle l'entoure de ses bras et lui chuchote : « Ce soir je ne veux te partager avec personne. »

Il se retient de lui dire qu'il serait heureux de ne plus la partager non plus.

Ils se rencontrent à minuit
Les lèvres ensanglantées lui du sang d'elle
Et vident encore d'autres bouteilles

Une nuit blanche de givre, il a le sentiment de la posséder pour la première fois, et surprend dans ses prunelles une lueur d'angoisse mêlée à ce plaisir qu'il lui vole comme une souffrance. Elle s'endort en le serrant contre sa poitrine comme si on devait le lui arracher aux premières lueurs de l'aube.

Le lendemain matin, il profite de son sommeil pour lui écrire une lettre.

Il pense à la petite fille qui raflait les billes d'agate

aux garçons, qui échangeait son premier baiser devant la grille du parc Monceau, étonnée et ravie.

Il pense à l'adolescente qui perdit la grand-mère qui l'avait élevée, son père et sa mère en l'espace de quelques semaines et se tenait là, empruntée dans sa robe de deuil, au seuil d'une vie où elle n'aurait plus personne pour veiller sur elle si l'envie lui prenait de ne pas être sage.

Il pense à ces fantômes qui s'interposent entre sa Sirène et lui, ceux qu'ils ont emportés sans le vouloir, collés à leurs semelles, accrochés aux coutures de leurs vêtements, serrés entre les poèmes de Nerval ou d'Hugo.

Il pense à tout ce qu'il faut écarter, apaiser en soi pour que l'amour se fasse jour. Au sentier escarpé et semé d'embûches qui mène au cœur si bien défendu de Youki.

Les cœurs qui ont déjà été brisés redoutent l'amour parce qu'il porte sa fin. Ils craignent de ne pouvoir endurer ce coup supplémentaire, l'arrachement et la terre brûlée.

Il lui écrit : ***Ma vie est belle de t'avoir connue, de t'avoir comprise. S'il le fallait, je changerais de nom et de visage pour te retrouver, pour te rencontrer. Nous ne nous connaissons pas. Nous venons de liquider un passif. C'est aujourd'hui que Foujita est parti. Il y a quelque part par le monde une Youki qui marche vers l'horizon cheveux au vent et la cherchant, Robert.***

Cet hiver-là, Robert ressent le frôlement du bonheur et espère qu'il s'attardera rue Lacretelle, même si le vent recrache des relents de haine avec les feuilles mortes, si la colère enfle chaque jour contre les politiciens mouillés dans le scandale financier Stavisky, contre le cartel des gauches, contre ces étrangers qui voleraient le travail et le pain des Français.

Un soir de février, Youki et Robert retrouvent le peintre André Masson et sa compagne Rose Maklès sur les boulevards pour aller au cinéma. À la sortie de la bouche de métro, ils découvrent à la lueur des réverbères un quartier verrouillé par les forces de l'ordre. Les immeubles haussmanniens, les boutiques luxueuses et les brasseries semblent tapis dans l'attente d'un embrasement. Les cafetiers ont rentré le mobilier de leurs terrasses et un barrage de gardes mobiles est dressé devant le cinéma Paramount, contraint de fermer ses portes. Sur les trottoirs, une foule compacte de militants d'extrême droite marche en direction de l'Opéra et de la Concorde, hurlant « Vive Chiappe ! », « À bas les voleurs ! » et « À la Chambre ! ». Ils forment un bloc frénétique, brisent les vitrines, arrachent les grilles des arbres, mettent le feu aux kiosques et aux autobus.

Depuis le début du mois de janvier, les ligueurs battent le pavé parisien, on s'est habitué à les voir parader sur les boulevards en bérets et uniformes, armés de cannes, de matraques et parfois de revolvers. Quand les ligues sortent, ce n'est jamais pacifique. Leur parcours est semé de provocations et de brusques flambées de violence. Les militants fondent sur les étudiants de gauche qui vendent leurs journaux, les passants dont la tête ne leur revient pas. Il y a trois jours, Édouard Daladier, le nouveau président du Conseil, a tenté de se débarrasser du préfet de police en lui accordant une promotion au Maroc. Ami de l'Action française et du fondateur des camelots du Roi, beau-père du directeur de la feuille d'extrême droite *Gringoire,* Jean Chiappe s'illustre depuis des années par son indulgence à l'égard des ligueurs. En réponse à ce limogeage déguisé, il a démissionné, envoyant un signal clair à ses amis politiques qui ont aussitôt appelé leurs troupes à manifester devant le Palais-Bourbon, à l'heure où Daladier doit y présenter son gouvernement. Robert et André Masson ne se sont pas méfiés. Une manifestation de plus de ces roquets dressés par des parfumeurs, des militaires frustrés et des députés aigris n'avait pas de quoi les effaroucher. Mais là, dans ce crépuscule irradié par les bombes incendiaires et les flammes, cette odeur âcre où se mêlent la sueur des chevaux, la poudre et l'adrénaline, ils réalisent que ce qui arrive est plus grave et plus menaçant.

Youki prend peur devant ce déploiement de deux forces lancées l'une contre l'autre et demande à Robert de les ramener chez eux. Il brûle de suivre André Masson qui veut aller au plus près de l'affrontement, assister à cette passe d'armes entre une République radotante et pusillanime et ces croisés d'une France blanche et catholique, baptisée dans le sang et la soumission aux chefs. En lui, l'homme et le journaliste bataillent avec l'amant mais finalement c'est l'amant qui l'emporte, il entraîne Youki par les petites rues, évitant la Concorde d'où leur parvient une cacophonie de cris mêlés au sifflement des balles et aux déflagrations. Dans la rue Royale, ils croisent un militant de Solidarité française qui porte un revolver à la ceinture et a fait provision de pierres. Ses yeux brillent d'excitation, c'est son grand soir, le couronnement d'une vie de salonnard avide de batailles napoléoniennes. Il jette un coup d'œil à Youki, à son manteau de fourrure, sa jupe de tailleur et ses escarpins si déplacés dans cette atmosphère électrique, et lance à Robert :

— Il faut mettre les dames à l'abri, ça va chauffer ! Mais après revenez, plus on est de fous…

— Je ne suis pas des vôtres, gronde Robert.

Ils se toisent et Robert sent la main de Youki serrer la sienne, il maîtrise l'envie d'en découdre et presse le pas dans les rues noires.

Au matin, il apprend que les ligues ont failli renverser la République. Il s'en est fallu d'un cheveu : le colonel de La Rocque a rappelé ses Croix-de-Feu à quelques mètres du Palais-Bourbon et les autres factions le lui reprocheront longtemps. Des combats meurtriers ont fait rage toute la nuit sur la place de la Concorde et sur le pont. Le bilan est sanglant, on parle de dizaines de morts, de milliers de blessés. Paris s'est réveillé entre incrédulité et vertige. L'émeute a ravivé le souvenir des brasiers de la Commune et la hantise de la guerre civile. Lâché par ses troupes, Daladier a démissionné, appelant à la rescousse le rassurant et cacochyme Gaston Doumergue. Ce matin, la presse réactionnaire dénonce les gardes républicains qui ont tiré sur la fine fleur des patriotes tandis que *Le Populaire* appelle à une grande manifestation unitaire contre le fascisme.

Quand Robert rejoint ses amis aux Deux Magots, André Masson, la tête recouverte d'un large bandage, leur raconte cette nuit d'apocalypse à laquelle il se rendait comme au spectacle. Mais comment demeurer impassible lorsqu'un pauvre diable, fauché sous vos yeux, vous ramène à la guerre qui vous a condamné à une vie en trompe-l'œil, à occuper le temps pour repousser la gueule béante de la mort ?

— C'était une mauvaise idée, murmure-t-il. J'ai vu les ligueurs jeter des billes sous les pas des chevaux des gardes républicains pour les faire vaciller, ils avaient des rasoirs au bout de leurs cannes pour trancher les jarrets de ces pauvres bêtes. Sur le moment j'ai pensé aux grandes toiles d'Uccello. Je restais là fasciné, j'oubliais Rose qui tremblait près de moi. J'aurais pu mourir aussi absurdement que ça. L'homme qui est tombé devant moi m'a réveillé. J'ai vu trop de gens s'entretuer, je ne peux plus le supporter. Hier, c'était un début de guerre civile orchestré par des gens qui ont tout intérêt à foutre le feu à ce pays. J'ai décidé d'emmener Rose loin de tout ça, d'aller en Espagne.

Robert proteste, on ne peut pas abandonner le terrain, confier aux ventres mous du gouvernement la tâche de sauver la République. Il faut riposter, défendre les libertés publiques. La veille, un seul député est resté dans le Palais-Bourbon au péril de sa vie : Léon Blum, dont la tête est mise à prix par l'extrême droite, n'a pas cédé au vent de panique. Jacques Prévert et son ami Lou Tchimoukow renchérissent, il est temps de botter le cul de ces contre-révolutionnaires d'opérette.

Quelques jours plus tard, ils sont plus de cent cinquante mille à marcher sur le cours de Vincennes au coude à coude, ouvriers et facteurs, poètes et employés du gaz, en scandant « À bas le fascisme ! » et « Unité ! ». Les leaders communistes avaient refusé l'unité prolétarienne réclamée par ces socialistes qu'ils exècrent, mais la foule en a décidé autrement. Les deux cortèges se sont rejoints à la Nation pour former ce fleuve d'hommes où chacun réalise au même instant la force d'être ensemble. Cette première manifestation unitaire contre le fascisme s'étend à tout le pays et s'accompagne d'une grève largement suivie, malgré les menaces du patronat, les vociférations des ligues et l'interdiction des cortèges. D'impressionnants barrages de police entourent la manifestation mais les gardiens de l'ordre demeurent à distance, médusés par cette démonstration de puissance paisible, cette multitude levée pour défendre une Marianne molestée et signifier aux camelots du Roi, aux jeunesses patriotes et aux graines de fascistes qu'ils ne passeront pas.

Au milieu du cortège, Robert, chantant faux et à tue-tête, songe que le rythme entraîne les mots et les mots les pas, que cette harmonie déplie les cages thoraciques, relève ceux qui s'étaient résignés à n'être rien, foulés dans la poussière, et qui se découvrent une voix par la grâce du chœur.

Ne plus être soi, être chacun.

11

Robert devient un homme important, de ceux qu'on écoute et craint d'irriter, qui possèdent plusieurs costumes et n'hésitent pas à rentrer chez eux en taxi quand il pleut des cordes. Paul Deharme lui a confié la direction littéraire des programmes Foniric et il dispose d'un bureau rue Bayard, de plusieurs secrétaires et de deux téléphones qui sonnent sans relâche. Il s'emporte souvent et sème parfois en route ses interlocuteurs distraits. Quand il se sent bouillir, il rend visite à Chanal, l'ingénieur du son. Ce dernier l'a pris en amitié et l'initie aux mystères de la chambre d'écho, qui permet de donner à un chuchotement la portée d'une voix dans une cathédrale. Dans un café enfumé de l'avenue Montaigne, Robert expose son projet à Paul Deharme et à Alejo : une émission quotidienne sous forme d'éphéméride où l'on cultiverait l'auditeur en l'amusant. La culture est un luxe inaccessible pour le public populaire. Grâce à la radio, Robert peut le faire voyager au-delà du toit de tôle de l'usine. Il pense à la ménagère qui allume son poste de TSF pendant qu'elle cuisine ou reprise. Au défi de la distraire en évoquant Léonard de Vinci, Diogène ou Marie Curie.

Robert retrouve un camarade de jeunesse dont le

père a fait fortune en commercialisant des produits pharmaceutiques comme la Marie Rose, le Vin de Frileuse ou le Thé des familles. Ils ont un peu vieilli mais partagent toujours un goût immodéré pour les calembours et les blagues de potaches. Armand Salacrou le charge de la publicité radiophonique de ses produits. Pour Robert, c'est l'assurance de bien gagner sa vie et il pourra donner libre cours à sa virtuosité pour les jeux de mots. Il est temps de dépoussiérer ces réclames qui semblent récitées par un vieux pion atrabilaire. Paul Deharme suggère des indicatifs chantés et Robert propose d'associer à chaque produit une mélodie familière, *Ah vous dirai-je maman* ou *Au clair de la lune.* Les trois compères prolongent souvent la journée de travail par un dîner improvisé chez l'un ou chez l'autre. Intarissables et passionnés, ils ne s'interrompent que pour écouter le dernier disque que Robert chroniquera dans les journaux.

Les bonnes nouvelles en entraînant d'autres, Salacrou a accepté de publier *Les Sans Cou.* Le recueil est illustré de superbes eaux-fortes d'André Masson. Des années se sont écoulées depuis la parution de *Corps et biens.* À l'époque, Robert essuyait une tempête sur des eaux noires et vengeresses, ses poèmes déchiquetés voltigeaient dans un ciel de traîne. Il n'était que dents et ongles, refus et fureur.

Il lui a fallu descendre dans cette mine où le soleil n'entre pas, se laisser vider de toute chaleur. Il a fallu les morsures de sa Sirène, les amitiés brisées, les illusions éteintes, le dénuement extrême et la bataille de chaque jour pour que la poésie le dévaste à nouveau comme un torrent, une effraction vitale et tumultueuse.

Sa colère a changé de nature, elle s'est élargie aux dimensions du monde et ne se contente plus d'incendier sa poésie de brandons incandescents. Elle exige d'autres formes d'expression et s'y régénère, gagne en puissance, s'enrichit de toutes ces voix qui martèlent la chape d'indifférence comme un tambour. De sa révolte, Robert veut faire un instrument de fraternité, de construction.

En toutes choses il cherche le rythme, le battement, la musique.

Ô vie, ô hommes, amitiés renaissantes
Et tout le sang du monde circulant dans des veines
Dans des veines différentes mais des veines d'hommes, d'hommes sur la terre.

Il y a le temps d'avant le coup de téléphone de Lise Deharme, aussi dense que l'asphalte où la lumière allume des chatoiements de pierres précieuses. Et il y a cet instant où il se raccroche à la voix de Lise. Ce que cette voix a tant de mal à lui dire, c'est que le cœur de Paul s'est arrêté de battre sous le chaud soleil d'un après-midi de printemps. Il venait de jouer aux quilles avec les enfants, son éternel verre de muscadet à la main, profitant de la quiétude d'un jeudi volé au rythme endiablé de sa vie parisienne. Il s'était affalé en riant dans une chaise longue, déclarant qu'il devait se faire vieux pour avoir besoin d'une sieste. Le médecin de famille a expliqué à Lise que l'agent meurtrier était une bactérie maligne héritée d'une blessure de guerre. Elle avait migré sur le cœur et chacune de ses pulsations dispersait la mort dans l'organisme de Paul. La mort prenait lentement possession de lui et a fini par l'emporter, comme une voleuse tranche la gorge d'un homme assoupi. Paul avait trente-six ans et son optimisme se riait des mauvais présages, sa confiance dans les hommes ne s'était pas émoussée.

Robert est dévasté. Il retourne rue Bayard, évite de passer devant le bureau de Paul. La reproduction de Brueghel était en souffrance dans le couloir, Robert l'a remisée dans un coin de son bureau et l'accrochera au mur quand il pourra la regarder sans douleur.

Pour éviter que le chagrin le retranche de leur vie, Youki l'entraîne visiter des appartements. Il est temps de quitter la rue Lacretelle, son loyer exorbitant et les séminaristes d'en face qui endurent stoïquement leur joyeux vacarme. Déménager, sceller un nouveau départ, disperser les fantômes des jours amers. Certains lieux exsudent une tristesse poisseuse. Les fêtes et les amis ne la dispersent que passagèrement, elle reste, elle imprègne l'âme d'une humidité persistante. Robert et Youki transporteront ailleurs leur hospitalité anarchique, leur amour où rien n'est acquis ni joué d'avance.

Ils dénichent un appartement dans la rue Mazarine, dépourvu de salle de bains mais vaste et ensoleillé, au cœur de ce village de Saint-Germain-des-Prés dont ils aiment le charme campagnard, les troquets et les marchands de livres, les petits marchés à ciel ouvert, les cloches qui carillonnent à la volée. Ici Robert sait qu'il pourra écrire, accueillir tous ceux qu'il aime. Alejo Carpentier, qui visite l'appartement vide, partage son enthousiasme :

— Robert, tu as le don de découvrir les maisons magiques, même quand elles sont bien cachées.

Une maison magique appelle un rituel. Robert décide que le samedi sera dédié aux amis, qui viendront aussi nombreux qu'ils le souhaitent. Dans la grande salle à manger carrelée en noir et blanc, une longue table les attend, couverte de bouteilles de vin. Les invités apporteront quelques victuailles, et Youki et Robert se chargeront de concocter un plat roboratif. Robert, qui passe une grande partie de son temps à inventer des slogans, en a déjà trouvé un pour les samedis de la rue Mazarine : « *Un samedi sans les Desnos ? Ça gaze pas, y a un os !* »

Les premiers à étrenner la maison magique sont les Queneau, les frères Prévert, les Fraenkel, les Jeanson, Alejo et ses amis sud-américains. Ghita s'extasie sur la collection d'objets insolites exposés dans les vitrines du salon, admire les grandes toiles de Foujita et s'attarde sur celle où Youki, nue et souveraine, caresse la crinière d'un lion. Jacques Prévert fait ronronner les chats qui vivent ici à l'insu d'un propriétaire acariâtre qui interdit les animaux domestiques. L'ancien surréaliste a trouvé une nouvelle famille dans ce groupe Octobre pour lequel il écrit des textes à jouer dans cette veine populaire, subtile et acerbe qui n'appartient qu'à lui. Celui qui se targuait de son improductivité est devenu un travailleur acharné qui déploie son talent poétique tous azimuts, pour l'Agitprop et pour le cinéma.

Très à l'aise dans son rôle de maîtresse de maison, Youki les régale d'anecdotes tonitruantes. Elle a le don d'extraire la cocasserie d'une situation, d'en restituer le sel et l'étrangeté. Robert espère toujours qu'elle ne boira pas trop, car l'alcool la déchaîne et ce n'est pas du goût de tout le monde. Quant à lui, il n'est rien qu'il ne lui pardonne. Elle sait effacer d'un mot tendre la cruauté de la veille, d'un baiser la trahison d'un instant. Quand elle est près de lui, elle est là tout entière, dans sa générosité et sa démesure. Elle séduit les hommes en demeurant l'amie des femmes.

Quand elle est en paix avec elle-même, il est impossible de ne pas l'aimer.

Ces dernières semaines, la Sirène recherche plus souvent sa présence. Peut-être que l'amour de Robert lui fait moins peur, maintenant que le reste de sa vie a repris ses droits. Elle lui manquait tant. Son rire, ses provocations, son exubérance. Ce corps qu'elle prête à loisir mais donne si rarement. Les parfums puissants qui émanent des chemins secrets de son être comme d'une terre exaltée par l'averse. Sa vulnérabilité. Ses frayeurs brutales, dans ce mitan de la nuit où les âges et les lieux se confondent.

Robert retrouve souvent les membres du groupe Octobre au Chéramy, petit restaurant du quartier dont le patron fait crédit aux copains. Il aime leur complicité, leur rébellion caustique, leur goût de tout partager, même l'amour. Il n'a pas voulu intégrer la troupe. Il revendique la liberté d'aller où bon lui semble, satellite gravitant entre les constellations. Prévert lui présente Henry Miller et il découvre que ce personnage exubérant abrite un écrivain à la taille de l'Amérique, excessif et attachant. Ces bons moments ne le consolent pas de la perte de Paul dont l'absence, telle l'excavation laissée par le souffle d'une explosion, ne peut être comblée.

Et puis un soir, chez Lipp, assis près de Youki à une table où Jacques Prévert, Raymond Queneau et le groupe Octobre se dissipent l'alcool aidant, Robert fait la connaissance d'un jeune homme singulier dont le visage pointu, la maigreur athlétique et le charisme évoquent un être mythologique, visage d'elfe et corps de centaure, et dont les yeux semblent avoir capturé le feu d'une terre lointaine. Jean-Louis Barrault a dix ans de moins que lui et pourtant leur rencontre a l'évidence d'un coup de foudre, ils parlent comme s'ils avaient la nuit pour se raconter et se découvrent des affinités profondes. Ils sont voisins : Jean-Louis a emménagé rue des Grands-Augustins, dans un vaste atelier mansardé où il vit et travaille. Sa passion, c'est le théâtre. Il en parle comme d'une argile qu'il a entrepris de former à sa main, de recréer à partir de son essence la plus secrète, celle qui niche dans les vieilles poutres auxquelles s'arriment les filins qui permettent aux anges de survoler la scène. Une nuit, il a dormi seul dans le théâtre vide, et dans ce silence saturé de craquements, il lui semblait toucher le cœur du théâtre.

— Le théâtre pour moi, c'était un besoin désespéré. Devenir l'Autre. On avait beau me répéter que c'était une vie hasardeuse et déréglée, mon désir était sourd à ces bonnes raisons et il m'était impossible de ne pas le suivre. Tu connais ça, hein ?

Robert acquiesce, parle du pragmatisme familial auquel il s'est heurté comme à un globe de verre avant de reprendre sa liberté, de la voler à l'angoisse de parents qui voulaient son bien. Il ne sait d'où lui venait ce désir intraitable d'être poète. Il ne l'a jamais quitté, même dans ces moments où il n'était plus sûr d'exister, de ne pas être *une ombre parmi les ombres*. Il définit sa poésie comme une matière concrète et insaisissable, faite de calculs mathématiques, d'intuition lumineuse et de cette vibration qui sourd d'un corps dont elle devient la voix. Elle est oracle et révélation, échappe à toute possession, à toute certitude. Il ne peut en cerner les contours car son territoire se modifie sans cesse, précédant ses métamorphoses.

— Je vois ce que tu veux dire, murmure Jean-Louis en les resservant de vin. J'aime que les mathématiques entrent dans la composition d'un poème. Au théâtre, on part de la projection de ce qu'on entend et de ce qu'on voit pour recréer la vie, c'est de la géométrie dans l'espace. Et bien sûr, tout part du corps. Le corps est un instrument très perfectionné, il faut le faire travailler à plein.

Autour d'eux c'est un chahut fraternel et joyeux, Prévert enchaîne les jeux de mots et les anecdotes burlesques devant un public conquis au premier rang duquel Youki rit aux larmes, et le serveur perd le peu de latin qu'il sait à tenter de suivre les commandes de ces convives intenables. Robert et Jean-Louis, concentrés et imperturbables au milieu des éclats de voix et des rires, soulignent l'importance du silence qui donne leur résonance aux paroles et aux vers. Jean-Louis parle de sa passion pour le mime, cette « poésie du silence ». Elle vient d'ailleurs de lui inspirer le projet d'adapter sur scène le *Tandis que j'agonise* de Faulkner.

— Imagine un peu, s'exclame-t-il, deux heures de spectacle et sur ces deux heures, à peine trente minutes de texte ! Une mère en train de mourir que ses fils et son mari conduisent dans sa ville natale où elle sera enterrée. Selon sa volonté, son fils fabrique son cercueil devant ses yeux. Un de ses fils est un bâtard, un mensonge vivant. Ils sont là, ils agissent mais ne parlent pas. Leur corps s'exprime pour eux. L'action est rythmée par les crissements de la scie, les sifflements dans la poitrine de la mère. Je veux que tout le théâtre agonise avec elle, à l'unisson.

Robert est captivé par cette conception inédite du théâtre, il ne s'étonne pas que Jean-Louis s'entende si bien avec Antonin Artaud. Le jeune homme l'invite à la prochaine répétition de la pièce. Il brûle de découvrir la poésie de Robert. Les poètes l'accompagnent depuis toujours, lui sont aussi essentiels que la musique.

Ils se séparent à regret à l'angle de la rue Dauphine, sous un ciel glacé qui fige les étoiles. Bien qu'on soit en mai, l'hiver garde la ville dans sa main de givre et Youki se serre contre lui pour se réchauffer, ivre et heureuse.

— J'aime tes amis, murmure-t-elle d'une voix alanguie. Ils te ressemblent.

Les jours suivants, Robert découvre le grenier de Jean-Louis Barrault, ce théâtre où l'on vit et dort sur des matelas à même le sol. Ce phalanstère bohème a un charme fou, on y respire l'odeur du théâtre, la passion de jouer, l'énergie qui circule entre les corps. Jean-Louis dirige les acteurs avec un respect bienveillant, une exigence précise. C'est un perfectionniste. Il s'est réservé le rôle de Jewell, le bâtard qui a une passion pour son cheval. Sur la scène, il incarne à la fois l'homme et le cheval en un mime si convaincant qu'il parvient à donner une personnalité distincte au personnage et à l'animal. Robert n'en revient pas. À la pause, Jean-Louis descend les marches avec l'allure d'un faune torse nu et échevelé. Souriant de son enthousiasme, il lui répond après avoir avalé deux grands verres d'eau :

— Je rêvais de ça. Incarner à la fois l'homme et le cheval et pouvoir les montrer traversant un gué, être l'Être et l'Espace. L'acteur doit être un instrument complet. Tu sais le plus beau compliment que j'ai reçu ? Un jour où je travaillais le cheval, seul sur la scène du Théâtre de l'Atelier, les femmes de ménage nettoyaient la salle. Une d'entre elles m'interpelle et me dit : « Hep, jeune homme ! Je voudrais bien savoir ce que vous faites comme ça, tous les matins, sur ce cheval ? »

Le soir, après avoir animé ses éphémérides sur Radio-Paris, Robert rejoint Jean-Louis, Alejo et les musiciens Eliseo Grenet et Tata Nacho à la Cabane cubaine ou au Bal nègre. Si Robert danse volontiers la biguine ou la rumba, Jean-Louis se livre à la danse comme il joue, passionnément et sans limites. Quand Youki les retrouve, la joie de Robert est complète. Mais il sait que la Sirène a besoin de s'échapper vers des traversées plus excitantes.

Le samedi est sacré, le samedi Youki est la reine de la rue Mazarine, elle y accueille les convives avec une générosité qui permet au premier venu de se sentir chez lui dans la maison magique. Hemingway les régale de ses histoires de chasses lointaines, Jean-Louis Barrault mime le dressage d'un cheval ou la marche arrêtée, les musiciens font un bœuf et les blagueurs rivalisent d'esprit. Les invités sont toujours plus nombreux, la rue Mazarine est devenue un rendez-vous incontournable car on sait que chez les Desnos, chaque samedi réserve son lot de surprises et d'émerveillements.

Robert se retire parfois dans cette mezzanine qu'il s'est réservée et où il dort au-dessus de sa bibliothèque. Il relit les textes qu'il a écrits pour la radio, la dernière réclame qui vantera les mérites de la Marie Rose pour éradiquer les poux, une chanson composée pour Marianne Oswald. Il a besoin de ces moments de solitude bercés par l'écho des conversations et les accords de jazz. Il prend son temps, savoure cette respiration, ce pas de côté qui lui permet de réaliser sa chance. Il aime que la porte de sa maison soit si largement ouverte, et sentir Youki insouciante et légère au milieu de leurs amis. Le bonheur est sans doute le battement d'ailes qui traverse ces fragments d'éternité où chacun est à sa place et où les talents s'épanouissent pour le plaisir de tous, sans affectation ni volonté de briller.

La grande affaire de ce mois de juin, c'est le congrès international des écrivains pour la défense de la culture. Il est organisé par la section française de l'Union internationale des écrivains antifascistes, et le Parti communiste en est la pierre angulaire. Il réunira dès le 21 juin à Paris des écrivains et des intellectuels venus du monde entier. René Crevel fait partie des organisateurs et tente de convaincre Robert d'y participer. Les dernières années les ont éloignés. Lors de la scission du mouvement surréaliste, René s'est rangé du côté de Breton et lui est resté loyal. Il avoue néanmoins à Robert qu'il s'éloigne de son mentor et trouve les derniers travaux surréalistes insuffisants, à l'heure où le danger fasciste se fait si pressant. René s'est rendu plusieurs fois en Allemagne depuis l'avènement d'Hitler. Il décrit à Robert un pays méconnaissable où les aboiements des nazis rythment la vie de citoyens fanatisés ou pétrifiés. Depuis son retour, il est hanté par ces silhouettes qui pressent le pas dans les rues grises, fuyant les passages à tabac, l'explosion de la violence. Les regards nerveux, les cous rentrés dans les épaules. L'énergie dépensée à ne pas voir, ne pas entendre.

Crevel est amaigri, sa beauté séraphique s'est usée. Il s'anime en parlant de ses réalisations concrètes, de ses engagements. Comme Robert, il héberge des réfugiés allemands et se mobilise pour leur apporter une aide matérielle, quitte à se priver lui-même. Son corps nerveux cherche la paix, comme un exilé chassé d'une gare à l'autre. Dans sa voix exténuée, Robert entend que sa tuberculose a progressé, que la bataille fait rage en lui. Il est frappé par l'épuisement de ses traits.

— Je ne suis pas aveugle, dit René, les communistes sont aussi des totalitaires. Leur conception de la culture me hérisse, le réalisme politique est la négation de l'art. Pour autant, quel autre rempart pouvons-nous dresser contre le fascisme ? Qui d'autre est de taille à les arrêter ?

Robert lui oppose que d'autres voix commencent à s'élever, qu'un front commun s'ébauche à partir d'un attachement aux valeurs républicaines et à la liberté. Dans le combat politique à venir, il faudra compter avec le Parti communiste, mais rien ne les force à abandonner leur quant-à-soi et leur indépendance.

— Toi, tu as toujours été indépendant, je t'admire pour ça, soupire René. Moi j'ai besoin des autres et leurs désaccords me déchirent. L'autre jour, Breton a giflé le délégué soviétique parce qu'il avait insulté les surréalistes, et maintenant les surréalistes sont *persona non grata* au congrès. Depuis je me tue à les rabibocher, ou au moins à trouver un compromis pour qu'ils ne soient pas exclus des débats !

Robert retient un sourire pour ne pas blesser René. Ces querelles de clochers le laissent de marbre. Son chemin s'en est éloigné irrémédiablement. Il promet au jeune homme d'y réfléchir, mais même s'il est membre de l'Association des écrivains et artistes révolutionnaires, il n'a aucune envie de croiser ses anciens amis au congrès ni d'assister à des discussions sous le contrôle de l'orthodoxie stalinienne. Après son départ, Robert pense à René comme à un papillon pris dans une toile d'araignée. Cette idée dérangeante le poursuit tout le jour.

Le lendemain, Alejo Carpentier lui présente le diplomate et poète chilien Pablo Neruda, qui séjourne à Paris le temps du congrès. Robert sympathise d'emblée avec ce bon vivant et dès le premier soir, l'entraîne dans une longue déambulation à travers Paris. Pablo parle parfaitement le français et tandis qu'ils arpentent l'île Saint-Louis, ce sont deux poètes qui se rencontrent et se confient, invitant dans la conversation les étendues sauvages du sud du Chili, les stridulations des insectes tapis dans les herbes hautes, le glissement des serpents qui vont boire. Pablo évoque Temuco, ce territoire sauvage et rural où il a grandi et qui respire en lui. Sa poésie a dû s'accommoder de cette démesure, de ce dialogue entre la terre et le ciel secoué par la fureur des orages et des tremblements de terre, la naissance et la mort.

— J'ai grandi dans un monde de pionniers, dit-il d'une voix profonde où chante l'accent d'une terre rouge et nourricière. Tout était neuf et à inventer. Il me fallait nommer ce qui m'entourait. Ma poésie est née de cette tentative et elle est devenue l'extension de mes sens.

Fasciné par ce pays où l'on peut marcher des jours entiers avec les animaux sauvages pour toute compagnie, Robert lui parle de son enfance dans le paysage changeant d'une ville qui recelait tous les miracles. L'imprévu, la poésie surgie de l'étincelle frottée et de la suie, d'une arrière-cour dont la laideur est un trompe-l'œil, du rideau rouge agité sur une façade éteinte, de ces pans d'immeubles inachevés, ces vies surprises comme des femmes nues qui reviennent vous traverser. Sa poésie est peut-être venue d'une solitude si profonde qu'il fallait en appeler aux images pour peupler le silence. De ses mots naissaient des chimères et des oracles, tout à coup il n'était plus seul mais riche d'un univers grondant, d'une pluie de météorites, d'un Corsaire Sanglot et de ces séductrices fatales qui portent un léopard vivant à même la peau. Les mots se sont installés en lui comme chez eux, ils ont renversé l'ordre et la grammaire, cédé à leurs pulsions érotiques les plus féroces et transformé son cerveau en bacchanale. Avec le temps, il a appris à pacifier ce flux anarchique mais a gardé cette faculté de s'absenter à loisir, ces portes battantes entre le jour et la nuit, le conscient et l'inconscient.

La rumeur d'un remorqueur qui s'éloigne vers les

tours noires de Notre-Dame les rattrape tandis qu'ils laissent derrière eux les quais de l'île Saint-Louis, les hôtels particuliers qui abritent des amours clandestins et des espoirs usés jusqu'à la corde, la rue Le Regrattier où Aragon fut un jour si heureux et si malheureux. Passé le pont, les fantômes des vies oubliées viennent à leur rencontre, les frôlent et les saluent avec une discrète connivence. Franchissant les limites du Marais, ils s'enfoncent dans le cœur saignant de Paris, entre les troquets, les étals des poissonniers et des rôtisseurs. Pablo y retrouve le charme des venelles mal famées de Santiago du Chili et s'amuse de voir des dandys côtoyer les forts de Halles et les gagneuses. Croisant le regard cerné d'une rôdeuse aux cheveux rouges, le Chilien avoue à Robert que les femmes sont la grande affaire de sa vie.

— De la mienne aussi, mon vieux ! s'exclame Robert. Sinon pourquoi s'échinerait-on à écrire des vers ? Pour la célébrité ? Pour le fric ?

Pablo éclate de rire, plissant ses yeux d'oiseau.

— Je ne crois pas avoir réussi une seule fois à séduire une fille en lui écrivant un poème, confesse-t-il. Et toi ?

Hilare, Robert pense à toutes ces pages glissées sous la porte de ses belles indifférentes.

Écrire pour regagner du pouvoir sur ce qui vous échappe. Écrire pour retenir.

Plus tard, ils partagent une bouteille de vin au-dessus des voies ferrées de la gare Saint-Lazare, comme deux vagabonds réunis par une bonne fortune. La brise nocturne chasse des nuages en forme de taches d'encre. Robert et Pablo contemplent les wagons de marchandises abandonnés le long des voies, les rails entrecroisés telles des lignes de chance dont le message attend d'être déchiffré.

— En ce moment je n'ai plus de temps pour la poésie, constate Robert avec tristesse. Je gagne ma vie en écrivant des slogans publicitaires, des sketches pour la radio. Mon travail me passionne, mais la poésie me manque.

— Alors retrouve-la, lui répond Pablo. Ne la laisse pas s'éloigner. Je suis sûr que ta poésie s'exprime dans tout ce que tu fais, mais tu vois, elle est comme une femme qui a besoin d'être préférée à toutes les autres. Tu peux avoir d'autres vies, mais tu dois la préférer. Tiens, moi en ce moment, je suis perdu dans le crépuscule. Ma poésie s'est glacée, elle est morte à l'intérieur de moi. Il faut que je comprenne dans quelle direction aller pour vibrer de nouveau. Ça m'est déjà arrivé, je sais que de cette solitude jaillira une nouvelle source poétique. C'est peut-être ce qui t'arrive, Robert. Viens me voir à Madrid. Viens avec Youki. Je te présenterai García Lorca. Quand je doute de tout, il me suffit de le regarder. Ce garçon a le bonheur dans la peau.

Le lendemain, Robert rejoint Jean-Louis Barrault à l'Atelier où se déroulent les dernières répétitions de sa pièce. Quand il entre dans le théâtre, midi sonne à l'église Saint-Pierre-de-Montmartre. Les comédiens bavardent au pied de la scène sur laquelle s'agite un être étrange dont la figure disparaît derrière un masque grillagé aux yeux en boutons d'acier. Une longue perruque noire descend le long de son torse nu et ses jambes sont couvertes par une jupe faite de lamelles colorées. On croirait voir s'animer le totem d'une contrée lointaine.

Apercevant Robert qui descend les gradins, le totem se met à déclamer avec la voix de Jean-Louis :

Maisons sans fenêtres, sans portes, aux toits défoncés,
Portes sans serrures,
Guillotine sans couperet…
C'est à vous que je parle qui n'avez plus d'oreilles,
Plus de bouches, de nez, d'yeux, de cheveux, de cervelle,
Plus de cou.

L'émotion arrête Robert en haut des marches. S'il dit volontiers ses vers à voix haute, les entendre dans la bouche d'un autre le bouleverse, et le costume saisissant de Jean-Louis leur ajoute une dimension tragique. À la fin du poème, Jean-Louis enlève son masque et s'incline devant l'auteur sous les applaudissements de la troupe. Robert a rougi.

— J'aime *Les Sans Cou*, Robert ! s'écrie Jean-Louis. Quelle puissance d'évocation ! Tes vers expriment une liberté et une rébellion magnifiques. Ce mélange de noirceur, d'humour et de lyrisme… Je me doutais que j'aimerais ta poésie, mais je ne pensais pas que je l'aimerais à ce point. Elle m'arrache de terre, elle me transporte !

Robert est touché au cœur par l'enthousiasme de cet artiste dont il admire l'exigence et la fougue. Jean-Louis lui raconte le coup dur qui vient de s'abattre sur lui à deux jours de la première : l'actrice qui joue la mère est tombée malade. Devant cet impondérable, Jean-Louis a décidé de jouer lui-même la mère et son fils bâtard. Ce déguisement lui permettra d'incarner la mourante. Les autres acteurs ont beau le supplier de renoncer à cette idée folle, il leur oppose une conviction que les quolibets qui commencent à fleurir dans Paris n'arriveront pas à éteindre.

— Ma petite troupe a peur du ridicule. Il paraît que certains critiques ont baptisé la pièce « Autour d'une merde ». Mais je ne reculerai pas, tu peux me croire. Si on doit me poignarder, que ce soit jusqu'à la garde !

Le soir de la première, tout Montmartre est venu à la curée. Mais Jean-Louis, tenant ferme la barre de son équipage, retourne en sa faveur un public démonté, fait taire les invectives et les sarcasmes et emporte l'adhésion, recueillant une pluie d'applaudissements sur son échine de centaure. Robert est fou de joie, l'audace de Jean-Louis le galvanise et son triomphe le rassure : on peut encore inventer et surprendre, ouvrir des voies nouvelles. Après la représentation, Jean-Louis et Antonin Artaud remontent le boulevard Rochechouart en galopant sur des chevaux imaginaires, hennissant de concert pour le plus grand plaisir de Robert et de Youki.

La veille de l'ouverture du congrès pour la défense de la culture, Lise Deharme apprend à Robert que René Crevel s'est suicidé, mettant un terme à ses déchirements intimes, à l'angoisse d'une lente agonie. Crevel savait sa fin programmée. Le spectre d'une mort blanche dans les neiges de Davos rejoignait dans ses hantises l'ombre grandissante de la croix gammée. L'urgence de réconcilier les adversaires d'Hitler a consumé ses dernières forces, symbolisée par le conflit entre les surréalistes et les communistes. Robert se rappelle ses mots : « Je me tue à les rabibocher. »

Je me tue.

Mi-septembre, le congrès national socialiste de Nüremberg proclame une nouvelle législation privant les Juifs allemands de leur nationalité et de leurs droits civiques. Quelques semaines plus tard, les troupes de Mussolini envahissent l'Éthiopie à la barbe des traités et de la Société des Nations. Robert enrage d'impuissance. Il est temps de changer d'horizon. Youki et lui partent pour l'Espagne.

*

Ils découvrent Madrid sous un soleil d'octobre qui caresse sans mordre. La brise balaie la poussière incrustée entre les pavés avec la délicatesse d'un pianiste retenant sa fureur avant le crescendo.

Ils sont les invités de Pablo Neruda à la Maison des fleurs. Dans cette villa blanche noyée sous les géraniums dont le parfum embaume le quartier d'Argüelles, le tintement des horloges ne fixe aucun horaire. On mange quand on a faim, on s'endort dans le bercement d'une conversation flamboyante qu'on retrouve à son réveil. Les invités vont et viennent, les départs sont provisoires et le cercle des amis se reforme. Chacun y fait le plein d'idées, de rêverie, de poésie et de rires. Youki s'est coulée dans cette atmosphère avec la paresse heureuse des chats et Robert savoure la densité de moments étirés à loisir, patchwork de couleurs dont le dessin se modifie sans cesse. Ils se réveillent tard et se couchent plus tard encore, mélangent le jour et la nuit, le soleil levant, le plein feu et le crépuscule, se perdent dans les rues à l'heure où les ombres se font menaçantes, éprouvent la patience des restaurateurs et des cafetiers, surprennent les physionomies secrètes de la ville, celles qu'il faut lui voler avec un mélange de hardiesse et de respect.

Depuis que Pablo Neruda est consul à Madrid, il est devenu l'ami d'une bande de peintres et de poètes bohèmes, de Rafael Alberti à José Bergamín en passant par Lucho Vergas ou Manuel Altolaguirre. Alejo Carpentier les a rejoints et Pablo et lui jouent les traducteurs, car Robert ne parle pas l'espagnol et la plupart de leurs amis ne comprennent que leur langue natale. Au-delà des mots qui voyagent d'une langue à l'autre, l'affection se transmet par les gestes, les regards, les sourires et les accolades. Robert et Youki, entraînés dans une sociabilité endiablée, sont vite adoptés par ce club fermé où les femmes sont rarement conviées. L'insolence de Youki les a déstabilisés avant de les séduire. Tranchant avec leurs muses et leurs épouses, elle a gagné sa place au milieu des hommes par ce mélange de franchise et de charme, cette manière d'imposer une liberté et une égalité qu'on pourrait lui refuser si elle les suspendait à l'assentiment d'autrui.

Robert écarquille les yeux derrière ses lunettes, il voudrait tout voir et tout saisir, retenir les parfums de lessive et de pâte à beignets qui s'échappent des fenêtres ouvertes, le visage tanné des enfants qui se poursuivent en criant des injures mélodieuses, les silhouettes marmoréennes des vieilles Castillanes dont le regard ne cille pas et semble une concrétion de larmes séchées, l'haleine douce des patios débordant de fleurs, les odeurs de cuir, de corde, de sueur et d'ail. Et partout, ces notes rouges, fleurs de sang et chiffons écarlates, qui donnent à la ville l'allure d'un piège à taureau, d'une anémone de mer à la séduction mortelle. Les rues populeuses désertées à l'heure de la sieste, les appels rauques dans la nuit trébuchante, les jeunes filles altières qui remontent vers la cathédrale avec cette manière de ne pas vous voir qui embrase la rêverie… Sous la joie de vivre des Madrilènes, Robert perçoit une tension latente qui explose au coin des rues après quelques verres, à l'heure où les poignées de main dégénèrent en rixes. Dure et sensuelle, Madrid est la soie ondoyante et le couteau qui la déchire, frôlement de muleta et banderille. Son vacarme incessant est une diversion. Derrière la symphonie heurtée de milliers de sons qui charment ou irritent l'oreille, Robert entend l'épaisseur du silence. Un silence de vies bâillonnées, de blessures inguérissables, de conjurations.

Alors qu'ils arpentent la Calle Alcalá vers quatre heures de l'après-midi à la recherche d'un troquet où déguster des *boquerones* et de la *morcilla*, Pablo lui confie que l'approche des élections envenime le climat de la ville. Les attentats se multiplient, et la fracture entre l'Espagne catholique et nationaliste et celle qui rêve de progrès et de justice ne cesse de se creuser. Pablo et ses amis redoutent que le résultat des élections, qu'il scelle la revanche de la droite autoritaire ou la victoire du Frente Popular, ne transforme Madrid en poudrière. Robert a du mal à le croire, par cette belle journée où le soleil irradie la pierre et les visages, les flèches des clochers et la carrosserie des automobiles que des chauffeurs coiffés de panamas conduisent sans égard pour les passants. Robert admire le profil plein de

Youki, qui bavarde avec le compositeur chilien Acario Cotapos et rit sous la capeline à large bord dont elle a fait l'emplette chez un chapelier de la Plaza Mayor. Madrid est un paradis. Pourtant, il suffit de voir se côtoyer les charrettes à cheval et les Hispano-Suiza pour réaliser que deux mondes étanches y cohabitent sans se connaître.

— Alors, as-tu retrouvé ta poésie ? l'interroge Pablo avec un clin d'œil tandis qu'ils traversent un carrefour au péril de leur vie.

Robert sourit. Depuis son arrivée à Madrid, il sent la poésie frémir dans l'air qu'il respire. Elle se pose sur ce qui arrête son regard, l'échappée de lumière au bout d'une ruelle sombre, le vent emportant les lambeaux d'une affiche du Frente Popular, la taille cambrée d'une danseuse de flamenco, hier soir, dans ce restaurant où ils fêtaient le premier numéro de la revue que Pablo vient de lancer, *Caballo verde para la poesía*, qui comptera un poème de Robert. Sur cette terre étrangère dont la beauté sature ses sens, sa poésie est une onde qui l'électrise de désir et de manque.

— Elle me fait languir, dit-il à Pablo, haussant la voix pour couvrir la cloche d'un tramway qui les frôle. Tu avais raison de la comparer à une femme.

Averti de sa présence à Madrid, Federico García Lorca fait le voyage depuis Grenade pour le rencontrer. Robert est rempli de joie et de fierté à l'idée que ce grand poète, musicien et dramaturge traverse l'Espagne pour faire sa connaissance. Alejo Carpentier lui a fait découvrir la poésie sanguine du *Romancero gitano* et lui a traduit le texte d'une conférence où Lorca parlait du *duende,* cette force mystérieuse qui sourd du profond de l'être, des « ultimes demeures du sang », qui est possession, transe et jaillissement, et permet à l'artiste de sortir de lui-même pour s'abandonner à ce qui le dépasse. Robert ne l'appelait pas ainsi mais il l'a reconnu, le *duende* lui est familier, il transcende ses vers et enfante des oracles. Lorca avait donné cette conférence à La Havane et Robert, qui accorde aux coïncidences leur valeur de signes, se réjouit que cette ville soit le pont où ils se sont croisés à quelques années de distance.

Le poète andalou les retrouve pour dîner à la brasserie La Casa Lucas dont le propriétaire, le *señor* Lucas, partage son goût pour la tauromachie : affiches de corrida et cornes de taureau se disputent le moindre espace libre sur ses murs de brique rouge, et Robert ramènerait bien dans ses valises la bouteille qui trône à l'angle du bar, et renferme un toréador minuscule effectuant une passe de muleta sur un taureau ramassé pour charger. Ils sont quinze autour d'une grande table, le poète Antonio Machado et Luis Buñuel se sont joints à cette fête en l'honneur des petits Français et Lorca, qui porte un élégant costume blanc, accueille Robert d'une accolade chaleureuse et d'un grand éclat de rire. Il l'invite à s'asseoir à sa droite et ils portent un toast à la liberté et à la poésie. Une conversation s'engage, ralentie par les traductions nécessaires et la timidité. La barrière de la langue donne à leurs paroles un côté emprunté et solennel qui ne leur sied pas.

N'y tenant plus, Robert suit une inspiration et se met à fredonner *J'irai revoir ma Normandie.* Federico lui répond par la version andalouse. Robert est ravi de découvrir qu'un air du folklore normand a son jumeau en Espagne. Ils engagent une conversation musicale qui se passe de traducteurs, au grand amusement de leurs voisins de table. Robert chante toujours aussi faux, mais Lorca, dont la voix rauque est juste et mélodieuse, feint de ne pas s'en apercevoir. Les chansons françaises répondent aux ballades castillanes et ils s'aperçoivent que les mots sont souvent les mêmes d'une langue à l'autre, s'émerveillant de ces correspondances et de la richesse du folklore populaire. Le vin aidant, ils finissent par chanter à tue-tête et lorsque le *señor* Lucas apporte sur la table un cochon de lait rôti dont le fumet terrasse les effluves de tabac et de sueur, ils sont devenus plus complices que des frères. Jusque tard dans la nuit, le restaurant retentit de leurs rires, de leurs refrains et de leurs envolées poétiques. Ils sont à peine plus nombreux que les apôtres mais autour de cette table, ils représentent tout ce que les croisés de la morale et de la religion abhorrent. Le monde nouveau dont ils souhaitent l'avènement ouvrirait la connaissance à tous, serait fait de dialogues entre les peuples et de respirations, de la liberté de penser et d'aimer qui bon vous semble, d'une répartition plus juste des richesses.

— Je ne serai jamais un homme politique, dit Federico, mais je suis du parti des pauvres et parce que je suis poète, je suis révolutionnaire. Tous les vrais poètes le sont. Robert, je sais que tu l'es toi aussi.

Alejo traduit et Robert acquiesce. Comme Jacques Prévert, il est révolutionnaire depuis l'enfance. C'est un sentiment viscéral, une révolte devant les injustices, une méfiance envers ce pouvoir politique qui escroque les faibles pour conforter ceux qui thésaurisent, pour qui les crises ou les guerres sont un jeu excitant, une opportunité de conquérir de nouveaux marchés.

— Quand je vois ce qui se passe dans le monde, poursuit Federico avec gravité, je me demande pourquoi j'écris, à quoi ça sert. Une pièce de théâtre n'arrête pas les balles, un poème ne retient pas le bras d'un assassin. Pourtant le travail est une forme de protestation. En tant que tel, il a un sens. Alors je continue à écrire.

— La preuve que ton œuvre est utile, c'est que tu as autant d'admirateurs que d'ennemis, répond Pablo Neruda. Tes ennemis, nous les connaissons, ils te détestent parce que tu débusques ce qu'ils essaient de cacher, et que tu amènes le théâtre jusque dans les coins les plus reculés de l'Espagne. La Barraca a permis à quantité de gens de découvrir un monde qui leur était fermé. Or l'intérêt de la droite catholique est que ces gens restent dans l'ignorance et continuent à croire que le Moyen Âge dans lequel on les maintient est l'unique horizon.

— Toute œuvre d'art porte une vision du monde, observe Robert que cette discussion passionne même si les traducteurs peinent à en suivre le rythme. Les despotes entendent imposer la leur, et nous leur opposons une multiplicité de regards et de points de vue qui leur est odieuse. Pour eux, il ne peut y avoir qu'une seule vérité, qui devient un catéchisme. La culture est un enjeu. Quand on permet à ceux qui en sont exclus d'accéder à l'art et à la connaissance, on sème une graine de liberté qui peut les soustraire à la toute-puissance des tyrans.

Federico écoute la traduction en hochant la tête, un grand sourire aux lèvres. Il serre le bras de Robert et une même émotion les traverse, les relie.

— Quand j'écris, je pense à ma mère qui lisait *Hernani* aux domestiques dans la cuisine de notre maison de Fuente Vaqueros, répond-il, et sa voix vibre d'une tendresse nostalgique. Je revois leurs visages bouleversés, l'attention avec laquelle ils écoutaient chaque mot qu'elle prononçait. Je n'écris pas mes pièces de théâtre pour le parterre ou pour les loges, j'écris pour le paradis. Je donne la parole à ceux qui se taisent, à ceux qu'on fait taire. Ici en Espagne, le silence est une tombe. On y enterre les sentiments interdits, les espérances éteintes.

Robert pense à Antonin Artaud qui veut réveiller les spectateurs, ouvrir les portes des théâtres. À Prévert et au groupe Octobre qui se produisent dans la rue, sur des estrades de fortune. À Jean-Louis Barrault qui cherche un nouveau langage théâtral et transporte une salle prête à le mettre en pièces. Il songe à ses premiers poèmes surréalistes. À l'époque, il lui importait de trouver sa voix, il ne se souciait pas d'être accessible. Ces dernières années, il s'est mis à écrire pour ceux dont on fait peu de cas, et dont la mort efface le souvenir. Ceux qui ignorent leur propre désir, qui ne savent pas de quoi ils pourraient bien rêver.

Le fracas du monde est entré dans sa poésie et l'a bousculée, abattant les murs de son souffle. Sa trajectoire libertaire a gagné en force en s'ouvrant à une fraternité possible.

Les jours suivants, Robert et Federico ne se quittent pas. Federico lui raconte qu'on lui demande toujours de définir sa poésie, ce dont il est incapable. Il ignore ce qu'elle est, d'où elle vient. Elle vit dans la rue, elle est la lueur de mystère au cœur de toute chose. Pour autant elle n'a rien d'une abstraction, d'un concept intellectuel. Robert lui répond que la poésie est éphémère comme la vie, elle passe et traverse ceux qui savent la percevoir. Il est vain de vouloir la retenir, l'embaumer. Écrire pour la postérité n'a pas de sens. Ce qui importe c'est de savoir capter l'essence d'un instant, une émotion qui ne soit pas factice.

— Au mois de mai de l'année dernière, dit Federico d'une voix sourde, mon ami Ignacio, qui était le plus grand torero de notre temps, est redescendu dans l'arène sept ans après avoir pris sa retraite. Sa troisième corrida lui a été fatale. Encorné par son taureau dans les arènes de Manzanares, il est mort au matin du troisième jour au bout d'une terrible agonie. Je n'ai pas voulu le voir sur son lit de mort, mais je lui ai écrit un chant funèbre. Et c'est une chose que je peux t'avouer : la mort d'Ignacio a été comme l'apprentissage de ma propre mort. Le *duende* ne m'a fait grâce d'aucune douleur, j'ai senti le froid geler mes veines et raidir mes muscles. J'ai vu ma mort en face, Robert. La poésie a déchiré le voile et me l'a montrée, comme une répétition.

Pablo Neruda hésite avant de traduire ces mots qui le remuent.

— Chaque vers que j'écris est un dialogue avec ma mort, répond Robert. Ma poésie me révèle ce que je ne veux pas voir ou que j'ignore, le présent et l'avenir. Parfois il faut des années pour que ces prophéties s'éclairent. Elle m'avait annoncé notre rencontre. Elle m'a répété que mon temps était court jusqu'à ce que je l'entende. C'est un secret effrayant, mais je crois qu'il m'aide à être heureux.

Longtemps après, lorsque cette promenade sous les grands arbres du parc du Retiro n'est plus qu'un souvenir recouvert par la neige et l'hiver parisien, Robert repense à ce moment, à l'angoisse qui hantait le regard de Federico, à la fragilité de leurs vies traversées de fulgurances et de prémonitions.

Leurs mains avaient des lignes sans nombre
Qui se perdaient parmi les ombres
Comme des rails dans la forêt.

12

L'hiver 1936 n'est pas seulement de pluies monotones, de grésil et de neige fondue, il est cette trépidation qui semble venir des soubassements de la ville, des murs couverts d'affiches dont on pèle la peau grise au matin pour en coller de plus fraîches, des caniveaux où roule une colère boueuse qui fait sauter une à une les digues du silence. Elle cogne à l'aveugle tout ce qu'elle rencontre, épouse la haine ou la ferveur à la recherche d'une chambre d'écho. Elle flambe dans ces yeux qui bravent le regard des patrons, ces membres ankylosés de dormir dans la paille et de s'épuiser pour un salaire de misère, ces mâchoires qui se souviennent qu'elles peuvent mordre. Elle dit : « Nos carcasses usées sont encore assez solides pour former un mur d'hommes que vous ne pourrez plus ignorer, qui se dressera contre vous avec l'entêtement de ceux qui n'ont plus rien à perdre. Il faudra bien que votre arrogance capitule, nous avons tout notre temps. »

Un dimanche de la fin janvier, tandis qu'un soleil froid allume le givre sur les arbres nus de la rue de Navarin, Robert et Youki se mêlent à la foule qui se presse devant les portes de la Maison de la culture qu'Aragon dirige pour le compte de l'Association des écrivains et artistes révolutionnaires. Aujourd'hui, c'est la première du *Tableau des merveilles*, le nouveau spectacle du groupe Octobre adapté de Cervantès par Jacques Prévert et mis en scène par Jean-Louis Barrault. Depuis quatre ans que le groupe Octobre se produit sur des scènes de fortune, son public populaire n'a cessé de grandir. Au début, les ouvriers n'osaient pas s'approcher. Ils ont compris peu à peu que Prévert écrivait pour eux. Qu'il était de leur bord, qu'il détestait autant qu'eux les bons Français qui se lavent de leurs péchés à la messe et s'essuient les mains après avoir serré celle d'un prolo. Ils se sont approprié ces dialogues où roulent des rires et des larmes qui explosent comme des poings. Ces mots tout simples, qui ne leur arrivent pas endimanchés comme ceux du curé, on dirait qu'ils les entendent pour la première fois. Désormais, ils viennent au spectacle avec leurs femmes et toute la marmaille. Juchés sur leurs épaules, les petits sont fascinés par l'éclairage de la scène, les costumes multicolores. Ils en oublient leur ventre qui gargouille, leur nez qui coule dans l'air glacé. Les spectateurs hilares se régalent de voir le bohémien Chanfalla, joué par Jean-Louis Barrault, ridiculiser les notables, les militaires et les bigots. Robert, qui a assisté aux répétitions dans le grenier de Jean-Louis, attend ses répliques favorites et se laisse encore émouvoir par les mots du Mendiant : « Les gens heureux n'ont pas d'histoire, mais si les malheureux essaient de raconter leur triste histoire à eux, alors les gens heureux leur cherchent des histoires... de sales histoires. En joue ! Feu ! La prison, la corde au cou et tout et tout, et le reste par-dessus le marché. »

Il pense aux mineurs massacrés des Asturies, aux ouvriers licenciés sans indemnités, à ceux qui ont la bouche pleine de terre d'avoir osé l'ouvrir. Il pense au silence de tombe dont parlait Lorca, à ces tragédies muettes qui n'intéressent pas les journaux.

« Bientôt tout cela va changer. On n'a rien à perdre, peut-être qu'on a quelque chose à gagner. Il faut remuer les gens et les choses, déplacer les objets… » répond le Paysan, et comme les autres, Robert espère un dénouement heureux, ce premier matin d'un ordre bouleversé dont ils rêvent sans y croire.

Après le spectacle, Robert et Youki boivent des coups avec la troupe dans un troquet voisin. Prévert vient de passer plusieurs semaines à écrire les dialogues du *Crime de monsieur Lange* pour Jean Renoir. Il est heureux de retrouver sa troupe de joyeux saltimbanques et ce public dont il épouse les rages et les espoirs. Tandis qu'il allume cigarette sur cigarette et descend une bouteille à lui seul, il raconte que Renoir l'a forcé à travailler en l'enfermant dans son bureau, exigeant chaque jour un certain nombre de pages pour le libérer.

— Qui aurait cru que tu deviendrais un forçat du travail, du temps de la rue du Château ? Mais dans le fond, tu as bien fait de te mettre à bosser, mon vieux. Tu ne te débrouilles pas trop mal, pour un débutant ! sourit Robert en ôtant ses lunettes aveuglées de buée.

— Ah pour bosser je bosse, et c'est pas marrant ! répond Prévert de sa voix traînante. Mais c'est plaisant de les entendre rire, ça oui, et les yeux brillants des mômes, tu vois, c'est ma récompense. Je m'étais éloigné un peu du groupe Octobre, plus le temps. Et puis, cette idée de Front populaire, je me dis qu'on tient quelque chose. Quelque chose d'assez dur pour que les nababs s'y cassent les dents. Regarde-les mordre dans le vide, ils n'ont pas compris qu'ils n'arrêteront pas cette vague avec leurs tours de passe-passe habituels, leurs petits tours et puis s'en vont.

Pour que la vague recouvre la digue, elle doit encore grossir, observe Robert, grossir jusqu'à emporter la province. Sans elle, le Front populaire ne peut l'emporter. Il les connaît, ces gens qui se cramponnent à un monde injuste et familier, haussant les épaules avec un mélange de résignation et de scepticisme. La révolution sociale est un conte à endormir les enfants, ils lui préfèrent encore l'espérance d'un paradis céleste qu'ils n'en finissent pas de payer d'avance.

Robert a beau être accaparé par ses activités radiophoniques, il trouve le temps de s'engager plus avant dans ce mouvement qui veut rendre la culture au peuple et inventer pour lui de nouvelles formes de création. Dans une salle près du métro Jaurès, Robert improvise des poèmes à partir des mimes de Jean-Louis Barrault, puis c'est au tour de Jean-Louis d'illustrer les vers que Robert récite. Avec une passion contagieuse, ils n'en finissent pas d'expérimenter.

À son retour d'Espagne, encouragé par ses conversations avec Pablo, Federico et leurs amis madrilènes, Robert a décidé de forcer le passage de sa poésie. Il s'oblige désormais à écrire un poème chaque jour. Pour ce rituel il a choisi son heure préférée, cette première heure de l'aube qui ricoche sur l'obscurité. Quels que soient son état, son humeur, il s'isole dans sa mezzanine et descend dans ce puits de ténèbres où il faut tâtonner pour trouver ce que l'on ne cherchait pas. Parfois il erre longtemps, sans désir et sans forces. Il y a des nuits miraculeuses, et d'autres où il creuse en vain et s'écorche au passage. Certains poèmes arrivent d'un long voyage, ils gardent l'empreinte du cuir de la banquette et des cahots du train. D'autres arborent un visage modeste, luisent d'un éclat discret.

Quelquefois, il est si fatigué qu'il ne peut déposer sur le papier que son impuissance et sa stérilité. Et soudain, du fond de son épuisement, une intuition guide sa plume vers un sentier inconnu où lui sont délivrés de nouveaux oracles.

Il ne chasse plus les mots comme des papillons rares. Il veut que sa poésie sonne clair comme un chant de révolte, qu'elle s'alimente à un réel de chair et de sang.

Je chante ce soir non ce que nous devons combattre
Mais ce que nous devons défendre.

Il cherche une poésie que chacun pourrait faire sienne. Des vers qu'on emporterait avec soi, qui s'échangeraient comme des mots de passe.

Le lit où l'on dort.
Le sommeil sans réveils en sursaut, sans angoisse
[du lendemain.
Le loisir.
La liberté de changer de ciel.

Plus de larmes, ni de cet attendrissement auscultant de vieilles blessures avec l'espoir qu'elles saignent encore. Accepter de laisser mourir ce qui doit mourir, que s'atténue la trace de ceux dont la respiration nous brûlait, dont l'absence prenait tant de place.

Portes battantes et fenêtres ouvertes sur ce monde de tumulte et de beauté qui ressemble à Youki, pulsionnel et contradictoire. Écrire pour relier les solitudes, éclairer l'horizon.

Envoyer des signaux de reconnaissance à ceux qui espèrent encore en ces créatures pusillanimes, autodestructrices et désarmantes que sont les hommes.

*

Le 13 février, Léon Blum sort de la Chambre des députés et s'engouffre dans la voiture où l'attendent le jeune député Georges Monnet et son épouse. À l'angle du boulevard Saint-Germain et de la rue de l'Université, la voiture est immobilisée dans un embouteillage causé par l'enterrement de Jacques Bainville. Sur le trottoir, une foule encadrée par des gaillards aux brassards fleurdelisés de l'Action française attend le passage du convoi funéraire. Les camelots du roi reconnaissent Léon Blum dans la voiture, et un mouvement de fureur les soulève. Ils hurlent « Blum à mort ! Assassin ! », brisent les vitres et parviennent à forcer les portières et à extraire le président du groupe socialiste du véhicule. Le couple Monnet s'interpose en vain. Sur le trottoir, des vieilles dames élégantes s'époumonent, déformées par la haine : « Crevez-le ! » Léon Blum est couvert de sang et les coups continuent de pleuvoir lorsque des ouvriers du bâtiment qui réparaient un toit voisin, alertés par les huées de la foule, se précipitent pour l'arracher à ses agresseurs, font un rempart de leurs corps et se fraient un chemin pour le mettre à l'abri dans la maison en chantier. Défendant ce camp retranché, ils soignent le blessé avec les moyens du bord, mais Léon Blum a une plaie profonde à la tempe et leurs pansements ne peuvent juguler l'hémorragie. Vingt minutes plus tard, Léon Blum est conduit à l'Hôtel-Dieu, sous les vociférations et les insultes.

La nouvelle de l'agression se répand aussitôt, déclenchant une vive émotion à la Chambre des députés, où l'on décide de dissoudre sur-le-champ trois associations de l'Action française. C'est Alejo Carpentier qui l'apprend à Robert alors qu'ils se retrouvent au studio pour enregistrer le dernier slogan publicitaire pour la Quintonine :

— Les camelots ont failli avoir Blum ! Ces salauds l'auraient lynché si des maçons n'étaient pas venus à son secours !

La rage submerge Robert. Cela fait des mois que les chefs de ligues appellent au meurtre de Léon Blum. « C'est un homme à fusiller, mais dans le dos », a écrit Maurras dans le torchon qui leur sert de bréviaire et ses affidés rivalisent de virulence contre « le Juif Blum, ce métèque, ce détritus humain, ce fauteur de guerre ». Toucher à Blum, c'est atteindre le cœur du Front populaire. Ce qu'il symbolise le dépasse et l'oblige. Il incarne peut-être le dernier espoir d'en finir avec cette politique de l'entre-soi, des petits calculs, de la médiocrité et de la bonne conscience, cette vieillesse confite dans les privilèges, ramollie et peureuse, qui est assise sur la France comme sur un coffre-fort. Robert ignore comment, de cette oligarchie fossile, a pu émerger un homme comme Léon Blum, comment les vigiles des deux cents familles ont pu le laisser progresser jusqu'à ce qu'il se dresse devant eux comme une menace concrète, un ferment de révolution sociale. En tant que Juif et socialiste, il est une provocation vivante pour les apôtres de la France pure, les nostalgiques de la cravache qui voient en Hitler le messie des temps nouveaux. Il est le rassembleur, le guerrier pacifique qui avance sous les crachats avec pour seules armes sa probité et son courage. Ses chances étaient faibles, mais il a réussi à convaincre les radicaux frileux et les leaders intraitables du Parti communiste. À quelques semaines des élections, il est plus que jamais une cible.

C'est le temps des foules. La colère est leur ciment et leur combustible, des centaines de milliers d'individus s'y dissolvent à la recherche d'une issue, d'une solution miraculeuse. Ils secouent la carcasse de cette République trop racornie pour abriter leurs rêves, ils veulent la Révolution ou le retour du roi, ils veulent du travail et du pain, ils veulent un chef dont les bottes claquent, ils veulent disposer du droit imprescriptible de souffler, ils veulent que les autres nations tremblent devant eux, ils veulent que la guerre soit un vieux souvenir et que la poussière des morts retourne à la poussière, ils veulent s'endormir sans trembler pour leurs enfants, ils veulent construire l'Europe avec Mussolini et Hitler, ils veulent se réveiller dans un monde où on ne les traitera plus de métèques.

Je vous offre camarades encore emprisonnés
Un peu de ma liberté et de ma force,
Le ciel s'éteint, les heures vont sonner...
L'itinéraire je le grave dans les arbres, dans l'écorce
En entailles profondes que le printemps fera saigner,

Robert accompagne cet élan du Front populaire qui rejoint ses convictions les plus profondes : que le monde y gagnerait à être plus équitable, à ouvrir ses frontières à ceux qui sont traqués. Il sent l'espérance se heurter au repli, et la tension qui en résulte.

Un soir de la fin février, Léon Blum et son équipe dînent chez Lipp pour fêter la victoire du Frente Popular espagnol et Robert se joint à la dizaine de journalistes qui forment la garde d'honneur du leader socialiste. Deux ans plus tôt, des camelots du roi l'ont chassé de la brasserie aux cris de « Blum au poteau ! ». À l'approche des élections, une telle mésaventure pourrait se reproduire. Monsieur Cazes, le patron de Lipp, leur a réservé une table sur le côté droit de la salle, à l'abri des importuns. Encadrant Léon Blum dont le visage serein porte encore les stigmates de son agression, Georges Monnet, Vincent Auriol et Léo Lagrange s'entretiennent avec les « jeunes Turcs » du parti radical, Jean Zay et Pierre Cot. Le Front populaire avance en funambule, mais sa jeunesse et son dynamisme dépoussièrent des décennies de politique frileuse et cacochyme.

Assis en bout de table, Robert s'adonne au feu d'artifice de bons mots et de réflexions caustiques qui pimente toujours ses retrouvailles avec Henri Jeanson et Jean Galtier-Boissière.

— Tout de même, cette alliance du Frente Popular est bien fragile…, souligne le journaliste Jean Marin. L'agitation est à son comble depuis la victoire des urnes, il paraît que les anarchistes se soulèvent partout et qu'ils mettent le feu aux églises. Ce désordre alimente la propagande de la droite nationaliste.

— En Espagne, l'Église n'a pas évolué depuis le Moyen Âge, répond Robert. Le cardinal de Tolède, les carlistes et la Phalange s'entendent comme cochons pour asservir le peuple. Je ne suis pas surpris qu'on brûle les églises, elles sont le symbole d'une tyrannie qui n'a que trop duré. Le catholicisme espagnol, c'est « laissez venir à moi les biftons » et pour ce qui est des pauvres, le royaume des cons est à eux !

Le rire de Galtier-Boissière, géant hirsute et moustachu qui a toujours l'air de s'être recoiffé à travers une tornade, explose tel un obus assourdissant.

— « Le royaume des cons est à eux »… joli ! Je te la volerais volontiers, murmure-t-il à l'oreille de Robert qui note que même quand il baisse la voix, elle libère encore assez de décibels pour couvrir la conversation de leurs voisins.

L'attention de Robert dérive machinalement vers le miroir qui reflète la première salle. Il y découvre deux personnages qu'il n'a pas vus entrer et s'installer au fond, sur les banquettes en moleskine. Le premier attire pourtant l'attention par son embonpoint et cette vulgarité teintée d'arrogance. La dernière fois que Robert lui a adressé la parole, il l'a mouché publiquement. Il se souvient encore de la jubilation du jeune Pierre Berger, vengé de la gifle qu'Alain Laubreaux venait de lui administrer.

— Laubreaux est là, chuchote Robert à Henri Jeanson qui reconnaît à son tour le journaliste dans la glace. Sais-tu qui est son compère au visage de fouine ?

— C'est Lucien Rebatet, répond Jeanson. Un petit nerveux qui écrit dans *Je suis partout* et dans l'*Action française*. Il vit dans un monde terrifiant où les serres du judéo-bolchevisme menacent toujours de se refermer sur ses couilles. Ça l'angoisse beaucoup. Il a la gueule de l'emploi, tu ne trouves pas ?

Robert se marre, observant à la dérobée le nabot grimaçant qui ricane aux saillies de son compère. Ils ne semblent pas avoir remarqué que Léon Blum et les jeunes socialistes dînent à quelques mètres d'eux.

— Cette nouvelle amitié confirme ce que j'ai toujours pensé de Laubreaux, observe Robert.

— Il s'est longtemps cherché, mais il a fini par se trouver une nouvelle famille très accommodante, approuve Jeanson, tout sourire. Mon petit doigt m'a dit qu'il envisageait de rejoindre *Je suis partout*. Mais la question est : avons-nous envie qu'il soit partout ?

Dans le club fermé des feuilles d'extrême droite, *Je suis partout* est l'une des plus récentes, mais elle se distingue déjà par son admiration exaltée de Mussolini, sa fascination pour Hitler et un antisémitisme trempé dans les théories raciales de Montandon et de Gobineau. Ses rédacteurs allient jeunesse, férocité et ambition, déplorent la tiédeur de Maurras et abhorrent l'attentisme du colonel de La Rocque. Ils rêvent d'action, de coup d'État et d'un fascisme à la française qui doperait les virilités défaillantes.

— Si l'on considère la vase qui lui tient lieu de

cervelle, je pense qu'on peut être tranquilles, il n'ira nulle part, répond Robert en se levant.

Traversant la salle en direction des toilettes, il passe à proximité de Laubreaux et celui-ci le hèle joyeusement :

— Tiens, Desnos ! Je ne vous croise guère, ces derniers temps. Trop pris à la radio peut-être ? Ou trop occupé à cirer les pompes de Léon Blum ? Je vous présente mon ami Lucien Rebatet, dont la plume est redoutable. Nous pensons à réunir nos talents pour révéler les mensonges de la petite bande qui espère mener ce pays à sa perte.

Robert s'approche de leur table, frappé par le contraste entre la carnation sanguine de Laubreaux et le teint hépatique de son comparse, dont le cou de poulet étranglé par un nœud papillon évoque une plante d'appartement étirant sa tige poussiéreuse vers la lumière.

— Bonsoir Laubreaux, vous êtes venu fêter la victoire du Frente Popular ? Sale temps pour vos amis de l'Action française ! Je ne connais pas monsieur Rebatet mais il m'arrive de lire sa prose. L'étude des fientes de corbeaux est toujours instructive, à condition de se protéger des maladies qu'elles propagent.

Il s'éloigne déjà lorsque Lucien Rebatet prophétise à son intention :

— Dites-moi, Desnos, pensez-vous que nous allons continuer à tolérer le ramassis de métèques qui profite de notre laxisme pour engraisser sur notre dos et baiser nos femmes ? Ou nous laisser gouverner par un Juif et sa clique de Maçons ? Nous abritons trois millions de parasites, ce pays est le dépotoir de l'Europe. Mais le temps de vos amis est compté, tic-tac tic-tac… Le vôtre aussi d'ailleurs, car avec ce physique, vous aurez du mal à vous faire oublier quand nous lancerons le grand nettoyage.

À sa droite, Alain Laubreaux se rengorge et son rire ravive le souvenir de leur première dispute. Robert sent les terminaisons nerveuses de ses phalanges s'électriser.

— Notre ami Desnos n'aime pas qu'on questionne ses origines, persifle Laubreaux. Il préfère se nimber d'une brume surréaliste et fréquenter ses amis pédérastes du quartier latin. Mais ce qui m'étonne quand même, Desnos, c'est que le révolutionnaire que vous êtes n'ait aucun scrupule à soutenir « la fortune vagabonde »... Vous croyez vraiment que le baron Blum sera le défenseur des faibles et des opprimés ?

— Je l'espère, répond Robert. Mais le plus drôle, c'est que sans les exploits de vos bas-du-front, je ne suis pas sûr que les communistes auraient accepté l'alliance avec les rad-soc. À quelque chose malheur est bon, comme dit ma concierge ! Grâce à vos petits copains, nous allons gagner et les ligues seront dissoutes. Vous pourrez toujours demander l'asile politique à l'Italie ou à l'Allemagne... Cela dit, Hitler n'aime pas trop les Français, et il est moins coulant que nous sur la question des réfugiés.

Sans donner le temps de répliquer à son interlocuteur, il lui saisit la nuque et lui écrase la figure dans son assiette de choucroute fumante :

— Ça, c'est de la part des pédérastes surréalistes et des Juifs. N'oubliez pas de mâcher.

Il s'éloigne et croisant Marcellin Cazes qui s'approche inquiet, le rassure d'un sourire :

— Marcellin, monsieur Laubreaux mange salement, vous devriez être plus sélectif sur la clientèle.

— Le problème, Robert, c'est que tu cèdes trop facilement à la provocation, lui reproche Henri Jeanson deux heures plus tard, après qu'ils ont échappé non sans mal aux ligueurs qui, prévenus par Laubreaux, les attendaient en embuscade sur le boulevard Saint-Germain. À deux contre vingt, leurs chances étaient maigres, il leur a fallu courir vite et semer leurs poursuivants dans le lacis des petites rues derrière Saint-Sulpice. Ils ont fini par se réfugier dans la cage d'escalier d'un immeuble miteux qui, à en juger par la puanteur qu'elle exhale, sert de pissotière aux clochards du quartier. Au bord de l'apoplexie, Henri est partagé entre l'irritation et le fou rire :

— Tu sais que je déteste courir, mais après la choucroute de Lipp, ça relève de l'exploit ! souffle-t-il en se tenant les côtes tandis que Robert, en nage, rit à en perdre haleine.

Des lueurs se reflétaient dans la Seine.
On entendit courir des hommes,
Puis ce fut le bruit de la foule.

*

La foule a choisi de porter au pouvoir le Front populaire, et tout à coup il semble que l'hiver soit de l'histoire ancienne, que la vie ne soit plus faite que de lampions et de bals improvisés. On danse sur les boulevards, on s'embrasse sous les drapeaux, les robes de Youki s'envolent comme des châteaux de cartes. Il neige des pétales de cerisier et des promesses sur les épaules des promeneurs, qui savourent cet instant où tout est encore possible. Un ciel lourd d'orages s'est déchiré sur l'azur languide, des notes de piano dégringolent des fenêtres, un air d'accordéon relie les deux rives de la Seine comme des amoureux aimantés par le même rêve et le 14 juillet, qui a commencé le 3 mai, n'en finit pas de se dissoudre en étoiles filantes. Toute la France est en grève, mais c'est une grève joyeuse et bon enfant. Dans les usines occupées, on improvise des pique-niques et des concerts, le groupe Octobre et la troupe de Jean-Louis Barrault jouent pour les ouvriers, Robert participe aux animations, récite des vers pour les demoiselles des grands magasins et pour les soudeurs de chez Renault.

La mer n'est plus le privilège de ceux dont l'été dure trois mois. Deux semaines par an elle appartient à tous, et peu importe que les bourgeois déplorent l'envahissement de leurs plages, et reprochent à Léo Lagrange d'avoir créé « le ministère de la paresse ». Ces grincements de dents n'effarouchent pas les mômes émerveillés par le mouvement des marées, ceux qui n'osent pas s'approcher de l'eau, ceux qui hurlent de joie fouettés par l'écume, ceux qui découvrent l'apesanteur en même temps que la brasse, ceux qui décomposent les nuances de bleu avec un œil de peintre, ceux qui battent des paupières pour vérifier que la mer ne disparaît pas, ou pas trop loin, qu'elle finira par revenir.

Le cœur de Robert est gonflé comme une voile. Il balaie d'un sourire les prédictions d'André Masson, qui souligne combien la barque de Léon Blum est bancale, à l'heure d'affronter les vents contraires.

Taisez-vous, pythies drapées de murmures qui prétendez démontrer que ce bonheur est la pièce manquante de l'engrenage, une parenthèse dont la douceur aveugle notre clairvoyance. Même si le nombre de nos adversaires grossit sur la rive, même si aux quatre coins du monde, pendant que nous dansons, se met en place l'échiquier qui emportera notre belle utopie, laissez-nous savourer l'ivresse d'un été qui n'est pas forcé de finir.

Dans les derniers jours d'un mois de juin couronné par des conquêtes sociales historiques, Jean-Louis Barrault vient dîner rue Mazarine.

— Je viendrai accompagné, si ça ne te dérange pas, lui a-t-il annoncé mystérieusement en quittant la rue Bayard, après avoir travaillé sur son dernier projet radiophonique.

Robert est heureux que Jean-Louis ait accepté de s'y associer. À Madrid, Lorca lui a confié combien la poésie de Walt Whitman le bouleversait. Il l'avait découverte à New York. Pour lui qui venait d'un pays où l'on cache les corps, la poésie de Whitman était une révélation. Elle le saoulait et lui tournait la tête, déchirant le rideau sur un monde où le sexuel et le spirituel n'étaient plus antinomiques, mais aussi inséparables que l'eau et la terre. Dès son retour à Paris, Robert s'est procuré une version de *Feuilles d'herbe* auprès de Sylvia Beach et pour lui, les vers de Whitman resteront attachés à ce printemps de l'espoir, à l'élan généreux qui dilatait la ville. Il se souvient d'une soirée de mai où il avait rejoint Prévert et sa bande qui jouaient *La Bataille de Fontenoy* dans une usine en grève. Devant le portail, des gens qui hier se croisaient sans se voir s'arrêtaient pour bavarder. Une chaîne de solidarité s'était créée pour le ravitaillement des grévistes. On dansait dans la cour. C'est à cet instant précis qu'il a eu l'idée d'adapter le *Salut au Monde !* pour la radio. Pour que ce qui s'était entrouvert ne se referme pas. Avec Alejo, il veut créer un film sonore inspiré par le poème de Whitman. À mesure que Jean-Louis en fera résonner les vers sur les ondes, ils s'accompagneront de musiques et de sons évoquant les nations, les ethnies que Whitman salue fraternellement au nom de l'Amérique. Pour composer la bande sonore, Robert s'abandonnera à la libre association des mots et des bruits, laissera le poème le guider, avec pour seule boussole son intuition surréaliste. Il compte sur Jean-Louis pour exalter le lyrisme de Whitman et la force de ce regard qui englobe tous les êtres humains sans distinction de race ou de couleur, restituant à chacun sa richesse. Robert a obtenu que l'émission soit diffusée le 4 juillet, jour anniversaire de l'Indépendance américaine, qui est aussi le sien.

Une brise douce entre par les fenêtres de l'appartement de la rue Mazarine. Ce soir, le vent renvoie le carillon lointain de Saint-Germain-l'Auxerrois, au moment où les cloches de Saint-Germain tintent à la volée pour la messe du soir. Youki a préparé de délicieux hors-d'œuvre, elle porte une longue robe en mousseline de soie resserrée à la taille dont les teintes fauves s'harmonisent avec ses yeux. L'averse qui l'a cueillie tout à l'heure fait onduler ses cheveux, qui descendent sous les oreilles et ont la teinte des châtaignes dans une flambée d'automne. La Sirène n'est plus blonde et se plaint que son corps s'est arrondi, elle lutte contre les kilos superflus à grand renfort de gymnastique, mais sa beauté en est plus émouvante, et son sourire creuse ces fossettes qu'il aime redessiner du bout des doigts. Avant que Jean-Louis ne signale son arrivée par un sifflement joyeux, grimpant les escaliers quatre à quatre, Robert attire sa bien-aimée sur ses genoux et remonte sa main sous la soie pour atteindre le creux vulnérable de l'aine. Youki proteste et se tortille comme la petite chatte tigrée, quand elle se dérobe à la caresse qu'elle espère.

— Laisse-toi faire..., murmure Robert en lui mordillant l'oreille.

— J'entends Jean-Louis ! l'interrompt-elle en le bâillonnant de la main, charmeuse et autoritaire.

Il ne déteste pas cette situation et la prolongerait volontiers.

— Tu ne perds rien pour attendre, soupire-t-il tandis qu'elle s'échappe.

Derrière le Centaure se tient un petit bout de femme au visage pointu dont les yeux rient malgré le rose de la timidité. Elle est aussi menue que célèbre, et Robert et Youki n'en reviennent pas de trouver Madeleine Renaud sur leur palier. Il est étrange de la rencontrer avec cette impression de la connaître, pour l'avoir si souvent admirée au théâtre ou au cinéma. Sa voix flûtée et ses traits expressifs leur sont familiers, ils l'ont vue pleurer et vibrer d'amour retenu, et voilà qu'elle se tient là, toute droite sur une chaise de cuisine, refuse poliment un toast, accepte un verre de bourgogne, et sa main cherche celle de Jean-Louis au-dessus de la table.

— Madeleine était inquiète à l'idée de ce dîner, dit Jean-Louis en la couvant du regard. Je lui avais dit qu'elle allait rencontrer la plus belle femme de Montparnasse et un grand poète que j'admirais beaucoup. Elle habite un hôtel particulier à Passy. Autant dire qu'elle a éprouvé un choc en découvrant ma vie d'anarchiste bohème !…

— S'il te plaît, Jean-Louis, ne me fais pas passer pour une sainte nitouche échappée du couvent des Oiseaux, le coupe Madeleine d'une voix douce. Si je l'étais, je serais restée sagement chez moi à élever des kyrielles d'enfants au lieu de passer mes soirées sur la scène de la Comédie-Française, tu ne crois pas ?

Jean-Louis se rachète en lui baisant la main. Youki, qui n'y tient plus, leur demande comment ils se sont rencontrés.

— C'est Jean Benoît-Lévy qui m'a parlé de Jean-Louis, dit Madeleine d'un air mutin. Il pensait à lui pour le premier rôle d'un film qu'il venait de me proposer. Il m'a dit : « J'ai découvert un jeune homme que je veux vous présenter. Il n'est pas beau, mais il a un regard et un sourire. » Il a ajouté qu'il était sauvage et sale. Alléchant, n'est-ce pas ? Je lui ai dit que je voulais bien le rencontrer à condition qu'il se lave, se rase et ne me morde pas. Il s'est gentiment plié à mes exigences et il a débarqué chez moi quelques jours plus tard, me déclarant sans préambule qu'il détestait la décoration de mon appartement ! Comme je lui demandais si je devais foncer un peu mes cheveux pour le rôle, il m'a répondu qu'en tant que futur amant, il les aimait comme ils étaient.

— Ah, tu te venges en me faisant passer pour un mufle ! rit Jean-Louis. Tu oublies de leur dire que pendant le tournage, je t'ai fait une déclaration d'amour que je n'aurais imaginé faire à personne. Tu te souviens de ce que je t'ai dit ?

— Que ma vie était glorieuse mais factice, répond Madeleine en soutenant la flamme de son regard. Que je n'étais pas heureuse, et que mon âme était grise.

— J'ai ajouté que j'étais cet homme inachevé qui t'avait attendue sans le savoir. Qu'il n'y avait que toi qui pouvais me faire advenir. Que cet amour nous ferait éclore, et que nos âmes deviendraient lumineuses.

— Comment résister à cette proposition ? sourit-elle. On ne lutte pas contre le destin.

Robert est ému de voir Jean-Louis si profondément amoureux. C'est un homme qui est fait pour brûler, en se consumant il réchauffe les autres. Il ne s'économise pas, ne garde rien de réserve. Séduisant comme par inadvertance, il n'a jamais confondu l'amour avec les embrasements passagers. Robert se retrouve dans cette manière d'aimer absolue, entière.

— C'est bon de te voir heureux, mon vieux…, lui glisse-t-il au moment du départ.

Gagnée par l'émotion, Madeleine lui serre longuement la main et embrasse Youki qui est tombée sous son charme.

— Au fond, Jean-Louis et toi vous êtes pareils, déclare la Sirène un peu plus tard, dans cet instant d'après la fusion des corps où elle se détache de lui pour ne pas se perdre. Tant d'amour à la fois, c'est effrayant, tu sais. Il faut pouvoir le supporter.

— Mais mon amour n'est pas un filet, et tu n'es pas ma prisonnière..., murmure Robert dans cet état flottant qui précède le sommeil. La seule chose que tu ne peux pas me demander, c'est de t'aimer moins.

Le 4 juillet, *Le Salut au Monde !* est diffusé sur les ondes du Poste parisien et recueille un tel succès que la direction des studios Foniric envisage une série d'émissions prolongeant cette promenade sonore à travers les nations. Robert est ravi. En soulignant la richesse des différentes cultures, il combat ceux qui érigent des barbelés et des quotas, comparent la taille des crânes pour en déduire l'infériorité des races, dissertent de la pureté du sang comme on parlait de sang bleu, avant que la guillotine ne démontre que le sang est toujours rouge quand il coule.

Un soir, à la terrasse des Deux Magots, il pense à Pascin, à Foujita et à Tzara, à Modigliani et à Soutine. Il pense à Man Ray, à Bessie, qu'il a laissée partir mais dont le souvenir tendre l'accompagne encore. Il pense à ceux qui ne sont plus là, à ceux qui sont arrivés un jour de Roumanie, de Bulgarie ou d'Ukraine avec une petite valise et une poignée de pinceaux, ou qui serraient dans leur main un stylo qui était leur bien le plus précieux. Il les voit grelotter dans les soupentes, frottant leurs rêves comme des allumettes. Il entend leurs accents résonner dans les rues de Montparnasse, par ces nuits incandescentes où l'amitié leur tenait chaud.

Il lève son verre à Alain Laubreaux, qui n'est pas là pour l'entendre :

— Les métèques te saluent, même si tu ne mérites pas cet honneur. Tu vas apprendre de quel bois ils se chauffent.

Mais lui, loin des signaux fleuris le long des voies
Parcourait une plage où se brisait la mer :
C'était à l'aube de la vie et de la joie
Un orage, au lointain, astiquait ses éclairs.

13

Le bel été 36 s'est terminé le 18 juillet mais ils ne l'ont pas réalisé tout de suite.

La nouvelle du coup d'État des généraux espagnols a retenti comme un coup de feu dans un matin paisible. Ces officiers sanglés dans leurs uniformes qui prétendaient reconquérir l'Espagne sonnaient lugubrement aux oreilles de Robert, mais il paraissait impossible que le monde laisse mourir la République espagnole sans lever le petit doigt. Un mouvement spontané naissait déjà, des dizaines de milliers de citoyens se précipitaient dans la rue avec des armes de fortune pour défendre une liberté durement acquise. Et puis le bruit a commencé à courir que les Rouges profitaient de la rébellion nationaliste pour massacrer les prêtres, les grands propriétaires terriens, les notables. Des images d'églises brûlées, d'exécutions ont inondé les journaux européens, réveillant la grande peur d'une Révolution bolchevique.

Ces meurtres étaient sans doute le fait d'une bande d'incontrôlables tels qu'en enfantent les temps troublés, mais ils démontraient que la République était impuissante à faire régner l'ordre.

Léon Blum voulait porter secours aux républicains

espagnols mais il a dû reculer, parce que les radicaux menaçaient de faire imploser le Front populaire et le Royaume-Uni de rompre son alliance militaire avec la France. Les nations européennes ont signé un pacte de non-intervention que l'Allemagne et l'Italie n'ont pas été longs à violer, envoyant aux fascistes des troupes et un arsenal flambant neuf. Face à une armée républicaine presque dépourvue de cadres, sans armes et sans expérience de la guerre, une armée en guenilles qui compte des femmes et des enfants, l'armée franquiste dispose de contingents de Maures, d'Italiens et de nazis, d'officiers aguerris, de chars, de fusils mitrailleurs et de bombardiers.

Fin septembre, Neruda a été démis de ses fonctions à Madrid et s'est réfugié en France. Quand ils se retrouvent dans un café de la place Dauphine, non loin de l'appartement que Pablo partage avec d'autres réfugiés espagnols, l'ancien consul du Chili à Madrid a la mine aussi funèbre que la nouvelle qu'il apporte :

— García Lorca est mort, Robert... Les phalangistes l'ont assassiné. On ne connaît pas la date de sa mort, ils ont enveloppé leur crime de fumée. Ils ont d'abord prétendu qu'il s'était suicidé, puis que les Rouges l'avaient tué.

Robert est sous le choc. Ils sont en terrasse, profitant de la suavité de cette matinée de septembre. Près d'eux, les serveurs dressent les tables pour le déjeuner comme si rien ne devait troubler le cours d'une journée paisible. Le parfum des marronniers se mêle aux effluves de pot-au-feu et de blanquette. Des amoureux se parlent à l'oreille et la fille rit, renversée vers son amant qui pique son cou de baisers voraces.

— Un soir de la fin juillet, poursuit Pablo avec émotion, je devais le retrouver pour assister à un combat de catch au Circo Price de Madrid. J'espérais lui changer les idées car le climat insurrectionnel le rendait très nerveux. Il y avait des barrages de miliciens partout, des détonations éclataient, on voyait s'écrouler quelqu'un sur le trottoir, ou bien un corps était jeté d'une voiture qui redémarrait en trombe... Des églises brûlaient... Et surtout, il y avait toutes ces rumeurs sur l'avancée des franquistes, et Federico avait peur. Il n'est pas venu à notre rendez-vous. Il a pensé qu'il serait plus en sécurité chez ses parents. Quand les phalangistes ont pris Grenade, ils sont venus le chercher. Il a tenté de leur échapper en se cachant chez un de ses amis qui appartenait à la Phalange, mais il n'a pas pu le protéger. Ils l'ont pris, Robert, et ils l'ont tué. Ils ont tué un grand poète et un merveilleux musicien, un homme rayonnant. Il ne faisait pas de politique, mais il aimait la justice et la liberté et il aimait le peuple. C'est pour ça qu'ils l'ont tué.

Les paroles de Pablo se brisent sur ses larmes et Robert ne peut retenir les siennes. Les serveurs les observent avec perplexité, songeant peut-être qu'il est rare que les hommes pleurent et que ces deux-là doivent avoir une bonne raison.

Un peu plus tard, Neruda lui raconte ce jour où Lorca s'était rendu avec la troupe de la Barraca dans un lointain village de Castille. À perte de vue, le regard s'égarait sur les rubans d'or des champs de blé, où des silhouettes de moulins ou de châteaux forts apparaissaient soudain comme des mirages. Ils avaient campé près du village. Cette nuit-là Federico n'avait pu fermer l'œil. Au lever du jour il était allé marcher seul, s'enfonçant dans un brouillard épais qui escamotait le paysage et lui donnait la consistance d'un rêve. Il avait marché longtemps, jusqu'à ce que le rideau de brume se déchire sur une grille rouillée protégeant les reliefs d'un manoir féodal. La brise s'était levée et faisait tourbillonner les feuilles mortes. Et le poète songeait que l'âme de l'Espagne était dans ces ruines arc-boutées contre le vent. À cet instant, il avait ressenti le pressentiment de quelque chose d'inéluctable. Le souffle coupé, il s'était assis sur un morceau de colonne éboulée.

C'est à cet instant qu'il avait découvert l'agneau broutant entre les ruines, aussi fragile et incongru que s'il avait pris chair du brouillard. Ce petit animal chaud et tendre qui broutait tranquillement l'avait réconforté. Mais au même instant, cinq porcs noirs avaient surgi, affamés, flairant la présence de l'agneau. Ils s'étaient jetés sur lui et l'avaient dévoré sous les yeux de Federico qui demeurait pétrifié, incapable de crier. Au bout d'un temps interminable, il avait réussi à se lever et à fuir, abandonnant les bêtes repues de carnage, leurs groins barbouillés de sang. Il avait abrégé la tournée en Castille et la troupe était repartie le jour même.

— Il m'a confié cette histoire avant le début de la guerre civile, continue Pablo. Elle l'obsédait comme une prémonition. Ce matin-là, sa mort s'était jouée une première fois devant ses yeux.

— Quels sauvages peuvent assassiner un poète ? interroge Robert.

— Ceux qui ont déclaré la guerre à l'intelligence et dont le cri de ralliement est « *Viva la muerte* », Robert.

Quand ils se séparent, Robert traverse le Pont-Neuf. Mais il a beau remarquer la beauté de ce jour, les gouttes de soleil scintillant sur les feuilles et la grâce lente des bateliers sur la Seine, elle ne le touche pas.

La tranquillité de ce monde est un trompe-l'œil.

Il y aura d'autres prédateurs, d'autres cris étouffés par la brume.

Alerte !
La rouge moisson des libertés s'apprête
Alerte !
Demain, cette nuit, aujourd'hui
Alerte !
García Lorca est déjà mort.

La mort de Federico s'est inscrite dans son corps. C'est une empreinte, un avertissement. La certitude que les fascistes veulent leur mort et que leur seule alternative, désormais, sera de les combattre ou de se laisser tuer. Et cette lutte sanglante où se joue la liberté du monde commence là, dans le cœur rouge de l'Espagne.

Si ce cœur faiblit et s'arrête, ils seront tous atteints, irrémédiablement.

Au début de l'année 37, la Maison de la culture organise un hommage à Lorca. Robert prend la parole pour présenter Neruda avant que celui-ci n'évoque Federico devant une salle comble. Ensuite, Robert récite la cantate qu'il a composée. Même sans accompagnement musical, elle fait naître une profonde émotion et le poète est longuement applaudi. À la sortie, Aragon vient le féliciter avec une chaleur sincère mêlée d'embarras. Mais très vite, parce que le temps a égalisé et oblitéré les offenses, ils se retrouvent comme s'ils ne s'étaient jamais déchirés et Robert réalise qu'il lui a manqué. Aragon a changé, il s'est épanoui loin de la férule de Breton et a pris une autre dimension. Son intelligence hyperactive se déploie au sein des activités culturelles du Parti communiste, il écrit des articles et des romans. Dans son ombre se tient Elsa, dont le regard amoureux et vigilant ne s'éloigne jamais. Ils passent la soirée avec Neruda, et Aragon propose à Robert de rejoindre l'équipe de *Ce Soir*, le journal qu'il est en train de créer. Robert accepte avec joie d'y tenir la chronique musicale.

Chaque jour, Robert retrouve Neruda et leurs amis José Bergamín, Rafael Alberti, Manuel Altolaguirre et Joan Miró. Ils militent pour qu'on envoie à la République espagnole ces armes et ces hommes dont elle manque cruellement. L'URSS s'est rangée au côté des républicains et vient de créer les Brigades internationales. Mais le rapport des forces demeure trop inégal, et le ciel d'Espagne vibre jour et nuit du grondement des anges exterminateurs de la légion Condor, qui distribuent la mort comme les prêtres fascistes l'absolution aux tueurs et aux tortionnaires. La croix des catholiques est désormais indissociable des flèches et du joug de la Phalange, de la croix gammée, du faisceau italien. Robert sait que Léon Blum a fait passer clandestinement des armes de l'autre côté de la frontière avec la complicité de Pierre Cot et de Jean Moulin. Mais cela ne suffit pas et il a les mains liées par les radicaux et les Britanniques, qui restent sur leur position malgré le sabotage de la politique de non-intervention. Robert enrage à la pensée de ces diplomates qui se congratulent de leur prudence et regagnent leurs chambres d'hôtel, pendant qu'en Espagne on massacre les ouvriers et les poètes, les paysans et les instituteurs. Les bombes fauchent les enfants qui jouent dans les ruines, les vieilles qui rentrent du marché, les mendiants.

Fin septembre, Madrid a dû son salut à l'impulsion de Franco de détourner ses troupes vers Tolède. En novembre, alors qu'on se battait pour chaque mètre de terrain dans la cité universitaire et que les franquistes soumettaient la ville à d'incessants bombardements de terreur, le Caudillo a reculé devant la résistance des Brigades internationales et des volontaires civils.

Mais les nationalistes ont conquis en quelques mois plus d'un tiers de l'Espagne et le Pays basque est désormais coupé de la France et des républicains. Combien de temps tiendra-t-il contre un ennemi supérieur en force et en nombre ?

En mars, les franquistes et les Italiens qui tentent d'encercler Madrid s'enlisent dans des combats sanglants sur la route de la Corogne ou de Guadalajara. Au prix de dizaines de milliers de cadavres, la capitale espagnole reste aux mains des républicains.

Robert n'a que sa plume pour se joindre à l'effort désespéré de ces hommes qui tentent de forcer un destin contraire. Il écrit un chant de lutte.

Nuits, Jours et nuits sombres !
Feu, Sang et décombres !
Sang clair des libres Espagnols !

Un samedi de la fin du mois de mai 37, l'appartement de la rue Mazarine vibre comme toujours de conversations à bâtons rompus, de rires et de musique. Il est bien sûr question de l'Espagne. Certains des invités en reviennent. Théodore Fraenkel et son ami le psychiatre Gaston Ferdière sont allés soigner les blessés sur le front républicain, Jeanson y a rejoint Saint-Exupéry comme correspondant de *L'Intransigeant.* Hemingway, qui couvre la guerre civile pour la *North American Newspaper Alliance,* rentre juste de Madrid. Il a suivi le siège de la ville et fait halte à Paris avant d'aller retrouver sa femme et ses enfants aux États-Unis. L'écrivain à la carrure de trappeur a les traits tirés, le teint cuivré par le soleil et le vent. Il arrive les bras chargés de bouteilles de rhum et de whisky, manque de broyer Youki entre ses bras, s'enquiert de la santé de chacun des chats et insiste pour faire goûter à Robert le contenu de la flasque qui ne le quitte jamais.

— De l'absinthe ?… sourit Robert en reconnaissant le goût anisé du breuvage. *Thats what you were drinking on the battle field ?*

— *Indeed, Bob !* rugit Hemingway. *A little taste of Paris. And it cures everything. Everything !*

Lorsque Robert lui demande s'il est heureux de retrouver sa famille dans quelques jours, Papa, comme on l'appelle affectueusement, répond qu'il préfère l'action, être au cœur des choses. Robert ne le sent pas tenaillé par l'envie de retrouver une épouse qui sympathise avec les franquistes. Il explique qu'il doit rentrer pour défendre la cause républicaine auprès d'un public américain que la menace bolcheviste effraie plus que l'éventualité d'une victoire fasciste. En Espagne, il a participé au tournage d'un film nommé *The Spanish Earth* qu'il veut diffuser partout aux États-Unis. Il en a écrit le commentaire. Dans un français malmené qui finit toujours par retrouver l'anglais, l'Américain évoque avec Théodore Fraenkel le quotidien dans Madrid bombardé, la pénurie de vivres et de matériel médical.

— Ils ont fait partir tous ceux qui pouvaient. Beaucoup d'enfants. Ceux qui restent… *They've nowhere to go. Their only life is there, they will survive or die with the city.*

André Masson, que la guerre civile a chassé de sa douce retraite de Tossa de Mar, bavarde avec Félix Labisse et Jean-Louis Barrault. Il a créé les décors et les costumes de *Numance*, que Jean-Louis vient de mettre en scène triomphalement au théâtre Antoine. Jean-Louis a choisi cette œuvre par solidarité avec les républicains espagnols, car la tragédie de Cervantès glorifie la résistance et la dignité d'un peuple prêt à mourir pour la liberté. Il a monté la pièce en deux semaines, dans une fièvre dont Robert était le confident privilégié. Le jeune metteur en scène avait prévu deux actes : le premier racontant le siège de Numance, le second sous la forme d'une danse macabre qui s'achèverait en hécatombe générale : les Romains, entrant en conquérants dans la ville, n'y trouvent que des cadavres. Mêlant le mime, le théâtre et la danse, Jean-Louis y interprète la mort, la maladie, la fureur et la folie, sur une musique composée par Alejo Carpentier et Wolff. Chaudement félicité, il interpelle le maître de céans :

— Robert, on me congratule mais c'est toi qu'ils devraient remercier ! Sans toi, *Numance* n'existerait pas !

— Tu n'as pas un peu fini de dire des âneries ? proteste le poète en remplissant les verres.

— Tu oublies qu'à deux jours de la générale, je n'avais plus un sou dans la caisse ! s'écrie Jean-Louis en se levant. Il me manquait six mille francs pour finir le spectacle et madame Kaminka, première costumière de Paris, était venue me livrer les costumes et menaçait de les remporter si je ne la payais pas sur-le-champ ! J'étais aux cent coups, comme dirait Desnos, ajoute-t-il avec un masque d'angoisse. Comme tous les jours, Robert assistait à la répétition, poursuit-il en mimant le poète en train de rouler des yeux et de fumer sa pipe. Madame Kaminka n'était pas d'humeur à plaisanter…

Déclenchant le rire des spectateurs, il joue la costumière tapant du pied avec un visage empourpré d'indignation.

— Robert tentait sur elle un des numéros de charme dont il a le secret, mais sans beaucoup de succès.

Les rires redoublent tandis qu'il imite les œillades outragées de la costumière aux prises avec la parade nuptiale de Robert.

— En désespoir de cause, il l'a suppliée de l'attendre le temps d'une course. Et il est revenu avec les six mille francs qui sauvaient le spectacle d'une mort prématurée ! En conséquence de quoi, Robert sera privé de vacances pendant deux ans, et moi je suis son obligé pour l'éternité.

Les convives applaudissent tandis que Youki s'exclame :

— C'est vrai ? On ne pourra pas retourner à Belle-Île ?

Elle a l'air si déçue que Robert pose son verre pour l'enlacer et lui murmure à l'oreille :

— Ne t'en fais pas, mon amour. Je m'arrangerai, je travaillerai nuit et jour s'il le faut mais tu les auras, tes vacances à Belle-Île… j'ai déjà réservé l'Apothicairerie pour l'été prochain.

Prévert leur avait tant parlé de Belle-Île qu'ils ont voulu la découvrir. Ils y ont passé deux semaines paradisiaques, pêchant dans les criques et nageant nus au large de la plage de Bordadoué. Robert n'a qu'à fermer les yeux pour retrouver le goût de sel sur la peau de Youki, ses sourires radieux et ensommeillés, son corps offert dont le soleil soulignait les pleins et les ombres.

Il rattrape la conversation d'Hemingway au moment où ce dernier parle à Théodore Fraenkel d'Enrique Lister, un des chefs de l'armée républicaine. Ce jeune carrier de Galice formé à Moscou l'a impressionné par son énergie et son charisme. C'est un leader-né. Si la République l'emporte, ce sera grâce à des combattants de cette trempe, affirme Papa en vidant son quatrième whisky.

— Il fait partie des cadres qui forment les nouvelles recrues ? interroge le Doc. Quand je suis allé à Barcelone en septembre, j'ai été frappé par l'amateurisme des milices. La grande majorité des volontaires ne savaient pas se servir d'un fusil. Apparemment, leur entraînement s'était surtout résumé à ne pas apprendre à marcher au pas, conclut-il, sarcastique.

Hemingway approuve bruyamment :

— *That's right! But now the Communist have put that in order and it's much better.*

— Les communistes ont peut-être mis tout ça en ordre, observe Robert en anglais, mais mes amis espagnols s'inquiètent de la guerre que les tchékas soviétiques mènent contre les anarchistes à l'arrière des fronts. On parle de tortures, d'assassinats… As-tu assisté à ces règlements de comptes ?

La question semble déranger Hemingway, qui prend le temps de remplir son verre et insiste pour resservir ses interlocuteurs.

— La vérité, Bob, c'est que si les Russes n'étaient pas là, Franco serait déjà maître de l'Espagne. Moi je suis du côté de la République. Et aujourd'hui le meilleur atout de la République, ce sont les communistes. Ils ont les chars, les équipements, la stratégie, l'expérience militaire.

— Peut-être, mais les milices de volontaires ont tenu le front pendant des semaines avant l'arrivée des Russes, le coupe Robert. Pour résister aux chars et aux mitrailleuses, ils n'avaient que leur courage et des tromblons datant de la dernière guerre ! Et pour les remercier, Staline les fait assassiner ?

— Mon vieux Bob, j'ai eu cette discussion avec Dos Passos et j'ai perdu un ami, mais je n'ai pas changé d'avis : on ne gagne pas une guerre avec des voleurs de chevaux. Les anarchistes n'obéissent à personne, ils sont plus préoccupés par la Révolution que par la victoire. Les exécutions dont on m'a parlé concernaient des traîtres. Peut-être qu'il y a des règlements de comptes. C'est une guerre sale, comme toutes les guerres. Il y a des saloperies dans les deux camps mais les fascistes sont les pires. Il suffit de regarder ce qu'ils ont fait à Badajoz ou à Guernica ! Tu veux mon avis ? Le monde ne demande pas mieux que d'entendre parler des staliniens sanguinaires, il laissera crever l'Espagne avec la conscience tranquille. Bob, tous les jours à Madrid, j'ai vu ces gens. Ceux qui mouraient sous les bombes, ceux qui ramassaient les corps et déblayaient les gravats. Ils ne pourront pas vivre dans un pays fasciste. Où iront-ils ?

— Tu as raison, Papa, admet Robert. Il faut d'abord gagner la guerre, ensuite on réglera les comptes… Tu crois qu'on peut encore gagner ?

— Oui, je crois, répond l'écrivain en caressant le chat Jules qui a sauté sur ses genoux. Les Espagnols ne sont pas faits pour la guerre, mais ils sont braves. Ce sera dur, mais on gagnera et j'écrirai un livre sincère sur tout ça. Maintenant c'est trop tôt. C'est comme si j'avais écouté trop de musique forte, je n'arrive plus à entendre les notes délicates. Bob, toi tu comprends ça, pas vrai ?

Hemingway s'est montré optimiste. À la fin juin, le Pays basque est aux mains de Franco et les offensives de Vincente Rojo, le chef de l'état-major des forces de défense, saignent les effectifs des Brigades internationales sans parvenir à endiguer l'avancée inexorable des fascistes. En juillet, Pablo Neruda et Alejo Carpentier participent au IIe congrès international des écrivains pour la défense de la culture, qui se tient à Barcelone, Valence et Madrid. Alejo rentre très éprouvé de ce voyage, et parle à Robert de cette vieille femme qui s'est approchée de lui pour lui dire : « Défendez-nous, vous qui savez écrire ! », ou de sa rencontre avec ce romancier allemand qui dirigeait un régiment des Brigades internationales, et lui a confié que c'était ici, sur le sol d'Espagne, qu'il avait réalisé que la vie d'un artiste était privée de sens si elle ne se confondait pas avec son œuvre. Robert mesure la justesse de ces paroles. Il n'a jamais senti avec plus d'acuité que la vie et l'œuvre ne font qu'un, que c'est en s'alimentant l'une l'autre qu'elles deviennent fécondes.

La poésie, le théâtre, la peinture et la musique peuvent triompher de la peur et de la haine, créer des ponts entre les hommes.

Même si le temps presse, il est encore temps.

Insiste, persiste, essaye encore.
Tu la dompteras cette bête aveugle qui se pelotonne.

Pendant l'été, tandis que l'armée exsangue de Vincente Rojo jette ses dernières forces dans la sanglante bataille de l'Èbre, Robert et Youki se reposent au rythme des marées de Belle-Île. En septembre, ils découvrent les charmes de la forêt de Compiègne avec Jean-Louis et Madeleine, Théodore et Ghita. Robert s'enfonce dans les bois pour cueillir ces champignons dont il raffole. Les journées s'étirent en promenades à vélo, baignades dans les ruisseaux glacés, dîners arrosés sur la terrasse de l'auberge de Vaudrampont, où ils ont pris leurs quartiers de sauvageons amoureux. Le matin du départ, Robert va saluer la forêt et grave ses initiales et celles de Youki dans l'écorce d'un arbre. Avant de quitter le relais, il s'attarde pour en contempler la façade, son crépi usé et ses colombages rongés par les pluies.

Ici nous avons été heureux, songe-t-il. Ma Youki, tu oubliais tes vieilles préventions pour te laisser aimer loin des tentations de Paris. Tu t'enivrais sans hâte et sans excès, juste pour le plaisir de flotter un peu.

Au milieu de nos amis, dans cette nature somptueuse, je me sentais enfin en paix.

Je mesure le prix de ces instants et j'espère que nous en vivrons beaucoup d'autres, mais je n'en suis pas sûr.

À cet endroit de la forêt il y a les débris d'une bouteille
Un vieux livre que les pluies et les rosées renvoient
[au terreau
Une plume d'oiseau
Un morceau de silex
Une empreinte de pas profondément marquée dans la terre
Et quelqu'un, peut-être, passera là au jour et à l'heure de
[ma mort

*

Ghita l'a prié de venir le voir, elle semblait désemparée. Il ne peut rien refuser à la femme de Théodore. Elle l'a accueilli si souvent quand il fuyait la rue Lacretelle désertée par Youki, lui offrant la chaleur de son amitié et sa compréhension. Quand il la quittait, il était apaisé et prêt à pardonner à la Sirène jusqu'à la prochaine fois. Lorsqu'il sonne au 47 de l'avenue Junot, le Doc est absent et la bonne l'introduit dans le grand salon tapissé de tableaux qui donne sur l'avenue ombragée et tranquille.

— C'est un modèle de Madeleine Vionnet ? interroge Robert en connaisseur, admirant la ligne exquise de la robe rose pâle qui voile juste ce qu'il faut de la beauté de la jeune femme.

— Non, de Ghita Fraenkel ! corrige-t-elle avec une fierté légitime.

— Tu n'as que des qualités, en somme, dit Robert.

— Je ne suis pas sûre que Théodore soit de ton avis..., soupire Ghita. Il m'a quittée sans un mot ce matin et je crains qu'il ne se dégèle pas de sitôt.

— Querelle d'amoureux ? demande Robert qui devine que cette brouille a motivé leur entrevue.

Le Doc endure avec mauvaise grâce la vie mondaine de son épouse. Ghita reçoit beaucoup et accepte toutes les invitations, de préférence celles dont le raffinement indispose le docteur, réveillant en lui des fureurs dadaïstes.

— Non, cette fois il s'agit de Jean. Il nous a invités dimanche à un déjeuner familial, et Théodore et lui se sont violemment disputés à propos de l'Allemagne. Mon père s'est rangé du côté du Doc et j'ai défendu mon frère. Depuis, mon mari ne me parle plus. C'est terrible, Robert. Comment peut-on se déchirer pour des histoires de politique ?

Robert pèse ses mots. Ghita ressemble à Youki, leur vie se déroule d'une fête à l'autre à l'abri des fracas du monde. Elle admire ce frère brillant et mondain que la lumière attire comme une phalène. Et de la même manière que Jean Luchaire occulte les crimes nazis pour ne voir que la jeunesse éclatante défilant au son des fanfares, le faste des monuments d'Albert Speer et le romantisme de la geste hitlérienne, serrant sans réticence la main des assassins, la jeune femme ne voit pas son frère se compromettre un peu plus chaque jour, acceptant que *Le Temps* soit financé par l'argent nazi, et servant la propagande de son ami Otto Abetz par des articles qui vantent la renaissance d'une Allemagne heureuse et triomphante.

— Ma chère Ghita, la politique affecte nos vies. Franco est en train de gagner la guerre grâce à Mussolini et à Hitler. Comment Théodore pourrait-il voir d'un bon œil les amitiés nazies de ton frère ? Le Führer est en train de dévaster l'Europe, il fait la guerre aux Juifs et les prive de tous leurs droits, mais ça, ton frère n'en parle pas. Pour lui, ce sont des détails !

— Bien sûr, c'est affreux et très inquiétant. Mais Jean est quelqu'un de bien, il ne ferait pas de mal à une mouche. Il a toujours aimé jouer avec le feu mais j'ai confiance en lui, il n'ira jamais trop loin. Son amitié avec Otto Abetz date de la République de Weimar ! Je suis sûre que les lois antisémites le dégoûtent autant que nous. Mon père l'a désavoué par voie de presse, il dit que les articles de Jean le gênent vis-à-vis de ses amis juifs… N'est-ce pas terrible de dire publiquement que son fils lui fait honte ?

— Je me fous que ton frère ait partagé de longues veillées au feu de bois avec Abetz, qu'ils aient arpenté la Forêt-Noire en tenue bavaroise et yodlé de concert, répond Robert avec un sourire. Aujourd'hui Abetz est l'ambassadeur d'Hitler, il se sert de Jean pour rendre les nazis fréquentables auprès de l'opinion française. S'il joue avec le feu, c'est avec des incendiaires de grand calibre, qui le brûleront pour arriver à leurs fins. Il est temps de lui ouvrir les yeux, tu ne crois pas ?

Les mois passent et n'apportent que des mauvaises nouvelles. Les dépouilles des républicains espagnols rougissent les eaux de l'Èbre, et les deux cents familles ont eu la peau du Front populaire. La ronde des ministères a repris, trois petits tours et puis s'en vont. Les diplomates sont les champions de la paix, ils abandonnent l'Europe morceau par morceau pour apaiser la faim grandissante de l'ogre. Parce qu'on ne va tout de même pas mourir pour l'Espagne, pour les Sudètes ou pour Dantzig. Parce que l'Autriche revient au Führer qui y est né. Parce qu'on ne tenait pas tant que ça aux Tchèques. Pour accueillir les dizaines de milliers de réfugiés traqués par Franco, la France a bâti des camps de concentration, selon un modèle allemand qui a fait ses preuves. Tous les jours, en ouvrant ses journaux, Robert trouve de quoi nourrir sa colère. Pour qu'elle ne se consume pas en pure perte, il la transforme en énergie et il écrit, agit.

En hommage à Paul Deharme, il a monté à la radio la première émission d'onirocritique radiophonique. *La Clef des Songes* est diffusée le soir sur l'antenne du Poste parisien. Robert y interprète les rêves que les auditeurs lui envoient par courrier et met en ondes les plus radiogéniques. Le ton de l'émission est ludique et léger, elle remporte déjà un succès populaire. Les récits oniriques affluent désormais rue Bayard. Pour les déchiffrer, Robert ne peut s'appuyer sur la psychanalyse, qui met au jour trop de pulsions sexuelles pour une émission familiale à une heure de grande écoute. Il a choisi la clé antique d'Artémidore d'Éphèse, qui fournit des explications précises et imagées, et distingue les rêves déguisant des désirs ou des craintes des songes prémonitoires. Robert dose fantaisie et sérieux, conseils pratiques, avertissements et présages de bonheur. À une auditrice de Rouen qui cauchemarde sans cesse de cimetières et de serpents, il répond à l'antenne : ***Vous devez avoir peur de la vie. Souvenez-vous bien que le bonheur est une question d'énergie.***

Dépouillant le courrier, Robert fredonne le générique de *La Clef des Songes* :

« Car le rêve est un spectacle
C'est un billet de faveur
Dont la nuit fait cadeau au rêveur
Fortune qui nous est due
C'est un quotidien miracle
Une nuit sans rêver
Sans aimer
Est perdue. »

Il commence à lire le rêve d'une lectrice de la Somme :

Il fait un temps superbe, un temps à laisser courir les petites filles en robes d'été. Elle rassemble les enfants, elle dit : « Allons au potager. » La terre a soif, elle aspire à la pluie. Ils sont déjà loin quand le ciel vibre du grondement d'un orage qui se rapproche. Elle sent que cet orage n'est pas comme les autres, il avance vite et éteint tout sur son passage. Des éclairs déchirent le ciel et, dans chacun d'eux, elle aperçoit un paysage de France vu d'en haut : les champs de blé, les vignes dorées, la pente douce des prairies où nichent des villages. La lumière blanche déchire ces images de cartes postales, et dans chaque roulement de tonnerre, elle entend une voix puissante scander ces mots : « La France a besoin de l'Angleterre ! » Les enfants grelottent, ils s'arc-boutent dans la tempête. La maison est trop loin, ils n'ont pas le temps de s'y réfugier. Elle les entraîne vers la cabane du jardin. Les éclairs redoublent de fureur et font jaillir d'immenses cartes géographiques, les colonies d'Afrique et d'Asie, l'Indochine et Singapour... Dans le déluge de feu et de lumière gronde la voix de tonnerre qui insiste : « L'Angleterre a besoin de la France ! » Ils entrent dans la cabane qui craque de toutes parts, et y découvrent une table ronde où des repères indiquent les points cardinaux, le beau temps et la tempête. La grande aiguille est devenue folle, elle tourne à toute allure tandis que la petite s'est arrêtée sur le mot « scarlatine ».

À cet instant, elle se réveille en sursaut.

Robert sent le grondement de l'orage à ses tempes et ferme les yeux.

La guerre.

Il la devine dans ce murmure qui enfle et obscurcit les rêves des auditeurs, ce souffle qui éteint les bougies et les souhaits. Elle prend la forme de cette marée noire qui va les emporter, de ces rats qui grouillent sur les branches de l'arbre, de ces fosses vertigineuses où ils glissent sans trouver d'appui, des cimetières qui se multiplient le long de leur promenade.

— Je m'intéresse au rêve collectif, a-t-il confié à Henri Jeanson. Tu sais c'est incroyable, mais les gens rêvent peu ou prou des mêmes choses au même moment. C'est comme une photographie de la société qui révèle ce qu'on ne veut pas voir.

— Eh bien, j'espère qu'on n'est pas trop nombreux

à rêver de la phlébite de ma belle-sœur ! avait répondu Henri, dont l'ironie ne désarme jamais.

Te voilà pris à ton propre jeu, mon vieux Robert.

Tu dois garder le secret de ces ténèbres suspendues, de ces aiguilles affolées, de ce sablier qui se vide.

Il te faut travestir les songes et les oracles, parler de la pluie et du beau temps, des saisons à venir et des enfants à naître.

Rire avec tes amis, baiser comme si chaque coup de reins était le dernier, lever ton verre à cet instant qui s'envole, au sourire de Youki qui ne sera plus jamais le même, à Lorca dont tu entends la voix au bord de l'aube, dans ces heures qui t'appartiennent.

À quoi bon trembler, puisqu'il n'est qu'un chemin pour être fidèle à soi-même ?

Tu n'en connais pas les virages. Tu les découvriras assez tôt.

Connaissant de ton destin ce qu'homme digne du nom doit connaître.

Un sourire aux lèvres, il répond à l'auditrice : « Votre rêve témoigne d'une bonne santé morale. » Il faut la féliciter de placer son espérance dans une alliance avec l'Angleterre plutôt que dans un axe Paris-Berlin. Il ajoute qu'elle doit se méfier des petits accidents du quotidien, de ces piqûres d'aiguille qui dégénèrent en panaris.

Le pire n'est jamais certain, chère madame, mais regardez tout de même où vous mettez les pieds.

Robert range la pile de lettres et quitte son bureau. Il sort marcher dans le crépuscule où errent des hommes entre chien et loup, des hommes incertains, fragiles et dangereux, qui n'ont pas encore rencontré leur lâcheté, ou leur courage.

Dur comme la pierre et t'effritant comme elle.
En marche vers la force dont le chemin est aussi celui
[de la mort
Mais résolu à aller aussi loin, aussi longtemps que possible.
C'est-à-dire vivre.

TROISIÈME PARTIE

Je suis le veilleur de la rue de Flandre,
Je veille tandis que dort Paris.

14

Paris grelotte, immobile sous son vernis de gel. C'est une ville pétrifiée, prisonnière d'une boule à neige qu'Hitler agite pour se distraire après avoir déplacé ses petits drapeaux sanglants sur la carte du monde.

Ce soir Jean Galtier-Boissière vient dîner, Youki doit relever le défi de cuisiner un plat comestible, pense Robert en traversant le pont de la Concorde. Son visage le brûle malgré l'écharpe dont il s'est emmitouflé. Ils avaient oublié le froid et la faim. Le corps garde la mémoire des jours heureux mais oublie les vicissitudes et les souffrances. Hélas, on ne trompe pas un estomac vide avec un leurre aussi grossier que du rutabaga bouilli. Heureusement, Youki a ses adresses et rivalise d'ingéniosité pour agrémenter l'ordinaire de quelques douceurs ou d'une bouteille de vin. Robert préfère ne pas y voir les cadeaux d'amants reconnaissants, même si ce n'est pas à exclure. Plus de charbon, plus de gaz, et une succession de jours sans pain, sans viande, sans beurre, sans rien de bon ni de chaud. Même les patates viennent à manquer.

Il y a les jours sans amis. Certains sont partis le cœur serré, comme Man Ray ou Alejo Carpentier, abandonnant les appartements et les ateliers, les femmes aimées, les souvenirs heureux, et ces affections qui les tarauderont de l'autre côté des mers. Prévert a gagné le Sud, Masson les États-Unis. Leur cercle s'est réduit, mais ceux qui restent s'appliquent à cultiver cette férocité, cette irrévérence qui leur rappelle qu'ils sont vivants, qu'ils bougent encore. Parce que quoi qu'il arrive, qu'il pleuve ou qu'il vente, chaque jour est un jour sans liberté. Ceux qui espéraient s'y habituer découvrent que sa privation est de plus en plus douloureuse. La liste des interdictions s'allonge inexorablement, jusqu'à ce couvre-feu dont les Allemands fixent l'heure au gré de leur fantaisie. Tantôt neuf heures du soir, tantôt minuit si les enfants ont été sages, n'ont pas haussé la voix ni contesté l'autorité, s'ils ont poliment salué les Feldgrau, levé vers le maître des yeux transparents et sincères, dénoncé les mauvais sujets qui empoisonnent l'entente franco-allemande.

Robert n'est pas obéissant. Dans le quotidien *Aujourd'hui,* il s'en est pris à Hans Carossa, un nazi dont il devait chroniquer le livre, et n'y est pas allé de main morte :

« Je connais peu de livres aussi détestables que celui-ci. Il est à l'orgeat ce que Céline est au vitriol... c'est-à-dire du chiqué ; et le chiqué d'orgeat, ce n'est pas grand-chose. Pensée et écriture lâches, ennui profond, moralité à faire aimer le vice ; je ne connais rien de pire. »

Il n'était pas fâché d'épingler Céline au passage. Le champion de la logorrhée antisémite radote au point de devenir sa propre caricature.

Sur le pont, le poète contemple la place de la Concorde

vidée de ses voitures, cette immensité que traversent des cyclistes et des piétons, quelques fiacres tirés des remises. Que Paris ait recouvré une beauté enfuie à la faveur des restrictions n'est pas la moindre ironie de ce temps. Elle n'a jamais été plus belle, silencieuse sous la lumière, s'éclairant aux seules étoiles. Ni plus laide. Éclaboussée d'étendards rouge sang et de croix gammées, défigurée par les panneaux en allemand, l'omniprésence du vert-de-gris, le bruit obsédant des bottes.

Robert se souvient qu'à son retour de captivité, la ville était pleine d'oiseaux. Il n'en avait jamais vu autant, d'espèces aussi variées. Seuls les pigeons s'étaient envolés vers des cieux plus sereins, faute de messages à transmettre. Lui rentrait de neuf mois de front. Pendant la retraite d'Alsace, son régiment avait été capturé par les Boches et ils avaient été internés au camp de la Glacière, puis libérés à la fin août 40.

Les Parisiens n'avaient pas encore pris conscience des fers à leurs pieds, ils s'amusaient de voir défiler la Wehrmacht et trouvaient « très corrects » ces soldats allemands qui cédaient leurs places aux jeunes mamans dans le métro et écorchaient le français avec bonne volonté, s'extasiant sur les charmes de la capitale entre deux visites au Sphinx ou au Chabanais. La rue Mazarine restait inchangée. Les Fritz fréquentaient peu le quartier, préférant les artères luxueuses et les plaisirs canailles de la rive droite. Robert avait grimpé l'escalier le cœur battant, comme le font tous les soldats qui rentrent de la guerre. Certains traînent la patte ou respirent douloureusement, mais à l'instant de pousser la porte, il y a toujours cette syncope du cœur, comme une note de jazz.

Il savait que Youki avait fait la fête pour pallier son absence. Dans ses cauchemars, il imaginait l'appartement baignant dans une orgie continuelle, une bombance à ses frais, lui qui payait des notes exorbitantes avec l'argent qu'il ne gagnait plus.

Il n'était pas sûr qu'elle l'attendrait. Les sirènes sont imprévisibles.

À peine était-il entré qu'elle avait poussé ce cri de joie qu'il a gravé en lui pour ne pas le perdre. Elle s'était pendue à son cou et il avait oublié sa fatigue, la longue route jusqu'à Paris. Un bonheur indécent irradiait ses yeux noirs.

— Je suis si heureuse, Robert !... Mais par les temps qui courent, il vaut mieux éviter de le crier sur les toits !

— Ne t'inquiète pas trop pour les temps qui courent, avait-il répondu en respirant sa nuque. Ils peuvent toujours courir, on les rattrapera.

Ils avaient célébré leurs retrouvailles par une étreinte interminable. Leurs corps ne pouvaient se résoudre à se détacher l'un de l'autre. D'autres hommes avaient dû s'allonger sur ce lit, près de la table de nuit où Youki gardait la lettre que Robert lui avait envoyée pour son anniversaire. Il se souvient de chaque mot qu'il lui avait écrit ce jour de juillet, il n'en renie rien :

« Quelle que soit l'allure des événements, il ne faut jamais s'imaginer qu'ils sont définitifs et que l'avenir est entièrement soumis à leur influence. Jamais le présent n'a été si fugitif et il ne faut compter que sur soi-même. Ce qui est excellent à plus d'un point de vue et même profitable. Je te souhaite donc une longue vie dans ce monde passionnant et bouleversé. »

Il n'a pas changé d'avis, même si le quotidien libre que Jeanson a lancé en septembre 1940 est désormais aux mains de la Propagandastaffel, qui en a déménagé la rédaction avenue de l'Opéra pour la surveiller de plus près. Leur indépendance aura duré trois mois, mais ce baroud d'honneur a fait souffler un vent de fronde sur une presse servile. À son retour, le principal problème de Robert était de trouver un gagne-pain. Informations et Publicité avait dû fermer ses portes et Radio-Paris était allemand. Lorsque Jeanson lui a parlé de fonder un journal d'opposition, Robert s'est laissé tenter. Étonnamment, leur projet a franchi le barrage de la censure. C'était le temps où les occupants faisaient preuve de libéralité pour amadouer les Français indociles.

— Vous voyez, nous ne sommes pas si méchants ! souriaient-ils aux réunions de la Presse Gruppe, traitant les journalistes au champagne.

Jeanson a négocié un financement entièrement français et le choix de ses journalistes. Il a embauché Pierre Mac Orlan, Jean Anouilh et Marcel Aymé, Marcel Carné et Galtier-Boissière, et nommé Robert chef des informations. L'espace de soixante-treize numéros, Jeanson et son associé Robert Perrier ont tenu ferme la barque d'*Aujourd'hui*, assumant leurs points de vue, refusant de souscrire aux mensonges de la Propagande allemande qui dicte leur ligne éditoriale aux journaux. Le succès fut immédiat, ils tiraient à cent vingt mille exemplaires. Les Parisiens goûtaient cette liberté de pensée tranchant avec le catéchisme maréchaliste et le bourrage de crâne. Pendant près de trois mois, Robert a distillé une critique acerbe de Vichy, ce gouvernement paradant dans sa ville thermale en proclamant une

Révolution nationale qui n'est jamais que « La Revanche des médiocres ». Il avait donné ce titre à la chronique où il se faisait un plaisir de dénoncer le retour à l'ordre moral et à l'arbitraire. Un totalitarisme misogyne, raciste et antisémite, maquillé en charité chrétienne :

À la suite de chaque défaite, une bande de corbeaux s'est abattue sur la France. Ces corbeaux, ce sont les médiocres. Toujours prêts à profiter de nos malheurs, ils n'ont jamais perdu le sens de leur intérêt.

Le Maréchal ouvre les bras aux enfants de France en paraphant les lois antijuives, et appelle à la repentance ce peuple auquel on serre la ceinture pour que les Allemands puissent festoyer à ses dépens. Mon cœur se brise de vous voir souffrir, chevrote le grand homme. Mais vous payez aujourd'hui pour les péchés du Front populaire et l'arrogance des Juifs, pour vos mœurs dépravées et l'oisiveté de vos congés payés. Vous avez chanté tout l'été 36, il ne vous reste plus qu'à danser le ventre vide. Le sentier de la vertu passe par l'obéissance à vos nouveaux maîtres et la renonciation à ces libertés qui vous ont égarés. Vous regagnerez l'honneur dans la servitude et la contrition. Pour alléger vos peines, je vous fais don de ma personne et vous demande de me suivre aveuglément et sans arrière-pensées.

En réponse, les Parisiens persifleurs propagent le dernier bon mot sur le Maréchal :

« Pétain nous prêche le retour à la terre.

À quatre-vingt-cinq ans, il pourrait bien donner l'exemple. »

Adieu l'indépendance, Jeanson a été écarté. Désormais c'est Georges Suarez qui dirige *Aujourd'hui*. Galtier l'a surnommé « le spécialiste de la brosse à reluire ». Les Boches le tiennent, ils ont déniché un article d'avant-guerre où il traitait Hitler de pédéraste et d'assassin. En homme de paille zélé, Suarez cantonne Robert aux critiques de livres et de disques, même s'il lui conserve son titre de chef des informations. Lorsque les Allemands ont posé un ultimatum à Jeanson, exigeant qu'il prenne publiquement position contre les Juifs ou quitte son poste, Desnos et Galtier-Boissière ont voulu démissionner à sa suite. Mais Henri a insisté pour que Robert demeure en place : « Comme ça il restera quelqu'un de la première équipe. Et puis, je sais que tu continueras à les faire chier entre les lignes… »

Entre les lignes. Tout est là. Robert a baptisé sa chronique littéraire « Interlignes », invitant les lecteurs à penser par eux-mêmes, à débusquer ce qui se cache derrière les mains tendues, les décors en carton-pâte.

Étudiez ce qu'ils disent, et ce qu'ils font. Soyez des lecteurs avertis. Apprenez à tricher avec les tricheurs.

Quand Robert regagne l'appartement à la nuit tombée, Galtier est déjà là et sa voix de stentor résonne dans le salon :

— Il fait aussi froid chez vous que chez nous ! Hitler était trop aimable de nous rendre les cendres de l'Aiglon, mais on aurait préféré qu'il nous rende le charbon.

— Je ne m'habitue pas à ces rideaux tirés, peste Robert en embrassant ses invités. L'autre jour je ne l'ai pas fait et un Boche est arrivé en criant : « *Licht verboten ! Ausgangsperre !* » Et résultat, cette affaire grave sera jugée au tribunal de police, entre les lettres de dénonciation et l'expropriation des biens juifs.

— Tu es veinard, Robert, tu as attiré le seul Allemand qui traînait à Saint-Germain-des-Prés ! commente Youki avant de proposer un châle à Charlotte Galtier-Boissière, lui confiant qu'elle dort avec tous les chats pour se réchauffer.

— Et parfois, elle a tellement froid qu'elle m'invite aussi dans son lit ! s'exclame Robert, espiègle. Mais uniquement en dernier recours, quand le thermomètre descend au-dessous de six degrés.

— Eh bien… n'y compte pas trop ce soir ! répond Youki avec un sourire féroce.

— Vous avez des nouvelles de Jeanson ? interroge Charlotte en acceptant avec gratitude le châle que lui tend Youki.

— D'après mes sources, il est toujours incarcéré à la Santé, répond Robert. On ne sait toujours pas qui l'a dénoncé, mais je penche pour notre ami Rebatet.

— Il a une dent contre Jeanson ? demande Youki qui revient de la cuisine avec une bouteille de vin rouge.

— À ce stade ce n'est plus une dent, c'est une mâchoire ! répond Robert.

— Je crois que Rebatet est contrarié que le nazisme soit à la mode, observe Galtier en tirant sur sa pipe. Il a tenu à préciser dans *Je suis partout* qu'il n'appartenait pas à ces ralliés de circonstance. Qu'il était, lui, acquis à la Révolution nationale socialiste depuis l'origine.

— Nous sommes témoins qu'il n'exagère pas, répond Robert, sarcastique.

Ils s'asseyent autour de la table et Youki sort du four un ragoût de rutabaga agrémenté de quelques pommes de terre et de deux saucisses qu'elle s'est procurées auprès d'un nouvel ami charcutier.

— Ma pauvre Youki, ton plat a bonne mine mais je n'en peux plus des rutabagas, gémit Charlotte. L'autre jour j'ai fait la queue trois heures sous la neige pour un œuf ! C'est terrible, on ne trouve plus rien ou alors au marché noir. La concierge de notre immeuble a perdu quinze kilos depuis le début de la guerre !

— En ce qui la concerne, c'est pas un mal, sourit Galtier sous sa moustache. Ce qui est sûr, c'est que tout le monde n'est pas au régime. L'autre jour je déjeunais avec Lefevre dans un restaurant sur les quais. La salle était remplie d'Allemands et de nouveaux riches, et je peux vous dire qu'on y servait de tout. Comme les beefsteaks sont interdits, les serveurs les planquaient sous les œufs au plat ! J'étais écœuré mais je me suis empiffré, histoire de faire quelques réserves...

Robert avoue que ce ne sont pas les restrictions qui lui pèsent le plus, mais de voir Alain Laubreaux se pavaner au Flore ou aux Deux Magots, gonflé de son pouvoir tout neuf. Il se souvient d'avoir jubilé en mai 1940, en apprenant que Georges Mandel avait interdit *Je suis partout* et emprisonné ses principaux responsables pour « menées antinationales ». Au moment où des millions de Français fuyaient vers le sud l'avancée des troupes allemandes, Laubreaux et ses comparses ont été conduits dans un de ces camps jusqu'ici réservés aux « métèques antifranquistes ». Cette ironie du destin avait réjoui Robert. Maintenant que *Je suis partout* a ressuscité encore plus virulent et revanchard, Laubreaux n'en finit pas de se venger des Juifs et de tous ceux qui symbolisent à ses yeux l'odieux Front populaire. De son internement, il a tiré une véritable odyssée qu'il publie en feuilleton dans l'hebdomadaire, et qui pourrait s'intituler « le chemin de croix d'un martyr fasciste ». Hélas pour Robert, ils fréquentent les mêmes endroits et s'y croisent régulièrement. Laubreaux ne manque jamais de lui décocher quelques piques et lui ne peut s'empêcher de répliquer, même si le rapport des forces est aujourd'hui en faveur de son adversaire.

— Tu sais ce que Jeanson te répondrait, Robert, observe Youki qui est aussi impulsive que lui et s'inquiète à plus forte raison.

— Jeanson est mal placé pour me dire quoi que ce soit ! répond Robert en riant.

— C'est certain ! approuve bruyamment Galtier qui a fini son assiette de ragoût et lorgne discrètement sur ce qui reste dans le plat. En décembre, nous dînions ensemble chez Cazenave. À la table d'à côté, il y avait deux officiers allemands qui cherchaient à lier amitié avec nous. Nous faisions de notre mieux pour les ignorer. L'un d'eux a fini par poser une question à Jeanson et il lui a répondu avec un grand sourire : « *Yes, Sir.* » Ça a jeté un froid !

— Il me manque, murmure Robert et l'absence d'Henri s'invite soudain dans cette soirée joyeuse, tisonnant l'inquiétude et la nostalgie.

Depuis la défaite, des gens disparaissent du jour au lendemain. Il y a ceux qui franchissent la ligne de démarcation à la faveur de la nuit, confiant leur vie à un passeur qui peut les trahir. Ceux qui se cachent. Ceux qui ont crié « vive de Gaulle ! » le 11 novembre 1940 et qu'on a arrachés à leur vie d'étudiants pour les fusiller, ou mis au secret dans une forteresse. Ceux qui errent dans les ports, suspendus à un visa qu'on leur refuse. Ceux qui tracent le V de la victoire alliée sur les murs après le couvre-feu. Ceux qui cherchent un moyen de rallier Londres et apprennent à se servir d'une arme dans le secret des bois.

Robert profite de la nuit pour relire et trier ses poèmes. Il pressent qu'il est à la croisée des chemins et que sa poésie épousera désormais le battement fiévreux de ce temps, s'adaptera à ce qui-vive qui les fait évoluer sur un fil tendu. Il doit faire le bilan du passé avant d'en refermer la porte. Il se relit sans indulgence, écarte les poèmes qui lui paraissent composés avec trop de hâte. Son recueil s'appellera *Fortunes*, car l'existence se résume sans doute à ces bonnes et à ces mauvaises fortunes, cet arbitraire où se fabrique le destin des hommes. Il y réunira Yvonne et Youki, l'éblouissement des nuits et les jours en dents de scie, ce qui s'est consumé et ce qui brûle encore, ces espérances dont les braises rougeoient sous la cendre et qui ne s'éteindront qu'avec sa vie.

Il se souvient d'avoir discuté de la poésie avec Lorca, un matin, sur la terrasse de la Maison des fleurs, tandis qu'un vent tiède laissait monter vers eux la rumeur de Madrid. Federico parlait de l'étincelle de la métaphore qui donne vie au poème. Il cherchait depuis toujours à faire entrer dans sa poésie le langage populaire, la musique. Le frottement des cordes d'une guitare, le soupir des amants et celui des bougies soufflées, le fredonnement, le vibrato d'une plainte déchirant l'espace, le silence. Ce matin-là, Lorca disait « j'écris pour tout le monde ». Ce monde englobait les mendiants, les enfants illettrés et ces paysans plus ridés que les vieux chênes. Il écrivait déjà pour ceux qui ont fui les tortures pour se retrouver parqués derrière les barbelés des camps de Gurs ou de Rivesaltes. Pour leur bouche terreuse et leurs yeux secs. Dans ses vers, il glissait un espoir ténu, vif comme un chardonneret, prêt à s'accrocher à une poignée de main, à un regard, une porte laissée entrouverte.

Aujourd'hui je me suis promené avec mon camarade,
Même s'il est mort,
Je me suis promené avec mon camarade.

Considérant le chemin parcouru, Robert salue les signes gravés sur les troncs des arbres, ces rencontres que le destin maquille en hasards, l'enchaînement des événements qui lui a permis de se trouver ici aujourd'hui, veillant sur la rue Mazarine et sur Youki endormie au milieu des chats.

Maintenant il veut écrire pour ceux qui se taisent et s'endorment la peur au ventre.

Il veut réveiller ceux que la défaite a transformés en gisants, qui renoncent jour après jour à tout ce qu'ils aimaient, tout ce qui les faisait vivre. Qui s'habituent à ne plus se ressembler, à raser les murs, à une vie rétrécie à la taille d'une lucarne.

Il veut leur dire que le monde n'est pas cette prison grise où des vautours les conduisent en procession vers le précipice après leur avoir bandé les yeux. Qu'ils peuvent arracher le bandeau, ouvrir les yeux. Ébranler les murs avec des mots, des actes.

Il veut souffler sur les braises, ranimer la flamme de la vie qui s'enracine dans la liberté.

Pour qu'ils l'entendent, il doit trouver un langage populaire et exact, familier et lyrique.

Enfin sortir de la nuit,
Sortir de la boue.
Ho ! Comme elles tiennent aux pieds et aux membres
La nuit et la boue !

Les heures sonnent au clocher de Saint-Germain, mais ce sont des heures allemandes. Les cadrans ont été avancés à l'arrivée de la Wehrmacht. Robert calcule qu'il est trois heures à l'horloge des hommes libres.

Et chaque nuit les rapproche du printemps.

*

C'est un matin souffreteux qui tousse entre les nuages et respire sous un couvercle de brume. Dans les locaux du journal *Aujourd'hui*, Robert réfléchit dans un crépitement de machines à écrire. Parmi les livres qu'il doit chroniquer cette semaine, il y a *Les Beaux Draps* de Louis-Ferdinand Céline. Il ne peut attaquer de front l'antisémitisme dont cet écrivain a fait son fonds de commerce. ***Le courage suppose la prudence,*** et Céline est l'auteur chéri des fascistes, la « pierre Destouches » de la collaboration. Il doit peser chaque mot avec circonspection, mais entend rester fidèle à la ligne qu'il a définie dans une lettre à François Mauriac : « ***Au moins si je n'écris pas tout ce que je pense, je pense tout ce que j'écris.*** » Sourire aux lèvres, il éreinte dans un même paragraphe *Les Beaux Draps* et la prose insipide d'Henri Bordeaux. Deux pour le prix d'un, par ces temps de disette c'est cadeau : « ***Je n'ai jamais, pour ma part, pu lire jusqu'au bout un seul de leurs livres. L'ennui, l'ennui total me force à dormir dès les premières pages.*** »

Ce n'est pas parce que le couvre-feu claquemure les Parisiens chez eux qu'il faut s'infliger une littérature qui tombe des mains ! Robert reprend le stylo Parker que lui ont offert Alejo Carpentier et ses amis cubains : « ***… Les colères de Céline évoquent les fureurs grotesques des ivrognes, tandis que la morale de M. Bordeaux ferait exalter le vice en tant qu'école de vertu. Brave homme, l'un, brave gars l'autre ? Je veux bien… Mais à quoi bon… à quoi bon les lire ? Je vois bien pour qui ils écrivent. Je ne vois pas pourquoi.*** »

— Vous n'y allez pas de main morte, Desnos, grommelle le rédacteur en chef quand il lui rend sa copie. Vous allez nous attirer des ennuis avec Céline !

— Il ne me lira pas. Il est bien trop occupé à sabrer le champagne à la victoire de l'Allemagne ! répond Robert.

Un peu plus tard, il marche jusqu'au Flore dans la lumière blafarde et croise un groupe d'écoliers en culottes courtes, en rang derrière leur maîtresse d'école. Robert a un pincement de compassion en pensant à ces mômes qui grandissent sous la botte nazie avec pour modèles des gloires décaties, des ministres vendus et un vieillard vénéré comme la dernière incarnation du Sauveur. Il est temps de leur apprendre l'école buissonnière, pense-t-il en s'éloignant dans la rue des Saint-Pères.

Au Flore, il règne une atmosphère feutrée de

conciliabules. Certains viennent y travailler au chaud et saluent quelques amis avant de replonger le nez dans d'épais manuscrits ou des feuilles de notes si serrées qu'elles deviennent indéchiffrables, pénurie de papier oblige. Robert extirpe d'une sacoche usée jusqu'à la corde le courrier que les lectrices envoient au magazine *Pour Elle*, dans l'espoir de voir leurs rêves décryptés par le mystérieux Hormidas Belœil. Ces candides correspondantes ignorent qu'elles livrent les secrets de leur subconscient à un poète surréaliste qui a lu Sade et Freud, et c'est sans doute mieux ainsi. Pour arrondir son maigre salaire, Robert a ressuscité *La Clef des Songes* et se passionne pour les rêves de ces inconnues qui signent d'une initiale ou d'un pseudonyme : « Coquelicot de Paris », « Une Songeuse » ou « Anxieuse d'Épinay ». Elles lui détaillent leurs rêves, y ajoutant quelques éléments de contexte. En les interprétant, il dispose d'une matière incroyable pour nourrir sa réflexion sur le rêve collectif.

Elles sont timides et prudes, redoutent ces désirs enfouis qui rampent sous leur lit telles des araignées noires. En les lisant, il perçoit leurs attentes et leurs craintes. Une jeune fille de la banlieue parisienne a rêvé que sainte Thérèse de Lisieux lui apparaissait avec son bouquet de roses, et ses amies lui assurent que cela signifie qu'elle sera bientôt rappelée à Dieu. Robert la rassure, si la sainte s'est déplacée, c'est pour lui enseigner que « ***le chemin du bonheur et de la vertu n'est pas forcément bordé d'épines mais qu'on peut aussi y cueillir des roses*** ».

Il est souvent ému par ces lettres. Beaucoup évoquent un fiancé prisonnier. Certaines ne cessent de rêver de son retour pour se réveiller au matin dans un lit vide et froid. Une autre se promenait en songe sur une grande plage. À son bras, un officier allemand dont l'affection la gênait car ils étaient « un peu parents ». Elle redoutait le qu'en-dira-t-on, « mais aussi, vous voyez, par rapport à mon fiancé prisonnier en Allemagne ».

Une jeune fille dont l'écriture tremble lui demande en post scriptum : « Si un jour la guerre se termine et que les relations entre la France et l'Allemagne sont de nouveau au beau fixe, croyez-vous que je pourrai épouser un adjudant allemand et aller vivre avec lui dans son pays ? Je l'ai rencontré au mois d'août, et je voudrais tant pouvoir vivre mes sentiments au grand jour, même si je sais que c'est impossible. »

Robert aimerait pouvoir lui répondre que cette guerre ne ressemble pas à la dernière, que les Allemands d'Hitler mènent une guerre raciale, une guerre d'idéologie et de haine qui contrarie les lendemains qui chantent et la main dans la main. Il espère qu'elle oubliera son adjudant, même s'il connaît le pouvoir d'attraction d'un amour sans issue, ce soleil noir qui vous aspire le cœur et le recrache en lambeaux. Il réprime l'envie de lui envoyer *The Night of the Loveless Nights*. Petite fille, il est des forêts dangereuses pour les chaperons rouges. Aiguisez votre cœur et vos dents, apprenez à mordre.

Jean-Louis Barrault arrive en retard, les cheveux en bataille et les yeux brillants, emmitouflé dans une grande écharpe tricotée par Madeleine.

— Le printemps se fait prier, il a des coquetteries d'actrice ! s'exclame-t-il en enlevant manteau et cache-nez. Robert, c'est un jour avec ou sans alcool ? Je m'y perds.

— C'est un jour sans, répond Robert, mais Jean-Pierre devrait pouvoir nous arranger ça.

Il hèle le serveur et lui commande des ersatz de café en clignant de l'œil derrière ses lunettes. Quand ce dernier revient, il dépose devant eux des tasses d'un breuvage indéfinissable où Jean-Louis hume un parfum de rhum.

— Voilà ce qu'il me fallait ! approuve-t-il. Tu répondais à ton courrier du cœur ?

— Ces lettres me passionnent, répond Robert en tapotant la pile de courrier. D'abord parce que ce sont des femmes qui les écrivent. Elles confient à l'inconnu que je suis ce qu'elles ont de plus intime et de plus défendu. À les lire, je me demande de quoi rêve Youki. Elle ne me le dira pas, elle est trop maligne !

— La nuit dernière, Madeleine a rêvé d'un cheval qui galopait librement sur le boulevard Haussmann, sans personne pour le rattraper ou le retenir, dit Jean-Louis.

Jean-Louis et Madeleine se sont mariés en plein exode, dans un village de fortune où le hasard les avait poussés par des chemins aléatoires. C'est le capitaine du régiment de Jean-Louis qui les a unis. Les alliances qu'ils ont dénichées chez le bijoutier du coin avaient été commandées pour une autre noce. Elles portent la date du mois de mai 1937, détail qui les enchante. Ils aiment que leur amour ait été consacré au milieu de nulle part, dans un présent suspendu.

— C'est un rêve assez transparent, sourit Robert. Tu te souviens, je t'ai parlé du fait que les gens rêvent en général des mêmes choses au même moment ? Les récits de mes correspondantes en sont la preuve ! Elles cauchemardent de la guerre sous toutes ses formes : je ne compte plus les naufrages, les tempêtes, les tremblements de terre… L'une d'entre elles a rêvé qu'elle se retrouvait sur le radeau de *La Méduse* avec Pétain, la pauvre. Une autre croise toutes sortes de gens, des jeunes, des vieux, des bébés. Au moment où elle les regarde, leur visage prend une rigidité morbide et elle réalise qu'ils sont morts. Une jeune fille a rêvé d'un chat qui était dévoré vivant *de l'intérieur* par un autre chat. On aurait du mal à trouver plus belle métaphore de l'Occupation !

Jean-Louis approuve, vérifiant du regard que personne ne les écoute.

— Mais tu ne peux pas leur faire de réponses trop explicites, si ?

— Non, mais je ne veux pas leur mentir, répond Robert. Alors je panache mes réponses, entre Artémidore d'Éphèse et ma propre analyse. J'ai indiqué à une dame qui avait rêvé qu'elle voyait sortir d'immenses chevaux de la mer en furie que c'était le présage de graves ennuis, d'où surgiraient des avantages inattendus. En réalité, son rêve s'applique à chacun d'entre nous.

— … En étant optimistes ! tempère Jean-Louis qui savoure la brûlure du rhum contre son palais.

— Ils ne peuvent pas gagner, répond Robert d'une voix ferme. Ce sera peut-être long, mais on les aura.

Cette certitude n'emprunte rien à la méthode Coué ni à la superstition. Depuis le premier jour du conflit, il sait qu'Hitler sera vaincu. C'est une question de temps. Certains acteurs ne sont pas encore en place sur l'échiquier, des événements doivent se produire pour que le jeu change de main. Il s'agit de tenir, d'être patient et résolu, de trouver son chemin dans ce brouillard qui masque les perspectives et les desseins cachés.

— Ça me fait du bien de parler avec toi, répond Jean-Louis avec chaleur. Autour de moi, je ne vois que des gens égarés, prêts à croire les rumeurs les plus farfelues... Toi tu ne te perds jamais, tu restes en accord avec toi-même. Tu es un homme libre, Robert, et tu me donnes envie de l'être !

— Je ne vois pas qui pourrait enchaîner un bohémien hirsute dans ton genre ! sourit Robert.

Quand il a été démobilisé, Jean-Louis est rentré à Paris pour retrouver Madeleine. Jacques Copeau venait d'accepter la direction du Théâtre français et lui proposait de l'engager pour un an. Jean-Louis a accepté à la stupéfaction de ses amis, choqués de le voir quitter l'avant-garde pour rejoindre le théâtre académique.

— Les gens me reprochent de me trahir. Ils n'ont rien compris. D'abord, il y a Madeleine. On a été séparés un an et je ne veux plus la quitter. Au-delà de l'art, il y a la religiosité de la vie, et je sais que tu me rejoins là-dessus. Et puis... je suis fier de ce que j'ai fait, mais je sens qu'à ce stade, je dois me confronter aux classiques, me remettre en question pour aller plus loin. Enfin, je veux pouvoir choisir mes contraintes. On nous en impose trop, ces temps-ci. En entrant au Français, je regagne un peu de liberté en choisissant les miennes. Comme si je me réfugiais au couvent pour réparer mes forces !

— J'en connais beaucoup qui prendraient le voile avec sœur Madeleine ! répond Robert, taquin.

Leur affection ne cesse de s'approfondir, depuis ce jour d'octobre 40 où ils se sont rejoints à vélo à mi-chemin de leurs cantonnements, dans la campagne alsacienne. La guerre s'étirait dans un ennui dépourvu de sens et de cohérence. Ils se sentaient prisonniers d'une farce gigantesque échafaudée à leurs dépens. Ce jour d'octobre, ils s'étaient retrouvés sur un pont entre deux marécages, à l'abri d'un bosquet de peupliers dont l'automne incendiait le feuillage. Ils avaient parlé de cœur à cœur, éprouvant le besoin d'une sincérité nue dans cet océan de mensonges et de faux-semblants. Jean-Louis était très éprouvé, privé de ses repères et de Madeleine, forcé de jouer sa partition dans une mascarade qui le dépassait. Robert lui avait assuré que les catastrophes révèlent des passages secrets, des opportunités inespérées.

— Je pense souvent à ce qu'on s'est dit ce jour-là, murmure Jean-Louis. Quel échange ! Comme toujours, tu avais raison. À nous de transformer les coups du destin en instruments de la providence.

Quelques jours plus tard, Robert retrouve Michel Leiris et celui-ci lui raconte le démantèlement du réseau de Résistance du musée de l'Homme par le Sicherheistdienst, le service de renseignement de la SS que dirige Reinhardt Heydrich. Leiris, qui travaille comme ethnologue au Trocadéro, était proche du réseau mais avait préféré ne pas l'intégrer, de peur de mettre en péril la galerie que le marchand d'art Kahnweiler lui a confiée avant de se réfugier en zone libre. Il est très affecté par l'arrestation de ses collègues. Jean Paulhan, qui appartient au réseau, a été tiré des griffes de la Gestapo par Drieu la Rochelle, à qui il avait dû confier la direction de la NRF. Avant qu'ils se séparent, Leiris confie à Robert que sa femme et lui cachaient une chercheuse juive et polonaise. Il lui a suffi de quitter l'appartement pour se faire arrêter par la police française. Depuis, ils n'ont plus de nouvelles. Il semble qu'elle ait été conduite au camp de Drancy.

Derrière le vernis de courtoisie de l'armée allemande, un visage plus sincère émerge peu à peu. Une répression brutale et sans merci, méthodique et opiniâtre.

Quand Robert arrive à *Aujourd'hui*, on lui transmet une réponse de Céline, expédiée par sommation d'huissier. Céline qualifie « d'ordure » la critique de Robert et ajoute perfidement :

« … Mais pourquoi M. Desnos ne hurle-t-il pas plutôt le cri de son cœur, celui dont il crève inhibé. "Mort à Céline et vivent les Juifs !" M. Desnos mène, il me semble, campagne philoyoutre (et votre journal) inlassablement depuis juin. […] Mieux encore, que ne publie-t-il pas, M. Desnos, sa photo grandeur nature, face et profil, à la fin de tous ses articles ?

« La nature signe toutes ses œuvres – "Desnos", cela ne veut rien dire. »

— En vous traitant de Juif planqué sous un pseudonyme, il va vous attirer des ennuis avec la police allemande, Desnos, l'avertit le rédacteur en chef. Je vous avais prévenu que vous aviez tort de le provoquer.

— Son attaque est aussi insipide que son dernier livre, répond Robert. Ces gens sont tellement obsédés par les Juifs qu'ils les voient partout. Ils feraient mieux de s'interroger sur la vacuité de leur séjour sur terre.

— Vous comptez lui répondre? le coupe le rédac chef. Je pense que vous devriez en rester là.

— Ça appelle une réponse, tranche Robert, qui en bon surréaliste ne laisse jamais le dernier mot à l'adversaire.

Le rédacteur en chef prévient Robert qu'il ne publiera pas sa réponse si elle va trop loin. Il est hors de question que la rédaction soit compromise par un journaliste revanchard. Qu'il règle ses comptes en privé si ça le démange, sans faire de sa chronique littéraire une tribune politique. Robert entend son inquiétude. C'est un homme qui se tient en équilibre au milieu des vagues démontées, debout sur un îlot cerné par la houle, espérant s'en sortir sans dommages, faire son travail le plus honnêtement possible et slalomer entre les taches de sang.

Il écrit une réponse dont l'humour subtil dégonfle les vanités:

La réponse de M. Louis Destouches, dit « Louis-Ferdinand Céline », est trop claire pour qu'il soit nécessaire de commenter chaque phrase. [...] Je crois utile cependant de souligner la théorie originale suivant laquelle un « critique littéraire » n'a qu'une alternative: ou crier « Mort à Céline » ou crier « Mort aux Juifs ». C'est là une formule curieuse et peu mathématique dont je tiens à laisser la responsabilité à M. Louis Destouches dit « Louis-Ferdinand Céline. »
Robert Desnos dit « Robert Desnos ».

Dans ce temps absurde où l'on peut mourir d'avoir bousculé un sous-officier allemand, Robert tient à s'exprimer d'une voix qui ne tremble pas, opposant une logique têtue à la paranoïa haineuse qui règne dans les médias. À rappeler aux lecteurs qu'ils demeurent des hommes capables de clairvoyance et de fraternité, qu'on peut rire des tyrans, que ce rire est un sursaut et déjà une révolte.

Vous m'avez mis une selle,
Vous m'avez chevauché surmontés d'une ombrelle,
Et va te faire foutre,
Si j'ai mal aux dents…
Mais puisque tu n'as plus de dents !
Précisément, j'ai mal aux dents de ne plus en avoir.

15

Suite à la sommation de Céline, Robert a perdu son poste de chef des informations pour devenir simple rédacteur littéraire. Encore peut-il s'estimer heureux de n'avoir pas été licencié, voire pire, car Céline a le bras long et s'est fait une spécialité de dénoncer les « Juifs embusqués » dans *Je suis partout* ou *Au pilori*. Pour rassurer Youki, qui redoute que les insinuations de l'écrivain n'entraînent des poursuites, Robert a entrepris des recherches généalogiques. Ils sont nombreux à le faire, espérant échapper au statut des Juifs que Vichy a promulgué le 3 octobre 1940 et qui définit comme juive « toute personne issue de trois grands-parents de race juive ou de deux grands-parents de la même race si son conjoint lui-même est juif ». Les Juifs français sont spoliés de leurs biens, frappés de toutes sortes d'interdictions et ne peuvent plus exercer la majorité des professions, dont celle de journaliste. Quant aux « ressortissants étrangers de race juive », leur destin se fait chaque jour plus précaire. Robert écrit aux communes, aux notaires et aux paroisses pour obtenir des actes d'état civil. Pour l'instant, aucun ancêtre juif n'est apparu sur les branches de son arbre généalogique.

Il a choisi son successeur au journal : Gaëtan de Heredia, un garçon avec lequel il s'entend bien et auquel il prête des sympathies gaullistes. Il laisse les dépêches du jour et les documents confidentiels dans un tiroir ouvert de son bureau et Robert les parcourt le soir dans les bureaux déserts.

Le dimanche 22 juin 1941, il passe au journal en fin de journée et apprend que la Wehrmacht, violant le pacte germano-soviétique, a enfoncé la frontière russe sur plusieurs centaines de kilomètres à la faveur de la nuit. La nouvelle ne sera publiée que le lendemain matin. Robert traverse la ville dans la pulsation d'une joie féroce, croisant des soldats allemands qu'il imagine déjà figés en statues de glace, dans une arrogance guerrière que cette mort froide et anonyme ridiculise pour l'éternité.

Sur le Pont-Neuf, une jeune fille brune pleure sans bruit en regardant le fleuve. Il ne lui demande pas pourquoi, il y a tant de raisons possibles.

— Séchez vos larmes, mademoiselle, lui dit-il, et ses yeux flambent derrière les verres de ses lunettes. Ne donnez à personne la satisfaction de vous voir pleurer.

Interdite, la jeune fille le regarde s'éloigner d'un pas alerte et disparaître derrière les arbres qui longent le quai.

En entrant au Flore, il va saluer son ami le journaliste Pierre Bénard et lui annonce imprudemment la nouvelle qu'il ne peut plus garder pour lui :

— Hitler a lancé ses troupes contre Staline ! Les Allemands sont foutus. Tu penses, entrer en Russie, c'est comme si tu entrais dans cinq quintal de beurre. Dans cinq quintal de beurre, tu m'entends !

— Un quintal, des quintaux, corrige une voix amusée sur sa droite. Mais j'applaudis à l'image, précise et efficace.

Robert se tourne pour découvrir Paul Éluard qui lui sourit depuis la table voisine, où il est installé avec sa femme Nusch, le poète Georges Hugnet et Sonia Mossé, une artiste ravissante que Robert compte parmi ses amies. Il y a si longtemps qu'ils ne se sont pas vus que Robert a le sentiment de croiser un fantôme. En une fraction de seconde remontent les fins d'après-midi au café Cintrà, les discussions fiévreuses du Cyrano, les cadavres exquis et les questionnaires surréalistes, les fresques de Max Ernst sur les murs de la maison d'Eaubonne, et ces journées de 1924 où ils s'inquiétaient de l'absence d'Éluard, disparu un matin sans explication.

Cet ami que je n'ai pas revu depuis quinze ans
J'apprends aujourd'hui qu'il vit encore.

L'atelier de la rue Fontaine est vide. André Breton a rejoint Marseille avec d'autres surréalistes et s'est embarqué sur un bateau pour les États-Unis grâce à l'Emergency Rescue Committee et à son représentant, Varian Fry. Max Ernst, interné au camp des Milles au début de la guerre avec d'autres ressortissants allemands, a pu les rejoindre et échapper à la violence bureaucratique de Vichy.

Les batailles surréalistes ont fait long feu. Que reste-t-il de leur énergie et de leur colère ? Un refus de la médiocrité. Une croyance renouvelée en l'étincelle poétique, une attention aux signes et au hasard. Et surtout la certitude, par ces temps sinueux, de se trouver du même côté des barricades.

— Alors ça y est, Hitler emboîte le pas à Napoléon ? demande Éluard.

— Il a lancé plus de trois millions d'hommes sur la Russie à l'aube. La dépêche vient de tomber, répond Robert, rayonnant.

Éluard invite Robert à s'asseoir. C'est une belle soirée, l'air est saturé d'un parfum de fleurs et de sève et les robes légères des femmes bruissent d'une liberté clandestine.

— Ça se fête, dit-il et Robert acquiesce et les convie rue Mazarine.

On improvise un dîner, à la fortune des pauvres au cœur plein. Ils ont tant à partager, dans cette nuit riche de toutes les promesses ! Georges Hugnet offre un demi-saucisson plus précieux que l'or, Paul et Nusch deux bouteilles de vin rescapées de leur cave et la belle Sonia, qui gagne bien sa vie en travaillant comme modèle pour les maisons de haute couture, arrive les bras chargés de victuailles dénichées au marché noir. Youki les aurait accueillis à bras ouverts pour moins que ça.

Ils portent un toast à la Berezina et à l'hiver russe, à l'Ours stalinien qui va déchiqueter la Wehrmacht et figer sa morgue en rictus. Ils dansent sur *Sweet Georgia Brown,* sur les standards de Django Reinhardt et les morceaux d'avant-guerre de Stéphane Grappelli. Les accents d'un swing réprouvé par la censure ensoleillent la nuit d'encre où flotte le halo bleu des lampadaires. Ils rient et boivent jusqu'à ce que les murs s'effacent, écartant les barreaux d'une prison qui ressemble à Paris mais n'en est que le contour tremblant, à demi-estompé.

Robert et Paul regardent les femmes danser avec Georges et revisitent le chemin parcouru depuis leur dernière rencontre. Paul lui raconte ce jour de mai 1930 où il a vu Nusch passer devant lui sur les Grands Boulevards, exauçant la prière de son cœur vide. Sa silhouette frêle et ses yeux de sainte au vitrail l'ont ému au premier regard et cette émotion ne s'est pas usée au fil des années partagées avec cette femme au corps d'oiseau, au visage de cristal. Gracile et radieuse, Nusch se donne avec ce naturel qui le désarme et le libère peu à peu de ses dernières entraves. Elle est la paix qui vient avec la vague et lèche la plage d'une langue inlassable, le vertige lumineux derrière les paupières closes, le battement du cœur dans la blessure, la fin d'une errance qui n'avait pas de fin. Robert retrouve en Nusch la pureté des vierges de Fra Angelico. Il n'avoue pas à Éluard combien il est soulagé de le voir avec une femme si éloignée de Gala, de son ambition et de sa froideur. Gala les avait séparés, Nusch les rapproche.

Mais le temps viendra bientôt
Où les rencontres d'amis seront désirables
Et où, de toutes façons,
Ils auront quelque chose à se dire.

— Chacun de mes poèmes commence par une émotion que Nusch a fait naître, murmure Paul. Elle me donne le sentiment de la fragilité, de l'évanescence, du risque au cœur de la vie.

— Mon amour pour Youki me rend à la fois plus vulnérable et plus fort, répond Robert. Une part de moi voudrait partir, rallier Londres. Mais je ne peux me résoudre à l'abandonner ici.

— Il y a d'autres moyens de continuer la guerre, dit Paul. Des revues clandestines sont lancées un peu partout, une littérature de l'ombre. De la poésie armée, en somme. Connais-tu la revue *Poésie 41* ? Pierre Seghers l'anime dans le Sud avec Aragon. Il cherche des poètes. Je peux vous mettre en contact.

— Avec joie. Je veux agir par tous les moyens qui me sont donnés, à commencer par la poésie.

— La fin du pacte germano-soviétique libère les communistes français d'une position intenable, observe Paul en les resservant de vin. Ils vont pouvoir s'engager librement dans la Résistance. Ça va changer la donne.

— Les mouvements se multiplient, acquiesce Robert. L'autre jour, j'ai encore trouvé un tract dans ma poche en sortant d'un restaurant. Mais les Boches nous ont piqué le V de la victoire !

Faute de pouvoir enrayer l'épidémie des V alliés sur les murs de la ville et jusque sur les carrosseries de leurs voitures, les nazis ont eu l'idée de se les approprier, illuminant la tour Eiffel d'un V gigantesque. Sur le fronton de la Chambre des députés, une immense bannière souligne entre deux V orgueilleux *Deutschland siegt an allen Fronten*, l'Allemagne triomphe sur tous les fronts.

— Il faut démonter la propagande de Vichy, continue Robert. Trop de gens ont encore confiance dans le Maréchal. Ils ne voient pas l'opportunisme derrière les discours lénifiants, la morale chrétienne en paravent des arrangements cyniques et des trafics.

Ils peuvent semer l'insurrection et le doute, réveiller l'indocilité des Français. La liberté et l'amour dressés contre la censure et l'ordre moral. L'esprit des collines dérangeant les processions et les défilés militaires à la manière d'un sifflement moqueur dont on ne peut localiser la provenance.

J'entends des pas lourds dans la nuit,
J'entends des chants, j'entends des cris,
Les cris, les chants de mes amis.

— Venez danser, au lieu de palabrer ! leur lance Youki et ils se laissent entraîner dans le rythme du Quintette du Hot Club de France par la grâce sensuelle des danseuses.

Sonia Mossé s'échappe quelques minutes avant le couvre-feu, bien qu'ils essaient de la retenir en lui offrant un couchage de fortune.

— Tu peux tomber sur une patrouille, s'inquiète Youki. Reste ici, ce n'est pas très confortable mais c'est mieux que les embêtements !

— Ne t'inquiète pas ma Youki, en robe du soir je ne crains personne, répond la jeune femme avec un sourire enjôleur. Et puis tu sais, les Boches sont persuadés que tous les Juifs ont un nez crochu et des petits yeux sournois, alors ils ne risquent pas de me démasquer !

Elle les embrasse et disparaît, laissant derrière elle le sillage poudré de son parfum. La belle Sonia ne s'est pas inscrite sur le fichier Tulard même si la loi l'y oblige. Elle vit et travaille librement, opposant à l'arsenal des lois antijuives son indifférence sereine et son élégance, comme si la témérité allait de soi. La fréquenter oblige à prendre la mesure de son propre courage, pense Robert avec émotion. Son cœur se serre à l'imaginer arpenter la nuit noire en talons aiguilles, sa blondeur aimantant le regard telle une tache de lumière.

Youki et lui dressent un lit d'appoint à Georges Hugnet dans la bibliothèque. Paul et Nusch se partageront la mezzanine de Robert et ce dernier aura le privilège de rejoindre le lit de sa Sirène. Paresseusement installés sur les coussins du salon, ils finissent les bouteilles en échafaudant toutes sortes de projets.

Ce soir, le couvercle qui pèse sur la ville a commencé à se fendiller. Le désir de liberté frémit sous leurs épidermes, le vin fortifie leur audace. Cette soirée brillera longtemps dans le creux de leurs paumes, annonçant l'embrasement lointain d'une aube retenue dans la nasse des nuages.

Des taureaux noirs, des taureaux blancs
Qui galopent à fond de train dans le sommeil des enfants,
Et dont les mugissements ébranlent les villes,
Et qui meurent dans les étoiles, lentement,
En répandant leur sang dans l'immensité du temps.

Henri Jeanson avait à peine eu le temps de respirer à l'air libre qu'il a été remis en prison. Dans *Je suis partout*, Alain Laubreaux a rappelé à la police allemande qu'Henri avait publié en 1938 un article en soutien à Herschel Grynzpan, qui avait assassiné le secrétaire de l'ambassade d'Allemagne pour protester contre la persécution des Juifs, déclenchant les représailles sanglantes de la Nuit de cristal. Chaque semaine, des milliers de gens tremblent de lire leur nom dans *Je suis partout.* On raconte que Laubreaux soumet ses articles à la Gestapo avant publication. Dans les pages intérieures du journal, il rédige des échos anonymes qui dénoncent les Juifs en irrégularité et les citoyens suspects de gaullisme, fournissant les adresses des clandestins. Dans sa chronique théâtrale, il déploie sa verve au service de l'épuration. Il s'en prend violemment à Cocteau et à sa *Machine à écrire,* le traitant de « clown dégénéré et décadent, enjuivé » qui produit un « théâtre d'inverti ». Quelques jours plus tard, dans un restaurant, l'acteur Jean Marais le rosse et lui ouvre l'arcade sourcilière, réjouissant tous ceux qui rêvaient de le faire. Cette action d'éclat déride Robert, mais ses poings se contractent en pensant à Jeanson. Tous les jours, les rédacteurs de *Je suis partout*, de *Au pilori* et du *Cri du peuple* demandent aux Allemands de le liquider.

Robert écrit dans *Aujourd'hui* : « ***Dites ce que vous voulez, cela m'est égal. Certaines de vos injures sont des louanges pour moi, les autres ne dépassent pas l'épaisseur du papier sur lequel elles sont imprimées. En les écrivant, vous ne déshonorez que vous, vous n'insultez que vos lecteurs.*** »

L'été parisien est lourd de menaces et d'orages. Des affiches ensanglantent les murs, proclamant l'exécution de saboteurs juifs ou communistes, même si les deux catégories se confondent volontiers dans la rhétorique nazie. Robert et Youki luttent contre ce climat oppressant en multipliant les soirées. Ils fréquentent Théodore et Ghita, Jeander et sa femme Ezo, Jean et Charlotte Galtier-Boissière. Paul et Nusch Éluard ont pris leurs quartiers d'été en Mayenne, mais Robert retrouve Pierre

Berger. Il est devenu libraire et sa révolte adolescente s'est consolidée en esprit de résistance.

Le 21 août, un jeune communiste tire sur un officier allemand à la station de métro Barbès. Un meurtre de sang-froid commis en plein jour pour frapper l'opinion, en réponse à l'exécution de jeunes militants communistes dans le bois de Verrières. Vichy met en place des tribunaux d'exception pour juger les « terroristes ». Faute d'arrêter le coupable, Hitler ordonne l'exécution massive d'otages choisis parmi les communistes et les Juifs.

Le masque de l'occupant s'est déchiré. Paris découvre le vrai visage de ces hommes qui arrêtent des innocents, fusillent des gamins de dix-sept ans qui meurent en regardant leurs assassins en face.

Jeanson est libéré début octobre. Il a perdu un peu de sa rondeur joviale en passant plusieurs mois sur la liste des otages, suspendu à une exécution remise de jour en jour. La prison l'a amaigri sans éroder son humour implacable. Il confie à Robert des anecdotes pleines de sel sur ses gardiens. Henri n'a plus le droit de travailler pour la presse ou le cinéma, mais il a suffisamment d'amis pour continuer à écrire des dialogues de film. Robert coécrit avec lui ceux du long métrage *Le pavillon brûle*. Leurs noms n'apparaîtront pas au générique. Robert est devenu *persona non grata*. Ses prises de position lui ont valu un entretien avec Georges Suarez :

— Je prends le risque de vous garder, Desnos, mais à dater de ce jour, la majorité de vos papiers sera anonyme. Vous avez irrité des gens haut placés. Je vous autorise encore à signer la chronique disques et quelques critiques littéraires, mais il va falloir mettre beaucoup d'eau dans votre vin.

— Ça tombe bien, le vin est rationné, observe Robert.

Le directeur d'*Aujourd'hui* a beau se compromettre avec l'occupant, il conserve des tendresses coupables pour ses employés, songe Robert en remontant l'avenue de l'Opéra. À l'instant où il traverse en direction du boulevard des Italiens, un groupe de SS sort de la Kommandantur, encadrant un jeune homme au visage tuméfié. Ils s'engouffrent dans un fourgon militaire et démarrent en trombe. Des scènes de ce genre se produisent avec une régularité sinistre, s'inscrivant dans leur quotidien au même titre que les files interminables devant les magasins vides.

Robert rend visite à Théodore Fraenkel qui se remet d'une hernie dans une maison de santé de l'avenue Junot. Le Doc est heureux de le voir, il endure de mauvaise grâce l'inactivité et la solitude.

— Mes journées sont un désert morne… Ghita doit être effondrée de chagrin, si j'en crois le nombre d'invitations à dîner qu'elle doit accepter pour se consoler, observe-t-il avec un sourire malicieux.

Ils commentent la situation internationale qui se dégrade au profit de l'Axe. La Roumanie est tombée dans l'escarcelle d'Hitler, dont les troupes progressent à l'est sans se heurter à la résistance escomptée. Rommel et son Afrikakorps ont conquis la Libye et les nazis occupent désormais la Yougoslavie, la Bulgarie et la

Grèce. Bombardée nuit et jour, l'Angleterre tient à un fil, mais elle y tient farouchement. L'armée d'Hitler semble plus invincible que jamais.

— Je vais passer en zone libre, lui confie le Doc. Je partirai d'ici la fin de l'année, au plus tard début janvier. Je n'ai plus le droit d'exercer. Et je ne peux pas assister à tout ça sans réagir. Ils ont encore raflé un millier de Juifs, des Français cette fois. Des notables, des médecins, des professeurs. On dit qu'ils sont enfermés au camp de Drancy, en attente de déportation vers l'Allemagne.

— Les conditions de vie dans les camps français sont épouvantables, souligne Robert. Les rapports qu'on reçoit au journal sont accablants : on y meurt de faim, de froid, d'épidémies.

— Et on voit mal comment ça pourrait être mieux dans les camps allemands ou polonais ! le coupe Théodore dont les yeux s'étrécissent. Vous voyez, je ne me suis jamais senti juif. Dans ma famille, sur trois générations on aurait du mal à trouver un croyant. Même en fac de médecine, où les antisémites nous harcelaient sans relâche, je n'ai jamais éprouvé de sentiment d'appartenance à une communauté. Pour être franc, je ne sais pas ce que ça veut dire, être juif. Et aujourd'hui, ces lois indignes, ces théories raciales, ces rafles… Ils veulent nous forcer à faire corps, vous voyez ? À nous fondre dans cette race qu'ils ont créée de toutes pièces. Je refuse d'obéir, de me plier à leur vision du monde. De la zone libre, j'espère rejoindre Londres et quand j'y serai, je m'emploierai à les combattre. Et je peux vous garantir que l'antimilitariste que je suis ne fera pas de quartiers.

Robert hoche la tête en silence. La résolution du Doc vient tisonner la sienne. Dans le même temps, il éprouve un pincement au cœur à l'idée de voir s'éloigner un ami, presque un frère. Ceux qui se quittent aujourd'hui se reverront-ils ? Deviseront-ils du passé périlleux sur la terrasse inondée de soleil de Tristan Tzara, contemplant les toits de leur ville libérée ?

— Je vais devoir vous confier Ghita et je crains que ce ne soit pas une mince affaire…, sourit le Doc

— J'essaierai de me montrer à la hauteur de la tâche.

— Je m'inquiète pour mon frère. Il ne partira pas, il a une famille à charge. Pour l'instant, il continue à donner ses consultations à l'hôpital grâce à la complicité de ses collègues. Si vous pouvez prendre de ses nouvelles de temps à autre, ça me rassurera.

— Bien sûr, répond Robert. Puisqu'on en est aux précautions d'usage, s'il m'arrivait quelque chose…

— Je veillerais sur Youki quoi qu'il m'en coûte, le coupe Théodore en plissant ses yeux noirs dans un demi-sourire. Mais ce n'est pas parce que je m'absente qu'il faut recommencer à agir en dépit du bon sens. Pas de provocation gratuite, nos adversaires n'ont aucun humour. Par contre, ils ont un flair de limiers. Prenez soin de vous, pour changer.

Robert rentre à pied, longeant des façades tapissées d'avis d'exécution de condamnés dont les noms résonnent avec la force d'une litanie de martyrs. Certains baissent les yeux pour ne pas les voir, d'autres, comme Robert, les déchiffrent avec un mélange de tristesse et de jubilation, car ils sont la preuve tangible d'une Résistance dont l'action s'intensifie chaque jour, au point que les soldats allemands ont reçu la consigne de ne plus sortir seuls. C'est à leur tour d'être sur le qui-vive, de guetter les pas sur l'asphalte et le cliquetis d'une arme dans l'ombre. La fureur et la démesure de la répression trahissent leur insécurité, dans cette ville qui incarnait pour eux le repos du guerrier.

*

Ce soir, on fête le retour de Jeanson rue Mazarine et les invités doivent sacrifier à la corvée de patates avant de passer à table. Ils en profitent pour commenter l'actualité :

— Pour Noël, Pétain a décidé d'offrir les réfugiés espagnols à Hitler, observe Jeanson. On le critique, mais il est capable d'attentions délicates. Comme il a renvoyé les femmes au foyer et qu'elles ne peuvent plus divorcer, elles auront tout le temps de lui écrire des cartes de vœux pour le remercier. C'est pensé, tout ça. Cette vieille caboche turbine à plein régime !

— C'est ce que soulignait l'un de tes collègues, Robert, répond Galtier qui pèle sa pomme de terre en fumant sa pipe. Il a écrit dans un élan d'admiration mystique : « La tête du Maréchal doit être d'un matériau inattaquable… »

— Vous êtes plus doués pour le persiflage que pour la corvée de pluches, observe Youki narquoise, elle qui surveille ses aides cuisiniers en buvant l'apéritif avec Charlotte.

Après le dîner, Galtier leur montre une page du *Matin* où voisinent l'annonce de vingt otages fusillés dans le Nord et ce titre plein de sel : « Les relations franco-allemandes gagnent en clarté et en profondeur». Le journaliste collectionne les perles de la presse collaborationniste et aime à en régaler ses amis.

— Moi, je salue l'idée géniale de Déat et Doriot, intervient Robert. Inviter les collabos à aller se faire trucider sur le front de l'Est, il fallait y penser !

Galtier et Jeanson renchérissent. La création de la Légion des volontaires français contre le bolchevisme est une source intarissable de bons mots et de calembours, même si elle ne remporte pas en France le succès escompté.

— Pourtant, la Wehrmacht leur offre une formation intensive à coups de bottes dans le cul, observe Galtier. C'est une proposition qui ne se refuse pas ! Et ils ont des uniformes flambant neufs. L'autre jour un légionnaire témoignait dans *Paris-Soir*: «Nous avons été habillés hier. Je suis superbe dans ma nouvelle tenue.» Luchaire est très enthousiaste, il a fait un discours vibrant au club de la presse. Cette collaboration franco-allemande l'épanouit, il est radieux !

— J'imagine que Théodore Fraenkel ne réveillonnera pas avec son beau-frère, cette année? demande Jeanson d'un air matois, et Robert acquiesce en riant:

— Je crois qu'ils auraient du mal à bavarder entre la poire et le fromage. Et que le Doc préfère encore se serrer la ceinture !

Jean Luchaire n'a aucun scrupule à festoyer avec les officiers nazis pendant que Paris crève de faim et de tuberculose. On le voit partout, il dîne à la Tour d'Argent avec Otto Abetz, déjeune au Pré Catelan avec des starlettes en mal de célébrité et des trafiquants, prodiguant à l'envi son sourire de gendre idéal, même si les maîtresses défilent à son bras comme les mannequins à un défilé de Coco Chanel. Il est l'homme en vue de la presse parisienne, l'intermédiaire de la Propagandastaffel, le visage avenant de cette Nouvelle Europe qui danse sur les corps suppliciés de ceux qu'elle appelle « les parasites ». Ghita ne mentionne plus son frère mais continue à le voir. Leur père s'est réfugié à Clermont-Ferrand avec sa femme polonaise. Ses contacts avec Jean se limitent à lui demander des nouvelles de ses petits-enfants.

Les dictateurs ont la manie de lancer leurs attaques surprises le dimanche, à l'heure où les gens honnêtes font la grasse matinée, retardant le moment de retrouver le froid mordant qui s'infiltre dans les appartements. C'est pourquoi Paris somnolait frileusement sous les couvertures en ce jour de décembre, pendant que l'empereur du Japon lançait quatre cents bombardiers sur la base navale de Pearl Harbor, obligeant le président Roosevelt à entrer en guerre. Il n'y tenait pas tant que ça. Mais Hirohito lui a forcé la main en massacrant deux mille quatre cents marins américains. Robert, qui peut circuler dans Paris après le couvre-feu à la faveur de son Sonderausweis de journaliste, ne résiste pas à l'envie d'aller frapper chez Galtier pour lui annoncer cette incroyable nouvelle.

— Robert, tu m'as flanqué une peur de tous les diables ! rugit Galtier, livide. J'ai cru que c'était la Gestapo.

— La nouvelle que je viens t'annoncer valait bien une peur bleue, répond Robert, imperturbable.

L'équilibre des forces vient de se modifier. Un atout

de poids a rejoint le camp des Alliés et l'espoir, désormais, aura le visage de ces jeunes G.I. nourris au maïs dont la tranquille assurance s'effraie de peu de choses.

L'hiver 42 est aussi glacial que le précédent. Robert travaille à la Bibliothèque nationale ou au café de Flore. Le patron vient d'y installer un gros poêle qui lui vaut un regain de popularité. Robert a signé avec Gallimard. Son recueil *Fortunes* sortira en mars. Dans les salles austères de la Bibliothèque nationale, il écrit.

Cette liberté dont le désir l'obsède a délivré une source vive d'où jaillit sa poésie, tel un cheval sauvage se riant des couvre-feux et des menaces dans un galop limpide.

Il est temps de laisser les rêves à leur place.

La nuit surréaliste s'éloigne dans une poussière d'étoiles mortes et d'amis disparus.

Dans mon jeune temps, j'aimais traîner la nuit
J'aimais rêver sur des livres, la nuit.
Où sont les nuits de mon jeune temps ?

L'obscurité a changé de nature. Elle enveloppe les silhouettes furtives qui passent sur les ponts, courent le long des voies ferrées, s'approchent d'une sentinelle endormie. Elle éclaire d'un rayon de lune les essieux des locomotives, la porte des dépôts de carburants, la mitraillette abandonnée sur l'herbe. Elle jette un manteau d'ombre sur Théodore qui s'enfonce dans les bois près de la ligne de démarcation. Elle rassure ceux qu'elle effrayait hier, efface leurs traces, égare leurs poursuivants.

Elle endort pour quelques heures celui dont le corps n'est qu'une blessure qu'ils rouvriront demain.

C'est d'un autre amour que j'aime la nuit.

La nuit appelle à elle les veilleurs et les insomniaques. Elle leur chuchote qu'une aube approche, qui incendiera le ciel de Paris.

La poésie est un besoin vital, un souffle libertaire circulant de bouche à oreille, un mot de passe qui déverrouille les portes des cellules.

Je n'aime plus la rue Saint-Martin
Depuis qu'André Platard l'a quittée.
Je n'aime plus la rue Saint-Martin,
Je n'aime rien, pas même le vin.

*

Le 29 mars 1942, Vichy oblige les Juifs de la zone occupée à porter une étoile jaune. Ils doivent la coudre en évidence à la place du cœur dès l'âge de six ans. Dans les pages de *Je suis partout*, Rebatet et Laubreaux jubilent et demandent l'extension de la loi à la zone libre, rêvant de voir fleurir des millions d'étoiles. Le lendemain, Robert croise Laubreaux au Flore. Il l'attrape par le col, le couvre de mépris et d'injures et le gifle plusieurs fois, tremblant de colère et de dégoût. Laubreaux reste le souffle court, paralysé sur sa banquette.

— Tu fais moins le malin, quand tu n'es pas à l'abri de ton journal à vomir tes échos nauséabonds ! gronde Robert à quelques centimètres de son visage.

Le propriétaire du Flore s'interpose et conseille à Robert d'aller prendre l'air, parce qu'il l'aime bien et mesure l'imprudence de cet éclat. En marchant vers la Seine, la rage de Robert s'estompe et son esprit se clarifie, il pense à cette étoile jaune qui trahit et désigne les victimes des prochaines rafles. Il faut leur fabriquer des identités d'emprunt, leur permettre de se cacher en plein jour. Il sait que dans Paris, des caves et des arrière-salles abritent des ateliers de faux papiers. Le jeune Pierre Berger a évoqué un soir une femme qui en fabriquerait dans l'île Saint-Louis. Robert veut la rencontrer, mais ce n'est pas si simple. Les faussaires risquent la mort ou la déportation, ils s'entourent de silence et brouillent les pistes.

Une semaine plus tard, par l'entremise de Paul Éluard, Pierre Seghers le retrouve à la terrasse des Deux Magots.

— Je n'ai pas eu de mal à vous reconnaître, lui dit cet homme sensiblement de son âge dont les yeux noirs fendus lui rappellent le Doc. Éluard m'avait décrit votre regard magnétique et vos cheveux en brosse.

— J'ai tout essayé mais ils sont aussi rebelles au dressage que moi, avoue Robert. La brosse est encore la meilleure option.

— On ne peut dompter la nature qu'avec son consentement, répond Seghers avec un grand sourire. Tous les poètes le savent.

— Et la nature de l'homme n'est pas de ramper devant les tyrans, murmure Robert. Sans quoi nos genoux seraient couverts d'écailles…

Seghers éclate de rire, puis grimace en avalant une gorgée d'un café qui n'en a que le nom, à base de glands de chêne.

— Paul m'a dit que vous seriez disposé à me confier des poèmes, dit-il, et Robert hoche la tête.

Seghers lui parle de sa revue, il prépare le prochain numéro de *Poésie 42* et serait ravi d'y accueillir des vers de Robert. L'important est de savoir s'il préfère publier au grand jour des textes à double entente ou des poèmes explicites qui sortiront sous le manteau, protégés par un pseudonyme.

— On n'est pas obligés de choisir, d'ailleurs. Vos amis alternent les deux formes de publications et s'en trouvent très bien. Avez-vous une préférence pour une forme ? Préférez-vous le vers libre, qui a fait les beaux jours du surréalisme ?

— Ça dépend des heures et des nuits, répond Robert. Ces derniers temps, je prends plaisir à écrire des sonnets. J'aime l'idée de nous réapproprier ce patrimoine qu'on prétend nous voler. Et de puiser dans le folklore populaire, qui s'adresse à tout le monde. La poésie n'est pas l'apanage des intellectuels.

— Aragon a écrit un long poème sur la rafle de Villeneuve. Il l'a déguisé en ballade médiévale pour tromper la censure. Je vous le ferai lire.

— L'alexandrin est très facile à retenir, observe Robert. Aragon me reprochait dans le temps d'avoir un faible pour ce vers classique, mais j'ai lu son *Crève-cœur* et je me réjouis qu'il ait changé d'avis, dit Robert avec un flamboiement dans l'œil. Pour ma part, je crois qu'il faut rendre la poésie à ceux qui en ont besoin.

— La poésie est une arme, dit Seghers. Les poètes

doivent prendre conscience de leur pouvoir. Il faut entretenir l'espoir, faire résonner un refus absolu et vital.

Robert sent ses muscles se détendre de la tension continuelle d'une vie où il faut crisper les mâchoires et raidir l'échine. Pierre Seghers lui ouvre un chemin de libération possible. Il n'attendait que ça. Il pense à ces mots qu'il a écrits en préface de *Fortunes,* ces mots qui le brûlent comme un tatouage et portent le déchirement de Lorca, l'errance de Rimbaud, la colère d'Hugo, la rébellion de Villon :

En définitive ce n'est pas la poésie qui doit être libre,
[c'est le poète.

Poursuivant sa quête de la faussaire anonyme, Robert se retrouve un matin ensoleillé dans un troquet de l'île Saint-Louis, à l'heure où les commerçants du quartier y avalent un ersatz de café ou un verre de mauvais vin avant de lever leurs rideaux de fer. Dans le bistro, il fait encore sombre et Robert feuillette *Le Petit Parisien* à la lumière d'une ampoule électrique.

— « Pendant ce long hiver, le haut commandement de la Wehrmacht a adopté une nouvelle tactique de guerre défensive qui a permis au gros des troupes allemandes de rester au repos, loin à l'arrière », lit Robert à voix haute. Manière de dire qu'elles ont passé l'hiver embourbées sous plusieurs mètres de neige à se faire pilonner par les Russes !

Au bar, un boucher en tablier se retourne et lui fait un clin d'œil :

— À les entendre, les Allemands auraient que des

victoires à l'est. Si c'est vrai, pourquoi que leur soidisant « guerre éclair » elle dure depuis plus d'un an ?

— Mais s'ils disaient la vérité, vous ne croyez pas que les troufions préféreraient déserter plutôt que d'aller se faire refroidir par moins trente ? observe le poète.

Le boucher se marre. Robert se replonge dans la propagande grossière de ses collègues. Depuis quand les journalistes ont-ils abandonné toute déontologie pour se vendre au plus offrant ? Il doit reconnaître que les aléas de l'Histoire ont donné raison à André Breton. Il est supposé attendre ici qu'on le contacte mais il ne pourra pas s'éterniser et craint de perdre son temps. Au moment où il se décide à s'en aller, une femme d'une cinquantaine d'années entre dans le café et s'assied en face de lui. Elle est encore belle malgré le lacis de rides qui marque son visage. Sa chevelure acajou ondule sous le chapeau à voilette qui ombre son regard gris. Sa tenue est d'une élégance discrète et quand elle s'adresse à lui, il perçoit dans sa voix grave la trace d'un accent :

— Il voulait me voir, paraît-il. Mais qu'est-ce qu'il me veut ?

— Si vous êtes celle que je crois, j'ai besoin de vous, répond Robert en la scrutant.

— Son besoin doit être fort, pour courir la ville à ma recherche, murmure l'inconnue dont les yeux gris le transpercent.

Elle le jauge en silence. En ces temps où fleurissent les délateurs, il s'agit d'évaluer en quelques secondes si l'on peut accorder sa confiance. La vie et la mort se jouent sur un coup de dés. L'instinct peut être trompeur, les pires crapules avancent sous le masque d'une sincérité affable. Elle se lève et lui fait signe de la suivre. Ils longent la Seine, réchauffés par le soleil levant, et s'arrêtent sur le quai de Bourbon, devant la porte vermoulue d'un vieil hôtel particulier. Elle l'ouvre à l'aide d'une clé rouillée et le précède dans une cour sombre où il respire l'humidité du fleuve.

Au deuxième étage, elle le fait entrer dans un grand appartement que baigne une lumière laiteuse filtrée par les volets entrouverts. Le salon est cossu, meublé de deux canapés Louis XV en velours rouge, d'une table basse et de profondes bibliothèques qui éveillent la curiosité de Robert. Elle l'invite à s'asseoir et lui sert un café d'orge grillé au goût acceptable.

— Il va tout me dire, maintenant. Sauf son nom.

Il se présente comme poète, sans mentionner son travail de journaliste. Il explique qu'il veut apprendre à fabriquer des faux papiers pour ceux qui ont besoin de disparaître.

— Je m'appelle Irina Novosseloff, lui dit-elle. Ma famille vivait à Kiev, elle s'est réfugiée à Paris pour fuir la Révolution russe. Je sais ce que c'est que de se cacher. Je suis veuve, je vis grâce à l'argent de mon mari. Comme je ne suis pas juive et que je n'aime pas les communistes, on me laisse tranquille. Ça présente des avantages.

Elle l'entraîne dans la pénombre d'un réduit. Quand elle allume la lampe, il découvre un nécessaire de gravure, quelques tampons, une loupe d'horloger et des morceaux de carton de couleur.

— Maintenant il sait tout, dit-elle. Ce qui me reste de vie est entre ses mains.

— Vous n'avez rien à craindre de moi, murmure Robert. Enseignez-moi votre art.

— Mes parents ont tout perdu en quittant la Russie, dit-elle. J'ai grandi dans la pauvreté, j'ai eu faim et froid. Un ami de mon père était joaillier, il m'a appris la gravure. Il y a longtemps que je n'avais pas pratiqué, mais ça revient vite. Il faut être patient et minutieux. Sait-il dessiner ?

Robert hoche la tête en souriant.

Mais depuis trop de mois nous vivons à la veille,
Nous veillons, nous gardons la lumière et le feu,
Nous parlons à voix basse et nous tendons l'oreille
À maint bruit vite éteint et perdu comme au jeu.

16

En ce début de juillet 42, les nouvelles ordonnances de Vichy interdisent aux Juifs l'accès à tous les lieux publics. Ils doivent se claquemurer chez eux dès vingt heures pendant que les Parisiens cherchent la fraîcheur sous les arbres, déambulent le long des quais et bavardent aux terrasses des cafés. Ils ne peuvent plus franchir les grilles des parcs ou des squares, ni distraire au théâtre ou au cinéma l'angoisse qui les tenaille. Ils n'ont plus le droit de posséder un vélo, un téléphone ou un poste de TSF. Un raffinement de cruauté les oblige à faire leurs courses l'après-midi à l'heure où les commerces sont fermés faute de marchandises. Robert s'étonne que le tandem Laval-Pétain n'ait pas encore songé à leur interdire de respirer un jour sur deux.

L'air est encore chaud lorsqu'il remonte la rue de Bucarest à la tombée de la nuit. Au numéro 14, un immeuble bourgeois à la façade austère jouxte un garage réservé à l'armée allemande et a une vue imprenable sur le bordel d'en face. Derrière les rideaux tirés de la maison de passe, Robert distingue des silhouettes en ombres chinoises. Un soldat allemand sort de l'établissement avec sur le visage une détente caractéristique. Il sourit à Robert, cherchant la connivence, mais

Robert se détourne et sonne à la porte cochère, qui s'ouvre sur une concierge au visage de musaraigne. Elle s'écarte pour le laisser entrer, en lui demandant qui il vient voir.

— Fraenkel, articule-t-il avec douleur, car le côté droit de sa mâchoire le fait terriblement souffrir.

Elle hoche la tête et disparaît dans sa loge. Plus que jamais, les concierges détiennent des secrets dangereux. Elles épient les allées et venues des locataires, savent qui visite la jeune fille du troisième étage après le couvre-feu, quel représentant en marché noir gravit l'escalier le mardi avec une valise, qui porte l'étoile et qui s'abstient de la porter ; elles ont le pouvoir de délivrer les messages ou de les intercepter. Ce n'est pas le moment d'oublier les étrennes, songe Robert.

Il frappe à la porte du premier étage et le visage de la belle-sœur de Théodore s'éclaire en le découvrant sur le palier. C'est une jolie femme aux cheveux blonds ramassés en chignon sur la nuque, mais son regard azurin est voilé d'angoisse.

— Robert, quelle ponctualité ! Entrez, je vais prévenir Lodia, dit-elle en le précédant dans l'entrée saturée de l'odeur âcre de la créosote de bois que le docteur Vladimir Fraenkel, Lodia pour ses intimes, utilise comme désinfectant.

Elle introduit Robert dans la salle à manger réservée aux intimes :

— Il finit de soigner une patiente et il s'occupe de vous, lui dit-elle d'une voix douce. Vous souffrez beaucoup. Ça ressemble à un abcès. Lodia va vous arranger ça.

Le frère de Théodore est l'un des stomatologues les

plus réputés de Paris. Il soigne gratuitement Robert et Youki depuis des années. Mais les temps sont durs pour Vladimir et sa famille, et Robert aurait des scrupules à ne rien leur donner. Il a apporté dans sa sacoche en cuir un gros morceau de lard qu'il exhume fièrement et tend à Madeleine Fraenkel :

— Robert, c'est trop, je ne peux pas accepter, proteste-t-elle. Vous savez, on se débrouille. Tant que Lodia arrive encore à travailler…

— Si vous ne le prenez pas je serai terriblement vexé, articule Robert en grimaçant. Et sous la table, il y a un petit gars qui sera bien content de le manger.

— Jacques ! s'exclame Madeleine. Sors de là, viens dire bonjour à Robert.

Le petit garçon émerge de la cachette qu'il croyait sûre, les boucles blondes en bataille sur le front malgré la raie sagement tracée. Il se lève, s'approche de Robert et sur l'insistance de sa mère, tend sa joue vers Robert qui y dépose un baiser.

— Viens là mon bonhomme, dit le poète, l'invitant à grimper sur ses genoux.

L'enfant bondit sans se faire prier. C'est un petit garçon qui ne parle que si on l'interroge, qui n'a pas l'exubérance des gosses de son âge. Ses yeux d'un bleu très pâle abritent des rêves impénétrables et l'ombre grandissante des questions sans réponses. Ses parents ont dû le retirer de l'école et il passe ses journées dans ce grand appartement vide, en compagnie d'adultes qui ne sourient plus.

— Tu as quel âge, toi, déjà ?

— Quatre ans.

— Déjà quatre ans ? s'écrie Robert d'une voix

enjouée. Mais tu grandis beaucoup trop vite ! Tu avais à peine deux ans à ton dernier anniversaire !

Le petit garçon l'observe en fronçant les sourcils, l'air de se demander s'il est gâteux ou s'il fait semblant. Quand il surprend l'étincelle espiègle dans les yeux de Robert, un sourire illumine son visage pensif.

— Quand j'aurai moins mal à la dent, je te raconterai une histoire. Les petits gars qui grandissent trop vite ont besoin de dormir beaucoup et d'écouter des histoires.

Vladimir Fraenkel se souviendra longtemps de ce jour. Lorsque Robert s'est réveillé de l'anesthésie, allongé sur le fauteuil de dentiste et flottant encore dans le brouillard de sa conscience, il a cru tenir devant lui l'agresseur qui venait de le mettre au tapis et lui a balancé son poing en pleine figure. Il faut croire que même engourdi, il conservait de la vigueur car Lodia est resté un moment sonné et son nez saigne encore.

— Vous n'étiez pas satisfait de mon travail ? lui demande le stomatologue d'une voix où Robert reconnaît l'humour pince-sans-rire de Théodore.

— Je ne sais pas ce qui m'a pris, bafouille Robert cramoisi.

— Ça arrive de temps en temps, le rassure Vladimir. Uniquement avec les patients les plus coriaces. Allons nous réconforter, j'ai un fond d'alcool de prune que je garde pour les grandes occasions.

À sa femme qui s'inquiète de l'état de son visage, le docteur répond avec une lueur joyeuse au fond de ses yeux perçants :

— Je crois que l'anesthésie aidant, Robert m'a confondu avec Alain Laubreaux.

Avant de passer en zone libre, Théodore leur a raconté le dîner chez Lipp où Robert avait plongé la tête du journaliste dans son plat de choucroute.

— J'avoue que j'ai plaisir à imaginer la scène, dit Madeleine Fraenkel. Je vais aller coucher Jacques. Robert, vous ne partez pas tout de suite ?

— Seulement si vous me mettez à la porte pour mes mauvaises manières, répond Robert qui fait un clin d'œil au petit garçon. Mais quoi qu'il arrive j'ai promis une histoire à Jacques et il l'aura, bon sang de bois !

Robert accompagne le petit garçon dans sa chambre au fond du long couloir. C'est une grande pièce vide, qui donne sur une cour plongée dans les ténèbres. Le papier peint déplie ses fleurs moroses au-dessus du lit d'enfant, sur lequel un ours en peluche ébouriffé apporte une note réconfortante. Sur le plancher, quelques cubes empilés pour seul trésor. Robert pense aux livres de poèmes qu'il a composés pour les enfants Deharme ou pour le fils de son ami Darius Milhaud. Il se souvient de sa solitude d'enfant dans l'appartement de la rue Saint-Martin, de ce sentiment d'être naufragé et que personne, jamais, ne traverserait ce silence pour le rejoindre. Il se dit que l'isolement du petit Jacques est d'autant plus écrasant que personne ne peut lui en expliquer l'irraison. Alors il l'installe sur ses genoux et il lui donne ce qu'il peut lui donner, une histoire qui n'a l'air de rien, mais qui recèle des galeries sous la terre et des passages secrets, des voiliers cinglant vers ces horizons lointains où brûle un soleil assez ardent pour réchauffer sa chambre et son cœur aux aguets. Tandis qu'il déploie les aventures échevelées du Corsaire

Sanglot et que le petit garçon appuie sa joue contre la sienne, il se dit que tous les enfants devraient avoir des récits et des poèmes auxquels accrocher leurs rêves comme à un ballon emporté par le vent. Il va écrire ce livre pour enfants qu'il mûrit depuis des années, il sent que c'est le moment, parce que trop de gosses s'endorment dans un monde que la fantaisie a fui.

Le zèbre, cheval des ténèbres,
Lève le pied, ferme les yeux
Et fait résonner ses vertèbres
En hennissant d'un air joyeux.

Lorsque Jacques et son ours en peluche se sont assoupis dans les bras l'un de l'autre, Robert échange avec ses hôtes les dernières nouvelles de Théodore, qui s'est installé chez son beau-père à Clermont-Ferrand et se plaint que les gens « préfèrent aller se faire tuer gratuitement par Hitler plutôt que de le payer cher pour le même service ».

— Même s'il manque de patients, je préfère le savoir là-bas, tranche Vladimir. Surtout maintenant que j'ai pu mettre notre mère à l'abri.

Les deux frères s'inquiétaient pour Eugénie-Zelda. Arrivée d'Odessa à l'âge de vingt ans, elle avait conservé un accent prononcé qui la trahissait à chaque mot. Vladimir s'est rappelé opportunément qu'il avait sauvé d'un cancer la mère supérieure d'un couvent de Seine-Saint-Denis qui observait la règle du silence. Elle a accueilli avec empressement cette pensionnaire douce et discrète, dont le regard pâle reflète un rivage lointain. Et Eugénie-Zelda, qui fut un jour chanteuse d'opéra, s'est coulée dans le silence comme dans une conque, où résonnent sans doute les traces mémorielles de toutes ces vies qu'elle a dû abandonner l'une après l'autre.

— Vous arrivez à garder votre clientèle ? demande-t-il à Vladimir pendant qu'ils font honneur à l'alcool de prune.

— J'ai la chance d'avoir des collègues qui m'apprécient assez pour prendre les consultations à leur nom. Je soigne les patients à l'hôpital ou chez moi et ils me donnent les honoraires de la main à la main. J'ai pris la précaution d'occulter les vitres du salon et je travaille moins, mais on se débrouille à peu près.

— Vous ne portez pas l'étoile ?

Madeleine Fraenkel, qui n'est pas juive, laisse filtrer son inquiétude :

— Il ne l'a portée qu'une journée.

— C'était une journée de trop ! lâche Vladimir.

Robert devine la charge d'humiliation de ce souvenir, ce qu'a dû endurer ce médecin habitué à être considéré, respecté. Les quolibets et les regards de biais, les ricanements, les gestes de compassion, ce halo qui détache les Juifs de la foule et les réduit à leur statut.

— Robert, dites-lui ce qu'il risque s'il ne la porte pas, l'implore Madeleine.

— Je crois qu'il le sait.

— Tu t'imagines que ceux qui portent l'étoile risquent moins que moi ? demande Vladimir à sa femme.

Robert reconnaît dans ses yeux l'orgueil flamboyant de Théodore.

— J'ai mieux à vous proposer, Lodia, dit-il. Parce que je ne distribue pas que des baffes.

Quand il quitte la rue de Bucarest, la nuit a tout recouvert et sa silhouette se fond dans l'obscurité. Le couvre-feu a rendu à Paris la profondeur de ses ténèbres. Le poète marche sans peur dans la ville endormie. Il ne redoute pas les mauvaises rencontres, pourtant les guets-apens ne manquent pas, dans ces rues noires où l'aboiement d'un chien fracture parfois le silence, suspendant l'écho d'une course mortelle.

Dans sa poche, il effleure des doigts la photo d'identité que lui a confiée Vladimir. Depuis les dernières lois, les Juifs doivent se faire photographier de profil. Le stomatologue, qui a dû s'inscrire sur le fichier Tulard, avait apporté à Robert une photo réglementaire. Il la lui a rendue en souriant :

— Non, Lodia. J'ai besoin d'une photo de face, une photo d'homme libre. Vous en avez bien une qui traîne ?

Vladimir est retourné fouiller les tiroirs de son bureau et lui a tendu avec émotion une photo datant d'avant la guerre où ses yeux sourient à l'objectif. Ce sourire, l'Occupation l'a effacé. Robert espère contribuer à le lui rendre, avec l'aide de sa nouvelle amie madame Novosseloff.

Robert regagne sans bruit l'appartement désert. La rue Mazarine est plongée dans le sommeil et il devine les rêves de ses voisins, horizons dépliés à perte de vue et festins pantagruéliques. Youki n'est pas là. Ces derniers temps, elle profite du couvre-feu pour passer la nuit dans les dancings et les cabarets. Le cœur de Robert se tend comme une corde de guitare quand il passe près de sa chambre vide. Au matin, il la retrouve abîmée sur son lit. Cette odeur d'alcool qui imprègne ses vêtements et sa peau, cette lassitude au fond de ses prunelles sont les signes que sa Sirène va mal. Elle boit, comme on marche vers la vague en espérant qu'elle ne laissera rien de soi. Elle abandonne son corps aux morsures de bouches sans visages, aspirant à un oubli qui ne vient pas. Se réveiller sans mémoire, et que ses souvenirs cessent de la torturer.

Parce qu'il ne sait comment la rejoindre, Robert écrit. Il met la dernière main à un roman qui traite de l'addiction et ressuscite une époque enfuie, celle d'Yvonne et de ses amis opiomanes. Réveillant les fantômes, il sonde les racines du mal de vivre qui vous attire vers le baiser du vampire. Il évoque Youki à travers Yvonne, cherche la rondeur de sa Sirène dans la silhouette d'une chanteuse éteinte. Bercé par le carillon de Saint-Germain-des-Prés, il noircit les pages. Quel mal te ronge, ma Sirène vagabonde ? Jusqu'où te perdras-tu pour fuir les hommes de Vichy, leurs discours mortuaires, leur liturgie glaçante ?

Il n'a confié qu'à Ghita l'inquiétude qui le mine, la crainte de ce que deviendrait Youki s'il disparaissait. Depuis le départ du Doc, ils se voient régulièrement. Cette douceur les apaise et les rapproche.

— S'il m'arrivait quelque chose, je crois que Youki ne parviendrait pas à le surmonter, lui a-t-il dit alors qu'ils dînaient ensemble.

— Je pense qu'elle a plus de ressources que tu ne crois, a répondu Ghita. Elle a tant d'énergie et de liberté…

— Que fait-elle d'autre que de se tuer à petit feu ? a objecté Robert, envahi d'une profonde tristesse.

Youki est faible, Ghita. Elle fuit, et je n'arrive pas à la retenir.

Le désarroi de son cœur et de son esprit provoquait seul cet abandon de son corps qu'elle considérait finalement comme une chose sans importance à évaluer le peu de plaisir vrai qu'elle prenait en ces étreintes de hasard.

— Mon cher Robert, a murmuré Ghita avec un sourire mélancolique. Théodore et toi, vous avez le courage de vous battre pour ce qui vous tient à cœur. Mais nous qui sommes faibles, comme tu le soulignes avec une perspicacité cruelle, qu'est-ce qu'il nous reste ? Les souvenirs font trop mal. On les repousse comme on peut, à travers des fêtes qui sonnent faux. Ne désespère pas de Youki, elle t'aime plus qu'elle ne le croit.

Nuit après nuit, en écrivant, Robert filtre son amour de toute colère, de tout jugement, pour n'en garder qu'une porte ouverte, une main désarmée aspirant à la douceur d'un sein, un regard capable de traverser les mensonges et les dérobades pour embrasser la beauté dans son entier.

Si Youki pouvait se voir à travers ses yeux, elle n'aurait plus peur.

Puisque je suis assuré de mourir je saurai un jour ce que c'est que la vie et la mort, si elles sont quelque chose. Mais vivre ? J'en prendrai toute la dose qui m'est donnée même si elle est saumâtre. On ne sait pas. Il peut arriver des choses tellement curieuses, un jour.

*

Le 16 juillet 42, des milliers de policiers français raflent à leurs domiciles des familles entières de ces Juifs qualifiés d'« apatrides » qui viennent d'Allemagne, d'Autriche ou des pays de l'Est et les conduisent sous bonne garde au Vélodrome d'Hiver. Au passage, on a arrêté quelques milliers de Juifs français qu'on avait pris soin de dénaturaliser *in extremis.* L'opération n'a pris que quelques heures et s'est déroulée sans trop de heurts, dans le plus grand secret. Au journal, Robert découvre le rapport avec incrédulité : près de treize mille Juifs auraient été raflés, parmi lesquels des femmes et des enfants. Huit mille d'entre eux seraient enfermés au Vél'd'Hiv sans que filtre la moindre information sur leur état ou leur destin. Au bout de quarante-huit heures, les voisins se plaignent de l'abominable puanteur qui monte du stade, envahissant les rues et les appartements. Le 19 juillet, la police française transfère les prisonniers vers une destination inconnue. Des témoins rapportent qu'ils ont traversé la ville dans des autobus chargés jusqu'à la gueule. Pour René Bousquet, le secrétaire général de la police, l'opération n'est pas satisfaisante. Il y a eu des fuites. Près de la moitié des hommes ont été prévenus à temps pour se cacher. Les femmes et les enfants se croyaient à l'abri. Jusqu'ici, on n'avait raflé que les hommes et quelques femmes arrêtées pour des infractions aux lois antijuives.

Des milliers de gosses arrachés à leur lit en pleine nuit, séparés de leur mère à coups de matraque. Robert pense au petit Jacques et son ventre se contracte. Il hésite à se rendre rue de Bucarest et se ravise. Si les Fraenkel se cachent, il ne peut risquer de les compromettre. Les jours suivants, il ne peut penser à autre chose. Où ont-ils mis tous ces gens ? Que vont-ils en faire ?

— La police française les a envoyés dans le Loiret, lui murmure Gaëtan de Heredia un matin, profitant d'un moment où ils sont seuls. Il y a des camps, là-bas. Certains sont à Drancy. D'après mes sources, ce n'est pas la fin du voyage. Des convois quittent la France en direction de l'est.

— La police française opère seule ? interroge Robert.

— Elle agit en toute autonomie. Bousquet s'en est vanté hier à la Tour d'Argent. Un vrai partenariat franco-allemand. Il a salué le début d'une nouvelle phase de la collaboration.

La rage et le dégoût submergent Robert. Il sent que la violence pourrait l'emporter, il suffirait de si peu. Il abandonne les articles en cours, quitte le journal et remonte la Seine dans cette douceur estivale qui donne à Paris l'air d'une jeune mariée marchant vers sa nuit de noces. Il brûle de déchirer son voile de tulle, d'en dénuder la farce macabre.

Sur le quai de Bourbon, il entre dans la cour du vieil hôtel particulier, grimpe les escaliers et frappe deux fois trois coups à la porte de madame Novosseloff. Au bout de quelques minutes, elle le fait entrer.

— Il a bien fait de venir plus tôt, dit-elle de sa voix basse et mélodique. Le travail ne manque pas, ces jours-ci.

Sur le bureau, des laissez-passer et des formulaires d'identité en blanc attendent leurs cachets officiels. Les reproduire est le plus difficile. Il faut d'abord les recopier soigneusement sur un bout de linoléum en en inversant le dessin. La gravure et la découpe sont des opérations délicates. Ensuite, on applique une pomme de terre coupée en deux et trempée dans l'encre sur le dessin en relief, puis sur le formulaire, en espérant que le tampon obtenu sera aussi réaliste qu'un original. Fabriquer une carte d'identité ne suffit pas, on doit réaliser des « papiers de vraisemblance » pour parfaire le mensonge, des cartes de rationnement et des certificats d'immatriculation pour les bicyclettes, des attestations d'hébergement et des cartes de bibliothèque qui convaincront la police qu'elle n'a pas affaire à une identité fantôme. Robert aime créer ces personnages de fiction, leur inventer le passe-temps qui apportera la dernière touche de vérité.

— Beaucoup de gens se cachent depuis la grande rafle, dit Robert. Il leur faut des tickets de rationnement.

— Mon stock est presque épuisé, répond madame Novosseloff en examinant un passeport sous sa loupe d'horloger. Je les ai eus par un fonctionnaire de la préfecture qui me devait un service, mais sa dette est remboursée et il n'est pas très courageux.

Robert hoche la tête. Il suppose que le jeune Pierre Berger pourra lui venir en aide. Comme chaque administration fabrique les siens, la Résistance doit se procurer des papiers de provenances variées, les voler ou disposer de complices dans les mairies ou les préfectures.

— La carte d'identité qu'il demandait en urgence est terminée, il peut vérifier que rien ne cloche, suggère Irina Novosseloff.

D'une main soigneusement manucurée où scintille discrètement une alliance sertie d'améthystes, elle lui tend la carte d'identité d'un certain Michel Renaud, employé de bureau de nationalité française domicilié au hameau du Briou, à Bouzy-la-Forêt, paisible commune du Loiret dont les archives ont brûlé au début de la guerre. Sous le tampon de la mairie de Bouzy, dont Robert a reproduit avec talent la Marianne couronnée, Vladimir Fraenkel le fixe avec cette ombre de sourire où il déchiffre le signe de leur entente secrète.

— Superbe ! s'exclame-t-il et une onde de fierté et de joie balaie la nausée qui l'étreint depuis son échange avec Heredia. C'est parfait, il ne manque que les empreintes digitales.

Le lendemain matin, à l'heure où les ouvriers regagnent leurs usines qui tournent à plein rendement pour Hitler, Robert s'arrête au Balto, le café qui fait l'angle de la rue Guénégaud et de la rue Mazarine. Comme chaque matin, il entre en lançant à la cantonade :

— Ils sont foutus, on les aura !

Il n'a cure d'être entendu par ces patriotes qui écrivent de belles lettres calligraphiées au Maréchal, au commissariat de quartier, à monsieur Darquier de Pellepoix ou à la Kommandantur pour dénoncer le boulanger qui s'est réjoui du dernier bombardement de la RAF, le cordonnier juif qui continue à travailler à domicile ou les deux jeunes gens qui ont profité d'un baiser sur la place de la Contrescarpe pour se passer une enveloppe aussitôt disparue, coincée sous la chemise du garçon, reparti un peu trop vite. C'est un café tranquille. Les habitués le saluent d'un mouvement de tête. Le patron, monsieur Rossi, le laisse caresser son chat et échange avec lui quelques propos désabusés sur l'air du temps, qu'il faut respirer même s'il abrase la gorge.

Aujourd'hui, Robert délaisse le comptoir pour l'arrière-salle où l'attend Pierre Berger, qui dort peu car il a plusieurs vies à mener de front.

— Tu te souviens du jour où cette raclure de Laubreaux t'avait giflé ? lui dit Robert en essuyant ses lunettes. Tu as beaucoup changé, mon petit pote. Tu es devenu quelqu'un. La guerre fait vieillir à toute allure.

Des hommes sortent tout armés d'un corps imberbe, serrant leurs dents toutes neuves. Au réveil, ils cherchaient le sein de leur mère et à midi ils sont prêts à mourir devant un peloton d'exécution, ils écrivent à leur mère qu'il est vain de les pleurer parce qu'ils sont libres, que le prix n'est pas trop élevé, bien qu'il leur coûte de disparaître avant d'être las de l'amour et du risque, et même de cette peur qui transforme le corps en tambour.

Je sens sous mes deux pieds la terre qui palpite.

— L'autre jour, j'ai repensé à cette soirée, répond Pierre en le fixant de son beau regard droit. J'ai giflé un collabo, et j'ai revu l'autre, son arrogance. Vous m'aviez dit que je prendrais ma revanche. J'y travaille, sourit-il.

Robert aimerait lui dire qu'il faut savoir choisir son risque, mais il a conscience de ne pas donner le bon exemple.

— J'ai besoin de toi, Pierre, dit Robert. Il faut que tu me procures du matériel. J'aimerais aussi que tu m'introduises auprès de tes relations. Je sens que je m'encroûte, un peu d'action me ferait du bien.

— Je vais réfléchir à tout ça, je vous recontacterai, répond Pierre.

Mérite-t-il vraiment le nom de jour, ce jour
Dont s'encrasse la ville et la vie et l'amour?
Oui, car la flamme enfin, dans le brouillard s'allume.

Robert a envoyé Youki se reposer en Normandie. Il voulait la distraire de la grisaille de Paris, qu'aucun soleil ne parvient plus à réveiller. Il la rejoindra bientôt. Ils se promèneront au bord de la mer, il s'enfoncera seul dans la forêt de Cerisy, y cueillant bolets et girolles, pieds-de-mouton et trompettes-de-la-mort. Il déniche des paxilles et des coprins jusque dans les squares de Saint-Germain-des-Prés et les cuisine avec un art qu'il tient de Foujita.

Si Youki lui manque, il est soulagé qu'elle soit loin des activités clandestines qu'il lui tait, pour ne pas la mettre en danger ou qu'elle le trahisse par inadvertance. Elle est trop spontanée, trop vive pour ce temps où il faut calculer ses gestes, faire jouer les mots comme des serrures.

Tandis qu'elle séduit le patron de l'Hôtel de la Gare sous le ciel d'ardoise de Molay-Littry, Robert prend le petit-déjeuner avec Paul Éluard, Georges Hugnet, Jean-Louis Barrault et le peintre Félix Labisse dans l'un de ces petits restaurants de marché noir aux adresses bien gardées. C'est une gargote discrète. De l'extérieur, personne ne se douterait que Picasso y déjeune plusieurs fois par semaine et qu'elle compte dans sa clientèle des peintres et des poètes, des gens de théâtre et de cinéma. Il y flotte un parfum de ragoût et de clandestinité, on peut s'entretenir à mi-voix de sujets dangereux. Pendant que Youki se laisse peut-être embrasser sous le portrait d'une vieille Normande revêche, Robert prend des nouvelles de Sonia Mossé, qui a échappé aux dernières rafles et continue à se rire des loups, éclatante de beauté et d'irrévérence. Robert voudrait lui procurer des faux papiers, mais Éluard craint qu'elle ne les refuse. Elle vit comme s'il suffisait d'ignorer le croque-mitaine pour qu'il retourne au néant, et ses amis tremblent de la voir attirer l'attention par ce mélange de grâce et de *chutzpah* qui attise le désir et la jalousie.

Dans la soirée, Robert emmène une jeune admiratrice au Harry's Bar. L'endroit où il retrouvait avant-guerre Hemingway, Dos Passos et leurs amis républicains espagnols est désormais fréquenté par des collabos et des actrices qui ont plus de poitrine que de jugeote. Robert s'est installé au bar avec cette jeune femme qui a grandi en rêvant des surréalistes, et s'illumine quand il fait revivre pour elle leurs coups d'éclat et leur panache. Enflammé par l'alcool, il raconte avec une verdeur imagée les semonces d'André Breton au Cyrano, la bagarre générale au banquet de la Closerie des Lilas et le soir où il lança à un spectateur outragé par *L'Étoile au front*, que Raymond Roussel donnait au théâtre du Vaudeville : « ***Nous sommes la claque et vous êtes la joue*** », joignant le geste à la parole. La jeune femme est séduite et ce n'est pas désagréable, à l'heure où Youki déploie son charme pour un piètre rival. Regardant derrière son épaule, il aperçoit le secrétaire d'Alain Laubreaux au fond de la salle, plongé dans *Je suis partout*.

— Tu vois cet homme, là-bas ? murmure-t-il à son admiratrice. C'est une ordure ! Il bosse pour Alain Laubreaux, un salopard qui écrit dans *Je suis partout* et dont le frère dirige un torchon nazi à Berlin. Tu vois le tableau ? Le secrétaire est aussi pourri que son patron. Ne bouge pas, je reviens.

Il se lève et marche droit sur le secrétaire qui ne l'a pas vu. Il est absorbé dans la prose délectable de messieurs Cousteau, Brasillach, Jeantet et Rebatet, à moins qu'il ne se régale des brèves infâmes dont Laubreaux s'est fait une spécialité. Robert sent la colère l'électriser. Il lui arrache son journal et lui jette :

— ***Ton Je chie partout te conchie le cerveau, mon vieux ! Ton patron, je lui ai filé une paire de claques il y a trois mois. J'attends toujours ses témoins.***

Interdit, le secrétaire fixe son agresseur avec l'incrédulité d'un seigneur médiéval bravé par un manant. Robert toise ce personnage qui tire sa morgue du magma de lâchetés et de peurs sur lequel il prospère. Il débusque l'épouvantail sous le costume bien taillé, le teigneux aux dents longues sous le bourgeois policé. Ramené à ses pulsions essentielles, le teigneux se redresse et lui envoie son poing dans la figure. Robert réplique par un direct en pleine mâchoire et un coup de pied dans le tibia. Plié en deux, le secrétaire se tord de douleur et fait un tel barouf que le patron menace d'appeler les flics.

— S'il vous plaît, pas la police…, l'implore la jeune admiratrice de Robert. Mon mari ne sait pas que je suis là.

Les yeux étroits du barman s'attardent sur elle, cherchant dans son allure sage les traces d'un tempérament volcanique. Il pèse les ennuis que cette histoire pourrait lui valoir et le plaisir d'une connivence sexuelle. Finalement il se ravise, ébauchant un sourire en direction de celle qui a transformé ce pugilat vulgaire en intermède de Feydeau.

Le secrétaire quitte le Harry's Bar en vomissant des injures, traite Robert de philoyoutre, de communiste et de gaulliste, menace :

— Tu vas voir quand le patron saura ça, tu ne perds rien pour attendre !

Les clients assistent médusés à la scène, délaissant leurs journaux et leurs cocktails.

— Retourne dans ta fosse septique, lâche Robert d'une voix glacée. Les bousiers de ton espèce ne devraient jamais en sortir. Tu n'as pas plus de couilles que ton patron. Vous vous croyez à l'abri mais on ne vous oubliera pas, au moment des comptes !

Quand il est parti, Robert applique un mouchoir sur son nez qui saigne, commande une fine et déclare sans ambages :

— ***Laubreaux mourra de ma main, je lui ferai sortir les tripes à coups de pied.*** Pour une ordure pareille ce sera déjà un honneur.

Dans le visage de son admiratrice, il lit l'effroi que lui inspire tant d'imprudence. Le barman lui tend son verre sans un mot. Mais Robert tient à ce que son avertissement soit rapporté à Laubreaux, qu'il bourdonne à son oreille quand il dîne à l'ambassade d'Allemagne. Qu'il revienne comme un refrain obsédant, perturbe son sommeil, taraude son foie trop chargé. Qu'il ne se sente plus en sécurité nulle part, éprouve ce frisson sur la nuque, redoute un bruit de pas derrière lui. Qu'il ait à son tour le ventre noué, partage l'angoisse de ceux qu'il dénonce.

J'ai souhaité ta mort et rien ne peut l'empêcher de venir [prématurément

Quelques jours plus tard, à la Bibliothèque nationale, un inconnu vient s'asseoir en face de Robert. D'abord, Robert ne le remarque pas. Mais l'insistance de son regard finit par lui faire lever la tête et il découvre un homme séduisant, d'une quarantaine d'années. Dans sa main droite, il tient en évidence un exemplaire des *Liaisons dangereuses*. Autour d'eux, un silence à peine troublé par les craquements du bois et le bruit des pages qu'on tourne, une salle presque déserte dans la torpeur de cet après-midi d'août où quelques étudiants s'échinent sur leurs thèses sous la lumière électrique. Robert et l'inconnu s'observent. Une dizaine de minutes plus tard, l'homme se lève et quitte la salle, abandonnant son livre sur la table. Robert hésite à le suivre. Si c'était un agent de la Gestapo qui l'attirait dans un cul-de-sac pour lui appuyer un revolver sur la tempe ? Il n'y a qu'un pas, de la rencontre à la souricière. Il se lève à son tour et le rejoint dans la cour. Sur le mur, leurs ombres racontent une histoire incertaine. L'homme allume une cigarette et lui en propose une. Ils font quelques pas et fument en silence dans le bourdonnement des insectes.

— Un de nos amis communs m'a dit que vous cherchiez à vous rendre utile, dit l'inconnu.

— C'est vrai, dit Robert.

— Je travaille pour les Anglais. Je leur fournis des renseignements.

— Quelle sorte de renseignements ? demande Robert.

— Les mouvements des troupes, l'emplacement des casernes, des dépôts d'armes et de carburants, les transports ferroviaires…

— Je suis journaliste, j'ai accès à toutes sortes d'informations.

— Pourquoi faites-vous ça ? Votre vie est trop tranquille ? Vous vous ennuyez ? ironise l'homme en le transperçant du regard.

— Parce que c'est la seule manière de supporter tout ça, répond Robert, laissant affleurer son dégoût, la rage qui le réveille en sursaut, le brûle comme un acide.

Un éclair passe dans les yeux clairs qui le jaugent.

— Nous nous reverrons lundi prochain à la même heure, au Café des Chasseurs, à côté de la gare du Nord, dit l'homme. Si vous avez un empêchement, laissez-moi un message derrière le récepteur de la troisième cabine téléphonique, dans le hall de la bibliothèque. Soyez prudent. À partir de maintenant, vous devrez vous assurer en permanence que personne ne vous suit, garder le moins de traces écrites possible.

Ils rentrent séparément et Robert regagne sa place. Il peine à se concentrer sur sa critique littéraire de la semaine. L'adrénaline met le feu à ses veines. Mais s'il veut rejoindre Youki à la fin du mois, il doit en finir avec le dénommé Pierre Pascal, plumitif sans talent dont la médiocrité s'épanouit sous le nouveau régime. Non content d'être le rédacteur en chef d'un torchon fasciste, il a cru bon d'infliger aux lecteurs d'Edgar Poe la plus mauvaise traduction de ses poèmes à ce jour, estimant sans doute que celles de Baudelaire ou de Mallarmé pâliraient au regard de la sienne. Robert l'exécute en quelques lignes précises :

Si jamais poésie eut un sens, ce fut celui d'une voix, d'un envol. Edgar Poe, ici, est privé de la première, du second et de la troisième. C'est que traduire et comprendre sont deux. M. Pierre Pascal manie le vers français avec une rare maladresse et ne ressent pas la poésie quelle qu'elle soit. Le présent livre ira rejoindre, à la fabrique de papier, un certain nombre d'ouvrages sans intérêt qui, refondus, permettront peut-être la publication d'œuvres lisibles.

Le lundi suivant, Robert rencontre à nouveau son mystérieux interlocuteur. En échangeant leurs identités, ils scellent un pacte implicite. L'inconnu s'appelle Michel Hollard, il est décoré de la croix de guerre et pour lui, le conflit ne s'est pas terminé avec l'armistice. Après la défaite, il a refusé de travailler pour l'occupant et gagné la Suisse, où il s'est mis en contact avec l'Intelligence Service. Il a créé son propre réseau, baptisé AGIR. Il est le seul lien entre ses agents, ce qui l'oblige à sillonner la France chaque semaine mais lui paraît plus prudent. En cas d'arrestation, les membres du réseau ne pourront faire tomber que lui. Il s'est réservé le rôle d'une cible mouvante. Il s'arrange de ce risque, il sait que le courage consiste à cheminer avec sa peur, quotidiennement, comme avec une bête sauvage qui peut vous tuer si vous baissez votre garde. Tels ces capitaines qui rassurent leur équipage dans l'œil des tempêtes,

Hollard inspire à Robert une confiance et une sympathie immédiates. Désormais, il ne se contente plus de parcourir les dépêches et les documents confidentiels après la fermeture des bureaux. Il les emporte chez lui et les recopie, prenant soin de les restituer avant l'arrivée de ses collègues.

Robert s'enfonce dans l'eau mouvante de la clandestinité, et plus il progresse, plus elle libère en lui d'énergie. Un tumulte de pensées, de débris de rêves et de tessons poétiques bat la mesure de ses pas tandis qu'il arpente les rues et les quais et se réapproprie sa ville défaite, qui halète dans la brume et reprend son souffle.

*

En descendant le marchepied du wagon, Robert aperçoit Youki qui se précipite vers lui, les cheveux décoiffés par le crachin et le vent. Il la reçoit dans ses bras. Son corps est cette planète brûlante où il aspire à se perdre.

— Ah, Robert…, murmure sa Sirène dans son cou, Tu m'as fait peur… J'ai passé la nuit à te chercher en rêve et tu n'étais nulle part, je devenais folle, je harcelais les gens.

— Mais ma chérie, où veux-tu que j'aille ? sourit-il en humant sa chair, dont la transpiration avive le parfum. C'est déjà toute une histoire de trouver le fric pour te rejoindre quelques jours !

Elle se redresse, serre son visage entre ses mains et le fixe avec cette frayeur enfantine qui la saisit parfois au cœur de la nuit :

— Robert je suis sérieuse, il ne faut plus me laisser, tu entends ? Avant ça ne m'embêtait pas, c'était même plaisant d'avoir un peu la paix. Mais maintenant tu sais, je m'imagine des choses affreuses quand tu n'es pas là.

— Tu ne vas quand même pas te laisser effrayer par les racontars de la boulangère ! la gronde-t-il. Que veux-tu qu'il m'arrive ? Je ne suis qu'un chroniqueur musical et littéraire dont personne ne lit les papiers !

— Si tu crois me rassurer en disant des âneries ! proteste-t-elle en riant. Et puis tu es imprudent, il faut que tu arrêtes de dire tout haut ce que tu penses. Ils fusillent pour moins que ça.

— Dis-moi, tu ne t'es pas ennuyée pendant mon absence ? demande Robert qui préfère changer de sujet. Le patron de l'hôtel a l'air charmant.

— Oh, tu sais, son seul avantage est d'être là quand tu n'y es pas, rétorque-t-elle en levant le menton, coupant court à toute discussion glissante.

Entre la forêt et la grève, il marche en oubliant les heures et même s'il croise des soldats allemands, il lui semble que sa liberté ankylosée se déplie. Vue d'ici la guerre paraît plus lointaine. Mais c'est une illusion que dissipent l'écho d'une détonation dans la clairière, ou la rumeur de ces jeunes gens arrêtés près d'une voie ferrée et confiés à la Gestapo de Caen.

Il se promène en repérant l'emplacement des casernements allemands, longe la mer couleur de cendre, ébauche les premiers poèmes d'un recueil dont il a déjà trouvé le titre : *Contrée.* Ce mot évoque un territoire à inventer, à reconquérir. Une contrée est une terre étrangère qui échappe à toute possession, réservant des surprises et des embuscades. Contrée abrite le verbe contrer, convoque la défiance et la rébellion. Deux fers se dressent l'un contre l'autre, mais celui qu'on n'attendait pas a l'avantage de la surprise.

« Je vais à tâtons mais les images, les mots et les rimes s'imposent comme les détails d'une clé pour ouvrir une serrure, écrit-il à Éluard. *Je crois de plus en plus que l'écriture et le langage automatique ne sont que les stades élémentaires de l'initiation poétique. Par eux on enfonce les portes. Mais derrière ces portes, il y en a d'autres avec des serrures de sûreté qui ne cèdent que si on cherche et trouve leur secret. L'inspiration devient une ivresse plus subtile. »*

Une euphorie le gagne à la pensée de cet horizon qui se découvre à mesure qu'il avance et se défait de ses mues successives, de ces vieilles peurs qui le ralentissent : celle de demeurer transparent, de n'être pas aimé. Il gomme, élague, cherche une poésie où les mots s'agenceraient en une harmonie lumineuse et implacable. Il a toujours aimé la simplicité, mais sa sobriété est devenue monacale : *État de veille* rassemble des couplets à chanter en secret, *Couplet du verre de vin, de la rue Saint-Martin* ou *de la rue de Bagnolet.* Les poèmes de *Contrée* naissent d'une réalité quotidienne : *Lepaysage*, *La maison*, *La moisson*. Des mots de rien, sans prétention, humbles comme des voyageurs de commerce, dont personne ne songerait à se méfier. C'est leur force et leur ruse, leur mystère et leur orgueil.

Nos dieux étaient trop fragiles,
C'étaient de petites gens,
Dans un petit domicile,
Vivant de fort peu d'argent.
Plus grande est notre fortune
Et plus sombre est notre sort.
Nous ne voulons pas la lune.
Nous ne craignons pas la mort.

À la rédaction d'*Aujourd'hui*, un courrier vengeur est arrivé. Un coursier l'a déposé sur son bureau avec une pile de livres à chroniquer. Il le découvre à son retour, le visage hâlé et jovial, l'esprit délié. Il commence par déchiffrer la signature et sourit, Pierre Pascal a la vanité chatouilleuse, voilà qui ne le surprend pas venant d'un traducteur qui ignore la subtilité. Sa bonne humeur disparaît à mesure qu'il lit :

« On vous connaît "Monsieur". Vous ne me connaissez pas. Aussi votre règlement de comptes de ce jour me fait bien rire. Antifasciste, enjuivé, perdu de tout, tel vous étiez avant notre guerre. Votre défaite ne vous a pas permis de subtiliser la gloire que vos congénères et complices espèrent encore rapiner. Vous envoyez mes livres au pilon ? Où vous enverra-t-on, le jour de notre Révolution ? Car vos livres invendus, invendables, ne valent même pas douze "balles". Soyez sage et prudent. »

La menace est assez claire pour qu'il s'en ouvre à Jean Cocteau, lors d'un déjeuner derrière les arcades du Palais-Royal. Une commune détestation de Laubreaux les a rapprochés plus étroitement que le souvenir d'Yvonne George. Ils se fréquentent d'autant plus volontiers que Youki est sous le charme de Jean Marais, bien qu'elle sache qu'il est vain d'espérer le séduire. Dans un monde réduit à un dégradé de gris, Cocteau s'efforce de rester sur son fil périlleux de funambule charmeur. Robert n'approuve pas ses compromis mondains mais lui reconnaît un certain panache.

— Ne prenez pas cette menace à la légère, lui dit Cocteau après avoir lu la lettre. Le cercle de vos ennemis s'élargit. À votre place, je me ferais oublier. Vous savez, quand Jean a giflé Laubreaux, j'ai craint que cette ordure ne se venge. J'en ai touché un mot à Arno Breker. Il a beau être le sculpteur favori d'Hitler, c'est un homme qui sait faire la part des choses, et m'apprécie assez pour me rendre des services si je les sollicite. Je peux lui parler de vous. Obtenir une protection. Ça vaut ce que ça vaut, mais c'est mieux que rien.

Robert refuse. Jamais il ne demandera l'aide de ces gens. Mais il reconnaît que Cocteau a raison, il ne doit plus faire parler de lui. Ses batailles, désormais, se mèneront dans l'ombre.

Silence ? nous savons pourtant les mots de passe,
Sentinelles perdues loin des feux de bivouac

17

Le 8 novembre 1942, alors que l'armée allemande épuise ses forces vives aux portes de Stalingrad, les troupes anglo-américaines débarquent en Afrique du Nord. En représailles, les Allemands envahissent la zone libre le jour anniversaire de l'armistice de 1918 et donnent les pleins pouvoirs à Pierre Laval, leur pion servile. Un matin frisquet, Pierre Berger ne vient pas au rendez-vous que Robert lui a fixé au café Balto. Il n'est pas là non plus le lendemain, et Robert n'ose rentrer dans la librairie-galerie qu'il tient rue des Beaux-Arts, de peur de tomber dans une souricière de la Gestapo. Aucune explication, rien que cette absence qui hurle derrière le rideau de fer. Robert finit par apprendre qu'il a été arrêté. Peut-être dénoncé par le collabo qu'il était fier d'avoir corrigé, vengeant sur la joue d'un autre l'empreinte en étoile des doigts de Laubreaux sur la sienne. Une gifle pour une gifle, la mort pour une gifle. Cela paraît dérisoire, à l'aune de la vie d'un jeune homme. Mais peut-on endurer tant de coups sans les rendre ?

Il faut presser le pas dans les rues encore tièdes du souvenir de ceux qui ont disparu, rejoindre le flux des inquiets qui épient leur reflet dans les vitrines et compliquent leurs itinéraires par de mystérieux détours. Marcher impassible sous l'œil de faucons déguisés en promeneurs, du délateur qui sourit en vous tendant le journal du soir, de ce jeune homme qui tape sur l'épaule de son camarade et l'entraîne en plaisantant vers une porte cochère où l'attendent deux hommes en imperméables noirs. Après un été à l'étreinte mortelle, les flamboiements de l'automne masquent les dents du piège. Les murs respirent, les volets ont des yeux et à certaines heures, quand le jour chancelle sous les ombres, les chasseurs semblent plus nombreux que les proies.

Lorsque le réel se confond avec ses doubles menaçants, Robert se raccroche au corps de Youki, rivière soyeuse qui le perd dans ses méandres. Mais entre eux, désormais, il y a l'épaisseur de ce qu'il ne peut lui dire.

Un après-midi pluvieux, il retrouve Jean-Louis Barrault dans la chaleur feutrée du Flore. Après avoir quitté les bureaux d'*Aujourd'hui*, il a fait un crochet par la Bibliothèque nationale pour glisser des renseignements dans un de ces livres poussiéreux qui dorment sur le haut des étagères, à l'abri de la curiosité des lecteurs. Selon un rituel immuable, il note la cote de l'ouvrage sur un bout de papier qu'il glisse derrière le récepteur d'une des cabines téléphoniques du hall, à l'intention de Michel Hollard. Quel que soit le trajet qu'il emprunte, il prend soin d'égarer une possible filature. Il connaît Paris comme sa poche, sait quels immeubles disposent d'une sortie sur cour et quelles impasses recèlent des passages dérobés.

— Alors, as-tu résolu ton dilemme ? demande-t-il à Jean-Louis.

Depuis des semaines, Jean-Louis pense à quitter le Français. Quand on lui a proposé de devenir sociétaire, il s'est senti dans la peau d'un novice hésitant à prononcer ses vœux. D'un côté, Madeleine et ce refuge studieux qui lui permettait de se tenir à l'écart des tempêtes du monde… De l'autre, ses démons qui revenaient le mordiller, le désir de diriger sa propre compagnie, de se défaire de toute bride, d'aller où bon lui semble, le visage fouetté par le vent et le risque.

— Oui et non, répond-il. J'avais commencé par refuser le sociétariat les larmes aux yeux, et puis tout à coup ça m'a paru impossible de partir. J'ai fait demi-tour à mi-chemin de la liberté. Il faut croire que je n'ai pas ta force.

— Quelquefois, la force consiste à rester où l'on est quoi qu'il en coûte, répond Robert. C'est pourquoi je continue à travailler avec des vendus qui n'ont de journalistes que le nom. Depuis que je me suis fait un ennemi de ce traducteur à la noix, je suis devenu très encombrant. On m'a enlevé ma chronique littéraire. Mon poste ne tient plus qu'à un fil : celui de Pathé-Marconi, qui apprécie mes critiques musicales au point de conditionner ses inserts publicitaires à ma plume.

— Pourquoi ne pas leur claquer la porte au nez et t'en aller respirer ailleurs ? suggère Jean-Louis. Tu viens de trouver un emploi au département scénario de Pathé Cinéma, tu n'as plus besoin d'eux !

— Jusqu'ici, je restais au journal pour payer mon loyer et garder un œil sur l'actualité, dit Robert. Maintenant d'autres raisons se sont ajoutées, plus souterraines. Et puis chez Pathé, ils me prennent à l'essai, rien ne dit qu'ils me garderont !

Jean-Louis hoche la tête. Même s'ils n'en parlent que du bout des lèvres, il sait que Robert s'est engagé dans la lutte clandestine.

— C'est sûr, ça t'oblige à des compromis, mais tu agis, murmure-t-il. Moi j'ai choisi de rester dans ma citadelle au lieu d'entrer dans la mêlée, et cette décision me laisse inassouvi. Le bohémien qui vit en moi proteste !

— Son heure viendra, répond Robert. D'ici là, il doit apprendre la patience. Je crois que tu peux faire beaucoup à l'intérieur de ta citadelle. Plus qu'en te mêlant à un monde que tu méprises. Que ferais-tu dans ce panier de vipères ?

— Je mettrais en scène *Les Mouches*. Sartre me l'avait proposé. Je serais mon propre maître, pour changer, soupire Jean-Louis en ébouriffant sa crinière mal peignée.

— Tu ne serais le maître de rien, le coupe Robert. Un mot de trop, et ils te feraient taire pour longtemps. Là au moins tu es peinard, tu peux travailler. C'est le moment de réaliser de grands projets, comme tu les aimes, sourit-il.

— *Le Soulier de satin* ? Il y a longtemps que j'en rêve. Même si j'obtiens l'accord de Claudel, une longue bataille m'attend pour l'imposer au Français ! s'exclame Jean-Louis en riant.

— Je t'engage à retrouver ton ambition, je ne t'ai pas dit de gâcher ton talent à adapter Claudel ! le taquine Robert. Je te connais, mon petit père, tu dois t'attaquer à quelque chose de plus grand que toi. Tiens, regarde, moi je n'ai jamais autant écrit ! C'est comme si j'avais ouvert une vanne qui ne veut plus se fermer.

Il a déjà envoyé quatre poèmes à des revues clandestines et *Le vin est tiré*... paraîtra bientôt chez Gallimard. Tout en écrivant des poèmes de Résistance, il alimente un recueil de comptines pour enfants. L'écriture est ce territoire défendu qui se superpose peu à peu au paysage de l'Occupation ; son reflet sauvage, tout en dents et en ailes.

— Je n'en suis pas surpris, sourit Jean-Louis. C'est là que tu retrouves ton besoin, ton désir et ta liberté, le ternaire magique qui te permet de rester sur ton axe. Je pensais à toi l'autre jour. Sartre me racontait l'un de ses projets, *Le Pari* : c'est l'histoire d'un couple de personnes déplacées. Ils attendent dans une gare, leur destin est incertain. La femme est enceinte et insiste pour garder l'enfant contre l'avis du mari. À cet instant, un personnage surnaturel leur apparaît et leur dévoile le destin de l'enfant : il mourra fusillé. L'oracle disparaît, et l'homme s'écrie : « À quoi bon le laisser vivre ? » La femme répond : « Moi, je parie qu'il s'en sortira. » L'homme cède, l'enfant vient au monde. À la fin, il est fusillé. Mais sa vie n'a pas été vaine, parce qu'il l'a magnifiée par sa liberté. En écoutant Sartre, je pensais au caractère prémonitoire de ta poésie. Pourtant, tu n'es pas fataliste. Je ne connais pas d'homme plus optimiste que toi. Quelles que soient les difficultés, tu ne te décourages jamais.

— J'espère toujours que demain sera plus beau qu'aujourd'hui, répond Robert. Et je finis par avoir raison.

Nausée de souvenirs, regrets des soleils veufs,
Résurgence de source, écho d'un chant de brume,

Vous n'êtes que scories et vous n'êtes qu'écume.
Je voudrais naître chaque jour sous un ciel neuf.

Les yeux cernés derrière ses lunettes, Robert relit la lettre d'Euphrasie Artaud. Cette femme sincère et timide a puisé dans son amour maternel l'audace de lancer une bouteille à la mer. Ayant épuisé tous les recours, elle écrit au plus cher ami de son fils. Antonin est enfermé à l'asile de Ville-Évrard et il y meurt à petit feu, de faim et de tourment. Derrière les mots simples, Robert entrevoit une réalité glaçante. Un cimetière de malades abandonnés à l'incurie cynique, qu'on enterre dans un silence déchiré de hurlements. Il pense à la dernière fois qu'il a vu Antonin. Il rentrait du Mexique, où il n'avait pas trouvé les réponses spirituelles qu'il espérait. Il s'était approprié la canne d'un de ses amis. Elle était couverte de nœuds, hérissée de pointes. Antonin prétendait qu'elle avait appartenu à saint Patrick. Il s'apprêtait à en recharger la magie au contact du sol d'Irlande. Fasciné, Robert s'était saisi de la canne pour l'observer de près. Le poète avait réagi comme si ce geste l'avait brûlé : « N'y touchez pas, Desnos ! avait-il crié. En la touchant, vous touchez à mon sexe. Je ne peux pas le supporter. »

« Antonin ne va pas bien, avait confié Robert à Youki en rentrant de ce rendez-vous. Il déraille un peu… »

Ce constat les avait attristés. Artaud était l'enfant gâté de la rue Mazarine. On s'adaptait à ses lubies, on mangeait avec les mains s'il en avait décidé ainsi, on se pliait à ses désirs, on le traitait avec tous les égards dus à ce « prince de feu » que Jean-Louis Barrault avait couronné. On l'aimait dans ce mélange de grossièreté et de courtoisie, d'humour tranchant et de souffrance pure, de saleté, de chasteté monacale et de révolte qui le caractérisait sans épuiser sa complexité, sa richesse. Le délire d'Antonin s'était aggravé en Irlande, au point que sur le bateau du retour, le capitaine l'avait fait enchaîner à fond de cale. À peine avait-il posé le pied sur le sol français qu'il avait été placé d'office à Sainte-Anne avant d'être interné à Ville-Évrard. Avec la guerre, Robert l'avait perdu de vue. Des nouvelles lui parvenaient de loin en loin. Sonia Mossé lui avait toujours inspiré une passion platonique et jalouse. Après un voyage à Ville-Évrard à l'été 40, elle avait dépeint un Artaud amaigri, dont le regard brûlait d'une rébellion intacte. On lui avait rasé la tête. Vêtu d'une robe de bure de moine oriental, il dégageait une noblesse distante et ses propos tenaient de l'anathème et du délire mystique. À son retour, Sonia avait reçu une lettre marquée de brûlures de cigarette. « Tu vivras morte », lui avait écrit Antonin. Cette prédiction funeste revient peut-être danser sous les paupières closes de Sonia, à la faveur d'un mauvais rêve.

« Mon fils a tellement maigri », s'alarme Euphrasie Artaud. Au-delà des privations, Robert soupçonne la volonté délibérée de laisser crever les malades mentaux dans leur fange, en profitant de la distraction générale. Et la douce Euphrasie ne peut que constater que son fils n'est pas nourri, qu'il souffre terriblement de la faim et du froid, au point que son organisme affaibli ne trouve plus la force de repousser le délire.

Robert pense à Gaston Ferdière, ce psychiatre qui était un habitué des samedis de la rue Mazarine et y a rencontré Artaud. À l'époque, ils étaient quelques-uns à lui demander de traiter Antonin, mais Ferdière refusait. Il craignait que s'installe une relation équivoque où son jugement de médecin finirait par s'éroder, se laisser fléchir par l'admiration que lui inspiraient le poète et l'homme de théâtre. Le jeune psychiatre dirige l'asile de Rodez, en zone sud. Robert lui demande d'y accueillir Antonin. Gaston Ferdière accepte et ils conviennent d'une stratégie : pour ne pas éveiller la curiosité des occupants, le psychiatre fera transiter Artaud par l'hôpital psychiatrique de Chezal-Benoît, qui a l'avantage de dépendre comme Ville-Évrard de la préfecture de la Seine. Ainsi pourra-t-il passer la ligne de démarcation à la barbe des Allemands. Robert a renoué avec un ami d'enfance qui travaille à la préfecture. Il lui fournit des formulaires vierges pour ses travaux de faussaire et lui communique des informations sensibles. La guerre bat les cartes et fait ressurgir certains visages qu'on pensait avoir oubliés au coin de la rue de la Verrerie, un jour d'avril où les billes d'agate rejoignaient dans le caniveau des vieux mégots et des reflets d'arc-en-ciel. L'ami d'enfance sera un allié utile pour huiler les serrures administratives qui retiennent Artaud derrière les grilles de Ville-Évrard.

Le 22 janvier 43, un autobus dépose Robert aux portes de l'hôpital psychiatrique. Il se compose d'un asile et d'une maison de santé pour les malades fortunés qui paient cher le privilège d'être séparés du troupeau. Même ici, la frontière entre riches et pauvres demeure infranchissable, songe Robert en se dirigeant vers la guérite pour faire oblitérer son autorisation de visite. Pour rejoindre Artaud, il traverse une cour où des arbres tordus grelottent dans le vent aigre. Des malades le frôlent, l'apostrophent. Ils flottent dans leurs vestes et leurs pantalons rapiécés. Robert est saisi par la puanteur de ces corps livrés à la déréliction, ces détresses qui rebondissent contre les murs et qu'on bâillonne quand elles hurlent. Il se souvient de la « Lettre aux médecins-chefs des asiles de fous » qu'il a écrite un jour avec Théodore pour *La Révolution surréaliste.* Ils y réclamaient la libération des « ***forçats de la sensibilité*** ». En son temps, cette publication avait provoqué la colère des psychiatres. Et voilà qu'il foule ce sol souillé de crachats, se frayant un chemin parmi des hommes réduits à la survie élémentaire.

« Vous qui entrez, laissez toute espérance », les mots de Dante le traversent avec l'air glacé.

Un jeune infirmier roux le rattrape dans la cour et écarte les malades les plus agressifs, s'excusant d'avoir été retenu :

— Je m'appelle Fernand, dit-il en lui tendant la main. Je préfère vous prévenir : monsieur Artaud peut se montrer difficile...

— Sur ce point, il ne doit pas avoir beaucoup changé, sourit Robert. Ne vous inquiétez pas, nous nous connaissons bien, je ne suis pas effrayé par ses sautes d'humeur.

Tandis qu'ils déambulent à travers couloirs et galeries, dans un vacarme où s'entrechoquent les bruits de l'ordre et du désordre, Fernand lui raconte le quotidien d'Artaud. Depuis son arrivée, il passe de l'aile des agités à l'infirmerie sans avoir d'intimité nulle part. Le personnel exerce une surveillance de chaque instant, il doit endurer la promiscuité et la violence. D'une voix hésitante, l'infirmier lui avoue que les autres soignants n'ont aucun égard et le rudoient volontiers.

— Moi, vous savez, j'aime les livres. Alors pour moi, monsieur Artaud n'est pas un malade comme les autres.

— Vous avez raison, lui répond Robert. C'est un grand poète, qui souffre depuis l'enfance. Connaissez-vous sa poésie ?

— Un peu, répond l'infirmier. Un jour, il m'a demandé de lui trouver une bible. Pour me remercier, il m'a donné sa traduction du *Moine* et il me l'a dédicacée ! Depuis on discute de temps en temps, et je fais bien attention de le vouvoyer, je sais qu'il y tient. Vous allez avoir un choc, il a beaucoup maigri. Madame Artaud s'inquiète qu'il ne mange pas à sa faim, mais nos stocks diminuent sans cesse. On manque de tout. Plus de textiles, pas de médicaments. Les malades meurent comme des mouches. Ceux qui survivent sont très agités.

Oppressé par ce lieu qui transpire l'angoisse, Robert demande à l'infirmier comment son ami occupe ses journées. Le jeune homme lui confie qu'Antonin écrit des lettres. Il verse sa souffrance et sa colère sur le papier, dispersant une nuée d'ombres maléfiques qui le narguent à chaque ligne. Il est aux prises avec ceux qu'il appelle les Initiés. C'est une guerre sans merci dont l'enjeu est son âme, l'intégrité de son esprit. Il s'épuise en rites conjuratoires, mais quoi qu'il fasse, la nuit le livre à la terreur de ses hallucinations.

— Je crois qu'il m'aime bien, dit Fernand avant qu'ils pénètrent dans le réfectoire. Tous les jours, à treize heures trente précises, il va au fond de la cour où je surveille les autres, et il chasse les Initiés pour me protéger. C'est un rituel assez long, qui le laisse à bout de forces. Je n'oublie pas de le remercier.

Lorsque Robert entre dans la longue pièce meublée de tables et de bancs soudés au sol, Antonin se lève et s'approche d'un air méfiant. Le souffle manque à Robert en le découvrant : décharné, grimaçant, ce visage n'a presque rien gardé de sa beauté altière. Ses cheveux ras soulignent l'extrême maigreur de ses traits. Il n'est que fragilité, nervosité, tumulte. Robert aimerait le serrer dans ses bras, mais il devine qu'il le vivrait comme une agression de plus. Alors il demeure à distance, lui tend une main qu'Artaud ne saisit pas.

— Cher Antonin, murmure-t-il d'une voix nouée. Je suis heureux de vous retrouver, vous nous manquez terriblement. Youki couve un vilain rhume, je l'ai laissée à Paris mais elle m'a chargé de vous transmettre son affection.

Antonin l'interrompt d'un geste et trace dans l'air des figures cabalistiques. Ce moment s'éternise, et Robert ne sait comment briser la glace.

— Monsieur Artaud, votre ami est venu de loin pour vous voir, intervient Fernand d'une voix douce.

— Je connais cet homme, le coupe Antonin. Je m'assure qu'il n'est pas infecté par les Initiés. S'il est resté celui qu'il prétend être, il ne m'en tiendra pas rigueur, ajoute-t-il et Robert identifie dans sa voix une note d'ironie chaleureuse qui réveille d'heureux souvenirs.

Après cet étrange rituel, Antonin invite Robert à s'asseoir et s'installe de l'autre côté d'une grande table en bois marquée de cicatrices. L'infirmier demeure à distance, leur laissant plus d'intimité qu'il n'est permis mais prêt à bondir au premier signe d'agitation de son patient.

— Ici je n'ai pratiquement que des ennemis, lâche Artaud. Cet homme, là-bas, est mon seul allié. Je n'ai aucun répit, depuis qu'on m'a expulsé d'Irlande pour indigence et garrotté sur ce bateau pour me passer la camisole de force. Je suis persécuté, Robert Desnos, et cette prophétie de saint Patrick m'a tellement fait souffrir qu'il me semble parfois que je n'y crois plus, que nous sommes tous victimes d'une monstrueuse hallucination. La situation s'est aggravée depuis le déclenchement de l'Apocalypse. Les démons qu'elle a libérés sont autrement dangereux. Les repousser me coûte mes dernières forces.

Cet aveu semble difficile. Robert devine qu'il ne s'y résout que par amitié. La douleur dans sa voix le bouleverse.

— Je pense pouvoir vous sortir d'ici, dit-il. Gaston Ferdière accepte de vous prendre dans son hôpital de Rodez. Vous y serez traité comme un homme. Vous souvenez-vous de lui ? Il vous admire beaucoup.

— Je refuse absolument, répond Antonin après un silence. Je veux qu'on me libère, et vous me proposez une autre prison, une machination de plus ! Quel ami êtes-vous ?

— Je suis votre ami et je suis là pour vous aider, répond Robert calmement. L'administration n'acceptera pas de vous libérer. Il faut être patient, vous rétablir, manger à votre faim. À Rodez, vous reprendrez des forces. C'est un premier pas vers la liberté. Quand vous irez mieux, Ferdière vous rendra à une vie normale.

Antonin se lève. Dardant sur Robert un regard noir

et fiévreux, il étend ses mains devant lui comme pour dresser entre eux un bouclier invisible.

— Allez-vous-en, partez ! Va-t'en, suppôt du diable, rentre dans ton cloaque, va dire à tes maîtres qu'ils n'ont pas encore gagné. Je vendrai cher ma peau. Je leur arracherai mon âme, même s'ils doivent me saigner goutte à goutte ! J'invoque contre toi la protection de saint Patrick et je jette une ombre sur ta naissance, roulure d'excrément !

Ses cris aigus ont alerté le personnel. Deux costauds ont surgi et se saisissent de lui pour l'entraîner hors du réfectoire. Comme il hurle et se débat, le plus grand des deux lui assène un grand coup sur la nuque et lui remonte le bras derrière le dos jusqu'à le faire hurler.

— Laissez-le, il ne m'a fait aucune violence ! leur crie Robert.

— On le connaît, l'animal, répond un infirmier. Il va aller se calmer dans la baignoire. Ça lui fera pas de mal. Il empeste !

Antonin Artaud, l'homme qui tenait tête aux surréalistes et défendait le « théâtre de la cruauté », le poète flamboyant, est emporté vers un lieu de châtiment que Robert ne peut qu'imaginer.

Impuissant et blême, il se laisse raccompagner à la porte par Fernand, qui s'efforce d'atténuer la brutalité de la scène dont il a été témoin.

— Que va-t-on lui faire ? demande Robert dans la cour.

— Ils vont le plonger dans un bain froid. Il y sera maintenu assez longtemps pour se calmer.

— Il est d'une maigreur effrayante…

— À la dernière pesée, son poids était de cinquante-trois kilos, répond Fernand avec tristesse. Vous pouvez vraiment le sortir d'ici ? S'il reste, j'ai peur qu'il ne tienne pas longtemps.

— J'y compte bien, répond Robert en prenant congé. Cette situation ne peut plus durer.

Quand il regagne la rue Mazarine, sa tête est lourde de spectres et de cendres. Il n'a pas besoin de parler pour que Youki déchiffre sur son visage l'empreinte de ce voyage à la porte des Enfers. Sans un mot, elle l'aide à enlever son manteau, l'attire dans ses bras :

— Il va si mal que ça, notre Antonin ? Mais il va s'en sortir, Robert. J'ai confiance en toi, je sais que tu vas l'aider. Repose-toi un peu, tu es épuisé. Tout à l'heure je te préparerai un bon dîner. Ça n'a pas été simple mais j'ai obtenu un morceau de veau dont tu me diras des nouvelles.

Les mots qu'elle lui chuchote n'ont pas d'importance, ce sont ceux dont les mères bercent leurs enfants malades, il n'en retient que la tendresse et la musique.

Jamais lunes ni soleils ne roulèrent si loin de la terre, jamais l'air de nuit ne fut si opaque et si lourd. Je pèse sur ma porte qui résiste…

*

Dans les derniers jours de janvier, Antonin est transféré à l'hôpital psychiatrique de Chezal-Benoît, d'où il sera conduit à Rodez au début du mois de février. Il profite de l'étape pour envoyer une carte à Robert.

Il se souvient d'avoir rencontré Ferdière dans une de ces soirées de la rue Mazarine où « le ciel, où vous vous retrouviez dans votre âme chrétienne et baptisée, avec l'âme de Jésus-Christ, était autour de nous ». Robert est soulagé qu'il ne l'associe plus à ses persécuteurs. Avant de signer, Artaud a ajouté, de son écriture élégante et nerveuse :

« … En me réclamant, pour me faire mettre à un régime d'homme et non de bête affamée, martyrisée et empoisonnée ainsi que j'ai été maintenu cinq ans et quatre mois dans les asiles des aliénés français, le docteur Ferdière a accompli un geste de chrétien. J'attends de lui, maintenant, qu'il me rende à la famille, qui n'est pas de la Terre, mais du Ciel. »

Deux jours plus tard, tandis que les nazis viennent de célébrer les dix ans de leur prise de pouvoir, la presse annonce la création d'une milice nationale. Pour l'occasion, Robert décide de se rendre au Club de la presse, que Jean Luchaire a créé il y a deux ans et qui réunit, une fois par semaine, tout ce que Paris compte de journalistes inféodés, de politiciens compromis et d'industriels véreux dans un immeuble « aryanisé » de l'avenue des Champs-Élysées. Ces rendez-vous sont le prétexte à des conférences et des débats sous l'égide de la Propagandastaffel. Jusqu'ici, Robert les fuyait mais son engagement dans le réseau AGIR implique certains sacrifices. De fait, il se réjouit de voir comment ces messieurs justifieront la capitulation à Stalingrad du maréchal von Paulus et de sa 6e armée, prétendument invincible. Ces dernières années, il lui est arrivé de croiser Luchaire, très fugitivement. Le beau-frère du Doc a le caractère insaisissable du furet de la chanson, il ne fait que passer, pressé et souriant, toujours appelé ailleurs : un rendez-vous galant, une réunion officieuse dans un bureau cossu ou une discussion stratégique sur les banquettes de velours du One-Two-Two, le bordel de luxe qui est devenu le quartier général de la collaboration. Passé maître dans l'art de se faire les relations qui comptent, il est aujourd'hui le chef de la corporation de la presse française. Son irrésistible ascension l'autorise à tutoyer des officiers de la Gestapo et des ministres de Vichy. Il s'épanouissait jusqu'ici sous la double tutelle de Pierre Laval et de l'ambassadeur d'Allemagne. Mais Otto Abetz s'est brouillé avec certains de ses collègues de la Wehrmacht et a été rappelé à Berlin pour un temps indéterminé, privant Luchaire de son protecteur le plus influent. Lui reste Laval, qu'il a intérêt à soigner.

Le « Club Luchaire » abrite deux étages de bureaux, une piscine et une salle de cinéma. Robert sonne au troisième étage. Un maître d'hôtel lui ouvre et le jauge d'un regard qui réussit à être à la fois obséquieux et méprisant, quand il a décidé que Robert appartenait au menu fretin. Après l'avoir débarrassé de son manteau dans une entrée aux murs tapissés des fleurons de la pensée de Joseph Goebbels, le domestique l'introduit dans le grand salon où les invités sont installés par petites tables devant l'estrade où Charles Trenet, qui se donne beaucoup de mal pour faire oublier qu'une certaine presse l'accuse d'être juif, chante gaiement, entouré de choristes en tutus à paillettes. Parmi les convives, Robert reconnaît un grand nombre de journalistes et de directeurs de journaux, parmi lesquels ce vieux barbon d'Alphonse de Châteaubriant, Eugène Gerber, qui dirige *Paris-Soir,* ou Guy Crouzet, âme damnée de Luchaire et rédacteur en chef des *Nouveaux Temps.* Apercevant Gaëtan de Heredia à une table à l'écart, il le rejoint avec soulagement :

— Pas fâché de te trouver là ! Je ne savais où m'asseoir, parmi mes petits camarades.

S'il est surpris de le voir, Gaëtan ne le manifeste pas. Un serveur vient leur proposer une tasse de vrai café ou un verre de sancerre. Après des années d'ersatz, Robert retrouve avec délice l'arôme du café. Le serveur leur tend une assiette de gâteaux à faire se pâmer Youki. Ici, on ne souffre d'aucune restriction. Luchaire aurait honte de proposer à ses amis allemands le pain gris ou la viande faisandée qu'on vend à prix d'or dans les commerces parisiens. Tant qu'à se farcir le gratin de la collaboration, autant en profiter pour s'empiffrer, comme dirait Galtier-Boissière. Robert croque dans un millefeuille et une explosion de saveurs oubliées enchante ses papilles.

— Je comprends pourquoi tu viens chaque semaine, glisse-t-il à Heredia. Pour refaire ton stock de sucre !

— Oui, ici tout est tellement sucré que c'en est écœurant, lui chuchote Gaëtan d'un air entendu.

Ils se taisent car Jean Luchaire vient de monter sur scène et offre son sourire mondain aux photographes avant de commencer son discours. Mitraillé de toutes parts, il lève les bras en signe de reddition et déclenche une vague de rires complices. Dans cette assemblée, il ne semble avoir que des amis. Mais Robert sait que l'opinion parisienne est plus partagée. Raillé pour son arrivisme et sa duplicité, le « Louche Herr », comme l'a surnommé Galtier, est une cible choisie pour les humoristes. Au sein de son propre camp, certains épinglent son libertinage et ses goûts de luxe, avec une répugnance teintée de jalousie.

— Mes amis, comme chaque semaine, je suis heureux de vous accueillir ici pour construire ensemble l'Europe nouvelle. Aujourd'hui, nous évoquerons la fin héroïque de la 6e armée, tombée à Stalingrad après s'être battue jusqu'à la dernière cartouche contre les hordes bolcheviques. Carl-Heinrich von Stülpnagel, commandant de la Wehrmacht à Paris, évoquera pour nous la bravoure de ces soldats et la valeur de leur sacrifice. Je lui en suis d'autant plus reconnaissant que le docteur Goebbels a décrété trois jours de deuil national en l'honneur du maréchal von Paulus et de ses martyrs.

Robert ne peut s'empêcher de sourire. Les Boches ne font rien dans la mesure. Quand ils fusillent des otages, c'est par paquets de quatre-vingts. Pour célébrer leur première déculottée, ils sortent les grandes orgues et tonitruent un requiem de trois jours.

— Mais avant d'écouter le commandant von Stülpnagel, je voudrais saluer un grand événement, un pas important vers la collaboration sereine entre la France et l'Allemagne, qui nous permettra d'ériger un rempart contre le péril bolchevique. Il s'agit bien sûr de la création de la milice française, et pour nous la présenter, j'ai l'honneur de recevoir le chef du gouvernement, monsieur Pierre Laval, que je vous demande d'applaudir très chaleureusement, car il le mérite !

Robert n'est pas venu pour rien. Cette milice menace directement les mouvements de Résistance, et qui est mieux placé pour en parler que son créateur ? Pierre Laval rejoint Luchaire sous des applaudissements moins nourris. S'il concentre plus de pouvoirs qu'il n'en a jamais rêvé, il est moins populaire que le patron de la presse. Sa silhouette familière, de la cravate blanche au costume bleu tendu d'un léger embonpoint et à cette physionomie de paysan madré à l'épaisse moustache, est devenue l'image d'un pacte avec le diable qui se précise chaque jour. Et si beaucoup de gens profitent sans scrupules de ses avantages – trafics lucratifs, spoliations juteuses et fortunes aussi soudaines que retentissantes –, ils n'apprécient pas que ce fils de bougnat auvergnat, affichant la compromission la plus grossière, leur tende ce reflet avide d'eux-mêmes qu'ils s'appliquent à ignorer.

Laval remercie la presse d'avoir relayé avec enthousiasme le baptême de la milice française, qui aura pour mission de soutenir l'État français et de veiller au maintien de l'ordre sur son territoire. Elle devra animer la vie publique du pays, au moyen de la propagande et d'une vigilance accrue à l'égard des ennemis du régime, et sera composée de volontaires prêts à payer de leur personne. Il ajoute que s'il est fier d'en être le chef, Joseph Darnand en assumera la direction opérationnelle en tant que secrétaire général.

— Et pour lui insuffler toute la force et le courage dont elle a besoin pour redresser ce pays et lutter contre ses ennemis sournois, nous lui avons choisi pour insigne le gamma du signe du bélier, symbole de renouveau et d'énergie ! Je ne souhaite qu'une chose : que fleurissent les gammas, et qu'ils redonnent à la France ce sentiment de communauté nationale sans lequel il ne peut y avoir de salut pour notre nation.

Cette milice toute neuve opérera en zone sud. Laval se félicite que Vichy dispose désormais d'une arme supplémentaire pour identifier les foyers de propagande adverse, rechercher les séditieux et les fugitifs, réprimer les manifestations antinationales. Le chef du gouvernement conclut son intervention sous un feu nourri d'applaudissements.

Robert songe à tous ceux dont la vie va devenir encore plus précaire. Il regarde Luchaire et Laval se congratuler devant les photographes : deux hommes issus de la gauche et du pacifisme, qui soutiennent aujourd'hui une dictature raciale qui ensanglante le monde. Les colombes de la paix sont devenues les rabatteuses des aigles, et ne voient aucun inconvénient à fournir des contingents français à la Wehrmacht ou à armer des miliciens pour traquer leurs compatriotes.

Le désir d'une paix à tout prix conduit à pactiser avec les ogres contre leurs victimes.

Estimant en avoir assez entendu, Robert s'éclipse avant l'intervention de von Stülpnagel et se faufile derrière les journalistes qui se pressent dans l'espoir d'approcher Laval. Son regard croise celui de Jean Luchaire et Robert lit dans ses pupilles bleues une surprise mêlée d'embarras. Redoute-t-il que Robert vienne lui serrer la main, lui rappeler le temps où ils trinquaient au mariage de sa sœur avec le Juif Théodore Fraenkel ? Frôlant un serveur qui passe un plateau de gâteaux, il en vole un pour Youki et regagne le vestiaire, dénichant sans peine son pardessus râpé au milieu des manteaux à col de fourrure. Alors qu'il s'emmitoufle pour affronter la bise glaciale, Luchaire le rattrape et lui tend la main avec un sourire mondain :

— Je n'espérais pas vous trouver ici, Desnos... D'autant que votre présence pourrait y passer pour de la provocation. J'espère que ce n'est pas le but recherché.

— Pas du tout, répond Robert en lui rendant son sourire. Un bon journaliste sait puiser l'information à sa source !

— Certes. Ma sœur a de l'affection pour vous, alors je vais être franc, Desnos : à trop jouer avec le feu, vous allez vous brûler. Ne pensez pas que je pourrai vous protéger, quand les flammes seront trop hautes. Soyez prudent, c'est un conseil d'ami.

— Je vous en remercie, répond Robert. C'est l'avantage des guerres : identifier ses vrais amis.

Le nuage noir a débordé le Val-de-Grâce et Saint-Sulpice,
Il s'est longuement reflété dans la Seine avant
[de se résoudre en orage.
Moi je le regardais du haut d'une blanche bâtisse
Et son tonnerre a libéré de grands oiseaux de leur cage.

Abandonnant à la nuit les immeubles éclaboussés de croix gammées et l'avenue rectiligne, où passent des tractions noires et des camions pleins de Feldgrau braquant leurs armes sur un péril invisible, Robert se glisse dans l'ombre familière. Ses pensées roulent au rythme du fleuve, entraînant les vers d'un poème en train d'éclore.

Nous habitions presque sur la même rive, Jean Luchaire. La mienne était plus gouailleuse et moins policée. Ses trottoirs couverts d'épluchures et de mégots attendaient d'être lavés par la pluie. Votre enfance avait le goût des amaretti et des leçons de solfège. La mienne respirait l'odeur du sang des bêtes fraîchement équarries et les vapeurs alchimiques de la tour Saint-Jacques. Nous aimions lire, peut-être aimions-nous les mêmes livres. Nous détestions la guerre sans l'avoir faite.

Peut-être mourrai-je sous les balles de vos amis, ou serez-vous tué par les miens.

Nous ne jouons pas avec le feu, Jean Luchaire, nous sommes l'incendie. Et aucun couvre-feu ne pourra nous éteindre.

Nous sommes ce cœur jailli de millions de poitrines dont le battement enfle en cymbales furieuses et se propage, telle une mèche attendant l'étincelle.

Une voix, une voix qui vient de si loin
Qu'elle ne fait plus tinter les oreilles,
Une voix, comme un tambour, voilée
Parvient pourtant, distinctement, jusqu'à nous.

Nous n'avons pas choisi cette guerre. Elle nous a débusqués dans nos tanières, mais nous savons pourquoi nous la mènerons jusqu'au bout.

Le Maréchal a raison de célébrer la vie saine des campagnes françaises : leur sommeil craquant de gel abrite des combattants qui ne redoutent ni la nuit ni la mort.

Et vous ? ne l'entendez-vous pas ?
Elle dit « La peine sera de peu de durée »
Elle dit « La belle saison est proche ».

Ne l'entendez-vous pas ?

Niché dans sa mezzanine, Robert écrit. Paul Éluard lui a demandé des textes pour *L'Honneur des poètes*, un recueil qui paraîtra dans la clandestinité, aux éditions de Minuit.

L'honneur. Le Maréchal et ses amis n'ont que ce mot à la bouche, il blanchit les consciences et les transactions.

L'honneur des poètes, c'est le refus de plier, de décorer sa cage, de marchander quelques avantages au-dessus des charniers et des poteaux d'exécution.

L'honneur des poètes, c'est une fraternité de doux somnambules qui se frottent les yeux dans le ventre de l'orage et s'arment de leur colère et d'une forme d'amour, cherchant l'homme sous sa peau d'esclave et la liberté palpitant sous la pierre.

L'honneur des poètes a le visage de Federico García Lorca, de Max Jacob et d'Antonin Artaud, c'est un murmure qui se charge de tous les cris pour crever les mensonges, une chambre d'écho fracassant le silence.

Pourtant ce cœur haïssait la guerre et battait au rythme [des saisons,
Mais un seul mot : Liberté a suffi à réveiller les vieilles [colères
Et des millions de Français se préparent dans l'ombre
à la besogne que l'aube proche leur imposera.
Car ces cœurs qui haïssaient la guerre battaient pour
la liberté au rythme même des saisons et des marées,
du jour et de la nuit.

18

Le mois de février est si doux qu'on dirait que la terre, à l'unisson de la Résistance, veut accélérer l'arrivée du printemps. Savourant la caresse d'un soleil tiède, Robert marche jusqu'à la rue de Tournon et s'arrête devant la librairie Scheler, dont la vitrine de bon goût propose *Le vin est tiré*..., *Fortunes* et *Le Livre ouvert* de Paul Éluard. À son entrée, le libraire à la barbe de héros grec, qui est aussi éditeur et poète, l'accueille d'une chaleureuse poignée de main et l'introduit dans l'arrière-boutique. C'est une pièce exiguë, remplie de cartons. Déplaçant une caisse de romans de Marcel Aymé pour libérer le passage, il lui indique l'escalier au fond de la cour. Au deuxième étage d'un escalier lugubre dont l'unique fenêtre retient le jour dans sa vitre étoilée, Robert frappe quatre coups rapides sur le rythme de la *Cinquième Symphonie* de Beethoven. C'est l'indicatif du rendez-vous vespéral de la BBC, « Les Français parlent aux Français ». La porte s'ouvre sur Paul Éluard dont le regard s'adoucit en le découvrant :

— Entre, je t'en prie. Nusch dort encore.

À l'automne, deux enquêteurs sont venus poser des questions sur Éluard. Qualifiés de subversifs, ses poèmes avaient attiré l'attention de la police. Jugeant préférable de quitter leur appartement de la Chapelle, Paul et Nusch se sont réfugiés chez Lucien Scheler, par lequel transitent revues clandestines et faux papiers. Il les a accueillis avec les tableaux et les livres qui leur permettent de se sentir chez eux. Une grande toile de Max Ernst, *L'Homme aux yeux bandés*, est appuyée contre le mur devant la petite table où ils s'installent.

— Comment vas-tu ? interroge Paul et Robert sent que sa question n'est pas de pure forme.

— Je vais aussi bien que possible, répond-il. Je suis très occupé, et je ne m'en plains pas.

Il dilue sa rage grandissante dans une frénésie d'activités et de création poétique. Les jours ne sont pas assez longs, et il aimerait distendre la nuit jusqu'à épuiser cette pulsion qui le tenaille et le laisse insatisfait. Il écrit dans ses rêves, scande des vers au rythme des cahots du métro, en traversant les ponts, en longeant les quais assoupis. Sa poésie est un monstre protéiforme qui se nourrit de sa frustration, de la beauté menacée, des dangers qui le frôlent, de l'amour qui disperse les ombres et fait croire aux miracles.

— Et toi ? demande Robert.

Le visage limpide de Paul se déchire sur la noirceur d'une peine inconsolable.

— Sonia a été arrêtée.

— Arrêtée ? répète Robert, effondré.

Ce fer rouge dans son estomac réveille le souvenir de sa dernière conversation avec Sonia Mossé, son insistance à lui fournir des faux papiers qu'elle refusait avec un haussement d'épaules, prétextant en souriant que ses amis de la mode la protègeraient, qu'elle était leur « bonne Juive ». Il l'entend encore protester, avec ce mélange de candeur et d'aplomb :

« À quoi ça me servirait ? Tout le monde me connaît dans le quartier… Je ne veux pas jouer à cache-cache, ne plus oser sortir. Ils ne m'obligeront pas à me terrer, Robert. Je ne leur ferai pas ce plaisir. »

Elle s'était montrée têtue. Mais lui savait ce qu'elle risquait, connaissait la perfidie des hommes et leur faiblesse, la complaisance avec laquelle ils se pardonnent.

— Ils l'ont prise avant-hier, sur dénonciation, lâche Paul, et Robert perçoit dans ces mots la tension d'une colère retenue. J'ai un contact au commissariat du 6e. Il m'a dit que sa sœur avait été arrêtée avec elle. Elles sont à Drancy, en attente de déportation.

— Des papiers n'auraient pas suffi à la protéger, ajoute-t-il. Sonia était trop voyante. On ne l'oubliait pas après l'avoir croisée.

Robert se reproche de ne pas l'avoir effrayée assez. Il aurait dû évoquer les derniers rapports secrets de la Résistance, ces mains d'enfants dépassant des wagons plombés, le désert de miradors et de barbelés qui engloutit ceux qui débarquent des trains. Il est trop tard maintenant. Rien de ce qu'il peut encore tenter pour la sortir de Drancy ne pourra chasser le pressentiment de l'irréparable.

— Tu m'as apporté des poèmes ? l'interroge Paul.

Robert acquiesce et tire de sa pochette les deux textes qu'il a choisis pour *L'Honneur des poètes*.

— Lis-moi le premier, lui demande Paul.

— ***Ce cœur qui haïssait la guerre***, commence-t-il.

— Plus fort. N'aie pas peur de réveiller Nusch.

— *Ce cœur qui haïssait la guerre voilà qu'il bat pour le combat et la bataille!* reprend-il.

À mesure qu'il scande les vers, sa voix se desserre pour retrouver les nuances et la plénitude de son timbre. Ce n'est plus la voix de la défaite et de l'impuissance, le souffle exténué montant des tombes ; c'est un appel impérieux qui ébranle l'armée de ceux qui se croyaient vaincus, momifiés dans la poussière d'une civilisation abolie.

— Merci, dit Paul quand il a terminé. Tu viens de me rappeler ce qu'on fait là. Ton poème est un hymne, un orage superbe. Il rend à la poésie ses armes et sa noblesse. Ça me change de ces culs-bénits qui pensent qu'on gagnera la guerre avec des psaumes !

— Sale temps pour l'anticléricalisme, approuve Robert en souriant. Commençons par régler son compte à la liturgie maréchaliste.

Ces gens de peu d'esprit et de faible culture
Ont besoin d'alibis dans leur sale aventure.

Paul lui confie qu'il songe à reprendre sa carte au Parti communiste :

— J'ai été approché par des membres du parti clandestin. Étant donné le rôle que les communistes ont pris dans la Résistance, il y a une logique à les rejoindre. Mais je redoute les diktats, je veux pouvoir m'exprimer en toute liberté. J'ai été clair, je ne supporterai aucune influence sur ma création. Toi, qu'en dis-tu ?

Robert se tait. Depuis l'attentat de la station de métro Barbès, les communistes harcèlent les Allemands sans relâche et fournissent avec les Juifs le premier contingent des otages. Les fusillades n'émoussent pas leur détermination. Les plus vieux n'ont pas trente ans, ils ont appris la guerre dans les rangs des Brigades internationales et la honte dans les camps de rétention français. Ils n'ont rien à perdre. Ils savent que leur martyr forgera de nouveaux combattants. Robert les admire d'avoir transformé la villégiature du soldat allemand en coupe-gorge et se réjouit que l'Armée rouge botte le cul d'Hitler. Mais il n'a pas changé d'avis depuis le temps des querelles surréalistes. Dans les arguments d'Éluard, il entend ceux de René Crevel ou de Papa Hemingway, ce pragmatisme mêlé de clairvoyance et d'une appréhension légitime. Car Staline a les dents longues, et Robert n'est pas disposé à jouer les chaperons rouges.

— Je pense qu'il ne faut pas tout mélanger, répond-il. Pour gagner la guerre, il faut rassembler le plus largement possible, dépasser les querelles de clocher. L'autre jour, à une réunion clandestine, je suis tombé sur un ancien camelot du roi. Tu imagines la scène ? Passé le premier réflexe de lui en coller une, j'ai réalisé que s'il était là, c'est qu'il avait d'aussi bonnes raisons que moi. Ou alors c'est juste que je vieillis ! En bref, je suis partisan d'une lutte commune, mais je refuse de m'affilier à un parti.

En cette fin d'hiver 1943, la Résistance vibre de discussions passionnées, confronte stratégies et visions de l'après-guerre, se fédère autour des Mouvements unis de la Résistance et de la silhouette d'un général de Gaulle que sa force de conviction, triomphant peu à peu des réticences, a érigé en symbole de la France combattante. Ces débats qui mêlent des Francs-Tireurs et des militants d'Action française, des philosophes, des ouvriers et des hommes du rang, soufflent sur les cendres de la République et son cadavre disloqué se remet à bouger. Robert circule d'un groupe à l'autre, offrant ses services à ceux qui en ont besoin, fournissant faux papiers et renseignements. S'il publie de moins en moins d'articles, on peut le trouver au journal tous les jours entre cinq et sept. En attendant qu'on lui installe le téléphone rue Mazarine, ce rendez-vous lui permet d'être facilement joint, et de glaner au passage quelques informations qu'il vérifiera en visitant les bureaux à la nuit tombée.

Ce matin, après avoir salué le patron du Balto par son rituel « Ils sont foutus, on les aura ! », Robert a fait un petit tour du quartier avant de remonter travailler avec Henri Jeanson sur le scénario du prochain film de Roland Tual, *Bonsoir mesdames, bonsoir messieurs.* Tandis que Robert mime, à la jubilation d'Henri, la crise d'angoisse du metteur en ondes découvrant que le script a disparu à deux minutes de la prise d'antenne, Youki passe une tête soucieuse par l'encadrement de la porte de la salle à manger :

— Robert, je me fais du souci pour Titi. Ils réquisitionnent les p'tits gars de la classe 42, maintenant. J'ai croisé Georgette l'autre jour, elle s'inquiète pour son gosse... Toi qui connais du monde, tu ne pourrais pas l'aider ?

À la mi-février, le zélé Pierre Laval a institué une loi sur le Service du travail obligatoire obligeant tous les jeunes Français nés entre 1920 et 1922 à aller travailler dans les usines allemandes. Surnommé Titi, Alain

Brieux, le fils de la couturière de Youki, a eu vingt ans l'année dernière. Ce qui le condamne à être déporté vers l'Allemagne pour remplir les quotas de Fritz Sauckel, le négrier d'Hitler.

— Dommage que Laval n'ait pas gardé le nom d'origine, observe Jeanson, pince-sans-rire : Le S.O.T., ça sonnait bien, pourtant.

— Je vais voir ce que je peux faire pour Titi, dit Robert qui note les cernes mauves sous les yeux de Youki.

Robert a pour Alain Brieux l'affection qu'il nourrirait pour un petit frère. Il se souvient de ses premières visites rue Mazarine, quand il lui dévoilait ses trésors : ses pipes en écume de mer, sa collection de sulfures, ses yeux de poupée qui bougent quand on active un mécanisme, ou ce coupe-cigare en forme de guillotine fabriqué par un forçat du bagne de Cayenne. Il lui a offert la poésie de Rimbaud et *Corps et biens,* l'a initié au jazz et à l'univers de la radio. Aujourd'hui, il compte bien l'aider à échapper au S.T.O. Profitant d'une lettre à Théodore, il lui demande conseil entre les lignes. De couvre-feu en couvre-mots, ils sont passés maîtres dans l'art de déguiser l'essentiel sous l'anecdotique. Derrière les constats ironiques du Doc, il devine la mélancolie de son exil à Clermont-Ferrand, le désir de s'en arracher et ce qui le retient encore : Ghita, qu'il abandonnerait à l'équivoque d'une vie mondaine plus nauséabonde chaque jour. Il partage son dilemme, redoutant de laisser Youki à ses démons, à ses faux amis et ses vraies souffrances.

Tandis que *Je suis partout* se réjouit du nouveau

décret, réclamant « la grande rafle des inutiles », Alain Brieux déménage d'une planque à l'autre en attendant que Robert lui trouve un hébergement pérenne. Théodore lui répond, évoquant ces maquis qui surgissent un peu partout pour abriter les réfractaires au S.T.O. : « À l'extrême rigueur je connais des groupes de jeunes gens qui font du camping aventureux, pas très loin d'ici. »

— Et pourquoi on ne le prendrait pas chez nous ? lui demande Youki un soir.

— C'est trop dangereux, ma Sirène. S'il est découvert, on sera arrêtés avec lui.

— On fera attention, Robert. Il est mieux ici avec nous qu'à se trimballer de l'un à l'autre au petit bonheur la chance. On lui installera un lit dans le salon. C'est un brave gosse. Il sera discret. Tu verras, on s'arrangera bien.

Saisi par l'émotion, il la retrouve soudain comme aux premiers jours, quand elle l'accueillait avec cette générosité rieuse, cette simplicité qui la poussait à ouvrir sa porte et son cœur à ceux qui la touchaient. Elle qui n'a jamais voulu d'enfant, la voilà prête à tout risquer pour l'enfant d'une autre.

Et c'est ainsi que je t'aime, mon indomptable. Tu n'es jamais où je t'attends mais bien toujours où je t'espère.

Je retrouve en ma bouche une ancienne saveur
Et des noms de jadis et des baisers si tendres
Que je ne sais plus qui je suis ni si mon cœur
Bat dans le sûr présent ou le passé de cendres.

Quelques jours plus tard, Alain Brieux emménage rue

Mazarine. Robert lui expose les règles à respecter. Le garçon devra se cacher dans la mezzanine si l'on sonne à la porte, éviter de se montrer aux fenêtres ou de quitter l'appartement. Il lui présente Anatole, le clochard que Youki a embauché pour faire les courses. Il endure les interminables files d'attente devant les magasins vides et en échange, est nourri et payé en bouteilles. Ce marché le comble, car il a une bonne descente.

— Il a tendance à prendre des acomptes sur salaire, alors n'hésite pas à planquer le pinard, l'avertit Robert avec un clin d'œil. Bon, maintenant il faut qu'on trouve de quoi t'occuper. Déjà, tu peux lire tout ce que tu veux, tu as l'embarras du choix ! dit-il en désignant les bibliothèques qui débordent jusqu'au sol en piles vertigineuses.

— Peut-être qu'il faudrait commencer par les ranger ? propose le garçon avec un sourire.

— Hum... Je ne sais pas, répond Robert qui n'aime pas l'idée qu'on touche à son désordre. Tu sais, ça a l'air d'un capharnaüm, mais moi je m'y retrouve parfaitement.

— Je suis plutôt calé en rangement, répond Titi, imperturbable. Tout ce que vous risquez, c'est de remettre la main sur des trucs que vous pensiez avoir perdus.

Robert se laisse convaincre. Le garçon en profitera pour découvrir les auteurs américains, de Steinbeck à Dos Passos en passant par Faulkner et Hemingway.

— Mon petit père, je te laisse, j'ai à faire, dit Robert en attrapant au vol son cartable et son chapeau.

Il s'engouffre dans le métro, il a rendez-vous à l'autre

bout de Paris et son interlocuteur n'attendra pas plus de cinq minutes, selon la consigne. Il dévale les escaliers mais se contente de presser le pas dans les galeries, courir est toujours suspect. Bien lui en prend : avant l'accès aux quais, un groupe d'agents allemands en civil arrête le flot des passagers :

— *Papiere !*

Il faut se recomposer un visage de citoyen honnête, ne pas penser au contenu de sa sacoche, à l'impression qui se dégage de sa silhouette amaigrie et tendue, à son regard sous-marin qui attire l'attention. Il enlève ses lunettes et en essuie les verres à quelques mètres des Boches.

Respirer.

Je ne fais que traverser la vie d'un point à l'autre, mon esprit est cette mare tranquille où vos soupçons s'abîment sans ricocher.

Il remet ses hublots, marche calmement vers le cordon policier en regardant droit dans les yeux l'homme qui en occupe le centre, parce qu'il faut bien en choisir un.

Et tu n'es peut-être pas le plus perspicace, toi dont la cicatrice au-dessus du sourcil gauche est sans doute un souvenir d'enfance.

— *Papiere !*

Ces Allemands si corrects ne s'encombrent plus de politesse, maintenant que ces chiens galeux de Français osent les prendre pour cibles.

— Un instant, je vous prie.

Il exhume de sa veste son Sonderausweis et sa carte d'identité. Le policier allemand les examine et l'observe du coin de l'œil.

— *Der ist Journalist ! Siehst du überhaupt was durch diese Flaschenboden-Brille ?* lance-t-il à la cantonade.

De toute évidence il se paye sa tête, car un de ses collègues s'esclaffe en le regardant tandis que ses acolytes fouillent un jeune homme sans ménagement.

— *Kritzel doch in dein Käseblatt ! Hau ab !* lui jette le Fritz en lui rendant ses papiers.

Robert s'éloigne vers le quai sans demander son reste. Il grimpe dans la rame bondée. À travers le bourdonnement de ses tempes, la seule réalité perceptible est cette serviette en cuir qui lui brûle les doigts.

— Vous êtes en retard, lui fait observer Michel Hollard quand il arrive au Café des Chasseurs. J'allais partir.

— Un barrage dans le métro, s'excuse Robert en lui serrant la main.

La douceur les invite en terrasse, tels deux amis devisant au soleil par un bel après-midi de mai. De leur table, ils ont vue sur la gare du Nord et ses abords et pourront fuir facilement en cas de danger. Ces derniers mois, Robert a transmis à Hollard, alias Sylvain, des courriers confidentiels de l'état-major de von Stülpnagel sur les mouvements des troupes d'Occupation. Ils se voient régulièrement et alternent les lieux de rendez-vous, même si Hollard a un faible pour celui-ci.

Il complimente sa nouvelle recrue :

— Ce que vous me donnez est très satisfaisant. Mais j'aimerais orienter vos recherches vers un point particulier.

Un de ses agents l'a récemment averti de l'existence de chantiers de construction d'un genre nouveau localisés en Seine-Maritime. Il s'est rendu sur place et après avoir vainement écumé la région d'Auffay, a fini par tomber sur un terrain de quatre cents mètres carrés où il a reconnu l'ébauche d'une rampe de lancement. Comme il avait revêtu un bleu de chauffe pour se mêler aux ouvriers, l'un d'eux lui a confié qu'ils ignoraient à quoi servaient ces constructions, que les Allemands ne leur en avaient pas communiqué les plans. Ce qui sautait aux yeux, au-delà du mystère entourant le projet, c'est que les Boches étaient pressés : trois équipes d'ouvriers y travaillaient par roulement vingt-quatre heures sur vingt-quatre.

— Depuis, j'ai découvert plusieurs chantiers identiques en Seine-Maritime, dit Hollard dont le regard perçant s'anime sous la glace. Avec hangars et rampes de lancement. Et ces rampes sont toutes dirigées vers l'Angleterre.

— Vous excluez l'hypothèse de bases de décollage pour des bombardiers ?

— Les pistes sont trop étroites, répond Hollard. Je penche pour un genre d'arme nouvelle. Ce qui expliquerait le secret, toutes ces précautions pour que rien ne transpire. Les Allemands se méfient même des ingénieurs français. Il est périlleux d'enquêter plus avant, mais c'est ma priorité. C'est là que vous intervenez : cherchez dans les rapports internes, les notes de bas de page. Tout ce que vous pourrez dénicher nous sera utile.

— Combien y en a-t-il ? l'interroge Robert.

— Ça reste à déterminer. J'en ai déjà repéré une quinzaine. À mon avis, ce n'est que le haut de l'iceberg. Je vais assigner à chacun de mes agents une portion du littoral. Si quelques jours de vacances en Normandie vous tentent…

— Pourquoi pas ? sourit Robert. Si je peux emmener ma femme, c'est encore mieux !

— Bien sûr, sourit Hollard en se levant. Je vous envie, ajoute cet homme qui mène une vie de proscrit et ne voit sa famille qu'à la sauvette, entre deux équipées hasardeuses.

En le regardant s'éloigner vers la gare, Robert mesure sa chance de bénéficier d'une couverture, de pouvoir vivre au grand jour. Depuis qu'il a rejoint la Résistance, il croise des hommes oiseaux s'envolant sans cesse vers des branches plus hautes pour échapper aux chasseurs, condamnés à vivre sans passé, sans mémoire, à trancher les liens qui pourraient les trahir, les retenir. Robert est riche d'une Sirène capricieuse et tendre, de l'affection de ses chats, d'une maison magique ouverte aux amis, de lecture et de musique pour bercer l'angoisse, de ce don violent et doux de l'écriture qui console et fait saigner.

Un bonheur de sable dont la clepsydre se vide à son rythme aléatoire.

Le miracle de l'instant, l'éternité de ce qui va mourir.

J'ai nagé. J'ai passé, mieux vêtu par cette eau
Que par ma propre chair et par ma propre peau.
C'était hier. Déjà l'aube et le ciel s'épousent.

*

Jacques Prévert est de retour à Paris. Il s'était réfugié en zone libre au début de l'Occupation et y était resté, écrivant des dialogues de films entre Saint-Paul-de-Vence et Tourrettes-sur-Loup. Il y trouvait assez de lumière pour ensoleiller sa vie, les amis et le travail adoucissaient l'amertume du temps. Il est de passage. Il a laissé Claudy, son bel amour, et emmené son chien Dragon, un barbet noir. Robert le retrouve rue Dauphine, au restaurant Au vieux Pont-Neuf où Éluard et lui ont leurs habitudes. Quand il arrive, un inconnu bronzé et souriant est assis à la gauche de Prévert.

— Tu es un peu maigre et pâlot, mais tu n'as pas trop changé, Robert, lui dit son ami, sans lâcher sa cigarette. C'est le monde qui a changé tout autour, c'est la ville. Tout est gris et terne. Les rues sont éteintes et les rideaux tirés. Le soleil fait ce qu'il peut, mais il se cogne à ce couvercle qui retient la lumière.

— Les Boches ont dû le réquisitionner ! s'écrie Robert d'un ton joyeux. Ne t'inquiète pas, on se débrouille pour rigoler quand même.

— André, je te présente Robert Desnos. Si tu as de la chance, tu deviendras son ami. Mais quoi qu'il arrive, évite de le mettre en colère. Quand il est en colère, il se change en baleine blanche, et alors tu peux dire adieu à ton sourire. Les filles t'appelleront l'Esquinté : elles auront peur ou pitié, c'est selon. Et toi, Robert, continue Prévert en tirant sur sa cigarette, je te présente André Verdet. Quand je l'ai rencontré, il faisait la sieste sous un olivier, comme un cornac aux pieds de son éléphant. On m'a dit : « Voilà un poète. » J'ai dit qu'un poète, c'était fait pour s'asseoir dessus. Et c'est ce que j'ai fait. Comme ça, on a fait connaissance. Depuis on passe le temps, on compte les nuages et on trouve surtout des bérets, parce qu'il y a plus de bérets que de nuages, en ce moment, du côté de Saint-Paul-de-Vence. On se demande où vont tous ces Basques habillés en noir, quel corbillard ils suivent…

Dragon gronde à ses pieds. Comme son maître, il n'aime pas les bérets, ceux des miliciens qui défilent au pas cadencé en invoquant Dieu et le Maréchal et traquent « la lèpre juive » et les « terroristes » avec la Gestapo. Jusqu'à ce que les Allemands envahissent la zone sud, on pouvait presque se croire en liberté, de l'autre côté de la ligne de démarcation. Dans les petits villages écrasés de soleil, ceux qui avaient fui étaient accueillis simplement. Les hôteliers faisaient crédit et ne posaient pas de questions, ils vous prenaient comme vous étiez. Alexandre Trauner et Joseph Kosma avaient trouvé refuge à Tourrettes-sur-Loup, Prévert s'arrangeait pour que son décorateur et son compositeur préférés continuent à travailler malgré les lois antijuives. La vie s'organisait chaleureusement entre la Colombe d'Or et les studios de la Victorine. L'arrivée de la Wehrmacht et de la Gestapo a rompu ce fragile équilibre. Il a fallu cacher « Trau » et Joseph plus haut dans la montagne. Il s'en est fallu de peu qu'ils soient pris dans les grandes rafles organisées par Laval et Bousquet.

— Le petit Trau était en mauvaise posture, dit Prévert. Ils l'avaient mis en prison à la mairie de Nice. J'ai appelé à la rescousse mes copains du centre athlétique d'Antibes. Ils sont allés voir le maire, ils lui ont passé un savon à la Desnos, et puis ils ont déverrouillé la cage, et l'oiseau s'est envolé. Mais sans notre ami André, il n'aurait pas volé bien loin.

— Tu exagères, le coupe André Verdet, je n'ai rien fait d'exceptionnel.

— Peut-être, mais grâce à toi, deux types qu'on aime regardent le soleil se coucher sur la montagne près de leurs femmes, et à cette heure, ils boivent un petit blanc à notre santé. Et nous on va boire à la leur. Robert, qu'est-ce qu'on boit ici ?

— La cuvée du patron ! s'écrie Robert en interpellant ce dernier qui sort de la cuisine avec un gigot qui embaume.

— On boit à quoi, à l'amour ? Il n'est pas rationné ? demande Prévert en grattant Dragon entre les oreilles.

— Seulement sa version tarifée, répond Robert en souriant. À l'amour libre, à sa douce violence. Aux femmes qui n'ont jamais été plus belles ni plus émouvantes, avec leurs jambes peintes, leurs chapeaux extravagants et leurs secrets.

— Et ta poésie, Robert ? Elle arrive encore à respirer, sous ce couvercle ? demande Prévert quand ils ont largement fait honneur au vin du patron.

— Non seulement elle respire, répond Robert, mais c'est grâce à elle que j'y parviens. Je suis plus productif que jamais. J'écris sans cesse, partout. J'écris des nouvelles, des poèmes pour enfants, des couplets pour ceux qui jouent dans le noir...

— Vous préférez la poésie clandestine ou celle qui joue sur les mots ? demande André Verdet.

— Je pense qu'on a besoin des deux, répond Robert. Dans la poésie de contrebande, il y a le plaisir du jeu, du décodage. Je réfléchis à des poèmes en argot, ça m'amuserait assez. Je cherche aussi du côté de la mythologie et bien sûr il y a le folklore, qui a le mérite de parler à chacun, d'évoquer le pays perdu de l'enfance, qui est aussi celui de la liberté.

— Sous le crâne de Robert, il y a plusieurs cerveaux qui tournent à plein régime, glisse Prévert à son voisin. C'est pour ça qu'il a les yeux cernés. Même quand il dort, ses cerveaux continuent à brasser des idées, à concasser des vers, des notes de musique, des équations… Il n'y peut rien, il est né comme ça. Parfois il crie « Vos gueules ! », il voudrait la paix, couper le son et la lumière, dormir comme une bûche assez naïve pour ne pas sentir l'odeur de brûlé. Mais tu vois, Robert n'est pas naïf, c'est un rêveur lucide, il rêve les yeux ouverts.

— C'est une qualité rare, approuve Verdet. Je suis d'accord avec vous, Desnos, les poètes savent toucher des gens très différents. Un poème a plus de force qu'un discours, par l'émotion qu'il fait naître.

— Hier soir, j'en ai écrit un pour les enfants. Un mélange de réel et de fantaisie. Il s'appelle *La Fourmi*, précise Robert avant de réciter :

Une fourmi de dix-huit mètres
Avec un chapeau sur la tête,
Ça n'existe pas, ça n'existe pas.
Une fourmi traînant un char
Plein de pingouins et de canards,
Ça n'existe pas, ça n'existe pas.
Une fourmi parlant français,
Parlant latin et javanais,
Ça n'existe pas, ça n'existe pas.
Eh ! Pourquoi pas ?

— Hum… La fantaisie est manifeste, mais où se cache le réel ? sourit Verdet.

— Eh bien, répond Robert, cette fourmi de dix-huit mètres ne ressemble-t-elle pas à une locomotive, et son chapeau à un panache de fumée ? Dix-huit mètres, c'est la longueur précise d'une locomotive avec son tender à charbon. Et ces passagers de toutes les races parlant des langues différentes.

— … sont les déportés ? souffle Verdet, songeur.

— C'est bien possible, murmure Robert. Et le fait qu'on emporte tous ces gens vers un lieu effrayant, que disparaissent ainsi des milliers de femmes et d'enfants, c'est tellement dur à croire. Et pourtant.

— Mais vous l'adressez aux gosses, qui s'arrêteront à la fantaisie.

— Bien sûr, répond Robert. Et c'est bien ainsi. Le réel donne au poème son sens caché. Eux n'en ont pas encore besoin, ils le découvriront bien assez tôt.

*

Quelques jours plus tard, un grand dîner réunit les amis rue Mazarine. Pour l'occasion, Robert a demandé à Anatole de jouer les maîtres d'hôtel. Les Jeanson et les Galtier-Boissière sont venus avec Jean-Louis et Madeleine. Ils ont retrouvé Prévert et Verdet dans l'escalier. Alain Brieux connaît déjà Jean-Louis Barrault, qui vient si souvent qu'ils ont mis au point un code de reconnaissance. Entre le clochard qui fait le service, prélevant un verre sur trois pour sa consommation personnelle, les chats qui font tourner le chien Dragon en bourrique, les conversations croisées et les accords de jazz, un joyeux désordre règne dans la maison magique qui ressuscite l'esprit des samedis d'autrefois. Robert a ouvert les fenêtres sur cour pour faire entrer l'air frais, les carillons des églises voisines résonnent dans la nuit claire. Jean-Louis s'anime en parlant de Baptiste Debureau, le mime qu'il interprétera dans *Les Enfants du paradis*, le film que Prévert écrit pour Marcel Carné. Joignant le geste à la parole, il fait revivre le héros populaire du boulevard du Crime, ce Pierrot qui danse le cœur brisé. Prévert, qui est fasciné par Lacenaire, a eu l'idée de mêler leurs destins autour d'un bout de femme fatale qu'Arletty a déjà accepté de jouer.

— Garance, c'est une fille qui te ressemble, dit Prévert à Youki. Elle est belle parce qu'elle est libre.

— Libre d'aimer, tu veux dire ? demande Youki.

— Libre d'aimer ceux qui lui plaisent, répond Prévert en allumant une cigarette. Et de ne pas aimer ceux qui la convoitent. En collectionneurs, en oiseleurs.

— Et il n'y en a pas un pour l'aimer comme elle est, sans essayer de la changer ?

— Si, il y en a un, répond Prévert en la fixant de ses grands yeux où flotte une tristesse diffuse. Mais c'est effrayant, quelqu'un qui sait aimer. Alors elle lui fait mal, pour voir s'il reste quand même.

— Et il reste ? insiste Youki.

— Je ne sais pas, répond Prévert. C'est une longue histoire, je n'en connais pas encore la fin.

Galtier-Boissière raconte que le préfet de Chambéry, voulant faire une surprise au Maréchal, avait invité l'un de ses camarades de promotion :

— Et là, Pétain voit entrer un vieillard complètement gâteux entre deux infirmiers. Il était furieux !

— Il n'a aucun humour, répond Jeanson en plissant les yeux.

— Au fait, Robert, tu savais qu'en argot, nazi veut dire vérolé ? lance Galtier à Robert, mais Robert n'est plus là, il s'est éclipsé dans la bibliothèque avec André

Verdet, cherchant un recueil de Nerval qu'ils viennent d'évoquer ensemble.

— Ah, le voilà, dit-il en attrapant son vieil exemplaire des *Chimères*. Je vous le prête. Je me suis tellement promené sur les pas de Nerval que parfois, je confonds ses souvenirs avec les miens. C'est le poète qui m'a emmené le plus loin. Il m'a appris à déchiffrer les signes. Sur ses pas, j'ai découvert que le rêve irrigue la vie et lui donne sa profondeur. Et que l'essentiel, c'est l'attention qu'on porte aux êtres et aux choses. Picasso est du même avis. Suivez Nerval les yeux fermés, vous vous perdrez avec bonheur.

Verdet le remercie et baisse la voix :

— J'ai cru comprendre que vous aviez certaines activités parallèles. Moi aussi, c'est ce qui m'amène à Paris.

Robert hoche la tête.

— Je suis venu prendre un poste de commandement. Dans les semaines à venir, je vais avoir besoin d'hommes de confiance pour des actions ponctuelles. En ce moment, c'est l'hécatombe. Trop des nôtres tombent dans les coups de filet de la Gestapo. Si vous y êtes favorable, je vous en parlerai plus précisément.

Robert devine qu'il s'agit de sabotages, d'attaques ciblant des points stratégiques. Jusqu'ici, il s'est limité à des activités de faussaire ou d'espion. Il n'est pas sûr d'être taillé pour l'action directe. Il cache un réfractaire au S.T.O., écrit de la poésie clandestine, est en lien avec plusieurs réseaux, fabrique des faux papiers et fournit des renseignements, doit-il s'engager plus avant et multiplier les risques ? Il a besoin d'y réfléchir :

— Reparlons-en le moment venu.

— Jean, lance-t-il à Galtier en les rejoignant au salon, toi qui connais l'argot comme ta poche, donne-moi des synonymes moins courants pour l'oseille et le pognon.

— L'avoine, le beurre, l'artiche, la carbure, l'aubert… hasarde Jean en tirant sur sa pipe.

— Et le juge, c'est bien le curieux ?

— Exact. À ne pas confondre avec le baveux. Le baveux, c'est l'avocat. C'est pour ton projet de poèmes en argot ?

— J'y travaille, répond Robert tout sourire. Laval m'inspire, en ce moment. Une dernière chose : comment appellerais-tu un truand sans envergure ?

— Un demi-sel, répond Galtier dans un nuage de fumée blonde.

Parce qu'il est bourré d'aubert et de bectance
L'auverpin mal lavé, le baveux des pourris
Croit-il encor farcir ses boudins par trop rances
Avec le sang des gars qu'on fusille à Paris ?

Pas vu ? Pas pris ! Mais il est vu, donc il est frit,
Le premier bec de gaz servira de potence.
Sans préventive, sans curieux et sans jury
Au demi-sel qui nous a fait payer la danse.

Et en alexandrins, s'il vous plaît.

Robert aime la vigueur de l'argot, qui s'accorde si bien à sa colère. La langue des Apaches a bercé son enfance, vibrant dans le parler des Halles et la rage de Liabeuf.

Elle malmène les syllabes dans ce pointu parigot qui retentit de la rue des Lombards jusqu'aux abattoirs de la Villette, ensoleille les collines de Paris. De Montmartre à Ménilmontant, de la Butte-aux-Cailles au faubourg Saint-Antoine, l'argot réveille le souvenir des barricades et du sang versé pour la dignité des humbles. Les rues où battait le cœur des Misérables abritent aujourd'hui des Francs-Tireurs et des combattants de la Main-d'Œuvre immigrée, des saboteurs, des jeunes filles agents de liaison, des gamins qui revendiquent leur part de courage, qu'on arrête et torture comme les grands. Rendre à l'argot sa clandestinité et sa noblesse, le couler dans le marbre des alexandrins, mêler l'héritage de Ronsard, d'Hugo et de Louise Michel enthousiasme Robert.

Profiteurs de tous calibres, tartuffes aux dents longues, prêcheurs qui traquez la licence et protégez le vice, meurtriers drapés dans vos décrets et votre bonne conscience, le temps de la révolte a sonné. Elle gronde sous vos pieds, dévale les collines et résonne au fond des bois, et sur chaque cadavre que vous laissez derrière vous, elle inscrit ces mots qui survivront à votre poussière : Liberté, égalité, fraternité.

Quand les invités sont partis et que le silence se dépose sur la rue Mazarine, à peine troublé par la respiration des dormeurs, Robert regagne sa mezzanine, recopie les documents empruntés au journal et relit ses derniers poèmes avant de s'accorder ce temps d'écriture qui lui est plus vital que le sommeil. Retiré tel un veilleur sur son promontoire, il sent un brouet de pensées et d'émotions se clarifier à travers sa poésie. C'est l'heure fragile où l'étau de l'angoisse se resserre.

À l'angle de la vitrine du relieur, une ombre dessine la silhouette d'un guetteur posté. Sous le rictus étranglé de la lune, l'avenir est un spectre blême.

Il cherche la dernière lettre de Théodore, reçue le 12 juin. Entre les lignes, et avec son élégance coutumière, le Doc le prévient qu'il s'est résolu au départ. « L'autre jour, ajoute-t-il, un magnifique orage m'a réveillé au moment où je rêvais que vous montiez un escalier devant moi ; vous étiez maigre comme il y a deux ans, et en plus, vos cheveux en brosse étaient tout blancs et des rides profondes vous balafraient la figure. J'étais un peu consterné. » Qu'en penserait Hormidas Belœil ? Y verrait-il un présage de sagesse et de longévité, ou l'annonce de turbulences et d'épreuves ?

Sous le titre *L'Asile*, Robert commence un nouveau poème. Il y laisse affleurer ses frayeurs enfantines, la peur du noir, des caves et des monstres hérissés d'instruments coupants, celle d'être emporté loin de ceux qu'il aime, de les voir s'éloigner sur l'autre rive.

Puissé-je rester libre et garder ma raison
Comme un sextant précis à travers les tempêtes,
Lieux d'asile mon cœur, ma tête et ma maison
Et le droit de fixer en face hommes et bêtes.

19

Il fait à peine jour quand Robert quitte la rue Mazarine. La brume se dissipe avec une lenteur d'effeuilleuse, dévoilant peu à peu les contours de la ville et du fleuve. Sur le Pont-Neuf, Robert rencontre son vieux copain Jeander. Depuis le temps où ils s'amusaient à écrire des petites annonces sentimentales, ils sont restés liés par une solide amitié et un même dégoût pour le marigot qu'est devenue la presse. Ils passent le pont en bavardant, l'aube est traversée de bruissements et d'oiseaux, ils contemplent les pêcheurs sur leurs barques plates et rêvent à des matins plus clairs. Sur le quai, chacun repart de son côté avec la promesse d'un dîner. Une demi-heure plus tard, dans un appartement près de la Concorde où se réunissent les membres du réseau Ceux de la Résistance, Robert retombe sur Jeander. Un fou rire les saisit. Ils ignoraient leurs activités respectives. Car si Robert dit tout haut ce qu'il pense du régime, il ne laisse rien transpirer de sa vie clandestine.

Le bilan de la discussion est sombre et pragmatique. Le printemps a été meurtrier pour la Résistance et l'été ne sera pas plus clément : les réseaux sont démantelés l'un après l'autre, les chefs arrêtés, fusillés ou déportés, les agents retournés ou laissés pour morts. On dit que l'envoyé du général de Gaulle a été pris, qu'il serait entre les mains de la Gestapo de Lyon. Alors qu'ils reculent sur le front oriental et perdent des batailles décisives en Afrique du Nord, les nazis et leurs homologues français livrent une guerre impitoyable à leurs ennemis de l'intérieur, multipliant les filatures, les guets-apens. Et chaque jour, la Résistance recoud ses lambeaux, répare ses liaisons vitales, redessine la carte de ses réseaux, s'adapte à de nouvelles menaces, au manque d'armes et de moyens, poussée par l'urgence et par une résolution épuisée mais tenace, flamme dansant sur un reste de cire. Robert se sent à sa place parmi ces résistants venus de tous les horizons, pour la plupart des amateurs qui improvisent avec génie ou maladresse, en sachant que la moindre faute d'inattention leur sera fatale. En revanche, les luttes de pouvoir au sein des réseaux ne l'intéressent pas. Il déserte les débats interminables sur l'autoritarisme des gaullistes ou l'influence des communistes.

Après la réunion, il passe au journal. Le matin, quand tout le monde est au marbre, il partage la salle de rédaction avec Babette Godet, ravissante dactylo qu'il soupçonne d'œuvrer pour la Résistance et qui joue admirablement son rôle d'ingénue blonde. Embauchée à dix-huit ans, il y a des années qu'elle tape les articles de Robert, se permettant parfois un sourire de connivence discrète. Pour composer ses articles, il a besoin de faire les cent pas dans la salle de rédaction, et son œil s'allume à mesure qu'il aligne les phrases comme un archer.

— Je ne vous fatigue pas trop, à faire le zouave comme ça de long en large ?

— Pas du tout, Robert. J'aime vous écouter. J'ai l'impression d'assister au processus de création. Ce ne sont pas des poèmes, bien sûr… Mais c'est impressionnant quand même. De quoi allez-vous parler aujourd'hui ? interroge-t-elle en s'installant devant sa machine à écrire.

— Du jazz, répond-il avec entrain. Je vais rappeler qu'il n'a rien d'une musique dégénérée et descend en droite ligne de nos musiques européennes. Y compris de la sacro-sainte musique allemande…

— Il y a des dents qui vont grincer ! répond Babette, avec ce sourire de jeune fille du patronage que vient dynamiter l'éclat frondeur de ses prunelles bleues.

Outre son travail de dactylo, Élisabeth Godet, dite Babette, a pour mission de réceptionner les bulletins confidentiels provenant de Vichy ou du cabinet de Laval et de boucler les locaux en fin de journée. Le soir, elle fait une dernière inspection des bureaux. Robert en profite pour visiter celui de Georges Suarez et récupérer dans les tiroirs les documents stratégiques.

— Je vais fermer, Robert, le prévient-elle toujours de sa voix claire, lui laissant le temps de dissimuler son butin dans sa sacoche.

Il pourrait se méfier d'elle. Il sait que la Propagandastaffel appointe certains journalistes pour épier leurs collègues. Mais il sent qu'il peut lui faire confiance. Il y a quelques mois, elle lui a présenté son mari, un gamin de vingt ans passionné de livres. Robert et Robert se sont entendus comme cochons, et la fréquentation de Robert l'Ancien a poussé Robert le Jeune à se lancer dans l'édition. En avril, il a publié hors commerce le recueil *État de veille*, dans une collection baptisée « Pour mes amis ». C'est une édition luxueuse illustrée de dix gravures au burin de Gaston-Louis Roux. Le jeune éditeur a vendu quelques tableaux de sa collection personnelle pour la financer. Il ne compte pas s'arrêter là : au début de l'année prochaine, il veut faire paraître *Contrée* dans la même collection et ils espèrent que Picasso acceptera de l'illustrer. Le peintre catalan a dit oui, mais il se sert souvent du oui comme on use du « peut-être » ou du « on verra », pour différer ou suspendre.

Ses articles terminés, Robert rejoint Jean-Louis Barrault pour déjeuner dans une brasserie à deux pas du Français. Il reconnaît dans ses yeux cette exaltation fiévreuse, à mi-chemin entre le transport mystique et l'angoisse, qu'il avait durant la gestation de *Numance*, cette grossesse houleuse entre moments de grâce et découragement lapidaire.

— Quand je vois dans quel état te met Claudel, lance-t-il, je mesure les ravages de la religion ! Quand tu parlais de te retirer au couvent, il fallait le prendre au sens littéral ?

Jean-Louis revient de Brangues, où il est allé rendre visite au Maître dans sa demeure seigneuriale, espérant lui arracher sa bénédiction pour raboter *Le Soulier de satin* à une pointure plus modeste. Car la version intégrale dure plus de neuf heures et même Jean-Louis ne pourrait convaincre la Comédie-Française de l'adapter par ces temps de restrictions.

— Ne m'en parle pas ! gémit Jean-Louis en se

prenant la tête dans les mains. Après avoir passé la ligne de démarcation à Tournus et fait une randonnée sac au dos jusqu'au château de Brangues, j'ai passé cinq jours à ausculter chaque partie du *Soulier* avec Claudel pour déterminer ce que nous pouvions couper. Tu nous aurais vus : deux chirurgiens pesant chaque suture avec gravité. Finalement, le Maître m'a écrit une belle lettre m'autorisant à donner *Le Soulier* en deux soirées de trois heures. Trois heures de moins, c'était déjà un exploit, j'étais heureux ! Je repasse la ligne au même endroit, je suis fouillé dans le train, les Allemands trouvent la lettre et la déchirent.

— Ils ont cru que Claudel travaillait pour l'Intelligence Service ? ironise Robert. Remarque, « *Le Soulier de satin* sera joué en deux fois trois heures », ça sonne comme un message personnel de la BBC…

— Va savoir ce qui leur passe par la tête. Tu m'imagines à quatre pattes dans le couloir, récupérant un à un tous les confettis ? répond Jean-Louis d'un ton espiègle. J'ai reconstitué le puzzle et décidé qu'il deviendrait mon porte-bonheur. Je ne m'en sépare plus.

— Alors tu as gagné, bohémien têtu ? Tu vas vraiment nous infliger six heures de Claudel ?

— Hélas, la bataille n'est pas finie, soupire Jean-Louis. D'abord, il fallait convaincre les sociétaires. Je leur ai lu la pièce en deux soirées, je l'ai même jouée, pour défendre ma mise en scène. Ils ont été convaincus par la première partie, mais ont refusé la seconde ! Il fallait tout recommencer. Je me suis battu comme un lion, le comité a fini par accepter mon projet à condition qu'il tienne en une seule soirée de cinq heures. Conclusion : je retourne à Brangues. J'espère convaincre

Claudel, mais une heure de moins, ça veut dire d'autres coupes… ça va lui briser le cœur.

— Si tu le lui brisais vraiment, tu nous rendrais service ! gronde Robert. Te voir remuer ciel et terre pour un poète de bénitier, un cuistre nationaliste qui estime que le dadaïsme et le surréalisme n'ont servi qu'à encourager la pédérastie. Et pour couronner le tout, il est maréchaliste !

— Je crois qu'il ne l'est plus. Les rafles l'ont horrifié. Il a peut-être aussi changé d'avis sur les surréalistes ! Si tu le rencontrais, tu le trouverais surprenant. Un mélange de rudesse paysanne, de raffinement, de foi du charbonnier. Il a de l'humour. Et sa poésie… tu ne peux pas en nier la force, Robert. Pas toi !

— Je n'en nie pas la force, mais je hais sa pensée. Je la hais d'autant plus que c'est un grand poète

— Et malgré ça, tu me soutiens. En somme, tu élèves l'amitié à des hauteurs claudéliennes ! se marre Jean-Louis.

— Laisse ce vieil emmerdeur à sa place. Je te soutiens parce que tu remets tout en jeu à chaque fois. Tu ne fais rien à moitié et ta sincérité est totale. Là-dessus on se ressemble. Tu vois, mon secret de bonheur consiste à vivre l'instant sans chercher à maîtriser mon destin ni le redouter. ***Être un homme et aimer la vie*** : ça a l'air d'aller de soi, et pourtant…

— … Ce n'est pas si facile. Il faut lutter contre cette petite voix frileuse qui voudrait nous mettre à l'abri de la vie. Robert, pour moi tu es plus qu'un ami : un frère choisi qui me montre le chemin, qui m'encourage à risquer. Et pour revenir au *Soulier,* je crois que pour être « payé de retour », il faut offrir l'aller. Tout donner par avance. C'est ce qu'on donne gratuitement qui fait la beauté du retour.

— Avec cette mentalité, tu finiras dans la roulotte où tu es arrivé ! le taquine Robert.

*

Lorsque Robert sonne au numéro 14 de la rue de Bucarest, un soir tiède égrène sa mélancolie, attisant le regret des étés où les enseignes des cabarets et des restaurants flamboyaient sur la gorge de Paris, donnant le signal d'une fête qui ne s'éteindrait qu'avec le jour.

Quand te retrouverai-je, ma ville aux yeux fermés, quand t'éveilleras-tu de ta torpeur morbide ?

— Fraenkel, annonce-t-il à la concierge, et à ce nom son visage se déverrouille, elle plisse ses yeux de musaraigne et le reconnaît.

Vladimir et Madeleine ont les traits tendus des marins de quart affrontant la tempête. Quand se sont-ils endormis pour la dernière fois avec un sentiment de sécurité ? Le stomatologue travaille toujours mais chaque matin, avant de partir pour l'hôpital, il embrasse sa famille sans savoir s'il la reverra. Il suffit d'une mauvaise rencontre, d'une dénonciation.

— Nous avons la chance d'avoir des amis sûrs, dit-il. Et des voisins précieux. Madame Levert, par exemple.

La concierge ne se contente pas d'ouvrir la porte à la nuit tombée. Si le visiteur a mauvaise mine, elle frappe plusieurs coups de balai au plafond pour les avertir.

— Où est mon petit copain ? demande Robert à la cantonade. J'ai dans ma poche un trésor qui pourrait lui plaire.

Le petit Jacques émerge de derrière la commode et s'avance à pas prudents. Robert lui sourit. Il faut le réapprivoiser à chaque visite, mais il se souvient de Robert et observe sans peur ses yeux qui roulent derrière les lunettes.

— Viens par là, mon bonhomme, dit Robert. Figure-toi qu'il m'est arrivé une histoire étrange, en venant te voir. Je suis passé par le quai de la Mégisserie. C'est un endroit où l'on vend toutes sortes d'animaux, des poissons, des oiseaux de toutes les couleurs... Et aujourd'hui, j'y ai rencontré un hippocampe. Tu en as déjà vu ?

Jacques n'a jamais entendu parler de cet animal étrange. Le square, le jardin d'acclimatation et l'aquarium du Trocadéro lui sont interdits. Il n'a jamais grimpé sur la tour Eiffel qui étire vers les nuages son cou de girafe. Il ignore le spectacle de la ville, ses tours de magicienne. Son univers se limite à cet appartement silencieux comme un mausolée.

— C'est un cheval de mer. Un tout petit cheval qui a une drôle de queue dentelée en forme de clé de sol à la place des pattes. Évidemment, il ne galope pas comme les chevaux de terre. Mais il est assez content de lui. Tu sais pourquoi ?

— Non, répond l'enfant qui semble très intéressé.

— Il se vante de n'avoir jamais eu de cavalier sur son dos, de n'avoir ni bride ni maître. Il est très fier de sa liberté, ça se comprend. Et comme il m'avait à la bonne, il m'a dit : « Robert, mon vieux, je vais te montrer mon plus grand trésor. Mais tu dois me promettre de n'en parler à personne. » Alors j'ai promis, bien sûr. Et là, il m'a montré son ventre. Et sur son ventre, il y avait une poche. Et tu sais ce qu'il y avait dans cette poche ?

Robert sent le souffle de l'enfant s'accélérer. Il fait durer le suspense, par jeu.

— Je pensais qu'il faisait comme toi et moi, qu'il y rangeait des billes, des galets ou des coquillages. Mais j'avais tout faux. Dans sa poche, il y avait son bébé. Il était caché là, il grandissait au chaud sans que personne ne s'en doute. J'ai dit à l'hippocampe qu'il pouvait être fier, c'était déjà un beau bébé. Pour me remercier, il m'a confié un cadeau, mais il a bien précisé qu'il fallait le donner à un petit garçon. Alors j'ai pensé à toi, ajoute-t-il en exhumant de sa poche une toupie en bois rouge.

Robert fait une démonstration à l'enfant. La toupie, qu'il a dénichée dans un marché aux puces, tourbillonne avec une rapidité étourdissante. Jacques a d'abord un peu de mal à l'actionner mais l'entreprise le passionne. Au bout d'un certain nombre de tentatives, sa mère lui rappelle qu'il est temps d'aller se coucher et Robert l'accompagne jusqu'à son lit, lui parlant du cheval de mer et de sa liberté farouche.

— Tu sais, j'ai écrit un poème sur cet hippocampe. Je vais te le réciter, ce sera notre secret.

L'enfant hoche la tête et selon un rituel désormais établi, appuie sa joue contre la sienne. Et Robert lui récite *L'Hippocampe.* Quand il a terminé, il lui confie qu'il est tombé amoureux d'une sirène. Elle ne lui rend pas la tâche facile, car les sirènes se méfient de tout ce qui pourrait ressembler à un filet.

— Et j'aime la regarder dormir, ajoute-t-il en sentant

le poids de l'enfant qui s'assoupit dans ses bras. C'est le seul moment où elle n'est pas sur ses gardes.

Il songe que s'il pouvait revenir en arrière, il en retomberait amoureux. Parce qu'avec elle, la vie est imprévisible. Et que ce qu'elle lui donne est plus précieux que tout ce dont il avait pu rêver.

Que nul ne les atteigne ni ne les sépare
Que rien ne sépare l'hippocampe de la sirène
La sirène de l'hippocampe,
Robert de Youki,
Youki de Robert.

Derrière les volets clos de la salle à manger, Vladimir confie à Robert les aléas de leur vie clandestine. Les réveils en sursaut, les avertissements, les nuits où il faut réveiller Jacques et le conduire tout ensommeillé chez le marchand de légumes ou chez la fleuriste. Celle où la concierge a frappé plusieurs coups au plafond et où Lodia, à la hâte, a tiré l'enfant de son lit pour le conduire devant la fenêtre de la cuisine dont il avait scié un barreau, lui chuchotant : « Tu te souviens du jeu que je t'ai montré ? Tu passes par la fenêtre, tu sautes dans la cour et tu files dans l'imprimerie de monsieur Guyot, sa fenêtre n'est pas fermée. Tu rentres, tu te caches dans le bac à papier et tu dors sans faire de bruit. Ne bouge pas avant qu'on vienne te chercher. »

Il a embrassé le petit garçon et l'a regardé sauter dans le noir de la cour. Puis Madeleine et lui se sont réfugiés dans une chambre de bonne du dernier étage, guettant les pas dans l'escalier, les cris en allemand. Cette nuit-là fut une fausse alerte. Il a récupéré Jacques au matin. Il prenait le petit-déjeuner avec l'imprimeur et peut-être a-t-il perçu, dans le sourire de son père, un soulagement presque douloureux.

Les alertes se multiplient. Paris est devenu ce piège mortel dont les dents peuvent se refermer à tout moment. Entre la police française, les limiers de la Gestapo et les indicateurs anonymes, les chasseurs sont partout. La sécurité de Jacques est devenue un souci permanent. Le mois dernier, Lodia a simulé une crise d'appendicite en lui faisant une piqûre de Propidon qui lui a provoqué des douleurs dans l'abdomen. Ils l'ont admis en urgence à la Maison de santé des sœurs augustines, où une opération de l'appendicite et de prétendues complications ont permis de le garder à l'abri près de trois semaines, avec la complicité d'un médecin et des sœurs. Il faut chercher sans cesse de nouvelles solutions, d'autres cachettes. Un réseau de solidarité s'est créé autour du petit Jacques, des collègues de Lodia aux commerçants du quartier.

En écoutant Vladimir Fraenkel, Robert pense à ce proverbe africain qui raconte qu'il faut un village entier pour élever un enfant.

À Paris, en 1943, il faut tout un village pour cacher un enfant, le soustraire à la haine.

*

Un été de plus à l'heure allemande, rythmé par le trot des fiacres, le ballet des tractions noires et les parades militaires. Un peuple affamé regarde s'empiffrer ceux qui ont choisi leur ventre et leur portefeuille, les soirées fines et la musique de chambre pour couvrir les cris des suppliciés dans les caves des immeubles chics de la rive droite, de l'avenue Henri-Martin à la rue de la Pompe. Pour les mondains, la vie est une valse sur le *Titanic*, il faut s'enivrer davantage pour oublier les vapeurs méphitiques qui montent de l'entrepont, l'encerclement de la banquise.

Comme ses semblables, Ghita Fraenkel a l'illusion de demeurer en surface du marécage, entretenant ce vernis de conversation légère qui permet de s'asseoir à la table de Carl Oberg ou de René Bousquet, sans qu'on vous pose des questions gênantes sur ce mari juif qui a disparu sans laisser d'adresse. Robert perçoit la fragilité de Ghita, son désarroi face à l'effritement du monde où elle a grandi. Un monde où culture et raffinement allaient de soi, qui l'a persuadée qu'elle était assez belle et intelligente pour tirer son épingle du jeu en toutes circonstances. Ses repères ont vacillé avec l'avènement d'Hitler. Des tyrans sans éducation ont hissé des truands et des criminels au faîte de la société. Les enfants gâtés et les héritières ont appris à flatter les maquereaux et les tortionnaires pour conserver les privilèges dont ils ne pouvaient se passer. En apparence, rien n'a changé. Les bulles de champagne et les sourires sont les mêmes, Paris est toujours Paris. Mais il y a cette angoisse qui affleure et grignote, ce malaise persistant qu'elle endort avec des somnifères, cette impression de se perdre dans un labyrinthe de glaces en redoutant d'y croiser son reflet. Robert ne force aucune confidence. Il rend de fréquentes visites à la jeune femme, lui offre les disques qu'il vient de découvrir, lui parle de Youki qui rentre saoule nuit après nuit.

— Elle se perd dans l'alcool comme elle se perdait dans la séduction, observe Ghita de sa voix grave et mélodieuse. Elle va mal. Comment pourrait-elle aller bien ? Les fêtes d'aujourd'hui n'ont rien à voir avec celles que nous aimions. Tu es très pris, rarement là. Je comprends son mal de vivre et d'une certaine manière, je le partage, murmure-t-elle. Je n'ai aucune nouvelle du Doc depuis son départ, mon père est loin… Que me reste-t-il ?

— Il te reste tes amis, répond Robert.

— À part vous deux, je n'ai pas d'amis avec qui parler vraiment, évoquer Théodore.

— Que réponds-tu quand on te demande où il est ?

— Je dis qu'il a quitté le domicile conjugal, répond Ghita.

— C'est mieux, répond Robert. En cas de problème, tu sais que je suis là. Je peux même t'aider à disparaître si tu te sens menacée.

— Je ne le suis pas, répond Ghita avec un sourire. Mon frère veille sur moi. C'est juste que… Certains de ses amis me dérangent. Beaucoup de gens voyants, vulgaires. Il s'est entiché de cet Henri Lafont… Cet homme est partout comme chez lui, sa grossièreté me hérisse.

— Que sais-tu de lui ? interroge Robert d'une voix tendue.

— Pas grand-chose, répond Ghita. Il a un hôtel particulier à Neuilly, des bureaux rue Lauriston. Il sent le nouveau riche à vingt mètres, toujours une poule à son bras. Je pense qu'il fait des affaires avec Jean. Ils se voient beaucoup.

— C'est un homme très dangereux, l'interrompt

Robert. Ses «bureaux» de la rue Lauriston abritent une antenne de la Gestapo française. Pendant qu'il régale ses relations à l'étage, ses hommes traquent et torturent les résistants, arrêtent les Juifs.

— Ne dis pas ça, Robert…, murmure Ghita qui a blêmi.

— C'est la vérité. Cet homme est sur les listes noires de la Résistance. Il finira avec une balle dans la tête ou devant un peloton d'exécution. Et ceux qui le fréquentent risquent le même sort.

Ghita ferme les yeux. Robert a employé des mots durs, des mots sans appel pour qu'elle ne puisse en atténuer le choc, en repousser les conclusions.

— Mon Dieu, Jean…, gémit-elle en relevant la tête. Jean n'a pas idée de tout ça.

— Il ne peut pas l'ignorer, la coupe Robert d'une voix ferme.

— Mais enfin Robert, s'il le savait il ne ferait pas d'affaires avec lui ! proteste-t-elle. Il ne peut pas savoir ! Jean est trop gentil, beaucoup de gens profitent de lui.

— C'est impossible. Ton frère est proche de Laval et d'Helmut Knochen qui travaillent main dans la main avec Lafont et n'ignorent rien de ce qui se passe dans les caves de la rue Lauriston. Ghita, je te fais de la peine, mais je te dois la vérité : ton frère s'est associé avec des meurtriers. Le simple fait d'être vue avec eux te met en danger.

Les larmes brouillent les yeux de Ghita. Robert vient s'asseoir près d'elle, prend ses mains dans les siennes et la force à le regarder :

— Théodore m'a demandé de veiller sur toi, tu es mon amie et je ne t'abandonnerai pas. Mais il faut être lucide. Ton frère et ses amis vont perdre leur guerre, ce n'est qu'une question de temps. Jean est perdu, il est allé trop loin. Je ne veux pas qu'il t'entraîne dans sa chute.

Il est tard. Levez-vous. Dans la rue un refrain
Vous appelle et vous dit « Voici la vie réelle ».

Encore un été étouffant à guetter cet appel d'air qui ne vient pas, ce débarquement promis et toujours suspendu qui finit par advenir trop loin, sur les côtes de Sicile, engendrant un espoir fou que ternit au fil des jours la monotonie de l'horreur. Jacques Prévert et Jean-Louis Barrault ont rejoint les studios niçois de la Victorine où débute le tournage des *Enfants du paradis*. Robert emmène Youki à Pierrefonds, à l'auberge des Trois Marches où vécut Séverine, la féministe au verbe haut, la grande amoureuse. La forêt de Compiègne frissonnant sous l'orage ranime tant de souvenirs… Robert espère qu'ils rendront Youki à elle-même et qu'elle lui reviendra.

Regarde, ma Sirène, ici nous avons ri et chanté avec nos amis, nous nous sommes aimés sur des sommiers grinçants, j'ai embrassé chaque centimètre de ton corps, épié les variations de l'émoi dans ton souffle. Je rentrais le chapeau débordant de cèpes et tu m'accueillais pieds nus et décoiffée, avec ce visage de sauvageonne cuivré de soleil et de joie.

Ici, tu t'es griffée aux ronces de la forêt profonde. Le parfum de ta peau s'est poivré de senteurs de feuilles mortes et d'humus, tu t'es enivrée de chants d'oiseaux, d'étoiles filantes. Nous avons surpris les prémisses d'un grand amour dans le regard de Jean-Louis sur Madeleine, et savouré des vins aux arômes exaltés par la conversation. Nous avons ri de voir le fier Théodore soumis au charme de Ghita. Avec Paul et Lise Deharme, nous avons joué à la pétanque dans la lumière déclinante. Nous avons connu Paul avec Lise et Lise sans Paul, si seule et vulnérable au carrefour des chemins, cherchant dans la poésie un abri, une réponse.

Au cœur d'un été où nous nous sentions en pleine possession de nos vies, nous avons déchiffré incrédules l'ordre de mobilisation sur le mur de la gare.

Mais la vie, ma Sirène, ne s'est pas arrêtée le jour où les soldats d'Hitler sont entrés dans Paris. Elle est le torrent artésien qui court sous l'écorce calcinée, le battement d'un cœur obstiné qui refuse de se rendre. Regarde cette forêt où les bourgeons tirent leur force de la pourriture, où la mort donne la vie, n'est qu'un élément du cycle.

Incroyable est de se croire
Vivant, réel, existant.
Incroyable est de se croire
Mort, feu, défunt, hors du temps.

Nous survivrons à nos peurs.

Je t'emmènerai au Mexique, tu me feras visiter la Chine, dont j'ai tant rêvé à travers ta voix.

Dans chaque note de la partition d'un poème, dans la plus modeste étincelle électrisant le silence, je cache un amour plus grand que ma vie, plus grand que la tienne.

Je cherche les empreintes de nos pas dans la terre meuble des sentiers. Sous les feuilles, les escargots ont remplacé les champignons mais mon émerveillement renaît à chaque foulée, je ne suis pas rassasié de la beauté de ce monde.

Six semaines volées à la tension d'une vie aux aguets. Écrire et aimer à l'abri de la forêt, réparer ses forces. Les poèmes pour enfants sont presque achevés, la dernière nouvelle se débat sous ses doigts comme un taureau fuyant les banderilles. La poésie et l'amour naissent d'un même désir inassouvi. Le poème l'enserre, insaisissable et mouvant comme le corps de Youki. Il cherche à saisir ce qui n'est déjà plus là. Ses mains, ses lèvres, son sexe se referment sur une énigme. Ce qu'il attrape n'est qu'une dépouille frémissante, une coquille vide où l'océan résonne.

Savoir sa victoire impossible, et tout risquer pour la beauté de la tentative.

Grand vent tempête cœur du monde
Il n'y a plus de sale temps
J'aime tous les temps j'aime le temps
J'aime le grand vent

À son retour à Paris, des bourrasques de pluie cinglent la rue Mazarine et un télégramme, dans sa boîte aux lettres, lui apprend que son père est mort. Il avait quatre-vingt-quatre ans, calcule-t-il, il aura tenu longtemps, le vieux, tenu ferme son bout d'existence, luttant pour un coin de soleil, quelques semaines de bord de mer et l'orgueil d'être un monsieur. Tout ça pour mourir seul un jour d'octobre, et que la gardienne vous trouve froid sur le lit parce qu'aucun de vos enfants n'est passé vous voir. Ils ne passent que le dimanche, le reste du temps ils ont mieux à faire. Son ultime pensée, quelques lignes jetées sur le papier et sobrement intitulées « Derniers moments », leur est adressée. Il est mort en pleine conscience. Son fils ignore s'il aura ce privilège, et si c'en est un.

Robert ne s'attendait pas à la force de ce chagrin, à sa dévastation. Son père l'aimait à travers leurs différences irréconciliables, ce drôle de rejeton que le sort lui avait confié sans lui donner les moyens de le comprendre. Au moment de le mettre en terre, Robert se sent pourtant l'héritier de sa colère et de son entêtement, de sa pudeur. Que reste-t-il de ce long dialogue entre père et fils, où l'essentiel se disait dans les silences ? Lucien était fier de le voir travailler comme scénariste pour la Gaumont ou pour Pathé Cinéma. La poésie, à ses yeux, n'était que feuilles envolées au vent, son bon sens paysan ne s'y trompait pas. Mais justement Robert aime écrire sur le vent, et la fragilité d'un poème, cette cathédrale de sable.

Devant le cercueil de son père, Robert éprouve la solitude vertigineuse du dernier de lignée propulsé premier de cordée ; l'à-pic de la tombe est un précipice. Désormais il portera seul le poids de ses actions, il n'aura plus d'excuses, il ne pourra plus atermoyer, marchander avec lui-même.

Il s'enferme dans sa mezzanine avec *Le Musée Grévin*, la dernière livraison clandestine d'Aragon. Dans la rage caustique de ce long poème, il retrouve la sienne et pressent l'indicible qui enveloppe cet Auschwitz « dont le nom siffle et souffle une affreuse chanson », angoissant terminus des convois de déportés. Jean Lescure, qui dirige les éditions de Minuit, lui confirme que les informations qui leur parviennent de ce camp polonais dépassent l'entendement, au point que Vercors et lui ont choisi de ne pas en parler pour l'instant. Aragon, en franc-tireur, vient de crever la chape du silence. À Auschwitz, dans une plaine sinistre de Haute-Silésie, se disputent « des Olympiques de souffrance » et la France y a ses championnes, des résistantes parties par le convoi du 24 janvier. La plupart d'entre elles y ont déjà trouvé la mort.

Deux jours plus tard, Robert annonce à André Verdet qu'il a pris sa décision : à l'heure où l'ennemi décime la Résistance, il veut s'engager dans l'action directe.

— Bienvenue, mon ami, lui répond André. Je savais que tu nous rejoindrais.

Dans la chaleur de sa poignée de main, Robert perçoit son soulagement. Sous la direction de Marcel Degliame, dit Fouché, André Verdet est désormais responsable de l'action immédiate pour les Mouvements unis de la Résistance. Il planifie et coordonne des attentats et des sabotages, cible les collaborateurs zélés et les objectifs militaires. À mesure que les Alliés progressent sur tous les fronts, la solitude de la Résistance grandit face à un ennemi à la supériorité écrasante. Londres répond à contretemps aux appels au secours qui montent des maquis, promet sans toujours tenir, diffère l'envoi d'armes et de matériel. Ses priorités sont ailleurs. Et puis elle se méfie de cette armée en guenilles. Il faut la soumettre à l'autorité de la France libre, la faire rentrer dans le rang, quitte à la sacrifier sur l'autel des stratégies complexes où se joue l'avenir de la France. Gangrenés par les traîtres et les espions infiltrés, traqués par la police française, la milice, l'Abwehr et la Gestapo, les résistants s'arment de courage et d'un espoir qui confine à la foi.

Robert aura désormais une vie clandestine de plus, il doit s'organiser en conséquence. Un soir, il rentre tard et trouve Alain Brieux occupé à développer ses tirages photo. Le garçon s'est découvert une passion pour la photographie, il montre fièrement à Robert l'agrandisseur qu'il a fabriqué. Robert hésite, pesant les conséquences de l'idée qui vient de lui venir. Il observe ce garçon arraché à sa vie, forcé à la claustration, qui se coule dans le quotidien de la maison magique avec sa gentillesse et sa bonne humeur, serviable et discret, sans laisser transpirer son désarroi.

— Titi, dit Robert en tirant de sa sacoche une enveloppe blanche, je vais avoir besoin de toi pour un travail dangereux. Tu n'en parleras à personne, et surtout pas à Youki. Je voudrais que tu photographies les documents que je rapporte du journal. Il faudra travailler la nuit, tirer et sécher les photos, détruire les négatifs et tout ranger avant le réveil de Youki. Tu t'en sens capable ?

Le garçon hoche la tête avec un sourire, heureux de pouvoir employer ses insomnies à une tâche utile, et séduit par le caractère secret de l'entreprise.

— C'est un service risqué que je te demande, insiste Robert. Tu photographieras chaque feuille à l'envers, sans la lire. Comme ça, si tu es pris et supplicié, tu ne pourras pas parler. Tu comprends ?

L'évocation de la torture a effacé son sourire.

— Je ne lirai rien, dit-il doucement. Et je m'arrangerai pour que tout soit planqué à temps. Vous pouvez me faire confiance.

— J'en suis sûr, répond Robert en lui donnant l'accolade des braves qu'il avait reçue de García Lorca, un soir, dans un restaurant bruyant du centre de Madrid. Tu es un petit gars courageux. Maintenant, assieds-toi et parlons de Victor Hugo.

*

À l'approche de l'hiver, Paul Éluard fait ses adieux à ses amis au vieux Pont-Neuf. Nusch et lui courent désormais trop de risques à Paris. Ils ont décidé de chercher refuge au fond de la campagne corrézienne. De sa retraite, Paul préparera la deuxième édition de *L'Honneur des poètes.*

— Je vous dis au revoir, mais je serai de retour avec le printemps, promet Paul.

Son regard clair grave leurs visages, celui de Verdet et celui de Robert. Il les emportera dans son exil et l'ovale doux de Sonia Mossé se mêlera sans doute à ce souvenir, lui donnant la force d'un talisman.

— Vous êtes tous les deux dans le collimateur, prévient-il. Robert, je te supplie de partir tant que tu le peux. N'attends pas d'être grillé, ne présume pas de tes forces. Fais-toi oublier, tu reviendras quand ils auront débarqué. Dans l'insurrection générale, tu seras dans ton élément ! André, essaie de le convaincre.

— C'est peine perdue, répond Robert avec un sourire. Paul, je t'ai entendu, mais j'ai encore à faire pour mériter mes longues vacances. Et puis Prévert est rentré, les Boches ont suspendu le tournage des *Enfants du paradis* suite au débarquement à Salerne. Il n'a pas le moral, il va falloir s'en occuper. Quand Prévert déprime, il est capable de tout !

— D'accord, mais souviens-toi qu'ils ont des yeux et des oreilles partout, répond Paul de sa voix douce et grave. Paris n'est plus Paris, c'est une souricière.

— Peut-être, mais je suis ici chez moi, répond Robert fermement. Pas eux.

Sur le bord de l'abîme où tu vas disparaître,
Contemple encore la rose, écoute la chanson
Qu'autrefois tu chantais au seuil de ta maison
Vis encore un instant consenti à ton être.

20

Cet après-midi de novembre, le théâtre de la Comédie-Française affiche complet. C'est la première du *Soulier de satin*, et ils sont venus nombreux assister à un désastre annoncé.

Faute de chauffage, on gèle au milieu des dorures et du velours, on gèle avec dignité et solennité même si les spectateurs ont apporté des couvertures, à la guerre comme à la guerre. Tous les critiques qui ont prophétisé que Jean-Louis Barrault boirait la tasse sont là. Alain Laubreaux en tête, qui annonçait goguenard, quelques semaines avant la première, que la troupe attendait l'arrivée d'Eisenhower pour présenter *Le Soulier*. Robert guette les réactions de la salle. Il a eu beau ironiser sur les tribulations de Jean-Louis, il se sent prêt à botter le cul de quiconque attaquerait son travail, comme au bon vieux temps. Pour que le rideau se lève, le metteur en scène a dû affronter la Propagandastaffel qui menaçait de le déporter en Allemagne s'il s'obstinait à faire jouer du Claudel, mener une bataille épuisante contre la tiédeur des sociétaires, et persuader un poète tatillon de couper des morceaux entiers de sa pièce. Passé l'alerte aérienne qui a forcé les spectateurs à gagner les abris dès l'ouverture de la pièce, l'attention du public s'est maintenue au long des cinq heures malgré l'ankylose et l'usure du froid. Au tomber de rideau, c'est une ovation, un triomphe, et cette exclamation planant sur la mer des applaudissements : « Il a gagné ! »

Lorsque Jean-Louis surgit derrière le rideau, encadré de Madeleine et de Marie Bell dans le costume de Doña Prouhèze, c'est en vainqueur baptisé de larmes et de sueur. Il a tout donné à ce monument éphémère qui demain soir aura déjà imperceptiblement changé et qui réunit, l'espace d'une trêve cathartique, les otages et les bourreaux, les corrupteurs et les bâtisseurs. Robert déborde de fierté et de joie. La belle victoire de Jean-Louis le galvanise et lui rappelle la force de l'exigence artistique. Même le vieux Claudel, en larmes sur la scène, lui paraît plus touchant que pathétique.

Voir Alain Laubreaux gagner la sortie, frustré de ne pouvoir exprimer son fiel, lui est une joie supplémentaire.

— On aurait pu observer une minute de silence à la mémoire de sa pièce, enterrée dans l'indifférence générale, persifle Henri Jeanson à l'oreille de Robert. Un tel four que même son ami Darquier de Pellepoix a jugé charitable de n'en rien dire !

— Ah, il faut lui reconnaître ce mérite : il a tué le théâtre antisémite dans l'œuf ! s'amuse Robert.

Comme si son rire l'avait brûlé, Laubreaux s'est retourné au moment de passer la porte et ses yeux s'étrécissent en découvrant Robert, concentrant assez de haine pour le tuer s'il avait ce pouvoir. Robert lui oppose un flegme narquois et la confrontation s'éternise suffisamment pour qu'Henri s'en émeuve et lui chuchote :

— Ne le provoque pas. Les lâches se vengent lâchement. Dois-je te rappeler combien de fois il m'a envoyé moisir en prison ? Allons féliciter Jean-Louis.

Au même instant, un critique du *Cri du peuple* rattrape Laubreaux et l'entraîne dehors. Sa silhouette massive se détache quelques secondes sur l'obscurité avant de disparaître du champ.

— Plus on maigrit et plus il enfle, observe Robert.

— Il fait des réserves, murmure Henri. Il sait qu'à l'arrivée des Alliés, il sera au pain sec et à l'eau.

C'est un hiver sans neige qui se pose sur Paris. Tout est engourdi, en attente. Robert mène toutes ses vies avec l'aisance apparente d'un jongleur, passant de l'une à l'autre en tournant le coin d'une rue, ou en poussant une porte derrière laquelle quelqu'un l'attend, qui restera un pseudonyme emprunté à un roman ou à une station de métro. Mais cette souplesse à changer de costume implique une concentration épuisante. Aussi préserve-t-il ces moments de convivialité qui incarnent la source mobile de son bonheur. Le mercredi, Robert déjeune volontiers au Catalan avec Picasso et son cercle d'intimes. Le peintre a emménagé dans l'ancien atelier de Jean-Louis, y entreposant ses tableaux et ses statues à l'étrange poésie. Robert aime se perdre dans ce fouillis apparent qu'ordonne une créativité farouche et sans limites. La liberté de Picasso est contagieuse. Son regard invite à changer de point de vue et à accepter le déséquilibre, cette dislocation de la beauté qui lui rend vie et mouvement. Il concilie la puissance du Minotaure et la délicatesse de l'artiste dont l'œil embrasse la subtilité d'un sujet, le tourment emprisonné dans le bois, l'émotion que le geste accompagne ou révèle. Il plie le monde et les créatures à son désir. Mais à l'instant où il paraît monstrueux, son œil rit et vous désarme par sa chaleur. Robert partage cette curiosité insatiable, cette exaltation de se laisser conduire là où on n'est pas encore allé. Picasso ne peut se limiter à une expression artistique, il a besoin de se frotter à toutes : la peinture et la sculpture ne lui suffisent pas, il veut imprimer sa marque à ce qu'il touche. Robert non plus n'a jamais pu restreindre sa faim, se contenter de sa poésie. Il dessine et peint, compose des cantates et des livrets d'opéra, se confronte au théâtre, à la chanson, à la publicité et au cinéma. Mille et un projets tourbillonnent dans sa tête, engendrant un sentiment d'urgence et cette euphorie qui naît du travail fécond, des limites qu'on repousse ou qu'on escalade.

Aujourd'hui, le peintre est de très bonne humeur. Il est accompagné de Dora Maar, de son cher Sabartés et de son chien Kazbek, un lévrier afghan à poils ras.

— J'ai eu une idée pour votre recueil de poèmes, dit Picasso à Robert. J'envisage une série d'eaux-fortes qui devraient vous plaire.

— Quelle chance ! s'exclame Robert. Je pensais justement à vous. Certains disent que vous êtes changeant, ce n'est pas vrai. Vous êtes multiple. Votre œuvre épouse le mouvement de votre curiosité, mais elle reste toujours cohérente, ajoute-t-il comme s'il parlait de la sienne.

— Dans tout ce que je fais, je veux juste exprimer la même chose en mieux, répond Picasso. D'une toile à l'autre, d'une statue à l'autre, j'essaie d'aller chaque fois un peu plus loin. Quand je termine quelque chose je me dis : non, ce n'est pas encore ça. J'aspire à la perfection mais je ne l'atteins jamais, alors je recommence.

— Je comprends, répond Robert. Moi je cherche à trouver l'équilibre parfait entre les mots et la musique. Je crois le tenir, il m'échappe, et finalement j'avance dans la même direction en empruntant des voies différentes. Mais qu'elle soit humble ou orgueilleuse, la poésie est fugitive. On laisse derrière soi un chemin que les ronces refermeront tôt ou tard.

Il me semble qu'au-delà du surréalisme il y a quelque chose de très mystérieux à réduire, au-delà de l'automatisme il y a le délibéré, au-delà de la poésie il y a le poème, au-delà de la poésie subie il y a la poésie imposée, au-delà de la poésie libre il y a le poète libre.

— Bien sûr, dit Picasso en souriant. Et d'autres artistes échoueront au même endroit, passeront là où nous sommes passés. Avez-vous remarqué que si on creuse sous les villes, on trouve toujours d'autres villes ? Il y a une permanence de l'homme et des choses. Dans mon ancien atelier, rue La Boétie, je laissais s'accumuler la poussière et dans certaines pièces, mes objets commençaient à disparaître. J'ai toujours aimé la poussière, je vis avec elle, je la vois comme une alliée. En recouvrant les choses, elle les protège.

Avant de partir, le peintre prend Robert à part et lui dit :

— Je pense que vous devez arrêter de travailler pour cette presse-là. C'est dangereux pour vous. Si vous me répondez : « Je dois entretenir ma femme », je vous dirai que ce n'est pas une raison suffisante. On ne peut pas travailler pour eux. Vous comprenez ?

— Ça n'a rien à voir avec ma femme, s'empourpre Robert qui déteste qu'on mette Youki en cause. J'ai encore besoin de ce boulot. Cela ne devrait plus durer longtemps.

— Je vous aiderai, répond Picasso en le gardant dans la tenaille de ses yeux noirs. Je vous ai confié la préface d'un livre, je vous ferai encore travailler. Il faut avoir le moins de contacts possible avec eux. Réfléchissez-y.

Robert se tait. Il ne peut trahir la raison qui l'oblige à rester au journal quels qu'en soient les risques, qui ne sont pas de le compromettre, mais de le rappeler sans cesse au souvenir de ses ennemis, par des articles dont la provocation ouatée zonzonne tel un moustique à leur oreille.

*

Au cœur de l'hiver, André Verdet lui demande de se joindre à son corps franc pour attaquer le commissariat du 15e arrondissement. En ce début 44, l'armée secrète mène des actions punitives contre les collaborateurs. Le commissariat du 15e se montre très zélé dans la traque des résistants et des Juifs. Il s'agit de signifier aux policiers français qui arrêtent, torturent et déportent leurs compatriotes qu'ils sont dans le collimateur de la Résistance et ne peuvent plus s'abriter derrière l'obéissance aux ordres. Cette nuit-là, ils sont sept qu'André est le seul à connaître tous, qu'il a choisis un à un. Ils se sont donné rendez-vous à trois heures du matin dans le square Adolphe-Chérioux, à quelques centaines de mètres de leur cible.

Robert a laissé Youki endormie, ils avaient passé une belle soirée avec Jean-Louis et Madeleine et la Sirène était d'humeur tendre et lascive. Ils ont fait l'amour en étouffant leurs gémissements, pour ne pas réveiller Titi qui dormait dans le salon. En la baisant, Robert sentait le trac se mélanger à l'endorphine, l'euphorie d'un nageur fiévreux. Le plaisir est monté lentement et l'a étourdi.

Avant de quitter la chambre, il s'est dit qu'il la voyait peut-être pour la dernière fois, puis il a chassé cette pensée.

Tapi derrière les arbres, l'air glacé le dégrise et il éprouve la saccade de son pouls. La silhouette d'André Verdet se détache de l'ombre :

— Ça va, mon vieux ? lui chuchote-t-il.

Ce soir, André est là en chef de mission, ce qui lui confère une autorité intimidante.

— La nuit est claire, répond Robert. Beau temps pour un veilleur.

C'est le rôle qui lui est dévolu dans la pièce mortelle qu'ils vont jouer ce soir.

— Tu as vérifié le chargeur de ton pistolet ? demande André.

Robert hoche la tête, éprouvant le poids de l'arme à sa ceinture. Derrière eux, le kiosque semble étrangement déplacé, avec son halo de bal champêtre et de fanfare. Un des partisans allume une cigarette et en propose une à Robert. Tandis qu'ils fument à l'abri des arbres, il confie à Robert que les flics ont arrêté sa femme et sa petite fille, lors d'une rafle à la sortie du métro Balard. Elles ont été déportées dans deux convois séparés. Il accentue le mot « séparés » dans un souffle.

— Depuis, je me bats, chuchote-t-il. Ça m'évite de penser.

Il dit « penser » pour « souffrir », songe Robert.

Le fumeur fait partie des attaquants. Ils sont trois, en comptant André. Ils doivent tuer les deux gardes en faction devant le commissariat, entrer dans le bâtiment et lancer chacun une grenade anglaise. Ils essaieront de la lâcher juste avant qu'elle n'explose, pour ne pas laisser le temps de fuir à l'adversaire. Une seconde trop tard et ils sauteront avec elle. L'heure de la relève donnera le signal de l'attaque. Deux hommes seront là en premier rideau défensif, chacun disposant d'une grenade et d'un pistolet. Robert surveillera les abords du commissariat avec un autre guetteur.

Au signal d'André, ils éteignent leur clope et s'immobilisent. Une voiture noire passe tous feux éteints le long du square, le bruit feutré du moteur résonne interminablement. Elle s'engage dans la rue Blomet, disparaît à leur vue. Les gorges se desserrent. Robert détache sa main de la crosse du pistolet. Drôle d'histoire, tout de même, songe-t-il. Lui qui n'a jamais tiré sur personne, pas même pendant l'étrange guerre.

Un soir de 1928, il a embrassé Youki ici même, près du kiosque. Ce souvenir réveille le parfum de sa peau, la caresse irréelle de ses lèvres au goût de citron et de rhum. Elle portait une robe dont la soie collait à ses jambes d'une manière si érotique.

Elle avait pris sa main et l'avait glissée sur son sein gauche.

Un oiseau pris au piège.

Trois cyclistes se garent devant le commissariat au moment où un flic arrive à leur hauteur, venant de Montparnasse. Robert imagine leurs saluts joyeux de patrouilleurs nocturnes. Il se souvient du temps où ses amis et lui faisaient enrager les « hirondelles », courant seulement le risque d'être conduits en cellule de dégrisement. Avec leurs pèlerines et leurs casquettes, ils étaient presque aussi inoffensifs que les allumeurs de réverbères. C'était avant les souricières au milieu de la nuit, avant les tabassages méthodiques et les aveux extorqués au chalumeau, sous l'œil indifférent d'une dactylo aux ongles manucurés.

D'autres agents s'engouffrent dans le bâtiment. C'est l'heure de la relève, deux équipes échangent informations et consignes. Effectifs de la police municipale, brigades spéciales, Renseignements généraux, les locaux grouillent de flics. Lorsque tout est redevenu calme à l'extérieur, cinq silhouettes escaladent la grille du square et Robert et l'autre guetteur se positionnent aux extrémités. Ils restent à couvert des arbres, le corps ramassé, exposé à la morsure de la bise glacée. La lune est presque pleine, son ovale blafard émerge d'un banc de nuages qui s'effilochent au vent. À cet instant, Robert ne se souvient plus qu'il a habité à trois cents mètres d'ici et tant de fois arpenté ces pavés, d'un pas alerte et presque dansant. Son esprit est un arc bandé. Derrière les lunettes, son regard balaie le carrefour et enregistre les moindres détails, ce volet qui claque au deuxième étage d'un immeuble étroit, l'affiche du *Corbeau* sur le mur derrière la pharmacie, en partie recouverte par celle de *Douce* et du *Soulier de satin*. Aucun mouvement n'échappe à son attention, déjà ses yeux volent vers les ombres repliées sur les flancs du commissariat, prêtes à fondre sur les vigiles qui conversent pour tromper l'ennui de la garde.

C'est à cet instant qu'il entend ce pas qui se rapproche. C'est un pas de militaire en promenade qui ne peut s'empêcher de retrouver sa cadence naturelle. Tournant la tête, il le voit déboucher de l'aile gauche de la rue Blomet. Le rayon de lune éclaire un visage mince sous le calot vert orné de l'aigle allemand. Un homme jeune. À son cou, Robert voit briller ce qui ressemble à une croix de fer au bout d'un ruban rouge, blanc et noir. Peut-être va-t-il rejoindre son régiment, après avoir passé une partie de la nuit chez sa maîtresse. Dans quelques secondes, les coups de feu à la porte du commissariat vont l'extraire de sa torpeur amoureuse et il retrouvera ses réflexes de soldat décoré au feu. Robert retire le Luger de sa ceinture. Sa main tremble. De la main gauche, il doit maintenant tirer un grand coup sur la culasse, manœuvre qui s'accompagne d'un bruit caractéristique. Le Boche n'est plus qu'à une quinzaine de mètres de lui, Robert est dissimulé par le noir frisson des arbres, peut-il l'entendre à cette distance ? Son corps : du plomb en fusion. Il arme le Luger et la sueur dévale le long de son corps comme en plein été.

Devant le commissariat, trois silhouettes se précipitent sur les gardes en faction avec une rapidité de sicaires. L'adjudant arrive à sa hauteur au moment où le premier coup de feu éclate, suivi de près par un second. Il sursaute et se tourne vers le commissariat, portant la main à son arme. Dans son dos, Robert vise, tentant de maîtriser la raideur de ses phalanges. Il tire une première fois, à deux mains, comme André le lui a appris. La détonation déchire la nuit et l'assourdit. Le recul de l'arme emporte ses mains, le sang bat à ses oreilles. Il tire une deuxième fois dans le dos de cet homme qui ne lui est rien mais qui devient le monde, un homme de chair sous l'uniforme ennemi. Il est la balle qui déchire la laine et la peau, les muscles, les artères vitales. La silhouette en vert-de-gris vacille, ses genoux ploient, les bottes ne peuvent les retenir, son corps s'effondre lentement, son visage embrasse l'asphalte.

C'est à cet instant que les grenades éclatent, réduisant en poussière la nuit tranquille.

Il faut fuir, avec ces jambes de coton et la déflagration qui n'en finit pas de ricocher dans son corps, fuir vers les repères bienveillants d'une autre vie.

Vaincre le jour, vaincre la nuit,
Vaincre le temps qui colle à moi,
Tout ce silence, tout ce bruit,
Ma faim, mon destin, mon horrible froid.

Selon le plan d'André, à partir de maintenant c'est chacun pour soi, ils doivent s'évanouir dans le labyrinthe des rues. Dans un instant, le quartier sera bouclé. Robert court dans cette rue Blomet dont il connaît chaque pavé. Il retrouve l'hôtel miteux d'où montait l'écho des disputes alcoolisées, la cordonnerie où il déposait ses chaussures, comme on conduit un mourant aux urgences dans l'espoir d'un miracle. Au numéro 45, les ateliers où il vécut après Joan Miró et André Masson ont été détruits. De tant de souvenirs heureux, tout ce qui reste, c'est cette cour envahie d'herbes hautes où il s'engage, escaladant un grillage vers l'atelier de construction mécanique. Sur le lieu de son premier amour tragique, à la hâte, il enterre son Luger sous un roncier après l'avoir essuyé. S'il tombe sur une patrouille, au moins ne trouvera-t-on rien sur lui qui puisse l'incriminer. Il s'enfonce entre les immeubles derrière le Bal nègre, enjambe les clôtures et les jardins potagers, réveille un coq qui le poursuit de son chant vindicatif, se glisse dans les petites rues transversales pour éviter la rue Vaugirard, où des barrages de police doivent déjà être dressés. Sur la toile de son esprit, le corps de l'Allemand n'en finit pas de tomber, mitraillé d'étoiles.

Quand il atteint enfin la rue Mazarine, la violence du soulagement le submerge comme une fatigue millénaire. Il monte l'escalier avec la prudence d'Ulysse abordant le rivage d'Ithaque sans savoir s'il sera accueilli par des lances ou par des baisers. Quand il tourne la clé dans la serrure, il tombe sur Titi qu'une angoisse a tiré du sommeil, qui lui demande s'il va bien et lui sert un verre de rhum pour le réchauffer.

Alors il réalise qu'il tremble et claque des dents.

Il accepte le verre et l'affection.

Il respire.

J'ai donné rendez-vous à toute la terre
[sur le Pont-au-Change,
Veillant et luttant comme vous. Tout à l'heure,
Prévenu par son pas lourd sur le pavé sonore,
Moi aussi j'ai abattu mon ennemi.

*

La rue de Bucarest fait le dos rond sous la bruine. Les volets clos du bordel laissent filtrer l'écho de conversations joyeuses sur un fond de musique.

La concierge semble vieillir entre ses visites. Ses traits sont parcheminés sous la lumière grise.

Quand Robert embrasse Madeleine Fraenkel, elle lui transmet une chaleur particulière et ses mains retiennent les siennes plus longtemps que d'ordinaire.

— Nous espérions bien vous voir cette semaine ! Entrez, Lodia a presque fini ses consultations.

À peine Robert s'est-il assis que le petit Jacques se précipite vers lui avec un cri joyeux.

— Moins fort, Jacques ! le gronde Madeleine, mais Robert est touché par cette démonstration de joie spontanée, la première depuis qu'il vient le voir.

— Tu grandis beaucoup trop vite, tu n'as que quatre ans et tu vas bientôt me dépasser ! s'exclame Robert en fronçant les sourcils.

— Moi, j'ai cinq ans, répond Jacques avec orgueil.

— Il aura six ans dans quelques semaines, sourit Madeleine.

— Six ans ? Alors là, c'est du sérieux, mon petit bonhomme. Il faut fêter ça. Pour ton anniversaire, je t'écrirai un poème. Rien que pour toi. Et je t'apporterai un cadeau secret.

— Il faudra revenir vite, alors, dit Madeleine. Nous l'envoyons à la campagne.

Il sent l'appréhension tapie dans ces mots qui seraient anodins dans une autre bouche. Cela fait quatre ans que l'enfant vit confiné dans ces murs, n'en sortant que pour être caché ailleurs. Il respire un air raréfié, la lumière du jour lui parvient tamisée par ces vitres dont il ne doit pas s'approcher. Si ses parents envoient Jacques à la campagne, c'est qu'il est devenu trop dangereux de le garder à Paris. Joseph Darnand, le nouveau secrétaire général de la police, a étendu l'action de la milice à la zone nord et s'emploie à intensifier la répression, offrant aux prédateurs un avancement rapide et des avantages considérables. On rafle à tous les coins de rue, dans les cinémas, les bouches de métro, devant les magasins, à la sortie des usines. On pêche méthodiquement ou au hasard et le filet n'est jamais vide.

— Quand part-il ? demande Robert.

— À la fin du mois, répond Madeleine.

— Tu sais que tu es un petit veinard ? dit Robert à l'enfant juché sur ses genoux. À la campagne, on mange bien mieux qu'à Paris !

Il y a des lapins, des chevaux, des vaches... Tiens, je partirais bien avec toi ! Maintenant, parlons affaires : tu crois que tu pourrais me rapporter un saucisson, la prochaine fois qu'on se verra ?

— J'en rapporterai deux, répond Jacques de sa petite voix sérieuse. Un pour toi et un pour la Sirène.

— C'est gentil de penser à elle, dit Robert. La Sirène est très gourmande. Si on veut l'amadouer, il vaut mieux arriver avec des friandises.

— Robert, voulez-vous coucher Jacques ? l'interroge Madeleine en souriant. Il vous réclame souvent au moment de s'endormir.

Robert berce l'enfant, lui raconte les aventures d'un petit garçon qui découvre les champs de blé au printemps, les boutons-d'or et les coquelicots, les cerisiers en fleur et l'herbe douce sous les pieds nus, l'odeur tiède des bêtes dans l'étable, les collines incendiées par le soleil couchant et les constellations qu'on s'amuse à chercher dans le ciel, par ces nuits d'été où monte un parfum enivrant de terre et de fruit. Quand il s'est endormi, Robert dépose son précieux fardeau et le borde sans oublier l'ours en peluche.

— Robert, Lodia a quelque chose à vous dire, lui chuchote Madeleine quand il les rejoint au salon.

Vladimir Fraenkel lui serre la main avec la même émotion que son épouse.

— Je vais être un peu solennel, j'espère que vous me le pardonnerez, dit le médecin dont la voix tremble légèrement. L'autre jour, j'ai eu pitié de Jacques et j'ai accepté de l'emmener faire un tour dans le quartier pour l'aérer un peu, lui changer les idées. Je ne comptais pas aller bien loin et me limiter à des rues peu fréquentées, mais en arrivant rue de Petrograd, j'ai vu les autobus en travers de la route. J'ai voulu faire demi-tour mais derrière nous, des policiers en civil m'ont fait signe de remonter vers le barrage. Je vous laisse imaginer mon angoisse. Je nous ai vus perdus. Au niveau du temple protestant, un policier en pèlerine m'a demandé mes papiers. Sur le côté, ses collègues faisaient baisser leur pantalon aux hommes et aux petits garçons. J'ai tendu la carte d'identité que vous m'avez donnée, je la garde toujours sur moi. Je n'avais jamais eu à m'en servir. Je serrais si fort la main de Jacques que je devais lui faire mal mais il n'a rien dit, pas un mot. Le flic a examiné la carte et au bout de quelques secondes interminables, il me l'a rendue et m'a dit de circuler. Je n'ai pas demandé mon reste, j'ai emmené

Jacques et tout ce que je voyais, c'étaient ces gens dans l'autobus, la panique sur leur visage. Robert, mon fils et moi vous devons la vie, ajoute Vladimir avec des yeux brillants. Et moi, tout ce que j'ai à vous offrir, c'est un cognac qui ne doit pas être fameux, même si j'ai eu beaucoup de mal à me le procurer.

— Lodia, répond Robert avec émotion, ce soir vous me rendez heureux, j'ai le sentiment de servir à quelque chose. Ce cognac, nous allons le boire ensemble à la santé de Théodore. Où qu'il se trouve, je sais qu'il fait payer le prix fort à nos ennemis !

Même Madeleine accepte le digestif, mettant sur son compte les larmes qui perlent au coin de ses yeux. Elle explique à Robert que la peur ne les quitte plus depuis la rafle et qu'ils ont décidé de cacher Jacques loin de Paris.

— Mes parents habitent une maison à La Varenne-Saint-Hilaire, dit-elle. Ils s'occuperont bien de lui. Ils ne sont pas juifs, ils n'ont jamais été inquiétés. Évidemment il y a toujours le risque d'une dénonciation, mais Jacques pourra enfin sortir, respirer... Je ne supporte plus de le voir enfermé.

— Madeleine, je comprends votre peur mais il faut tenir bon, on va y arriver, on les aura, dit Robert avec douceur. Vous avez raison de mettre Jacques à l'abri, il sera bien, là-bas. Il va pouvoir redevenir un petit garçon, courir dans la nature, crier. Quand il reviendra, vous ne le reconnaîtrez pas !

Cette dernière phrase réveille en lui un malaise indéfinissable. Quelques mots remontent du puits de sa mémoire, la voix de sa mère s'adressant à lui avec une sorte de terreur : « Je croyais qu'on t'avait changé. »

Il renvoie ces mots d'où ils sont venus. Ce soir, il ne veut penser qu'à une chose : il a pris une vie, il en a sauvé deux. Jamais il n'a été aussi fier d'un tableau, d'un poème. Cette carte d'identité, ce petit bout de carton qui lui a demandé tant de patience et de minutie, a triomphé d'un cordon de police, de l'attention sourcilleuse des fonctionnaires, du flair des limiers. Lui, le poète qui peinait à distinguer le réel et le rêve, il peut donner la mort et sauver la vie.

Il sent monter la déferlante d'un poème. Un chant d'espérance adressé à ceux qui survivent en tremblant, à ceux qui luttent, souffrent et brûlent. Son *Salut au Monde !*, baptisé dans le sang et la lumière de l'aube.

Je suis le veilleur du Pont-au-Change
Ne veillant pas seulement cette nuit sur Paris,
Cette nuit de tempête sur Paris seulement
[dans sa fièvre et sa fatigue,
Mais sur le monde entier qui nous environne et nous presse.

Il marche dans la ville éteinte sans se laisser glacer par ses ténèbres. Il sait que derrière ces fenêtres, il y a des hommes et des femmes dont le cœur s'emballe en écoutant tonner le ciel, des hommes et des femmes qui guettent les parachutages, qui glissent dans leur poche intérieure cette capsule de cyanure qui garantit une mort rapide s'ils parviennent à l'avaler à temps, qui sortent la nuit sans savoir s'ils reverront le jour, qui s'arrachent à ceux qu'ils aiment pour affronter la solitude et la peur, qui comptent leur vie en heures et en minutes. Parce qu'il faut tenir ces quelques secondes avant l'explosion de la grenade, il faut tenir soixante-douze heures sous les coups, les brûlures, l'asphyxie dans l'eau glacée, la déchirure des nerfs un à un, soixante-douze heures le corps en bouillie, quatre mille trois cent vingt minutes sous la roue, les décharges électriques, soixante-douze heures pour laisser le temps aux camarades de la compréhension et de la fuite, soixante-douze heures avant de parler.

Je vous salue vous qui dormez
Après le dur travail clandestin,
Imprimeurs, porteurs de bombes, déboulonneurs
[de rails, incendiaires,
Distributeurs de tracts, contrebandiers, porteurs
[de messages,
Je vous salue vous tous qui résistez, enfants de vingt ans
[au sourire de source
Vieillards plus chenus que les ponts, hommes robustes,
[images des saisons,
Je vous salue au seuil du nouveau matin.

À travers le silence et la nuit, il ressent la pulsation des armées en marche, le vrombissement des bombardiers et la sirène des patrouilleurs, les éclairs illuminant des ciels d'orages et de feu, la symphonie terrible d'un monde qui rassemble ses dernières forces et se libère.

Écoutez-nous à votre tour, marins, pilotes, soldats,
Nous vous donnons le bonjour,
Nous ne vous parlons pas de nos souffrances
[mais de notre espoir,

Et ce rêve partagé qui les tient debout, lézarde les

murs et ronge les barreaux, ce rêve au goût de pain encore chaud et de premier baiser, qui apporte dans son sillage le repos et la paix, les étés cristallins, les premiers pas chancelants d'un être neuf, la candeur, la joie de trouver sa place au milieu des autres, de se perdre dans l'immensité sans s'y noyer, d'être cette parcelle de liberté incandescente qui veille et qui espère.

Le rythme des jours s'accélère. Le visage de Robert se tanne et se creuse, il s'habitue au danger, à la tension. Il demande à faire partie des comités locaux qui libéreront Paris, et entrepose des armes dans la cour de son immeuble. Recouvertes d'une bâche, elles serviront le jour de l'insurrection. Il participe à d'autres expéditions avec André Verdet et son corps franc. Un matin, ils font sauter le dépôt de munitions qui jouxte la gare de Maintenon. Le feu d'artifice pulvérise les voies ferrées. Robert rentre avec une douleur lancinante dans l'épaule qui s'aggrave au fil des jours, hélas Théodore n'est plus là pour la soigner. Le médecin qu'il consulte le rassure, son épaule est remise, le mal qu'il ressent est d'origine psychique. Il découvre qu'une douleur psychologique est aussi handicapante qu'une vraie. Dans les premiers jours du mois de février, il commence un journal. Il y consigne les détails de sa vie publique, la routine d'un poète rythmée par les amis et les projets éditoriaux. Il ajoute un mensonge auquel il devra se tenir, s'il est pris : « *Se souvenir "ma femme a quitté le domicile conjugal" en cas d'histoire.* »

Le 5 février, Michel Hollard est arrêté au Café des Chasseurs avec trois membres du réseau AGIR. Arrivé en retard, un agent a pu échapper au coup de filet. Il apprend à Robert qu'une taupe de la Gestapo avait infiltré le réseau. Hollard se savait surveillé. Il avait annulé son dernier rendez-vous, conseillant à Robert de redoubler de prudence. Le poète ressent une profonde tristesse. Grâce à la perspicacité et au courage de cet homme, la Royal Air Force a pu bombarder à temps la majorité des bases de lancement des V1, ces bombes volantes qui auraient porté le coup de grâce à l'Angleterre.

Un soir, il dîne avec Jacques Prévert et André Verdet. Prévert traîne son mal de vivre. Sa belle Claudy l'a quitté. Cette guerre qui n'en finit pas, qu'il hait par toutes les fibres de son être, cette guerre qui ravage la beauté du monde a fini par l'user. Pour le dérider, André lui remémore ce jour de la fin décembre où il l'a appelé à la rescousse. Il devait transporter d'urgence une grande malle en osier à l'autre bout de Paris. Elle était entreposée chez un résistant qui venait d'être arrêté, et contenait un matériel de faussaire. Prévert n'est pas entré dans la Résistance, mais il sert volontiers de boîte à lettres à André. Ce jour-là il n'a pas hésité. La malle était lourde et la planque éloignée, ils ont pris le métro.

— Au changement de Sèvres, raconte Verdet de sa voix chaleureuse, un Feldwebel nous aborde et demande ce qu'il y a dans la malle. J'étais prêt à tirer, j'avais un pistolet dans ma poche, mais Jacques, titubant le mégot à la bouche, lui répond avec un air parfaitement idiot : « Des Bombes… boum… boum ! … » Le Feldwebel le fixe, ahuri, puis s'écrie : « *Er spinnt ja !* » Il est fou ! Puis il repart en se gondolant.

— Quand je fais l'idiot, je suis très convaincant, c'est

utile, explique Prévert. L'autre, qui ne connaît que le langage de la force, a l'impression d'avoir une longueur d'avance, il oublie d'être prudent. On ne se méfie pas des idiots, et on a tort.

— Tu as le don de l'improvisation géniale, observe Robert. Tu devrais nous accompagner dans nos promenades nocturnes.

— André me trouve incontrôlable, répond Prévert en rallumant sa clope. Et puis sur la durée je m'userais, mon génie est accidentel.

Après les avoir quittés, Robert remonte les quais vers l'île de la Cité. Il a rendez-vous avec madame Novosseloff. Un soleil froid se mire sur la Seine et les branches nues des peupliers se tendent vers la promesse des fleurs. Ralentissant le pas pour observer un enfant accroupi qui jette des épluchures aux cygnes, il remarque la voiture noire qui s'est arrêtée à distance. Il se remet en marche, s'engage sur le pont Notre-Dame et s'accoude pour contempler le fleuve. La voiture noire le dépasse et s'immobilise à l'angle du quai de la Corse. Il rebrousse chemin et presse le pas vers le quartier Saint-Merri, s'enfonce dans le lacis des ruelles noires. Il repousse sa visite à madame Novosseloff.

Les jours suivants, le sentiment d'être suivi se précise. C'est une silhouette qui lui emboîte le pas sur la place de la Concorde, un homme qui prend des notes à deux tables de lui au restaurant, le regard insistant d'un fêtard qui s'enivre au bar, le rideau qui ondule à la fenêtre de l'immeuble d'en face au moment où il quitte l'appartement. Ses sens s'aiguisent, il relève des détails infimes et brutalement une panique le saisit, il annule ses rendez-vous et se cloître chez lui, incapable de penser à autre chose qu'à cette menace qui se rapproche.

— Tu sais, Robert, le rassure André Verdet quand il s'en ouvre à lui, on devient tous paranoïaques, à un moment donné. J'ai cru qu'on me suivait pendant trois semaines... Et puis je me suis dit que je n'en aurais jamais la certitude. Rien ne distingue une filature imaginaire d'une vraie. Mais si tu commences à paniquer, autant te mettre au vert, parce que tu cesseras de nous être utile, tu peux même devenir dangereux pour les autres. Prends le temps d'y réfléchir. Ce que tu as fait, c'est déjà énorme. Personne ne t'en voudra de te mettre à l'abri.

Robert pèse le risque d'une retraite, celui d'exposer Youki et Titi. Il demande à Titi d'expurger sa bibliothèque de tous les documents compromettants, et cette précaution le rassérène. Il ne peut se résoudre à fuir. Il aurait le sentiment de se dérober à son destin, de fausser les cartes. Il sent qu'il est juste de continuer, d'aller au bout de ce chemin qui ne sinue qu'en apparence, d'en accepter l'amertume et les miracles.

Si l'horizon paraît fermé ce n'est qu'une illusion, une paresse de l'esprit. Il ne s'arrête pas aux mains d'un tortionnaire, aux portes d'une prison. La vie est tumultueuse et imprévisible.

La seule faiblesse inexcusable serait de se trahir.

Ce que j'écris ici ou ailleurs n'intéressera sans doute dans l'avenir que quelques curieux espacés au long des années. Tous les vingt-cinq ou trente ans on exhumera dans des publications confidentielles mon nom et quelques extraits, toujours les mêmes. Les poèmes pour enfants auront survécu un peu plus longtemps que le reste. J'appartiendrai au chapitre de

la curiosité limitée. Mais cela durera plus longtemps que beaucoup de paperasses contemporaines.

Le matin du 15 février, Robert confie *Le veilleur du Pont-au-change* au libraire Lucien Scheler pour qu'il l'insère dans la deuxième édition de *L'Honneur des poètes.* Avant de se séparer, ils boivent un verre de chablis à l'avenir et à la liberté. Lorsque Robert sort de la librairie, le soleil l'aveugle et il sourit, mettant sa main en visière pour remonter la rue de Tournon.

Il y a des matins où je n'ai pas peur. Des matins où il est si simple d'être un homme parmi les hommes, de saluer un voisin, de passer par le Catalan et d'y récupérer un peu de viande pour les chats, de boire un verre avec Picasso ou d'attendre Jean-Louis qui arrivera en retard et la veste de travers, illuminé par un sourire radieux. Puis de rentrer réveiller ma Sirène qui s'étire sur la plage de son lit, d'ouvrir grand les volets de sa chambre comme s'ils donnaient sur la mer. Réciter quelques vers du Satyre pour divertir notre jeune protégé. Me disputer avec Jeanson à propos de Claudel ou de Giraudoux. Réfléchir à un classement des rêves pour *La Clef des Songes.* Aller poser ma main sur la pierre de la tour Saint-Jacques, à l'endroit précis où je la posais enfant, et m'interroger sur le mystère qui me fait la trouver toujours chaude sous ma paume.

Que chaque jour t'apporte sa joie. Au besoin provoque-la, prémédite-la. L'homme n'est homme que de sa naissance à la mort. Avant comme après il n'est que matière même si, dans cette matière, est déterminé son destin d'homme.

Le soir du 21 février, Robert pousse sa promenade jusqu'à Pigalle et rencontre au Bal Tabarin un vieux copain, qui y travaille comme « danseur mondain ». Quand ils se sont connus, ils étaient manutentionnaires au Cercle de la Librairie. Cet emploi permettait à Robert de subsister, son père l'ayant flanqué à la porte pour lui faire passer l'envie d'être poète. En portant les cartons de livres, il rêvait tout haut et son ami André Hoss se marrait, ses aspirations étaient plus modestes.

Le Bal Tabarin a bien changé, depuis l'époque où Robert y finissait la nuit en philosophant avec Pascin sur un coin de zinc, pendant que Kiki se trémoussait sur la piste et que Chaïm Soutine implorait le prince de Montparnasse de lui payer un dernier verre. Désormais, la salle est infestée de soldats allemands qui braillent le *Horst-Wessel-Lied* et écorchent les standards d'Édith Piaf. Robert propose à André de faire un bout de chemin avec lui et ils quittent ce lieu mal famé.

— Tu es toujours dans les livres ? lui demande Hoss tandis qu'ils descendent la rue des Martyrs vers les Grands Boulevards.

— Oui ! s'exclame Robert en souriant. Sauf que maintenant je ne les trimballe plus, je les écris.

— Alors tu as réussi, tu as accompli ton rêve !

— C'est vrai, réalise Robert, songeur. Je l'ai réalisé en tout point. J'ai même trouvé une femme selon mon cœur. Je te la présenterai, je crois qu'elle te plaira et que tu conviendras qu'elle est parfaite pour moi.

Ils ont tant de plaisir à se retrouver qu'ils atteignent le pont des Arts sans s'en apercevoir. À l'angle de la rue Guénégaud, Robert s'arrête et prend congé :

— On se quitte ici, mon vieux. C'est dangereux pour toi qu'on nous voie ensemble. Retrouvons-nous vite.

La rue Mazarine dort sous la lueur céruléenne des réverbères, et Robert songe à la lampe bleue qui éclairait le lit de Théodore la première fois qu'il a embrassé le ventre nu de Youki, qu'il a pénétré ce corps qui s'offrait pour mieux se dérober, instaurant ce jeu qui ne l'a jamais lassé, qui continue à le fasciner. Il grimpe les escaliers sur la pointe des pieds, ouvre la porte avec précaution, se glisse dans sa mezzanine et ouvre son journal. Il est temps d'affronter ce souvenir qui l'écorche, de l'exhumer avec précaution.

Il a huit ans, peut-être neuf. Il marche en tenant la main de sa mère, ils rentrent rue Saint-Martin par la rue de Rivoli. En traversant le carrefour Sébastopol, sa mère lui serre la main convulsivement, à lui faire mal.

Il pense à Vladimir Fraenkel broyant celle de son fils devant le barrage policier.

Il se souvient de la douleur, se revoit demander à sa mère pourquoi elle le serre si fort.

Elle semble sortir d'un rêve, me regarde et dit :
« Je croyais qu'on t'avait changé. »

Ce souvenir, depuis, n'a cessé de me tourmenter. Peut-être parce que je n'ai jamais su, ma mère si secrète, ce que tu entendais par là, ni pourquoi je lisais cet effroi sur ton visage.

Était-ce la terreur de voir exaucer un souhait que tu n'aurais osé te formuler, ne pouvant admettre que tu n'arrivais pas à m'aimer autant que ma sœur ? La crainte d'avoir été déchiffrée par ce Dieu auquel tu croyais superstitieusement, suspendant un rameau bénit au-dessus de nos lits et te signant devant chaque église pour nous protéger de sa colère ?

Ou l'angoisse qu'on ait pu, en pleine rue, échanger ton fils contre un étranger à ton insu, parce que tu avais beau faire, tu ne pouvais m'accorder qu'une attention distraite ? Comme si nous nous trouvions sur des planètes éloignées l'une de l'autre et que ce que nous partagions, cette propension à nous absenter de la réalité, était ironiquement ce qui nous empêchait de nous rejoindre. Peut-être aurais-tu préféré un petit garçon moins étrange, plus facile à aimer ? Je confie à ce journal ce mystère dont tu as emporté la clé, comme Picasso abandonne ses créations à la poussière.

Ce soir, je voudrais abolir la distance entre nous, et te dire qu'elle ne m'a pas empêché de t'aimer.

*

Le lendemain matin, Robert et Titi se rasent dans la cuisine lorsque retentit la sonnerie du téléphone.

— Il n'y a pas huit jours qu'on l'a installé et il sonne déjà du matin au soir ! râle Robert.

Cette remarque amuse madame Lefèvre, qui est passée voir son fils avant d'aller travailler.

Lorsque Youki raccroche, elle est si blanche que Robert comprend avant qu'elle parle :

— Robert, la Gestapo est venue t'arrêter au journal… Ils sont en route pour venir ici.

— Titi, il faut que tu te sauves, dit Robert. S'ils te trouvent ici, ce sera mauvais pour nous deux.

Pendant que le garçon s'habille à la hâte, Robert lui confie un petit paquet :

— Emporte ça, mon petit pote, jette-le dans un égout. Maintenant, fonce ! Je te suis, j'en ai pour cinq minutes.

Il pose sa main sur l'omoplate du garçon, et cette poussée qui le met en mouvement est un adieu secret. Pendant qu'il s'enfuit dans l'escalier, Robert compose le numéro de madame Novosseloff et lui demande de se débarrasser de tout leur matériel.

— Robert, maintenant va-t'en, va-t'en ! le supplie Youki.

— Jamais de la vie, répond Robert.

Comment pourrait-il partir et la savoir là, livrée à ces brutes ? Le choix est limpide. S'il reste, Youki est sauve. C'est lui qu'ils prendront, et même s'ils n'obtiennent pas ce qu'ils veulent, ils comprendront vite qu'elle est étrangère à tout cela.

Déjà on sonne à la porte. Ils n'ont pas mis longtemps à venir de l'avenue de l'Opéra.

La simplicité, la rapidité avec laquelle se produisent les événements qu'on a tant redoutés.

J'ai vécu dans ces temps et depuis mille années
Je suis mort. Je vivais, non déchu mais traqué.

Youki ouvre la porte et un jeune officier blond lui demande :

— Monsieur Desnos ?

— Il est là, entrez, répond-elle d'une voix sans timbre.

— Ah, il est là, répond le jeune homme avec ce qui ressemble à du regret.

Ils pénètrent dans l'appartement où les attendent trois statues de sel. Madame Lefèvre n'a pas bougé de sa chaise et les fixe, comme on assiste à l'écroulement de sa maison sans parvenir à faire un geste. Robert espère que Titi a pu s'enfuir à temps. Pendant que ses deux collègues fouillent l'appartement, le jeune homme blond s'adresse à Youki et lui explique dans un français soigné qu'il est officier allemand, qu'il n'a pas choisi de faire ce travail, arrêter des gens au saut du lit.

Il est déconcertant que l'homme qui l'arrache à celle qu'il aime et le prive de sa liberté ait ce visage d'adolescent, cette compassion dans le regard. Il semble étranger à la violence que déploient ses acolytes, secouant les livres, les meubles et les draps, vidant les tiroirs et les rayons de la bibliothèque. Robert a une pensée pour Titi, ce saccage lui ferait mal au cœur.

Quand ils ont mis l'appartement à sac, l'un des gestapistes ordonne à Robert de les suivre. L'officier blond lui conseille de laisser ses objets de valeur et de se munir de quelques effets de toilette. Éplorée, Youki lui demande où ils l'emmènent.

— Je n'ai pas le droit de vous le dire, madame, répond l'officier, mais aussitôt il semble se raviser et lui murmure quelque chose à voix basse.

Youki fond en larmes, Robert s'approche et lui caresse le visage, concentrant toute sa tendresse dans son sourire :

— Mais il ne faut pas pleurer comme ça, voyons !

Lui qui a imaginé tant de fois cet instant, la panique et le cœur qui se décroche, il est surpris de se sentir si calme et maître de lui.

À partir de maintenant, il s'agit de savoir bluffer. Comme ils l'arrachent à elle et l'entraînent vers la porte, il tire de sa poche intérieure le stylo Parker qu'Alejo Carpentier lui a offert et le tend à Youki :

— Garde-le, ma chérie, je reviendrai le chercher.

Madame Lefèvre se précipite pour jeter sur ses épaules la grande cape noire en laine des Pyrénées qu'elle avait apportée pour son fils. Il la remercie et embrasse d'un regard sa Sirène en larmes, le désordre de la maison magique et les chats qui miaulent de concert, impuissants à empêcher le chaos.

Ses geôliers le poussent en avant, la porte claque derrière eux. Dehors, le ciel égrène ses premiers flocons de neige.

Tu diras au revoir pour moi à la petite fille du pont
à la petite fille qui chante de si jolies chansons
à mon ami de toujours que j'ai négligé
à ma première maîtresse
à ceux qui connurent celle que tu sais
à mes vrais amis et tu les reconnaîtras aisément
à mon épée de verre
à ma sirène de cire
à mes monstres à mon lit
quant à toi que j'aime plus que tout au monde
je ne te dis pas encore au-revoir
je te reverrai
mais j'ai peur de n'avoir plus longtemps à te voir.

QUATRIÈME PARTIE

Pour le reste je trouve un abri dans la poésie.
Elle est vraiment le cheval qui court
au-dessus des montagnes…

21

RUE MAZARINE, 1er MARS 1944

Les prisonniers rayent les jours sur le mur de leur cellule, pour en effacer les barreaux un à un. Moi j'ai décidé de tenir le journal de ton absence, pour que chaque page me rapproche de nos retrouvailles. Quand nous serons réunis, je te le donnerai. Pour que tu saches tout de ces jours et de ces nuits où ta Youki se raccrochait à l'espoir, qui fait autant de mal que de bien.

Le cours de ma vie s'est arrêté le matin du 22 février. Je ne me rappelle pas ce que j'avais prévu de faire ce jour-là. Quand la porte s'est refermée, je suis restée prostrée un temps infini, incapable de me lever, de ranger le chaos laissé par les hommes de la Gestapo. Les chats tournaient autour de moi comme des fauves en cage et Jules a fini par grimper dans ta mezzanine et se coucher sur ton lit, d'où il ne veut plus bouger.

Madame Lefèvre et moi nous étions quittées sur la promesse que la première qui aurait des nouvelles de toi ou de Titi avertirait l'autre. Le gosse s'était volatilisé dans Paris, et la neige recouvrait les toits d'une pellicule brillante comme le sucre glace.

Moi qui ai toujours de l'énergie à revendre, j'étais

anéantie. J'ai rappelé Galtier qui avait tenté de nous joindre pendant que la Gestapo était là. Quand je lui ai appris ton arrestation, il ne cessait de répéter : « Le pauvre vieux, le pauvre vieux ! » Il s'est chargé d'alerter nos amis. Puis j'ai appelé ma chère Mitsou. Elle a enfilé son manteau, empaqueté quelques affaires et elle est venue aussi vite qu'elle a pu. La dernière fois que je l'avais appelée à l'aide, c'était après avoir trouvé le corps de ma grand-mère disloqué au pied d'un escalier. Je n'étais qu'une gamine et je ne pouvais plus m'arrêter de trembler. En quelques semaines, la mort m'avait pris mes deux parents et ma grand-mère. Tu connais ma cousine : elle n'est pas du genre à pleurnicher. Si elle trouvait au matin sa maison bombardée, elle se mettrait aussitôt à pelleter les ruines. Elle m'a dit qu'avec son mari prisonnier en Allemagne, rien ne la retenait. Elle s'installerait ici le temps nécessaire.

— Déjà, il faut qu'on sache où ils l'ont emmené, a-t-elle ajouté.

J'ai senti les larmes monter. Parce que l'officier allemand, qui n'était pas le plus méchant des hommes, m'avait murmuré : « Allez voir du côté de la rue des Saussaies. » Ce nom était synonyme de tortures abominables. Un banquier de mes amis m'avait raconté une soirée privée au One-Two-Two où un tortionnaire de la rue des Saussaies s'était vanté d'obtenir des résultats efficaces en immergeant les résistants dans l'eau glacée d'une baignoire. Il était fier d'avoir eu l'idée d'attacher le prisonnier à une planche, ce qui permettait de le remonter plus facilement quand il perdait connaissance.

Bouleversée, j'ai tout raconté à Mitsou. Elle m'a répondu sans se troubler :

— On doit y aller, Youki. Vérifier qu'il y est, et travailler à l'en faire sortir.

Pendant qu'elle faisait la queue en vain devant la permanence de la rue des Saussaies, j'avais plus de succès à la préfecture de police, où l'écrivain Maurice Toesca, chef du cabinet du préfet, m'a promis d'intercéder auprès du Hauptmann Hutteman, qui lui devait un service. En revanche, cette vieille chouette de Fernand de Brinon m'a laissée poireauter dans un couloir sans daigner me recevoir. Au bout d'une heure et demie, excédée, j'ai quitté la place Beauvau et me suis aventurée rue des Saussaies. À cette heure, Mitsou était rentrée chez nous.

Devant le numéro 11, un grand drapeau à croix gammée signalait le siège de la Gestapo. Le bureau des renseignements était fermé. Deux sous-officiers plaisantaient devant la porte. Je suis restée quelques minutes à observer la façade de l'immeuble, le cœur battant. J'aurais voulu traverser les murs. C'est là que j'ai remarqué le regard insistant du plus gros des deux. De toute évidence, je lui plaisais. J'y suis allée au culot et lui ai mis la main sur l'épaule avec un grand sourire. Si tu m'avais vue, j'aurais essuyé une bonne gueulante, pourtant c'est en pensant à toi que l'audace m'est venue.

Le type m'a demandé, avec l'air réjoui d'un gros chat qui voit arriver son prochain repas :

— *Was wollen Sie*, jolie madame ?

— Je veux voir le Hauptmann Hutteman, ai-je répondu sans me démonter.

Il a éclaté de rire et m'a attrapé le poignet pour m'entraîner à l'intérieur. À l'entrée, un vigile au visage ravagé par la boisson m'a aboyé dessus que le Hauptmann Hutteman ne recevait que sur rendez-vous.

— Ça tombe bien, j'ai rendez-vous, ai-je répondu avec aplomb.

Goguenard, le vigile m'a détaillée de pied en cap en composant un numéro sur son téléphone intérieur. Sous mes airs dégagés, je n'en menais pas large. Après une brève communication, il m'a annoncé avec stupéfaction que je pouvais monter, non sans me palper au passage et fouiller mon sac.

Et me voilà devant ce Hauptmann Hutteman, grand et froid comme j'imaginais un gradé de la Gestapo. Il s'exprime très bien en français. Maurice Toesca lui a parlé de moi, il me confirme que tu as été interrogé ici, que tu es incarcéré à Fresnes, que tu dois revenir pour d'autres interrogatoires.

— Si votre mari est innocent, nous le relâcherons, ajoute-t-il avec une note d'ironie. Vous pouvez nous faire confiance, nous ne gardons que les coupables. Mais je vais être franc : son dossier n'est pas bon.

Ma gorge se contracte en entendant ces mots. Jusqu'ici, j'étais arrivée à me persuader qu'on t'avait arrêté par erreur, qu'ils n'avaient rien contre toi. Quand il m'assène ça, avec un certain plaisir, c'est comme si je tombais de très haut sans voir le bout de ma chute.

— Donnez-moi au moins son numéro de matricule à Fresnes.

Sans ce numéro de matricule, je n'ai aucun espoir de te retrouver, de te faire parvenir un message ou un colis. Le Hauptmann m'envoie au cinquième étage, où je découvre tes tortionnaires : un sous-officier dont la mise impeccable suggère qu'il tape à la machine pendant que son acolyte, un costaud en bras de chemise carré dans ses bottes, mène les interrogatoires. À leur vue, je sens mon corps se rétracter. Ce bureau transpire une telle angoisse que je n'ai qu'une envie : sortir d'ici, avant qu'il ne leur prenne l'envie de me retenir.

Je quitte la rue des Saussaies en m'appliquant à ne pas montrer ma peur, à marcher calmement, à retenir mes pensées qui se cognent à ce bureau, à cet homme au cou de taureau, à ce nerf de bœuf abandonné sur une chaise que j'ai aperçu en quittant la pièce. En redescendant à la station de métro, je tombe nez à nez avec les larges affiches où ton nom s'étale en grosses lettres, juste en dessous de ce titre dont l'ironie me déchire : *Bonsoir mesdames, bonsoir messieurs*. La sortie du film de Roland Tual a précédé ton arrestation de quelques jours. Je me souviens combien cela t'agaçait de voir ton nom partout. Je réalise maintenant que tu craignais surtout d'attirer l'attention sur toi.

10 MARS

Depuis que tu es parti, je me réveille tôt, d'un sommeil agité de cauchemars. La Belle au bois dormant que tu aimais taquiner n'est plus. Ce matin, quand j'ai ouvert les yeux, ma première pensée a été que tu n'étais peut-être pas encore sorti boire ton ersatz au Balto, que j'avais une chance de t'embrasser au vol, que tu serais bien étonné de me trouver debout à cette heure. Ce n'est qu'en arrivant devant la bibliothèque aux rayons vides et ce chaos de livres jonchant le sol que tout m'est revenu, si brutalement que mes jambes ont faibli et que j'ai dû me rattraper au chambranle de la porte. Inquiète, Minouche est aussitôt venue se frotter contre ma jambe. Je me suis ressaisie et je suis allée donner à manger aux chats, la Zouzou et Minouche se sont précipitées. Mes appels insistants n'ont pu déloger Jules de la mezzanine : il n'a presque rien avalé depuis ton arrestation.

L'autre jour, je suis passée devant le Balto et monsieur Rossi est sorti me parler, il s'étonnait de ne pas t'avoir vu depuis plusieurs jours. Quand je lui ai dit qu'on t'avait arrêté, il était si triste que j'ai voulu le consoler, je lui ai dit qu'on allait te tirer de là en moins de deux. Je crois que j'ai même souri, et je suis repartie avec toutes mes larmes serrées à l'intérieur, ma peur et ce froid qui ne me quitte plus malgré plusieurs lainages et un manteau.

Ensuite, j'ai rejoint Roland Tual chez un avocat qui assurait pouvoir te tirer des griffes de la Gestapo. Son bureau des Champs-Élysées ne lésine pas sur le luxe : chauffage et moquette, fauteuils cossus, et sur les murs, ces croûtes que les rupins achètent à prix d'or pour laisser croire qu'ils s'intéressent à autre chose qu'à leur portefeuille. Dans la salle d'attente, deux élégantes trituraient nerveusement la boucle de leur sac à main. Sur leurs visages, je lisais l'angoisse qui me ronge et j'ai pensé : je suis dans l'antichambre du malheur. Tous ces gens que je croise depuis le début de l'Occupation, qui marchent hagards, comme perdus, je les regardais jusqu'ici depuis l'autre rive. Désormais, j'ai basculé dans leur monde. Le temps s'y écoule en attentes interminables, en portes qu'on vous claque à la figure, en formulaires remplis qui en appellent d'autres et ne parviennent jamais à éclaircir la situation, débrouiller le nœud qui vous empêche de savoir, de comprendre. Je découvre la réalité de ces lois qui permettent de bannir quelqu'un de sa propre vie. Il m'a fallu quelques jours pour réaliser que dans ce monde, je n'arriverais à rien sans ruser.

L'avocat m'a fait une sale impression. Déjà, il portait l'uniforme allemand, sans doute pour suggérer qu'il avait des connexions haut placées. Loin de me rassurer, ce détail m'a réfrigérée d'instinct. Roland Tual avait déjà versé cinq mille francs d'arrhes à cet individu, qui lui en réclamait le triple pour des démarches dont nous n'avions pas encore vu la couleur. Il prétendait être en possession de ton dossier. Mais quand j'ai demandé à le voir, comme par hasard il était resté chez sa secrétaire. Comme j'insistais, nous avons fini par rencontrer ladite secrétaire, une vipère déguisée en gravure de mode qui s'est contentée de nous narguer avec effronterie. L'affaire sentait l'arnaque à plein nez. Alors que l'avocat me questionnait avec une familiarité déplaisante, sous-entendant qu'il avait deviné que tu étais juif et qu'il pourrait m'aider si je lui confiais « nos petits secrets », je me suis levée et je lui ai dit que je me débrouillerais seule pour entrer rue des Saussaies, que je comptais me passer de ses services. J'ai entraîné ce pauvre Roland, qui se serait fait plumer entièrement par amitié pour toi et me demandait encore en sortant : « Vous croyez vraiment que ce sont des crapules ?... », consterné de s'être montré si crédule. Je lui ai dit que sa loyauté me touchait aux larmes et c'était vrai, je me donnais beaucoup de mal pour ne pas pleurer, sachant que si je commençais je n'arriverais plus à m'arrêter. Or j'avais beaucoup à faire.

Après un déjeuner rapide, je suis partie en expédition à Fresnes avec ma chère Julia Marcus, qui s'était proposée comme interprète et m'aidait à transporter l'énorme valise que j'avais remplie jusqu'à la gueule de vêtements et de vivres. Le soldat allemand auquel elle s'est adressée dans sa langue aurait été surpris d'apprendre qu'il avait devant lui une compatriote juive qui avait débuté sa carrière de danseuse en parodiant Hitler sur la scène du Stadtische Oper de Berlin ! Hélas, nous nous sommes heurtées à une fin de non-recevoir. Le préposé aux colis nous a ordonné de repasser quinze jours plus tard, quand viendrait le tour de la lettre D.

Je t'épargnerai le récit de mes allées et venues infructueuses entre la rue des Saussaies et la prison. À la fin, j'étais tellement à bout que je suis retournée à la Gestapo et les ai tous insultés de profiter de la détresse des gens, de s'amuser à nous faire courir d'un bureau à l'autre comme des souris dans un labyrinthe. Sur le moment je n'ai pas réfléchi, j'étais hors de moi, et ils en sont restés abasourdis. Ce n'est qu'après coup que j'ai mesuré mon imprudence. Après cet éclat, il devenait risqué d'y retourner. Il m'a fallu attendre la date prévue pour te faire passer la valise. Mais à mon grand soulagement tout a été accepté, les vêtements et les vivres, y compris l'énorme rôti de veau que j'avais fait cuire pour t'en faire la surprise.

Avant-hier, j'ai fait venir le docteur Leuret, qui t'avait remis l'épaule en place à la mi-février et se souvenait très bien de toi. Je voulais qu'il me prescrive des somnifères. Il m'a demandé pourquoi je ne dormais pas et nous avons eu une longue conversation qui m'a fait du bien. À la fin, il m'a dit avec un demi-sourire à la Théodore Fraenkel :

— Je ne vous donnerai pas de somnifères, chère madame. Je pense que vous devez garder toute votre vigilance. En revanche, je connais bien l'aumônier de la prison de Fresnes. Vous pouvez me confier un message, je m'arrangerai pour qu'il parvienne à votre mari.

Ignorant quelle confiance je pouvais avoir en cet homme, je n'ai pas osé t'écrire. Mais je lui ai confié une photo de moi derrière laquelle j'ai inscrit ton numéro de cellule et celui de la division où tu te trouves, pour que tu saches que j'ai déjà obtenu certaines informations. J'espère que l'aumônier te la fera passer. J'ai choisi un joli portrait, avec le sourire que tu préfères, celui qui révèle mes fossettes.

Après son départ, j'ai cherché désespérément un poème que tu avais glissé sous ma porte il y a des années, rue Lacretelle. Ce jour-là, je t'avais reproché de m'étouffer sous les déclarations d'amour et tu t'étais tu, me jetant un long regard triste. J'ai fini par retrouver le poème dans un tiroir de ma table de nuit, plié en quatre avec de vieilles photos de Foujita.

Peut-être le cœur bat-il toujours pour elle
Il bat sûrement encore pour elle
Mais il bat dans le silence

Le relire m'a causé une peine infinie.

Ma cousine vient de rentrer et nous allons dîner dehors pour secouer ma mélancolie. Mais comment pourrais-je me réjouir, te sachant seul dans ta cellule avec l'unique perspective d'être réinterrogé par les tortionnaires de la rue des Saussaies ?

23 MARS

Avant-hier, je suis retournée à Fresnes avec Mitsou et Julia. Je t'avais préparé un deuxième paquet, encore plus beau que le premier. Notre bonne humeur s'est brisée sur la mine revêche du préposé qui a rejeté le colis d'un mot : « Parti », refusant de nous en dire plus.

Parti peut tout signifier, même la mort. « Il est parti sans souffrance. »

« Parti » suppose « de son plein gré » : insupportable mensonge.

Devant mes questions, l'employé restait imperturbable et je l'aurais volontiers étranglé de mes mains, mais deux gardes m'ont écartée sans ménagement et j'ai dû repartir comme j'étais venue, bouillant d'une rage intérieure qui éclatait en jurons choisis. J'ai demandé à Julia et Mitsou de m'attendre chez nous. Je me suis bien gardée de leur dire que je retournais rue des Saussaies, elles m'en auraient empêchée et je devais à tout prix découvrir ce qui t'était arrivé. Mais cette fois, j'ai été très mal reçue. Un homme au faciès de brute m'a jeté à la figure que tu t'étais cru assez malin pour les tromper et que si je ne voulais pas être arrêtée comme complice, j'avais intérêt à ne plus montrer mon joli museau par ici.

Mitsou a fait le tour des forts de la région parisienne à ta recherche, sans succès. Cette ville regorge de prisons, de réduits humides, de forteresses profondes où l'on peut faire disparaître quelqu'un du jour au lendemain, effacer ses traces. Le silence est une arme psychologique, une torture raffinée dont se délectent les bourreaux et les fonctionnaires, regardant s'allonger ces files de gens qui crèvent de ne rien savoir.

Et puis tout à l'heure, la lumière au bout du fil du téléphone : la voix du comte de Grammont, directeur de la Croix-Rouge, et ces renseignements livrés sans préambule, à la manière d'un code secret :

— Compiègne. Camp de Royallieu. Matricule 29 803. Vous ne me connaissez pas.

La lumière me traverse et me réconcilie. À Compiègne, nous avons été si heureux qu'il ne peut rien t'arriver de mal.

Mitsou et moi avons eu du mal à dénicher une chambre dans un hôtel du coin. Le camp de Royallieu est l'un des principaux centres de regroupement des prisonniers politiques. Un grand nombre de familles s'y rend pour apporter des vivres ou tenter d'obtenir des nouvelles. Nous partons tout à l'heure, j'emmène ma grosse valise, qu'on m'a rendue après t'avoir transmis son contenu. Elle déborde de victuailles. J'ai ajouté un superbe blouson en cuir doublé de laine que mon ami Diole, qui possède la maison Calixte, a fait confectionner pour toi quand il a appris ton arrestation. Ainsi, tu seras vêtu comme le prince que tu es.

Nous voilà rentrées après un voyage épuisant. Le trajet en train de Paris à Compiègne est fréquemment interrompu par des alertes. Il faut quitter les voitures en hâte et se mettre à l'abri, attendre parfois des heures avant de repartir, si on a la chance que la voie n'ait pas été endommagée par un sabotage.

En approchant de la gare de Compiègne, il faisait un soleil radieux et j'ai été submergée par l'espérance folle que tu m'attendrais sur le quai, avec ce panama que Pablo Neruda t'a offert à Madrid et dont tu aimes te coiffer à la belle saison. Je te voyais m'ouvrir les bras avec ton teint bronzé de marcheur, ton regard rieur. Mais en descendant du wagon, je n'ai croisé que des gens comme moi, errant avec leurs valises et demandant la direction du camp.

Un cheminot nous a renseignées. Pour atteindre Royallieu la seule solution était de marcher quatre kilomètres avec cette valise qui pesait un âne mort. Nous nous sommes armées de courage et avons parcouru ce long chemin avec d'autres familles, des mères traînant leurs enfants braillards, des vieux trimballant à grand-peine des colis qu'ils n'avaient pas imaginé convoyer à pied. Un homme à la laideur intéressante chantait pour égayer la route. J'ai pensé à toi qui es toujours le premier à entonner des refrains de corps de garde et des chansons de marins, avec un enthousiasme si contagieux qu'on te pardonne de chanter faux. Je te revoyais pendant notre voyage en Bourgogne, revisitant *La Madelon* sur des paroles désopilantes pour me faire oublier mes ampoules et l'averse de grêle qui avait ruiné ma coiffure. J'ai oublié ma fatigue et je t'ai souri, même si ce jour-là je t'avais infligé jusqu'au bout ma méchante humeur, pestant contre les mauvais chemins et les cailloux tandis que tu pansais mes pieds avec délicatesse.

À l'arrivée, une queue interminable nous attendait devant la baraque en planches du préposé aux colis et moi, je ne pouvais détacher mes yeux des bâtiments du camp qui se dressaient en face de nous, des miradors, des barbelés et des sentinelles armées qui en barraient l'accès. Savoir que tu étais à quelques mètres de moi et que nous ne pouvions nous rejoindre m'était insupportable. Mitsou et moi avons profité de l'attente pour questionner certains habitués. Quand je leur ai dit que je comptais entrer dans le camp, ils m'ont découragée avec un mélange de gentillesse et de fatalisme :

— Ma petite dame, vous ne rentrerez pas. Les Boches tiennent le camp, il est impossible d'approcher les prisonniers. On peut passer cinq kilos de vivres, c'est déjà ça. Si vous voulez, attachez du pain sur le colis : ils le jettent au milieu de la cour pour les détenus qui n'ont pas de famille ou n'ont pas eu le temps de la prévenir.

J'ai acheté tout le pain que j'ai pu et l'ai arrimé au paquet. J'aime l'idée qu'il fera des heureux, que ces prisonniers qui n'ont personne recevront un peu de réconfort d'une main anonyme. Mais surtout, j'espère qu'il te réchauffera le cœur et le ventre et te rappellera que ta Youki ne t'oublie pas.

Georges Suarez s'est engagé à continuer à me verser cinq mille francs par mois équivalant à ton salaire à *Aujourd'hui*. Ce soutien inespéré me permet d'acheter au marché noir assez de victuailles pour te remplumer un peu, réparer tes forces.

Robert, pendant le long voyage du retour j'ai eu la certitude que nous nous reverrons. À vivre avec toi, j'ai fini par croire aux coïncidences et aux prémonitions. Tu m'as toujours dit que tu croyais en ton étoile, que cette sorte de foi ne t'avait pas quitté depuis l'enfance. Au lieu de te jeter dans un cachot du fort de Romainville ou de te fusiller au mont Valérien, on t'a envoyé à Compiègne, près de cette forêt que tu aimes et as si souvent arpentée. Je veux y voir le signe que la providence ne t'a pas abandonné.

J'ai revu le docteur Leuret. L'aumônier de Fresnes lui a confié que lorsqu'on t'a fait sortir de ta cellule et que tu as vu sa soutane, tu as cru qu'on allait te fusiller. Tu as dit adieu à tes compagnons d'infortune. Quand il t'a donné ma photo, tu étais stupéfait. Il paraît que tu as souri.

Le soir, Raymond de Cardonne nous attendait au Flore. C'est un viveur infatigable et un gigolo, mais il t'aime beaucoup et se fait un sang d'encre de te savoir entre les mains de la police allemande. Il compte parmi ses relations un certain Heller, un Allemand cultivé qui travaille à la Propagandastaffel. Il m'a conseillé d'aller le voir de sa part. Il croit qu'il pourrait nous aider.

MARDI

Gerhard Heller est un homme courtois, qui affiche son admiration pour les artistes français et voudrait incarner un « pont entre nos deux cultures ». Il m'a reçue en gentleman, m'offrant du vrai café et des chocolats. Clair et agréable, son bureau donne sur l'avenue des Champs-Élysées et ses bibliothèques regorgent de livres, dont certains sont interdits par ses services.

— Robert Desnos…, a-t-il murmuré quand je lui ai exposé la raison de ma visite. Votre mari a du talent, je connais sa poésie et je l'apprécie. Mais c'est un prisonnier politique et la Gestapo n'aime pas qu'on empiète sur ses plates-bandes. Mes supérieurs sont nerveux en ce moment. Pour un mot de travers, on peut se retrouver sur le front russe ! a-t-il ajouté avec un rire gêné.

— Mon mari ne fait pas de politique, l'ai-je coupé. Il ne s'intéresse qu'à son art. C'est une erreur, un malentendu tragique !

Depuis le début, j'ai pris le parti de prétendre que nous sommes mariés. C'est un demi-mensonge. Si nous avions pu convaincre Foujita de rentrer du Japon pour régler les formalités du divorce, tu m'aurais épousée. Quand la guerre a été déclarée, tu t'es soucié de ce qui m'arriverait si tu disparaissais. Tu souhaitais me mettre à l'abri, mais en l'état, le problème était insoluble. Tu as insisté pour que je porte ton nom, affirmant que j'étais ta femme, avec ou sans papiers.

— Je comprends… Et croyez que j'en suis désolé, mais je ne peux pas vous aider. Vous savez, quand j'ai autorisé la publication de *Pilote de guerre* de Saint-Exupéry, mes supérieurs ont fait confisquer tous les livres et m'ont mis aux arrêts. Depuis ils m'ont à l'œil, comme on dit chez vous. Je dois être prudent.

— Bien sûr, seulement. à Compiègne, on m'a dit que le camp de Royallieu était l'antichambre de la déportation. Je voudrais obtenir que mon mari ne parte pas en Allemagne. Pouvez-vous m'aider ?

Il a secoué la tête. Son visage suait la lâcheté, la peur d'être saqué par ses supérieurs.

— Alors à qui pouvez-vous m'adresser ? ai-je insisté, comprenant que je ne pourrais rien tirer de lui.

— Essayez de contacter le commandant Illers, a-t-il fini par lâcher avec réticence. En tant que chef du SD, il a en charge les détenus internés dans les camps français et peut faire libérer votre mari. Mais vous ne pourrez pas vous servir de mon nom.

— Il ne me recevra pas sans recommandation.

À ces mots je l'ai vu blêmir et il s'est récrié, il refusait absolument d'aller trouver le commandant Illers, dont le seul nom avait le pouvoir de le faire trembler. Ce n'est pas le courage qui l'étouffe, ai-je pensé. Là, il m'a servi le discours de l'Allemand pacifique pris en otage par sa hiérarchie et n'ayant qu'une frousse : qu'on l'arrache à son bureau confortable pour l'envoyer se geler le cul dans la banlieue de Vladivostok. À l'entendre, les seuls vrais méchants à occuper le pays, c'était la Gestapo. Bien sûr j'ai abondé dans son sens et déploré la main sur le cœur que ces tortionnaires bousillent la belle entente entre nos pays et nous empêchent de roucouler tels des jeunes mariés en écoutant *L'Anneau du Nibelung*. J'en voulais pour preuve l'arrestation de Max Jacob, interné à Drancy. Quel impair ! Arrêter un poète, l'arracher à son couvent et l'interner dans ce camp sinistre…

— Mais. Max Jacob est juif, madame. m'a-t-il

interrompue d'un air scandalisé. Ces gens-là, c'est de la vermine !

Sur ce, me faisant promettre de ne jamais prononcer son nom devant le commandant Illers, il a mis fin à notre entretien et m'a raccompagnée à la porte en me conseillant de demander son aide à Georges Suarez. Ce qui n'était pas une si mauvaise idée.

La rédaction d'*Aujourd'hui* ressemblait plus que jamais à un paquebot secoué par la tempête. Les feuilles volaient en tous sens, les machines à écrire cliquetaient dans un brouhaha de voix et de portes claquées, où des stagiaires s'engouffraient avec un empressement inquiet, chargés de piles de dossiers. Je suis passée dire bonjour à la petite Babette Godet, qui a été délicieuse, comme toujours. Je me demande si elle n'en pince pas un peu pour toi, en tout cas elle était bien soucieuse et m'a chargée de te transmettre son affection.

Gaëtan de Heredia est venu me saluer très gentiment et m'a demandé s'il y avait du nouveau, je lui ai confié que j'espérais beaucoup de son patron. Il m'a serré la main, comme pour me souhaiter bonne chance.

Georges Suarez est arrivé la cravate de travers et le costume froissé. Ses cheveux noirs rebiquaient sur son front, on aurait dit un lycéen mal réveillé derrière ses lunettes. Il m'a accueillie avec chaleur et m'a fait entrer dans son bureau, où le téléphone ne cessait de sonner, donnant à notre conversation un tour décousu. Il semble toujours complètement dépassé par les événements, mais j'ai de la sympathie pour cet homme qui soutient ses journalistes en sachant sa rédaction truffée de gaullistes et les ennuis que ça peut lui causer.

— Comment va Robert ? s'est-il inquiété.

Tout ce que je savais, c'était que l'aumônier ne t'avait pas trouvé trop mal et que ton moral semblait intact, malgré la prison et les mauvais traitements. Je lui ai exposé avec franchise l'impasse dans laquelle nous étions, mes efforts infructueux et ce que j'attendais de lui.

— Hum… Illers n'est pas commode…, a-t-il observé ennuyé.

Puis, voyant ma mine déconfite :

— Allons Youki, ne vous inquiétez pas, je vais vous écrire une belle lettre. J'espère que ça suffira, il faut tout tenter et il faut y croire !

Il n'a plus répondu au téléphone malgré les sonneries intempestives et au bout d'une heure, m'a tendu un certificat du parfait collaborateur, trois feuillets qui assuraient que tu t'étais toujours montré irréprochable sur le plan politique, que tu étais un journaliste brillant et consciencieux et qu'il n'avait qu'à se féliciter de ton travail. Emporté par son élan généreux, il concluait en déplorant l'arbitraire d'une arrestation qui le privait d'un de ses meilleurs éléments, ajoutant qu'il était choqué que la Gestapo traite un homme de lettres en dangereux terroriste et espérait qu'elle réaliserait son erreur à temps.

— Georges, je crois qu'il va falloir supprimer ce dernier alinéa, même si à titre personnel, il me touche beaucoup. Je dirai à Robert ce qu'il vous doit.

— Non, Youki, a-t-il répondu. Dites-lui de prendre soin de lui… et que nous l'attendons.

Il a confié la lettre à son chauffeur et j'ai attendu que ce dernier me confirme qu'il l'avait transmise à son destinataire pour quitter le journal.

Désormais, l'homme en qui je place tous mes espoirs est un commandant de la Gestapo réputé inflexible et peu enclin à la compassion. Mais le destin emprunte parfois des chemins déroutants, et je compte sur ton étoile pour éclairer la décision du commandant Illers.

Je me dépêche, Mitsou et moi allons prendre le train.

JEUDI

Cette fois, nous séjournons quelques jours à Compiègne et j'entends les mettre à profit pour me faire de nouveaux alliés. Hier, nous avons rencontré la générale Moslard. Habitant une maison près du camp, elle doit héberger deux officiers allemands et transforme cette contrainte en avantage, s'efforçant de venir en aide aux détenus et à leurs familles. Elle nous a conquises par son sens de l'hospitalité et son humour. Très grande dame, elle joue de son charme pour obtenir ce qu'elle veut de ses pensionnaires nazis. Elle m'a donné l'adresse du commandant Possekel.

— Si vous parvenez à l'amadouer, m'a-t-elle dit, ce dont je ne doute pas, il peut vous faire entrer dans le camp.

Entrer dans le camp. À cette pensée, mon cœur explosait.

À l'adresse indiquée, l'oiseau s'était envolé mais

sa femme de ménage nous a dirigées vers une cabane dissimulée un peu plus loin dans les arbres.

Tu aurais bien ri de nous voir trébucher sur les racines, tout ça pour tomber sur un commandant Possekel très occupé à lutiner une souris grise ! Furieux d'être surpris en position intéressante, il nous a lancé une bordée d'injures et nous avons fui sans demander notre reste. Je crains que nos chances d'obtenir gain de cause se soient effritées sur les seins de cette jeune Allemande…

Après t'avoir fait passer un colis encore plus fastueux que les précédents, nous sommes rentrées à pied et nous avons fait halte dans un bistro à mi-parcours. Mitsou a commandé des sandwiches et une bouteille de vin pour nous remettre de nos émotions, et nous avons ri aux larmes en revoyant le commandant Possekel se rebraguetter à la hâte, le visage écarlate, repoussant sa maîtresse à moitié nue qui ne savait où se cacher. Ce n'était pas de veine, mais ça ferait une bonne histoire à raconter aux copains.

À cet instant, un avorton en uniforme allemand s'est planté devant nous, l'air de nous connaître, et je me suis rappelé l'avoir aperçu à la baraque du préposé aux colis. Il nous avait suivies jusqu'ici à vélo et m'a fait comprendre avec force gestes qu'il pouvait te faire passer un mot. Enlevant son calot, il nous a montré où le cacher dans la doublure.

Il est interdit de transmettre des messages aux détenus. Je risquais la déportation. Et la patronne du troquet, qui avait entendu la conversation, me faisait signe de décliner cette proposition risquée.

La tentation était trop forte. Je t'ai écrit un billet dont

le contenu ne serait pas trop compromettant s'il était intercepté, nous avons échangé nos noms et adresses et le gringalet est reparti, insistant pour payer notre addition.

— Vous n'auriez pas dû, madame…, a murmuré la patronne. Par ici, il y en a qui ont été arrêtés pour moins que ça.

Je me suis gardée de lui dire que dans cette guerre, il fallait savoir miser pour gagner. Mais je l'ai pensé. J'ai effleuré le bois du comptoir en espérant ne pas me tromper.

Des convois partent régulièrement de Royallieu. Le temps nous est compté et j'agis à l'instinct, me fiant à mes intuitions et à ce que je perçois de mes interlocuteurs, ces tressaillements qui laissent affleurer l'arrière-pensée embusquée, la loyauté ou la ruse.

VENDREDI

Nous sommes de retour à Compiègne, après un périple de douze heures debout, ponctué par de nombreux arrêts. Parfois, je m'épate d'endurer tout cela sans me plaindre, mais alors je me souviens de ce que tu vis et je ne pense plus qu'à ton regard tendre, à ton sourire et à tes bras. Bercée par les chaos du train, je m'imagine t'étreindre assez fort pour te faire oublier la douleur et la peur, je console ton corps avec des baisers et des effleurements, je me perds dans un océan de volupté et j'en émerge les yeux embués, rencontrant le regard interrogatif de Mitsou.

Cela fait six semaines qu'on t'a arraché à moi.

Après avoir déposé un nouveau colis à la baraque en planches, nous avons marché jusqu'à l'adresse que m'avait donnée Louis, le gringalet. Il était chez lui et nous a fait entrer dans une petite maison grise où flottait une odeur de ragoût qui nous a mis l'eau à la bouche. Heureusement que j'étais assise quand il m'a tendu ce papier crasseux et qu'en le dépliant, j'ai reconnu ton écriture !

Ta première lettre secrète était longue et optimiste :

« Ma grande Chérie,
Quelle joie d'espérer que cette lettre te parviendra ! Avec ta photo et ton billet, c'est ma plus grande joie depuis le 22 février. Ne te tourmente pas en ce qui me concerne, la santé, l'appétit et le moral sont excellents. J'ai coupé au dernier départ et j'espère bien ne pas être du prochain. »

— Alors ? a demandé Mitsou qui n'y tenait plus.

— Il va bien ! ai-je lancé les larmes aux yeux. Il est avec des communistes, des royalistes et des gaullistes, « *une salade qui te fera bien rire quand je te la raconterai* ». Il dit que la cape de madame Lefèvre lui a sauvé la vie.

Je ne lui ai pas dit que tu consacrais le reste de ta lettre à te préoccuper de mon confort, comme si ta situation n'avait pas d'importance et que ce qui comptait, c'était que je sois toujours la Youki insouciante et gâtée que tu avais laissée en partant. Tu t'inquiétais que les colis me coûtent trop cher et demandais si j'avais acheté un certain tailleur et le chapeau assorti, espérant me voir les porter quand tu reviendrais. Tu me conseillais de vendre tes livres et tes objets pour

« me faire une vie confortable » en t'attendant. Tu me pressais de sortir, de m'amuser, et pas un instant tu ne songeais à te plaindre.

— *Il fait un temps superbe et le ciel ronfle jour et nuit. Vivement que nous allions en vacances nous taper des petits gueuletons dans les bons coins ! Quand je pense aux soles du 22 février !* ai-je lu à haute voix et Mitsou a éclaté de rire, soulagée de te retrouver fidèle à toi-même.

À la fin de ta lettre, tu évoquais l'incertitude de ton sort et une possible déportation en Allemagne, mais tu te voulais rassurant : ... *Si cela arrivait il ne faudrait pas te tourmenter, tout finira bien, et cette aventure nous prépare en définitive de merveilleux jours.*

À travers tes mots, je te sentais si amoureux et attentionné qu'il m'a paru impossible que tu n'aies pas raison : cette épreuve était l'escalier escarpé vers un bonheur qu'il fallait mériter, mais qui nous attendait sous un ciel limpide.

LUNDI

« Quand les dieux veulent nous punir, ils exaucent nos prières. » À ces mots d'Oscar Wilde, j'ajouterai : ils exaucent nos prières, puis ils se ravisent et nous foudroient.

À notre retour à Paris, Georges Suarez m'a appelée pour m'annoncer que le commandant Illers accédait à sa requête : le prisonnier Robert Desnos resterait au camp de Royallieu, « par faveur exceptionnelle ».

Tu étais sauvé.

Je me préparais à recevoir un savon quand tu

apprendrais les démarches périlleuses que j'avais faites pour toi, et j'en riais sous cape avec Mitsou en buvant une bouteille à ma victoire, quand la sonnerie du téléphone a retenti de nouveau.

— Youki ? C'est Georges Suarez. Le commandant Illers vient de m'appeler, il était dans une rage folle. Il m'a traité de tous les noms et m'a dit : « Madame Desnos peut s'estimer heureuse de ne pas être arrêtée. Pour son mari, nous avons pris les dispositions nécessaires. » Je ne comprends pas ce qui a pu se passer... Je suis désolé. Je vais me renseigner, il y a forcément une explication.

J'ai appuyé le récepteur contre ma joue jusqu'à en imprimer la marque et Mitsou a compris qu'il était arrivé quelque chose de grave. Il paraît que j'étais blanche comme une morte.

MARDI

J'ai appris le fin mot de l'histoire. J'aurais retourné toute la ville pour le savoir, mais Gerhard Heller a fini par me donner la clé de l'énigme, sans doute parce que c'était la meilleure façon de se débarrasser de moi.

Il y avait eu un dîner chez Maxim's. Les journalistes bien en cour y étaient conviés et le commandant Illers, pour montrer que la Gestapo savait faire preuve de clémence, leur a fait part de sa décision de maintenir au camp de Royallieu leur confrère Robert Desnos, ajoutant qu'il n'y avait pas grand-chose dans son dossier et qu'il le relaxerait sans doute dans un deuxième temps.

Quand il a achevé son laïus, Alain Laubreaux s'est

levé et lui a affirmé que Robert Desnos se moquait de lui, que c'était un communiste, un enjuivé, ennemi déclaré d'Hitler et de l'Allemagne. Il n'affirmait pas cela au hasard, il te connaissait bien, ce n'était pas un coup d'épée dans l'eau.

D'après Heller, ces mots sont tombés comme un couperet dans le silence.

MERCREDI

Les voyages vers Compiègne sont de plus en plus tortueux et aléatoires. La Résistance et la RAF ont fait sauter une grande partie des voies, le train doit faire des détours interminables.

Cette fois, nous sommes restées silencieuses et repliées en nous-mêmes.

La tête appuyée contre la vitre sale, je pensais à ce jour de 1935 où nous nous étions violemment disputés. Le temps tournait facilement à l'orage à cette époque, comme si la colère ambiante déteignait sur nous. Tu travaillais beaucoup, tu avais des responsabilités et espérais que je me mette au diapason, devienne la gentille épouse qui t'attendrait le soir avec un dîner embaumant la cuisine, te servirait un whisky sans glace, allumant le phonographe pour te délasser. Quand tu rentrais de la radio, c'était pour trouver un appartement vide ou au contraire, un chahut amical quand tu aurais eu besoin de silence. Tu adorais nos amis, mais les miens te crispaient et aucun ne trouvait grâce à tes yeux, ils étaient incultes et futiles. Tu me reprochais de m'entourer d'imbéciles sans comprendre combien ça me blessait. Mes copains ne ressemblent pas aux tiens, c'est vrai. C'est un cercle plus mélangé où voisinent les originaux et les grands bourgeois, les galeristes et les effeuilleuses. Je n'ai pas de préjugés, je trouve quelque chose d'intéressant en chacun et ce n'est qu'après que je trie, écartant ceux qui m'ont déçue ou qui m'ennuient.

Un soir je suis rentrée ivre et tu m'as cueillie par une gueulante d'anthologie. Je crois que nous nous sommes lancé tous les noms d'oiseaux et au bout d'un moment j'étais dans une telle rage que j'ai attrapé une de tes bouteilles et t'en ai donné un grand coup sur la tête.

Tu gisais inerte sur le sol et j'étais horrifiée, pensant que je t'avais tué. Et puis tu as bougé, et dans un mélange de surprise et de soulagement j'ai dit tout haut :

— Vieille peau de vache, tu n'es pas mort ?

Tu as ouvert un œil et tu m'as dit avec une grimace qui se voulait un sourire :

— Enfin je sais ce que tu penses de moi !

Tu as réussi à me faire rire alors que mon cœur cognait à se rompre, car je réalisais que je n'aurais pu supporter de te perdre, que je t'aimais comme je n'avais jamais aimé personne, pas même Foujita.

En regardant se rapprocher la forêt à travers la vitre, ce qui m'a fait mal, c'est de me dire que tu l'ignorais peut-être. Que tu n'avais jamais été sûr de mon amour.

Il bruinait sur Compiègne quand nous avons déposé ton colis. J'étais si distraite que je n'ai pas reconnu le capitaine Muller, qui loge chez la générale Moslard. Heureusement, Mitsou l'a salué et il est sorti de la baraque pour bavarder avec nous, enchanté de nous revoir.

— Capitaine, laissez-nous entrer…, lui ai-je demandé de ma voix la plus charmeuse, poussant mon avantage.

— Entrer dans le camp ? s'est-il exclamé en haussant les sourcils. Vous pensez qu'on entre dans le camp comme ça ?

— Oui, comme ça ! ai-je souri en plongeant au fond de ses yeux gris.

— Les Français sont fous. Ils croient aux miracles, a-t-il ajouté, se lançant dans une diatribe sur notre germanophobie qui remontait à la Grande Guerre et à Raymond Poincaré, symbole de notre arrogance.

— À bas Poincaré, ai-je dit, souriant toujours.

Le capitaine a éclaté de rire et a ajouté que puisque j'y tenais tant que ça, il allait me faire entrer dans le camp.

— Grâce à moi, vous vous souviendrez toujours de cette date. Parce qu'aujourd'hui, chère madame, c'est l'anniversaire du Führer !

J'aurais chanté « Bon anniversaire Hitler » en canon si ça m'avait permis d'arriver jusqu'à toi, mais je n'en ai pas eu besoin. Le capitaine m'a remis un laissez-passer, à la stupéfaction des sentinelles qui trouvaient drôle de me viser avec leurs mitraillettes chaque fois que je me présentais au contrôle. Je me suis payé le luxe de les viser à mon tour avec un fusil imaginaire, mais ça ne les a pas fait rire.

Serrant mon laissez-passer dans ma main droite, j'ai franchi les grilles du camp. L'émotion m'a gagnée en découvrant cette enfilade de baraquements alignés qui n'exprimait que solitude et tristesse. Le jour se cognait à la brique jaune, aux façades délavées par les pluies et le vent. Le souffle du printemps ne pénétrait pas ces bâtiments ramassés derrière les barbelés. Ils ressemblaient aux wagons d'une locomotive abandonnée, et me serraient la gorge comme un mauvais présage.

On m'a fait attendre dans un couloir balayé de courants d'air. Par la fenêtre, j'apercevais les détenus arpentant la cour en petits groupes.

Quand tu es arrivé, un sous-officier t'escortait mais je n'ai vu que toi. Avec tes cheveux en brosse, ton visage rasé de frais, tes bottes et le blouson que mon ami Diole t'avait fait faire, tu étais si beau que mon cœur a bondi dans ma poitrine.

Ta surprise a été totale et nous sommes restés quelques secondes à nous regarder sans y croire avant que tes bras se referment sur moi, me rendant ton odeur et le goût de ta peau, la chaleur de ton corps et ce soupir qui t'échappait en respirant mes cheveux, comme si tu rentrais à la maison.

Nous avons prolongé cette étreinte jusqu'à ce que le garde nous rappelle à l'ordre, nos bouches se cherchaient comme des blessures, nos corps avaient faim et nous avions si peu de temps, si peu de temps pour nous retrouver, savourer ce répit.

Il a fallu me détacher de toi, m'asseoir sur le banc avec ce manque au-dedans de moi, sous le regard de cet intrus qui nous observait en silence.

— Que tu es belle…, as-tu murmuré, et tes doigts ne pouvaient s'empêcher de caresser mon poignet. Est-ce que tout va bien à la maison ?

J'ai hoché la tête à travers mes larmes.

Admiratif, tu as détaillé mon tailleur et mon chapeau, mes bas de soie, mes escarpins, cette armure qui fondait à ton contact. Tu avais ouvert les vannes et la débâcle m'emportait, me déchirait de joie et de tristesse.

Notre geôlier n'était pas un mauvais bougre, il a fini par nous octroyer quelques minutes en tête à tête. J'en ai profité pour t'avouer la terrible nouvelle qui me tenaillait le ventre :

— J'ai fait ce que j'ai pu, Robert... Mais j'ai échoué, ils vont te déporter.

— ***Je ne serais pas étonné qu'il y ait de l'Alain Laubreaux là-dessous***, m'as-tu répondu.

Moi qui m'étais bien gardée de prononcer son nom, de peur que la colère ne te fasse commettre une imprudence !

— Ne t'en fais pas ma chérie, je reviendrai. Fais-moi confiance, as-tu murmuré en me caressant la nuque et nous avons échangé un dernier baiser avant que le sous-officier ne mette un terme à l'entrevue.

Il a fallu te quitter à nouveau, te laisser à cette incertitude. Les portes du camp se sont refermées derrière moi, j'ai rejoint Mitsou qui m'attendait à la guérite et même si ça me faisait honte, j'ai pleuré toutes les larmes de mon corps.

Quelques vers de toi se sont frayé un chemin dans le désordre de ma tête, quelques vers que tu avais écrits en empruntant ma voix et qui revenaient m'écorcher sous ce ciel larmoyant, ce ciel de circonstance :

Tu souffres sans le dire
Tu pleures dans ton rire
Tu es bien mon amant

C'est avant-hier que tu es parti.

Louis, notre facteur clandestin, avait installé une antenne secrète dans le café de Compiègne où nous l'avions rencontré. Grâce à lui, nous avions été alertées de plusieurs départs et nous étions rendues sur place à chaque fois, faute de savoir si tu serais du convoi.

Un soir, nous avons dîné chez la générale Moslard. Le capitaine Muller était retenu par une réunion tardive. La générale nous a révélé que le commandant Illers, après le dîner au Ritz, avait envoyé à Royallieu une fiche qui te qualifiait de « terroriste dangereux pour le grand Reich » et portait la mention « À fusiller ». Elle était arrivée entre les mains de Muller, qui dirigeait la police du camp.

— Quand je lui ai parlé de votre mari, il a évoqué cette note. Je lui ai juré que Desnos n'était pas un ennemi du Reich, juste un poète qui s'était fait des ennemis dans la presse collaborationniste. J'ai ajouté qu'il n'avait rien à gagner à le faire fusiller, qu'un grand nombre de gens lui sauraient gré de l'avoir épargné. Il a fini par se laisser fléchir et m'a dit qu'il ferait disparaître la fiche, mais qu'il devait inscrire votre mari dans le prochain convoi.

Cette femme courageuse, qui appartenait au réseau d'André Verdet, venait de te sauver la vie et je ne savais comment la remercier.

— Mais non, mon petit, j'ai fait ce que je devais faire, voilà tout, m'a-t-elle dit en me servant un verre de fine. Maintenant il faut garder confiance et espoir. Votre mari est solide, il reviendra.

J'ai emporté ses paroles et j'y ai puisé de quoi me tenir droite.

Quelques jours plus tard, Louis nous a appelées de Compiègne : un convoi était prévu le 27 avril, ils nous attendaient.

Nous avons repris ce train dont les chaos épousent les secousses du cœur, le va-et-vient de l'espoir, les souvenirs douloureux qui explosent au détour d'une rêverie heureuse.

Et tout ce temps, je pensais au train qui partirait dans l'autre sens, t'emportant vers un ailleurs menaçant.

Raymond de Cardonne avait tenu à nous accompagner, il voulait te dire au revoir.

Les Allemands ne voulaient pas de témoins. Ils défendaient aux familles d'assister aux départs, gardaient jusqu'au bout le secret de l'itinéraire et en changeaient à chaque fois. Mais quel que soit le trajet choisi, il traversait Compiègne. Pour s'assurer qu'il n'y aurait pas de spectateurs, les soldats se rendaient la veille dans chaque rue où passerait le cortège des déportés, pour consigner les habitants et leur interdire d'ouvrir leurs volets le lendemain matin. Et ainsi, leur perfectionnisme nous révélait ce qu'ils avaient voulu nous cacher.

Grâce à Louis, à des volontaires de la Croix-Rouge et à la générale Moslard, nous avions monté une cellule de solidarité. Nous étions une quinzaine, assez têtus pour braver les Allemands, ou assez désespérés pour nous moquer des conséquences. Nous nous étions rassemblés au petit jour. Chacun s'était retiré dans sa forteresse de silence et se préparait à l'épreuve. Ces gens n'étaient plus des étrangers. Des semaines de patience, de désillusions, de craintes et de combines nous avaient soudés, nous formions ce drôle de collage fait de débris recrachés par la guerre. Raymond se tenait près de moi, un peu intimidé, mais sa présence me rendait plus forte.

Le jour venait de se lever quand nous vous avons vus arriver. Une immense colonne de prisonniers s'ébranlant lentement dans le premier soleil. En tête, un vieillard que la lumière auréolait comme un prophète. Deux adolescents marchaient à ses côtés. Derrière, un cortège d'hommes de tous âges, des prêtres en soutanes, des visages tannés de paysans, des fronts altiers, des regards fiers, des silhouettes tremblantes...

Les soldats qui ouvraient la marche n'ont pas mis longtemps à nous repérer. Quelques ordres ont claqué dans l'air et la colonne s'est mise à courir. Nous avions maintenant de la peine à vous distinguer. Mais vous couriez en riant, agitant la main vers nous tandis que nous vous appelions par vos prénoms, vous criant de tenir bon et vous jurant qu'on vous attendrait.

Mais toi, mon amour, toi je ne te voyais pas, je te cherchais en vain, aucun de ces visages ne ressemblait au tien. Inquiète, Mitsou me répétait que tu n'étais pas là.

Enfin, nous t'avons vu. Tu fermais le cortège, ralenti par le poids de ton paquetage, des couvertures et des vivres que je t'avais envoyés.

Ton regard myope errait à ma recherche.

J'ai crié ton nom, tu as tourné la tête et tu m'as

aperçue. Un grand sourire a illuminé ton visage et tu m'as fait signe. Les soldats te serraient de près, hurlant après toi, alors tu t'es remis à courir, mais ils n'ont pas réussi à effacer ton sourire.

« Au pont ! » a lancé l'un des nôtres.

À ce signal nous nous sommes précipités, suivant les initiés qui connaissaient les raccourcis vers le pont de bois qui menait à la gare.

Nous nous sommes placés près du pont, les bras chargés de paquets de cigarettes que nous espérions vous jeter au passage. Nous savions que dans les camps, les cigarettes sont une monnaie d'échange.

Les feldgendarmes étaient furieux de nous retrouver là. Comment avions-nous pu arriver avant eux ? Ils ont commencé à nous frapper avec les crosses de leurs fusils et à tirer des coups de feu en l'air, nous traitant de terroristes et nous barrant la route.

Ces brutes nous volaient notre dernier adieu.

Je me suis avancée, Raymond tentait de me retenir. Les coups étaient de plus en plus violents et j'étais trop loin pour te jeter les cigarettes. Je t'ai vu blêmir de rage devant les soldats qui me frappaient. Mais ils étaient trop nombreux et tu as dû te remettre à courir sous la menace des mitraillettes.

Marsch, marsch, los !

Déjà loin, tu t'es retourné pour me crier que tu reviendrais vite, de ne pas m'en faire, et tu as dit mon nom une dernière fois.

Après, ta voix s'est perdue dans les cris gutturaux des feldgendarmes, le crissement des essieux, le vacarme de la gare.

Et tu as disparu.

Nous avions raté le dernier train pour Paris. La générale Moslard, qui ne manquait aucun départ, nous a révélé qu'un camion bâché partirait le soir même pour la capitale. Il nous suffirait de nous glisser dedans.

Le lendemain matin, je me suis rendue au siège de la Croix-Rouge et j'ai demandé à une bénévole de me situer sur une carte l'endroit vers lequel votre convoi était dirigé. À la faveur d'un excellent cognac, le capitaine Muller avait fini par cracher le morceau à la générale. La bénévole ne demandait pas mieux que de m'aider, on voyait que c'était une brave petite, elle avait de grands yeux pensifs et portait une croix huguenote en pendentif.

— Connaissez-vous le nom de la ville où se trouve le camp ? m'a-t-elle demandé gentiment alors que nous nous penchions sur une grande carte.

— Oschwitz, ai-je répondu. Je ne suis pas sûre de la prononciation.

— Auschwitz, a-t-elle répété gentiment. C'est le nom allemand d'Oświęcim. C'est une petite ville polonaise. C'est là, vous voyez ? En Haute-Silésie, pas très loin de Cracovie, a-t-elle ajouté en pointant son index sur la carte.

22

15 MAI 1944

Ces dernières semaines, je n'avais plus le goût d'écrire. Peut-être parce que ma vie se résume à guetter le facteur, la sonnerie du téléphone, les bavardages de comptoir.

Les copains débarquent souvent avec un poulet rôti ou une bonne bouteille. Ils m'arrachent à ma mélancolie et m'entraînent au Flore, au cinéma, au cabaret, ou à une soirée chez Marie-Laure de Noailles où je bois assez de champagne pour rire à toutes les blagues. Nos amis se donnent beaucoup de mal pour me distraire, à défaut de pouvoir m'apporter ce que j'espère si fort.

Je ris, m'enivre et fume comme avant. Mais à l'intérieur tout est sens dessus dessous, c'est un capharnaüm où Minouche ne retrouverait pas ses petits.

Les images de votre départ continuent à me hanter : le pont, les mitraillettes braquées sur vous, et ce moment où tu t'es retourné dans ta course pour lancer ce cri qui me déchire encore : « ***Youki ! Au revoir Youki, à bientôt !*** »

La phrase du *Nosferatu* de Murnau tourne dans ma tête : « Passé le pont, les fantômes vinrent à sa rencontre. » Elle me réveille la nuit, jette un voile sur les belles journées, les jardins débordants de fleurs, les garçons en bras de chemise, les parades amoureuses des chats.

La seule chose qui m'apaise un peu, c'est de parler de toi avec ceux qui partagent mon angoisse : Ghita toujours sans nouvelles de Théodore, et surtout mes compagnons du 27 avril qui attendent un courrier, un signe auquel accrocher leur espérance.

Nous formons une communauté soudée. Nous aidons ceux qui arrivent à Compiègne. Nous raccommodons les liens tranchés par la Gestapo. Louis transmet les messages clandestins, la générale Moslard amadoue ses hôtes nazis et les alcoolise pour qu'ils lui lâchent quelques secrets. Notre chaîne humaine partage le moindre fragment d'information, tamise les rumeurs pour n'en garder que quelques grains de sable plus tangibles que le reste.

Peu à peu, ceux qui sont engagés dans la Résistance nous ont sollicités. Ce travail de l'ombre nous rapproche de vous. Certains sont entrés dans un réseau dès le début de la guerre. Pour eux, résister était un instinct, une évidence. Ils en connaissaient le prix : la torture, la mort ou la déportation. Mais pour nous, qui nous sommes retrouvés un matin devant les miradors du camp de Royallieu, le chemin a été plus long. Il nous a fallu ouvrir les yeux, accepter que ceux que nous aimions nous avaient caché une part d'eux-mêmes pour nous protéger.

La générale m'a appris que tu appartenais au réseau d'André Verdet. Je sais qu'il a été arrêté le même matin que toi et qu'il est passé par les mêmes étapes : la rue des Saussaies, la prison, le camp de Royallieu, le convoi du 27 avril. Je devine que tu ne t'étais pas blessé l'épaule dans une bagarre de bistro. Quand tu regagnais la maison à l'aube, tu rentrais sans doute d'une expédition dangereuse. Je revisite notre passé. Partout, je vois des indices de ta vie clandestine.

Je ne t'en veux pas, Robert... Je sais que tu n'avais qu'une peur : que je sois torturée. C'est pour me sauver que tu ne t'es pas enfui ce matin-là. Et puis, quelle confiance pouvais-tu accorder à une fêtarde invétérée qui déballait sa vie au premier venu dès qu'elle avait un verre dans le nez ?

Tu n'as pas pris le risque, je ne te le reproche pas. Quand on vit avec quelqu'un, le regard s'arrête à ce qui est familier. Tu m'aimais frivole et joyeuse, tu n'imaginais pas qu'il puisse y avoir une autre Youki.

En te rencontrant, j'ai su tout de suite que tu étais un personnage. Je sais discerner le talent de l'esbroufe. J'en ai croisé, des petits malins qui se posaient en artistes. Mais je n'ai jamais confondu Foujita avec un barbouilleur, ou pris Robert Desnos pour un poète du dimanche. Ta vocation, je me demande bien d'où elle t'est venue, mais elle tient à toi autant que tu tiens à elle. Je t'ai vu crever de faim sans y renoncer, endurer les boulots les plus ingrats pour le privilège de continuer à écrire ces vers qui ne t'attiraient ni gloire ni fortune, mais qui étaient comme des petits diamants scintillant dans la suie.

Tu étais drôle et singulier, tu avais le charme de ces gens qui ne ressemblent à personne, tu étais aussi grande gueule et ramenard que moi. Bref, tu me plaisais.

Et puis je ne vais pas parler de toi au passé, je suis superstitieuse.

Tu aimes la vie festive, ce désordre joyeux d'amis et d'animaux trop gâtés. Là-dessus, nous nous sommes toujours accordés.

Mais tu as cette manière de tout élever à des hauteurs inaccessibles, de t'échapper dans tes pensées, tes fantasmes, cet érotisme qui nourrit ta poésie et où je ne trouve pas toujours ma place. Quand tu te retires pour écrire dans ta mezzanine, tu me rappelles Foujita disparaissant des nuits entières dans son atelier. Je vous envie d'avoir ce jardin défendu, cette liberté de vous échapper de tout le reste. Moi, je n'ai rien qui m'appartienne, à part ce corps qui vieillit chaque jour et ressemblera bientôt à une vieille pomme ridée. Alors, que me restera-t-il ? Je regarde le tableau que Foujita a peint la nuit où Pascin s'est suicidé. J'y suis nue et souveraine, entourant ce lion féroce d'un bras désinvolte. C'est une image de moi qui n'existe plus, même s'il l'a rendue éternelle.

Si tu étais là, tu me dirais que je suis toujours belle et qu'il faut balayer la nostalgie, qu'on ne peut être heureux qu'en habitant le présent. Et tu aurais raison.

Maintenant, je dois me faire à l'idée que tu es aussi ce résistant dont j'ignore presque tout. Là encore, ta silhouette me fait me sentir toute petite. J'ai beau avancer, je n'arrive jamais à ta hauteur. La nuit, je rêve que je cours sans parvenir à te rattraper. Je t'appelle de toutes mes forces, mais tu es trop loin pour m'entendre.

À ma première visite à la Croix-Rouge, la jeune fille

au pendentif m'a rassurée : Auschwitz autorisait les colis. Tout ce qu'ils savaient sur le camp, c'est qu'il était immense. Sans ton numéro de matricule et de baraquement, il n'y avait aucune chance qu'un paquet arrive jusqu'à toi. Je devrais attendre ton premier courrier.

Je suis repartie confiante, mais les semaines passent sans que tu écrives et mon angoisse grandit avec ce silence inexplicable.

Il y a quelques jours, j'ai reçu une lettre d'une dame de Compiègne : elle m'envoie un mot que tu as écrit avant le départ du train et jeté par la grille d'aération du wagon. Son mari est cheminot. Il ramasse les messages que les déportés laissent tomber sur les voies et s'assure qu'ils arrivent à bon port. Ces quelques lignes que tu as tracées au crayon sont plus précieuses qu'un trésor :

« Chérie, Mes baisers avant le départ. Je pars confiant en toi, rassuré sur ta vie et la conduite des amis. Compte sur moi et mon étoile. Baisers à Lucienne, tous mes baisers à toi. Robert. »

Je garde ton message sur ma table de nuit, ton étoile y scintille par les nuits sans lune. Mais je ne suis pas une bonne croyante, je doute plus souvent qu'à mon tour. Ma Mitsou si dévouée, heureusement, a de l'optimisme pour deux. Quand je flanche, elle m'engueule avec une verdeur revigorante.

Je suis rassurée qu'André Verdet soit parti avec toi. Que tu ne sois pas seul, dans ce camp de Pologne, que tu aies au moins un copain costaud pour veiller sur toi. Mais je te connais, tu as déjà dû t'en trouver d'autres.

Parmi tes nombreux talents, tu as celui de te faire des amis sincères partout où tu passes.

Ceux que tu as laissés ici t'attendent de pied ferme.

22 JUIN

Enfin une lettre de toi ! J'ai mis un moment à réaliser, le courrier était rédigé en allemand par une main étrangère. Elle n'était pas expédiée d'Auschwitz mais de l'*Arbeitslager Flöha in Sachsen, Deutschland*. Après l'avoir parcourue, Julia Marcus m'a confirmé qu'elle était bien de toi. Elle a pris le temps de me faire une traduction sur papier pour que je puisse la relire autant de fois qu'il me plairait. Elle a interrompu le flot de mes remerciements d'un sourire :

— Je n'allais pas te laisser sur le gril, ma pauvre Youki ! Robert va bien, quel soulagement…

Je suis rentrée à la maison, je me suis installée dans mon fauteuil, j'ai attendu que la Zouzou prenne sa place sur mes genoux et j'ai lu ta lettre comme un assoiffé se jette sur une fontaine. Elle avait dû passer la double barrière de la traduction en allemand et de la censure. Cela expliquait sans doute sa brièveté.

Tu m'écris : « ***Mon amour, je suis dans le camp de travail de Flöha, en Saxe, et en bonne santé. Je pense que tu es aussi, toujours, en bonne santé et joyeuse.*** »

Suit une liste de requêtes, tu me demandes de t'envoyer « des paquets, aussi nombreux que tu le pourras », de la nourriture, des chaussettes, du tabac, une pipe, des brosses à dents…

Tu sembles manquer de tout. Que sont devenues

les affaires dont tu t'étais arnaché au départ de Compiègne ? Pourquoi as-tu quitté Auschwitz pour un autre camp ? À la Croix-Rouge, j'ai cherché Flöha sur une carte. C'est une petite ville allemande située à une soixantaine de kilomètres de la frontière tchèque. Entre Auschwitz et Flöha, il y a cinq cents kilomètres : l'épaisseur d'un mystère.

La jeune protestante m'a expliqué qu'il était fréquent qu'il y ait des transferts d'un camp à l'autre. Elle a déplié devant moi une carte de l'Europe de l'Est. Elle était criblée de points rouges, chacun symbolisait un camp de concentration. Une immense toile d'araignée dont le maillage serré couvrait tout le territoire de la Pologne et de l'Allemagne, empiétant sur l'Autriche et la France. Il y en avait tellement, Robert ! Tout à coup, je t'ai vu perdu au milieu de cet océan de points rouges et j'ai pensé que je ne te retrouverais jamais. J'ai été prise d'une telle angoisse que j'ai dû sortir respirer dehors.

Tu conclus ta lettre par ces mots : « ***Je suis heureux d'avoir une femme comme toi et des amis sur qui je puis compter. Je t'embrasse de tout cœur.*** »

En la relisant, je ne peux me défaire d'un sentiment d'urgence. Pourtant, tu t'y montres aussi rassurant et optimiste que d'ordinaire.

Pour chasser ce malaise, je me suis dépêchée de confectionner un paquet en tenant compte de tes souhaits. Ça n'a pas été simple, car depuis que les Alliés ont débarqué en Normandie, « la route du beurre est coupée », comme dit le populo parisien. Je ne peux plus me ravitailler à mes bonnes adresses. On manque de tout, même les chats ont dû s'habituer à la soupe.

Enfin j'ai fait ce que j'ai pu, mais à la Croix-Rouge, on m'a précisé que les colis ne devaient pas excéder cinq kilos et qu'ils étaient limités à un par quinzaine. J'ai dû retirer les vêtements, le camp de Flöha n'autorise que les vivres. J'y ai joint une longue lettre que Julia a traduite en allemand, avec ces détails quotidiens dont tu es gourmand, la vie de la maison et des copains, toutes les bonnes nouvelles que je pouvais t'annoncer : les Tual attendent des jumeaux, Ghita a reçu un courrier de Théodore, et la plus belle de toutes : la parution de ton recueil *Contrée*, publié par Robert Godet dans une édition superbe, avec une splendide eau-forte de Picasso. À Paris, nous n'avons plus d'électricité pendant la journée, alors on a dû le tirer à la main, mais c'est du beau travail et tu seras content.

Ce qui va te faire rire, c'est que tu figures en bonne place sur le grand tableau que Labisse expose en ce moment aux Tuileries, *La Matinée poétique*, à côté de Jean-Louis Barrault, de Sade, de Jarry et d'Apollinaire. Pouvais-tu rêver meilleure compagnie ?

J'aimerais en savoir plus sur ta vie à Flöha. Travailles-tu dans les houillères ou dans les filatures de coton ? Toi qui n'es pas bricoleur pour deux sous, j'ai du mal à t'imaginer à l'usine.

J'espère que tu gardes un coin de ciel pour rêver, et assez d'énergie pour composer ces poèmes qui te sont aussi nécessaires que l'eau et le pain. Je pense pouvoir t'envoyer de l'argent par l'office des changes. Un petit pécule te permettrait d'acheter des cigarettes et d'améliorer l'ordinaire.

J'ai fêté ta première lettre avec nos amis. Jean-Louis et Madeleine étaient presque aussi heureux que moi.

Jeanson affirme que tu reviendras avec assez de projets pour nous épuiser tous.

On dit qu'un bonheur n'arrive jamais seul. Paul Éluard est rentré de l'asile de Saint-Alban où il s'était réfugié avec Nusch. Depuis son retour, il se cache chez les uns et les autres. Il est passé me voir tout à l'heure. Nous avons longuement parlé de toi. Il m'a donné le dernier numéro de *L'Honneur des poètes*, paru clandestinement le 1er mai avec un de tes poèmes, *Le veilleur du Pont-au-Change*, signé Valentin Guillois. Paul admire ton courage et la puissance de ta poésie.

— Il tire sa force de son amour fou pour la vie, m'a-t-il dit avant de me quitter. C'est son talisman et son armure. Ne t'inquiète pas, tu es là, au chaud dans sa poitrine.

Ainsi, tu ne te contentais pas de jouer les aventuriers. Comment ne m'en suis-je pas doutée ? Je te revois écrire dans ton refuge, les volets fermés, et Jules qui ronronnait à tes pieds.

Je viens de lire ton *Veilleur* et il m'a bouleversée. Il porte les espoirs et la noblesse des combattants de l'ombre. C'est une grande vague qui nous emporte et m'a remplie d'émotion et de fierté.

Pendant que je le lisais à haute voix pour Mitsou, les sirènes ont commencé à mugir, annonçant un bombardement. Nous avons dû nous réfugier dans la cave du voisin avec les chats. Ce ciel qui tonnait avec fureur était celui de ton poème, Robert. L'aube que tu annonces se lèvera bientôt, et mon cœur se gonfle à l'idée que tu reviendras.

Le docteur Leuret vient souvent me voir. La plupart du temps nous parlons de toi. L'autre jour, avant de s'en aller, il s'est levé et m'a annoncé tout de go qu'il dirigeait un réseau de Résistance. Il m'a demandé si j'accepterais d'en faire partie.

Il m'a semblé qu'en t'attendant, je n'avais rien de mieux à faire.

29 JUILLET

Un jour, tu as écrit dans un poème que même vieille, je resterais belle «*par la vertu d'un feu reflété constamment*». Ce feu, disais-tu, serait le reflet de l'amour qu'on m'avait porté, des attentions de mes amants.

Robert, ces amants dont tu prends ombrage s'envolent avec la poussière qui me fait éternuer et sourire. Ils me rappellent que je suis en vie, ils calment ma faim, distraient un instant le vertige de ton absence. Un instant seulement.

Ma peau n'a pas de mémoire. Je peux les croiser dans la rue le lendemain et les saluer distraitement comme si je ne leur avais rien donné.

De toi, je n'ai rien oublié. Ce geste, quand tu te penches et enlèves tes lunettes pour m'embrasser. L'odeur de tes cheveux, le goût de ta salive, la brûlure de tes mains. Le désir qui te change imperceptiblement, donnant un éclat fauve à tes prunelles. La ferveur. Tes yeux traversés d'orages et de tendresse après la jouissance. Le poids de ton corps sur le mien.

Pardonne-moi de m'arrêter là, c'est trop douloureux.

Je relis ta deuxième lettre reçue ce matin, et cette fois, j'entends ta voix dans les mots que Julia m'a traduits :

Notre souffrance serait intolérable si nous ne pouvions la considérer comme une maladie passagère et sentimentale. Nos retrouvailles embelliront notre vie pour au moins trente ans. De mon côté, je prends une bonne gorgée de jeunesse ; je reviendrai rempli d'amour et de forces.

Je te retrouve dans cette certitude tranquille que demain tout ira mieux, ou un peu moins mal. Tu n'attends pas que le ciel soit au beau fixe. Tu guettes l'éclaircie, l'accalmie dans la tempête. Ton bonheur est fait de choses modestes, quelques grains de soleil et d'amitié, un rêve qui n'appartient qu'à toi, une promesse que tu t'es faite.

J'aurais voulu t'offrir 100 000 cigarettes blondes, douze robes des grands couturiers, l'appartement de la rue de Seine, une automobile, la petite maison de la forêt de Compiègne, celle de Belle-Isle et un petit bouquet à quatre sous. En mon absence, achète toujours les fleurs, je te les rembourserai. Le reste, je te le promets pour plus tard.
Mais avant toute chose, bois une bouteille de bon vin et pense à moi.

Tu t'en inquiétais, ta lettre est arrivée à temps pour mon anniversaire. Il n'y a que ton retour qui aurait pu éclipser ce cadeau. Nous sommes nés le même mois, au cœur de l'été orageux et sensuel. Je trouve que ça nous va bien. Tu as eu quarante-quatre ans le 4 juillet 1944.

Cette avalanche de quatre ressemble à une formule ésotérique. Toi qui es plus calé que moi, crois-tu qu'ils nous porteront chance ?

Tu termines ta lettre en me disant que tu débordes de projets de poèmes et de romans, mais tu regrettes de *n'avoir ni la liberté ni le temps de les écrire*. Tu me demandes de prévenir Gaston Gallimard qu'à ton retour, tu lui enverras le *manuscrit d'un roman d'amour d'un genre tout nouveau*. Et tu ajoutes : *J'espère que cette lettre est notre vie à venir. Mon amour, je t'embrasse aussi tendrement que l'honorabilité l'admet dans une lettre qui passera par la censure.*

À quoi ressemblent tes journées ? Je me figure une vie d'usine, épuisante et monotone. Je suis en contact avec madame Rödel, dont le mari est avec toi à Flöha. Il lui a écrit que vous étiez devenus amis, que tu étais très populaire parmi les détenus français. Cela ne m'étonne pas. Tu ne te plains de rien, ta lettre est tournée vers l'avenir, ton énergie contagieuse. À te lire, je me persuade que cette épreuve sera bientôt derrière nous.

Je vais aller acheter le bouquet de quatre sous à la marchande de la rue de Seine, et tout à l'heure, avec les copains, je boirai une bonne bouteille à ta santé.

VENDREDI 18 AOÛT

Paris est en grève. Plus de trains ni de métros, les usines sont arrêtées, le gaz et l'électricité coupés la plupart du temps. La police s'est mise en grève aussi.

À leur grand dam, les Feldgendarmes sont obligés de faire la circulation. En ville, l'atmosphère est explosive. Des coups de feu éclatent sans crier gare, on peut mourir bêtement dans la queue de la boulangerie, en attendant son tour.

Hier, j'ai fait une longue promenade avec Jean et Charlotte Galtier-Boissière. Nous avons ri jaune en passant rue de Rivoli : sur chaque arcade, quelqu'un a écrit à la craie « Rendez-nous *Je suis partout* ! » Laval avait suspendu ce torchon mais il a reparu il y a trois jours. Provocateur, Laubreaux déclare qu'il n'a aucune intention de s'en aller.

— Ça m'étonnerait ! m'a dit Galtier. Les rats quittent le navire. Luchaire et Brinon sont partis pour Baden-Baden, Céline s'est tiré des flûtes… Connaissant le courage de Laubreaux, il doit être en train de boucler ses valises.

Robert, je n'aime pas les règlements de compte mais ça me ferait mal qu'il s'en tire. Après avoir dénoncé tous ces gens, t'avoir fait déporter… J'espère qu'on le coincera avant qu'il ait passé la frontière.

— Tu verras, la semaine prochaine ce ne sera plus *Je suis partout* mais *Je suis parti* ! a lancé Galtier, qui tuerait pour un calembour.

Depuis quelques jours, des centaines de camions allemands traversent la ville en direction de l'est, désertant Paris à l'approche des armées alliées. Sur les Champs-Élysées, nous avons croisé d'immenses colonnes de blindés, des ambulances qui transportaient les blessés du front de Normandie, des cars pleins de soldats, des tractions noires et des voitures luxueuses dans lesquelles les huiles de la Gestapo prenaient la poudre d'escampette avec leurs poules.

Les grands hôtels se vident, mais il reste encore assez de Fritz pour nous empêcher de respirer librement. Jean et Charlotte m'ont gardée à dîner. D'après la radio anglaise, les Américains auraient dépassé Chartres. S'ils pouvaient avancer plus vite !

Du balcon des Galtier-Boissière, on a vu d'autres camions boches qui venaient de la rue de Vaugirard. Les badauds s'étaient rassemblés sur la place de la Sorbonne pour assister au spectacle. Tout à coup, des SS ont surgi et on a entendu des rafales de mitraillettes. Nous nous sommes prudemment repliés dans l'atelier de Jean.

Galtier redoute que les Allemands dévastent Paris avant de partir. Il a évoqué l'horrible massacre qu'ils ont commis à Oradour-sur-Glane, les villes brûlées à l'arrière du front de l'Est. Ses descriptions morbides ont dû m'impressionner car cette nuit, j'en ai cauchemardé. Sauf que dans mon rêve, ce n'était pas nous qui brûlions, c'était toi. Et tes mains se tendaient vers moi à travers les flammes. Je me suis réveillée en sursaut, tremblant de tout mon corps.

24 AOÛT

Il doit être près de deux heures du matin. Cette nuit, nous n'allons pas dormir beaucoup.

Tant de choses à raconter que je ne sais par où débuter.

L'insurrection de Paris a commencé le 19 août. Un appel du colonel Rol-Tanguy, le chef des Forces françaises de l'intérieur, en avait donné le signal. Au début, il a été peu suivi. Quelques centaines de partisans menaient des actions de guérillas et le gros des Parisiens regardait et comptait les points, se carapatant chez eux à la première alerte.

Peu à peu les rangs des insurgés ont grossi, ça canardait à tous les coins de Paris, les flics avaient rejoint les FFI et occupaient la préfecture. Comme disait le docteur Leuret, il y avait des résistants authentiques mais pour la plupart, c'était surtout l'occasion de faire oublier toutes les saloperies qu'ils avaient faites pendant quatre ans. Peu importe, on avait besoin de toutes les bonnes volontés car le rapport de forces restait très inégal. Si la Gestapo avait levé le camp, la Wehrmacht avait laissé assez de troupes pour défendre Paris. Ils avaient des blindés, des explosifs à revendre, des mitraillettes et les miliciens de Darnand, qui avaient pris goût au sang et ne demandaient pas mieux que d'en découdre.

Il nous fallait des armes.

Avec le docteur Leuret et quelques FFI, on tenait conciliabule dans l'escalier quand on a vu débouler le voisin maréchaliste du rez-de-chaussée. J'ai cru qu'il allait nous faire une de ses déclarations fracassantes de vieux ronchon réac, mais non, il nous a demandé de le suivre dans la cour. Et là, dans un coin, sous une simple bâche, il y avait des fusils, des grenades et des pistolets, tout un arsenal. Il m'a regardée et m'a dit :

— C'est votre mari qui les a cachées là. Une nuit de février, je n'arrivais pas à dormir, je suis sorti faire un tour et je suis tombé sur lui, il était en train d'installer la bâche. Il m'a dit bonsoir, il a soulevé la bâche pour me montrer ce qu'il y avait dessous et m'a avoué : « Vous voyez, ces armes serviront à la libération de Paris. Je vous le dis pour que vous le sachiez, je sais que vous ne me dénoncerez pas. »

Il m'a fixée de nouveau et il a ajouté lentement :

— Je sais qu'ils ont pris votre mari. Et je voulais vous dire... Ce n'est pas moi, je n'ai rien dit. D'ailleurs vous voyez, les armes n'ont pas bougé. On n'était pas d'accord sur certaines choses, mais je le respectais.

J'ai hoché la tête et je me suis appliquée à ravaler mes larmes. Je le crois sincère. Il est rentré de la dernière guerre avec un éclat d'obus dans la colonne vertébrale et une vénération pour le Maréchal. Il râle beaucoup, mais ce n'est pas le genre de raclure à dénoncer son voisin.

Le même jour, j'ai proposé au docteur Leuret d'installer un PC pour les FFI chez nous, ce qui l'arrangeait car des fenêtres du salon et de la bibliothèque, on avait une vue imprenable sur la rue Mazarine jusqu'à l'Institut.

Les combats ont fait rage jusqu'au lendemain, où des camions équipés de haut-parleurs ont fait le tour de Paris pour annoncer que le général von Choltiz avait conclu une trêve avec les insurgés. Elle avait pour but de gagner du temps en attendant l'arrivée des Alliés, mais elle n'était pas du goût de tout le monde. Le 22 août, le colonel Rol a fait placarder dans Paris une affiche qui appelait les Parisiens aux barricades.

Mon amour, comme j'ai pensé à toi en voyant cette foule descendre dans les rues, arracher les pavés et les arbres pour monter en quelques heures des centaines de barricades ! Malgré la chaleur étouffante, tout le monde prêtait main-forte : les jeunes filles en robes légères, les séminaristes, les vieux... Même les gosses s'en donnaient à cœur joie. On se serait cru revenu au temps de la Commune, tu aurais adoré ça ! Boulevard Saint-Michel, certains s'abritaient derrière des portraits d'Hitler et de Mussolini pour obliger les Allemands à tirer sur leurs idoles. Sur les monuments, nos drapeaux tricolores flottaient à nouveau. Le peuple de Paris se réveillait d'une léthargie de quatre ans, les clameurs se mêlaient au sifflement des balles et aux explosions. Nous n'avions ni électricité, ni gaz, ni ravitaillement mais on sentait partout une fureur joyeuse et un soulagement, même si beaucoup des nôtres tombaient sous les balles des Allemands. Les barricades ont permis de couper la route aux blindés et de maintenir les Fritz dans ces enclaves où il était plus facile de les attaquer. On a dressé une grande barricade rue Mazarine et les FFI tiraient de nos fenêtres en direction d'un char qui venait de l'Institut. Moi, j'aidais à fabriquer ces bouteilles incendiaires qu'on avait surnommées « la mort des chars », qui étaient diablement efficaces. De temps en temps, le docteur Leuret m'emmenait en reconnaissance et on traversait la ville dans une fièvre de fin du monde et de 14 juillet. Chargée de réquisitionner des vivres pour le comité médical de la Résistance, je tentais de faire des miracles malgré la pénurie.

On racontait que la deuxième division blindée du général Leclerc était à une vingtaine de kilomètres de Paris, une minute plus tard quelqu'un assurait qu'ils étaient à Nanterre, rien n'était vérifiable et les rumeurs couraient, plus folles les unes que les autres. On parlait de dizaines de résistants massacrés au bois de Boulogne et au Luxembourg, de prisonniers fusillés, de femmes tondues pour « collaboration horizontale ». Je n'y croyais pas avant d'en croiser une le visage raviné par les larmes, passant entre deux types hilares. Ils lui avaient dessiné une croix gammée sur le front, ça m'a retourné le ventre mais je n'ai rien pu faire. Il y avait autant de bon que de mauvais dans cette foule. Et Galtier, qui continuait à promener son chien tous les matins entre les explosions et les rafales de mitraillettes, m'a dit que des enragés avaient bien failli lyncher les Tual parce que leur domestique indochinoise s'était montrée à la fenêtre. En ces jours de fièvre revancharde, il ne faisait pas bon avoir l'air japonais.

Et puis, ce soir, un peu après dix heures, on a entendu les cloches. Elles carillonnaient partout à travers la ville, annonçant l'arrivée des Alliés. J'étais en train de verser à boire à mes FFI, on vidait consciencieusement la cave de ton père, faute d'avoir quelque chose à manger. On s'est figés, et l'émotion nous a submergés en comprenant qu'ils étaient enfin là. On est descendus dans le noir, le ciel s'embrasait à l'est et des feux de Bengale illuminaient la nuit. Dans les rues, les gens applaudissaient malgré les coups de feu des miliciens postés sur les toits. Je voyais un couple d'amoureux en ombres chinoises, le garçon serrait la fille à l'étouffer et dans mon cœur à moi, je n'arrivais pas à séparer la tristesse et la joie. Parce que tu n'étais pas là pour vivre ce moment que tu avais tellement attendu. Et je ne pensais qu'à toi en traversant la Seine vers l'Hôtel de Ville, au milieu de cette foule en liesse, respirant cet air chaud où se mêlaient l'odeur du sang et de la poudre.

Ce qui me réconforte, c'est que cette fichue guerre va bientôt finir et que tu rentreras à la maison.

23 OCTOBRE 1944

Je relis mes derniers mots et je réalise combien j'étais naïve. Au fond, nous l'étions tous, pensant que la libération de Paris entraînerait celle du monde alors que nous n'étions qu'une tête d'épingle sur un champ de bataille immense.

Toujours pas de nouvelles de toi depuis ta dernière lettre. L'angoisse me ronge, d'autant que l'allégresse de la Libération a vite laissé place à l'amertume et au bal des faux-culs. Tous les jours, on dénonce et on arrête des gens, et les plus véhéments ne sont pas de grands résistants. Au contraire, il s'agit souvent de petites frappes cupides qui ont profité du désordre de l'insurrection pour s'acheter une conscience toute neuve et se posent maintenant en arbitres de la morale et de la vertu. Et pendant ce temps, comme dit Galtier, les vrais pourris dorment au chaud à Sigmaringen, ou bronzent comme Alain Laubreaux au soleil d'Espagne.

Aujourd'hui, Georges Suarez a été condamné à mort. J'ai fait ce que j'ai pu pour l'aider, je lui devais bien ça. Il a été très mal défendu. Les dés étaient pipés, il n'avait aucune chance de s'en sortir, d'autant qu'il avait signé des papiers approuvant les exécutions d'otages et d'autres stupidités qu'on ne pouvait lui pardonner. Ce n'était pourtant pas un mauvais homme, mais il manquait de jugeote et parlait à tort et à travers. Son avocat avait appelé près de trois cents témoins auxquels il avait rendu service. Nous avons été cinq à comparaître… Sur les cinq, un médecin a chargé Suarez, tout en reconnaissant qu'il avait tout mis en œuvre pour sauver son fils. Moi, j'ai témoigné de ses démarches pour te faire libérer, j'ai ajouté qu'il avait continué à me verser ton salaire alors que tu étais déporté, qu'il savait sa rédaction infiltrée de gaullistes et les protégeait.

Ils ont prononcé sa condamnation à mort sous les applaudissements du public. Je me suis levée et j'ai traversé la salle pour lui dire au revoir. Je lui ai serré la main, nous étions très émus. Avant que les gardes ne l'emmènent, il m'a dit :

— Quand vous le verrez, faites mes amitiés à Robert.

Je ressens une profonde mélancolie que la tendresse de nos chats n'arrive pas à soigner. L'air rafraîchit déjà et l'idée de passer un nouvel hiver sans toi n'est pas réjouissante. La France a beau être libérée, on mange encore plus mal que sous l'Occupation, les restrictions empirent. Jeanson soutient qu'il a retrouvé le poids qu'il faisait en prison, quand on le nourrissait de pain rassis et de soupe claire. Heureusement, j'ai gardé quelques amis en Normandie et maintenant que les liaisons sont rétablies, je peux de nouveau améliorer l'ordinaire et t'envoyer des colis.

Mais, Robert, je donnerais tant pour recevoir de tes nouvelles…

Je me perds en conjectures, j'ai peur que tu sois tombé malade.

Le pire serait que tu sois mort et qu'on ne me l'ait pas dit. Cette pensée m'est insupportable.

5 DÉCEMBRE

Il fait un froid terrible et personne n'a de charbon.

Le procès de la bande de Bonny et Lafont a commencé il y a deux jours et l'on va de révélation en révélation. Ce qui semble établi, c'est que le voyou Lafont tutoyait tout le gratin parisien et rendait des services à tout le monde. Pendant qu'on torturait dans les caves de la rue Lauriston, il traitait ses relations au champagne à l'étage. La presse donne en pâture les célébrités qui fréquentaient la rue Lauriston, parmi lesquelles Jean Luchaire, le frère de Ghita, qui s'est réfugié à Sigmaringen avec sa fille Corinne. S'il rentre un jour, il risque de trouver un joli comité d'accueil.

Toujours aucun signe de toi, mais je vais beaucoup mieux depuis que Jean-Louis Barrault est passé me voir. Il venait aux nouvelles. Je lui ai confié mes craintes et il les a balayées avec pragmatisme :

— Il y a des tas de raisons qui peuvent l'empêcher d'écrire. Déjà, il faudrait vérifier si les familles des autres déportés ont reçu du courrier.

— Je n'en connais qu'un petit nombre, ai-je répondu. Je rends souvent visite à madame Rödel. Son mari est à Flöha, Robert et lui sont devenus copains là-bas. Je vais la recontacter mais la dernière fois que je l'ai vue, elle n'avait rien reçu non plus.

— Ça ne m'étonne pas. À mon avis, le camp rationne le courrier. Mais dis-moi, ton Rödel, il ne s'appellerait pas Henri, par hasard ?

— Si ! Tu le connais ? lui ai-je demandé avec étonnement.

Il m'a dit que son ami le professeur Guillemin avait épousé une Jacqueline Rödel. Les écrits du professeur lui avaient attiré les représailles de *Je suis partout* et l'avaient contraint à se réfugier en Suisse en 1942. Depuis la Libération, il est attaché culturel de l'ambassade de France à Berne. Jean-Louis l'a revu récemment à Paris, et il lui a confié que sa femme se faisait un sang d'encre pour son petit frère Henri qui avait été déporté en Allemagne. Le monde est tout petit, Robert. Et les fils du destin sont tissés de coïncidences. Jean-Louis a ajouté que le professeur Guillemin espérait faire passer des messages à son beau-frère par le biais de la Croix-Rouge suisse.

— Il m'a laissé entendre qu'il était en lien avec des réseaux de Résistance et réfléchissait à la possibilité de le faire s'évader. Ce qu'il peut faire pour Henri, il peut le faire pour Robert ! Il l'aime beaucoup, et quand il saura qu'il est aussi à Flöha…

Jean-Louis est un magicien, il m'a rendu toute mon énergie. Je suis prête à partir sac au dos à ta recherche. Cela fait déjà dix mois que tu as été arrêté.

29 JANVIER 1945

Ce matin, j'ai embrassé le facteur qui était très

surpris ! Il m'apportait la première lettre de toi en six mois, ça méritait bien un baiser. Tu l'as envoyée chez le professeur Guillemin car tu t'imaginais que j'étais en Suisse. Je crois que tu n'as rien compris à ce que j'avais tenté de t'expliquer dans ma dernière lettre. Nos beaux projets sont tombés à l'eau, rien n'a été possible. La Croix-Rouge n'est pas admise dans l'*Arbeitslager,* et tout ce que nous avons pu obtenir, c'est qu'elle te fasse parvenir quelques colis supplémentaires. Nous avons vite compris que sans moyen de te contacter, te faire évader était chimérique. À côté de Royallieu, le camp de Flöha ressemble à une forteresse imprenable. Comme les autres, ta lettre est rédigée en allemand :

« D'abord, tous mes vœux de bonheur pour 1945, ma grande chérie, avec la conviction de pouvoir te les répéter dans le cours de l'année, tout mon amour, toute ma tendresse. En échange, je te demande d'être bien patiente pendant ce trop long intermède. Mais comme tout sera beau après ! »

Tes mots tant espérés étaient doux comme le premier bain de mer d'un corps épuisé.

Tu es en vie, tu vas bien, tu m'aimes encore. Alors rien n'est perdu, rien n'est irrattrapable, il suffit d'être patient. Tu t'inquiètes car tu connais mon impatience, mais tu sais, ces derniers temps j'ai beaucoup changé. J'ai compris à quel point tu m'étais essentiel, et que toutes ces années, finalement je m'étais laissé aimer sans m'interroger sur mes sentiments. C'était plus facile de me couler dans ton amour comme s'il était naturel d'être gâtée, protégée, adorée.

Ces longs mois de silence ont été si douloureux que j'ai éprouvé le besoin de retrouver ta voix. J'ai rangé ta bibliothèque, pas aussi bien que Titi, mais elle a déjà meilleure mine. J'ai retrouvé une liste que tu avais dressée de textes à publier s'il t'arrivait quelque chose. J'ai décidé de m'en occuper pour t'en faire la surprise à ton retour. Dans ta lettre, tu me donnes procuration pour administrer nos biens et ton œuvre. Je ne suis pas sûre qu'un courrier qui n'est pas rédigé de ta main puisse avoir une valeur juridique, mais je m'en servirai pour faire valoir mes droits.

J'ai commencé à trier et relire tes poèmes et tout à coup, c'est comme si un voile se déchirait et que je voyais clair. Certains vers me brisent le cœur. J'y lis la souffrance d'un homme qui ne s'est jamais senti vraiment aimé. Et je me demande comment j'ai pu vivre tant d'années à tes côtés sans être fichue de te dire combien je tenais à toi. Comment j'ai pu donner si peu à celui qui me donnait tout, le blesser si souvent par ce qui ressemblait à de l'indifférence.

Jamais jamais d'autre que toi
Et moi seul seul seul comme le lierre fané des jardins
[de banlieue seul comme le verre
Et toi jamais d'autre que toi

Robert, comment ai-je pu te laisser seul dans notre amour ?

Je ne sais pas l'expliquer, je n'ai pas ta clairvoyance.

Quand j'ai perdu ma famille, en tout cas celle qui m'avait élevée, je crois que j'ai compris brutalement que rien n'était solide et acquis pour toujours. À partir de là, j'ai vécu ma vie comme si je devais en tirer le meilleur parti avant qu'elle se termine.

J'ai su très tôt que ma beauté, ma jeunesse étaient périssables. Je ne supportais pas l'idée de limiter mon désir. J'avais tellement faim, Robert... Il me fallait le monde entier, il me fallait tous les hommes. Je les oubliais aussitôt, je passais mon chemin et si je les blessais, je ne m'en rendais pas compte.

Quand j'ai connu Foujita, j'étais folle de lui mais passé les débuts radieux, j'ai fui vers d'autres rencontres. J'avais besoin de retrouver ce prélude où tout est neuf et excitant, la timidité et l'impatience, le premier baiser, la découverte des corps.

Et puis je t'ai rencontré. Tu arrivais avec ton amour en bandoulière, tes souliers rafistolés et un sourire à décrocher le cœur, tu m'entourais d'attentions, de cadeaux insolites, d'histoires à dormir debout. Tu me disais que tu m'aimais, tu en faisais des poèmes, des tableaux. Quand j'ai réalisé que tu étais vraiment mordu, j'ai voulu te détacher de moi. Je te battais froid, passais mes nuits avec d'autres. Mais rien n'y faisait, tu t'accrochais. Tu étais plus têtu que moi. Ce que j'ai pu être rosse avec toi, quand j'y pense.

Ce qui m'est le plus douloureux, c'est d'avoir gaspillé tout ce temps à refuser d'admettre que je t'aimais.

Les siècles de nos vies durent à peine des secondes.
À peine les secondes durent-elles quelques amours.
À chaque tournant il y a un angle droit qui ressemble
[à un vieillard.

Ces vers me serrent la gorge. Combien de secondes nous reste-t-il ?

Je relis la fin de ta lettre. Tu me demandes des nouvelles de nos amis, réclames d'autres colis, des vivres, du savon, du tabac. Tu aimerais que je me renseigne pour une maison à Belle-Île et à la préfecture «*pour un bel appartement dans le genre 6, rue de Seine*».

Je te sens décidé à profiter du temps qui nous sera donné, à ne pas en perdre une miette. Ton urgence répond à la mienne.

Tu m'écris : ***Pour le reste je trouve un abri dans la poésie. Elle est réellement le cheval qui court au-dessus des montagnes dont Rrose Sélavy parle dans un de ses poèmes et qui pour moi se justifie mot pour mot.***

J'ai parcouru les aphorismes de *Rrose* que tu avais dictés à André Breton dans le sommeil hypnotique, et j'ai retrouvé celui que tu évoques :

Rrose Sélavy peut revêtir la bure du bagne, elle a une monture qui franchit les montagnes.

Comme ils sont prophétiques, ces mots jaillis du mystère... Ton bagne à toi, je ne peux que l'imaginer, il disparaît derrière de hauts murs qui ressemblent au camp de Royallieu. De l'autre côté, je vois une campagne endormie sous le givre. L'eau gelée d'une rivière, les toits de quelques fermes serrées en hameaux. Et vous, retranchés derrière l'épaisseur du silence.

« Et à toi, ma grande chérie, mon entier amour qui t'arrivera mais très refroidi par le voyage et la traduction.

À bientôt ! tout mon amour !»

C'est ça, Robert. L'amour que tu me portes était entier dès le départ. Le mien était avare et frileux.

Je compte bien me rattraper.

2 MAI

Ce soir, les journaux annonçaient la mort d'Hitler. Nos yeux incrédules s'arrêtaient sur ces gros titres, était-ce vraiment possible ? Était-il enfin mort, l'Ogre qui avait mis le monde à feu et à sang ?

Je n'ai rien reçu de toi depuis ta lettre du 7 janvier.

La guerre n'est pas finie mais les Russes sont à Berlin et on attend la capitulation de l'Allemagne d'un jour à l'autre. Les Russes ont libéré la Pologne et mené une course de vitesse avec les Américains pour entrer les premiers dans la capitale allemande.

Sur leur route, les Alliés découvrent des camps de concentration. Certains avaient été vidés avant qu'ils arrivent, ils n'y ont trouvé que des mourants et des monceaux de cadavres abandonnés à ciel ouvert.

Les déportés commencent à rentrer. Pour les accueillir, on a installé des centres d'accueil à la gare d'Orsay, à la caserne de Reuilly et à la piscine Molitor, réquisitionné les cinémas Rex et Gaumont. Mais la plupart arrivent à l'hôtel Lutetia où ils subissent une désinfection et un questionnaire éprouvant qui a pour but d'écarter les imposteurs, les collabos et les nazis qui se glissent parmi eux, profitant du désordre administratif.

Je vais tous les jours au Lutetia.

Une foule immense attend en permanence devant les barrières. Un océan de gens perdus qui appellent au secours, brandissant les photos de leurs proches. À chacun sa douleur, sa peur et son espoir.

Les photos exposées sur de grands panneaux montrent des visages aux joues pleines et aux yeux brillants. Mais les êtres qui descendent des autobus sont des vieillards sans âge, méconnaissables, si maigres qu'on se demande comment ils tiennent debout. Quand j'ai vu les premiers arriver en boitant, portés par des jeunes volontaires de la Croix-Rouge, la phrase de *Nosferatu* est revenue me tourmenter : « Passé le pont, les fantômes vinrent à sa rencontre. »

Avec leurs yeux éteints dans ces visages si creusés qu'ils collaient au squelette, ils flottaient dans leurs vêtements rayés, leurs membres pouvaient se briser au moindre choc. Ils ne souriaient pas. Le simple fait de respirer, de marcher, mobilisait ce qu'il leur restait de forces. Ils traversaient silencieux cette foule qui les assaillait de questions, leur tendant des photos qu'ils regardaient sans les voir. Certains avaient peur en découvrant tout ce monde, des infirmières et des scouts les prenaient par la main, leur parlaient à l'oreille pour les rassurer, écartaient ceux qui agrippaient leurs manches.

Le premier jour, je suis rentrée si épuisée que Mitsou m'a mise au lit. Je tremblais malgré la douceur printanière. Elle a remonté les couvertures et m'a servi quelque chose de fort pour me requinquer. Je n'arrivais pas à lui dire dans quel état étaient ces gens, qui étaient montés dans des trains comme le tien et revenaient de ces camps aux noms difficiles à prononcer. Auschwitz, Buchenwald, Sachsenhausen, Majdanek.

— Il faut que j'envoie un colis à Robert ! ai-je crié en me levant.

Alors Mitsou m'a rappelé que mes derniers courriers m'avaient été retournés, qu'il était tard, qu'à cette heure les bureaux de la Croix-Rouge étaient fermés. Mais je n'arrivais pas à me calmer. L'image de ces déportés se superposait aux lettres où tu me demandais toujours d'autres colis, des vivres.

— Je n'en ai pas envoyé assez..., répétais-je à travers mes larmes à Mitsou qui me berçait. Je n'en ai pas envoyé assez.

7 MAI

Ton ami Rémy Roure sort de chez nous. Il m'a contactée il y a quelques jours pour me demander si j'accepterais de le recevoir. Il ignorait que tu n'étais pas rentré. Quand il est arrivé, il m'a baisé la main avec une politesse cérémonieuse. J'étais surprise de découvrir un homme âgé. Peut-être n'est-il pas aussi vieux qu'il en a l'air. Il est assez grand, même si la déportation l'a voûté. Son visage décharné dégageait une force calme qui m'a impressionnée.

— Chère madame, je pensais que votre mari m'aurait précédé. J'espère qu'il rentrera vite. Nous sommes partis de Compiègne par le même convoi et nous sommes restés ensemble jusqu'à Buchenwald. Là, nos routes se sont séparées. Robert a fait partie d'un transport pour

Flossenbürg. Moi, je suis resté à Buchenwald jusqu'à la libération du camp.

J'étais avide de détails sur toi, sur vous tous. Mais je le sentais réticent. Je lui ai dit qu'il pouvait parler sans crainte de me choquer ou de m'effrayer. Que j'avais lu des témoignages dans la presse et qu'une fois surmonté ce premier choc, je me sentais capable de supporter le reste. J'avais besoin d'apprendre par quoi tu étais passé.

— J'étais dans le wagon de Robert au départ de Compiègne, m'a-t-il répondu presque timidement. Sur la porte, une inscription peinte indiquait : « Hommes : 40, chevaux : 8. » Il nous a fallu nous entasser à cent vingt par wagon. La plupart ne pouvaient pas s'asseoir, Robert et moi avons organisé des tours. Il faisait très chaud et l'air manquait. Il a fallu réguler l'accès aux deux grilles d'aération car beaucoup s'évanouissaient.

Il m'a raconté ce voyage de quatre jours où vous ne pouviez ni dormir, ni manger, ni boire. La souffrance, l'épuisement, les bagarres pour un centimètre, pour une goulée d'air. Les nuits où le délire prenait les hommes rendus fous par la soif, la promiscuité, l'asphyxie. Ce déporté qui hurlait qu'il savait voler, qui se débattait en vous criant de le laisser déployer ses ailes. La puanteur grandissante qui se dégageait de ceux qui étaient morts pendant le trajet.

— Robert et moi étions collés dans un coin avec Henri Rödel, a continué Rémy Roure. Rödel priait. C'était son évasion à lui. Et je me souviens que Robert a dit : « ***Je ne crois pas en Dieu, pourtant nul n'a l'esprit plus religieux que moi.*** » Ils s'entendaient bien, l'anticlérical et le croyant, ils se respectaient. Chacun de nous avait sa façon de s'abstraire de ce voyage insupportable. Robert s'est mis à réciter des poèmes. Il était question d'une sirène, je me souviens. C'était si étrange, d'entendre des vers dans ce train de la mort… Je l'ai regardé. Ses yeux dérivaient, il voyageait plus loin que nous.

Il ne savait pas à quel point il me bouleversait en évoquant ce moment où pour tenir, tu te récitais les vers que je t'avais inspirés.

Rémy Roure retrace la troisième nuit, la torture de la soif, les crises de folie, la violence. Tu n'avais plus de salive, tes lèvres étaient crevassées. Tu ne parlais presque plus, concentré sur ta survie. Vous n'étiez que des animaux, vous empestiez la charogne et la merde. Et puis enfin, le train s'est immobilisé, les portes se sont ouvertes et vous avez basculé dans un monde brutal et sauvage : une nuit aveuglée par les projecteurs, déchirée par les aboiements des chiens. Des dizaines de SS habillés de noir menaçaient un millier d'hommes hagards de leurs mitraillettes, abattant les mourants et les fous, frappant sans pitié ceux qui perdaient l'équilibre.

Quand le train avait freiné, vous aviez espéré que c'était la fin du cauchemar. Ce n'en était que le début.

— Chère madame, vous me dites que vous avez lu des témoignages, mais Auschwitz-Birkenau n'était pas un camp comme les autres… J'hésite à faire entrer dans votre esprit des images qui risquent de vous hanter pour toujours.

— Non, racontez-moi, lui dis-je. Mon ami Galtier-Boissière a lu certains rapports sur le camp d'Auschwitz.

Je sais qu'on y assassinait les gens dans des chambres à gaz.

En pesant ses mots comme s'il maniait des grenades, Roure m'explique qu'en avril 44, le complexe de Birkenau était une immense usine de mort tournant à plein rendement, édifiée sur un marais pestilentiel. Tous les jours, des fournées de déportés arrivaient de l'Europe entière et après une sélection, les vieux, les femmes et les enfants étaient directement conduits à la chambre à gaz. Il planait dans le camp une odeur obsédante qui émanait des grandes cheminées dont s'élevait une épaisse fumée rouge. Tandis qu'on vous faisait courir à coups de nerfs de bœuf vers les bâtiments qui se détachaient dans la lumière des projeteurs, un kapo polonais a prévenu : « Ici on entre par la porte, on sort par la cheminée. »

Après une course de plusieurs kilomètres, on vous a tous parqués dans deux bâtiments aveugles qui ressemblaient à de grandes écuries et qui empestaient. Le sol était fait de flaques d'eau boueuse.

— Tout à coup, quelqu'un a crié : « On est dans les écuries de la mort ! », dit Rémy Roure. Il traduisait notre pressentiment. La panique nous gagnait. Certains tremblaient, incapables de se maîtriser. J'avais retrouvé Robert et Rödel perdus dans le chaos de l'arrivée. Robert s'est mis à aller de l'un à l'autre, attrapant la main des plus choqués pour en déchiffrer les lignes. D'un ton chaleureux, il prédisait à l'un qu'après la guerre, il ferait faillite deux fois avant de se lancer dans une affaire qui le rendrait riche. À un autre, il annonçait qu'une jolie femme lui briserait le cœur mais que s'il était patient, il finirait par vivre un amour heureux.

Sur son passage, les visages se détendaient, reprenaient confiance. Ils voulaient tous le consulter, ils lui tendaient leurs mains. Il a obtenu en quelques instants ce que les officiers ou les prêtres n'étaient pas arrivés à faire : dissiper une angoisse mortelle. Nous transporter hors du camp, nous convaincre qu'il y aurait un après. C'était extraordinaire.

Je suis trop émue pour pouvoir articuler une réponse. Je te vois chercher dans chaque paume ce qui permettra à ces hommes de distraire leur peur. Leur communiquer ta chaleur, ton optimisme lucide et rayonnant. Je me souviens de ta passion pour la chiromancie. Tu en plaisantais souvent, affirmant qu'un jour tu en ferais un métier.

Roure reprend son souffle, accepte le verre que je lui tends. Il s'excuse, il n'est plus habitué à parler autant. Je lui offre un sourire qui est la politesse des larmes. Je brûle de l'écouter encore. Chaque mot qu'il prononce me rend un peu de toi. Mais je ne veux pas le brusquer. Derrière ces yeux qui me fixent sans ciller, il y a un abîme que nous effleurons avec des précautions infinies.

Il reprend son récit. Vous avez attendu près de dix-huit heures, nus dans des couloirs glacés. On vous avait dépouillés de toutes vos affaires et tatoué un matricule sur le bras gauche. Puis on vous a douchés, rasé à sec le crâne et les parties intimes en vous écorchant, avant de vous infliger l'épreuve d'une désinfection au crésyl qui vous brûlait la peau et les muqueuses. Pour achever le processus d'humiliation et de dressage qui ferait de vous des esclaves dociles, des kapos vous ont lancé en riant des habits dépareillés, récupérés sur les cadavres.

Tu as hérité d'un pantalon de velours bouffant élimé, d'un maillot en lambeaux, d'une veste d'uniforme polonais trop large, d'une casquette de jockey à visière et d'une paire de sabots où tes pieds flottaient.

— Pendant l'enregistrement et la désinfection, nous étions classés par ordre alphabétique, m'explique Roure. Quand nous nous sommes retrouvés enfin, un fou rire nerveux nous a gagnés de nous voir dans ces défroques de clowns. Nous ne pouvions plus nous arrêter. Je crois que ce rire était une défense face à l'absurdité de tout ça. Ce jour-là, nous avons appris que tout ce qu'on venait de nous infliger, du rasage au numéro tatoué, nous sauvait de la chambre à gaz. Un kapo nous avait confié que le gazage était réservé aux Juifs. Pourtant, depuis le début, les SS nous prenaient pour un convoi de Juifs, ce qui expliquait qu'on nous ait dirigés sur Birkenau. Dix jours plus tard, on nous a fait monter dans un train pour Buchenwald. Y avait-il eu un malentendu, une erreur d'aiguillage au départ de Compiègne ? Je crois qu'on ne le saura jamais. Nous avons quitté Auschwitz avec un immense soulagement. Un SS nous avait parlé de Buchenwald comme du « paradis des camps ». Nous avons vite déchanté, mais à côté de Birkenau, Buchenwald était une amélioration. Quand nous nous sommes éloignés de ces marais pestilentiels, Robert était guilleret. Il m'a dit : « Je crois que nous allons vers un genre de Royallieu. » Il se montrait optimiste..., conclut-il, me faisant comprendre qu'il est trop fatigué pour poursuivre son récit.

Quand je l'ai raccompagné à la porte, il m'a dit qu'il

était soulagé d'avoir réussi à me dire tout ça. Avant de venir, il pensait qu'il n'y arriverait pas.

— Vous savez, l'autre jour, devant l'hôtel Lutetia, quand j'ai vu tous ces gens. Je me suis dit qu'ils ne pourraient jamais nous croire. Mais vous, vous n'avez pas peur de la vérité. Vous êtes telle que je vous imaginais quand Robert parlait de vous. S'il vous plaît, prévenez-moi dès que vous aurez de ses nouvelles.

Je le lui ai promis et je l'ai regardé descendre les marches une à une, comme un homme très âgé qui craint de tomber à chaque pas.

Un peu plus tard, j'ai entendu les gens crier dans la rue que la guerre était finie et j'ai laissé couler les larmes que j'avais contenues.

23

16 mai 1945

Quand j'ai appris le retour d'André Verdet, mon cœur a bondi dans sa cage. J'ai pensé : si André est vivant, Robert aussi. S'il est rentré, Robert ne tardera plus. Dans ma tête, j'ai lié vos destins ensemble, comme on fait un vœu.

André est venu me voir avant-hier. Quand j'ai ouvert la porte, l'émotion m'a submergée et nous sommes tombés dans les bras l'un de l'autre. Comment le grand type séduisant que j'avais quitté a-t-il pu devenir cet échassier fragile ? Quand il m'a serrée dans ses bras, j'ai senti les os saillants de ses épaules et j'ai eu peur de lui faire mal.

— Ma belle Youki..., m'a-t-il dit avec émotion. Je ne pensais pas t'embrasser avant Robert. J'espère qu'il ne m'en voudra pas trop !

— Ça va le faire rentrer plus vite ! ai-je souri.

Nous nous sommes assis dans la salle à manger, j'avais préparé un vrai festin au regard des privations mais André y a à peine touché. Il m'a expliqué qu'il ne pouvait manger que de toutes petites quantités à la fois. Quand les Américains sont entrés dans Buchenwald, ils ont distribué leurs rations alimentaires aux fantômes hagards qu'ils libéraient. Beaucoup sont morts de s'être jetés dessus. Leurs organismes étaient trop fragiles pour supporter tant de nourriture d'un coup.

— Après avoir survécu à tout ça, ce serait bête de mourir d'avoir trop mangé ! me lance-t-il, et son rire qui se casse en route m'évoque un animal blessé.

Je me tiens devant lui, intimidée, avec toutes ces questions qui se bousculent et dont je redoute les réponses : est-ce que tu allais bien quand il t'a quitté ? Et surtout, pourquoi vous êtes-vous séparés ?

— J'ai rencontré Rémy Roure, lui dis-je finalement. Il m'a raconté votre horrible voyage, votre arrivée à Auschwitz. Il m'a dit que Robert lisait les lignes de la main de ceux qui étaient en état de choc pour les calmer. Il m'a raconté beaucoup de choses… N'aie pas peur de me parler. Tu sais. J'ai besoin de savoir. Quand Robert rentrera, je veux pouvoir l'aider à oublier tout ça.

André me regarde en silence. Il semble hésiter à me répondre.

— Ma Youki. Robert n'oubliera jamais ce qu'il a vécu là-bas. C'est un voyage dont on ne revient pas vraiment, tu sais. Dans le train pour Buchenwald, il m'a confié qu'il avait laissé une partie de lui à Auschwitz. Il a réfléchi et précisé qu'il y avait laissé son enfance, son insouciance. Je ressens la même chose. La part la plus précieuse de moi est restée là-bas.

Je me suis tue, la gorge nouée. Je ne veux pas entendre que tu rentreras si abîmé, que c'est irréparable.

— Nous sommes restés presque deux semaines à Auschwitz, continue André. Là-bas le temps n'existait plus. Il se cognait au brouillard, à cette lumière vitreuse, cette fumée dont l'odeur prenait à la gorge, cet horizon fermé par les barbelés. Nous dormions entassés les uns sur les autres dans un hangar dressé entre deux fours crématoires. On a vu passer des processions de gens qu'on assassinait dès leur arrivée. Les enfants attendaient sagement dans la file, sous la pluie glacée.

André s'interrompt pour boire un verre de vin et s'éclaircit la voix avant de me demander :

— Tu es sûre que tu veux que je continue ?

— Oui, dis-je dans un souffle, même si je ne vois plus que ces gosses qui grelottent sous la pluie devant la chambre à gaz, en attendant leur tour.

— Robert voulait résister à cette horreur, il était décidé à survivre pour en témoigner. Jusqu'au dernier jour, on a tremblé qu'ils nous liquident tous. Ils étaient indécis, visiblement on leur posait un problème. Le 11 mai, les SS nous ont fait courir jusqu'aux douches, poursuivis par les chiens et les matraques. Là, on a eu très peur. Mais c'était de l'eau qui coulait des pommes de douche. Glacée, mais de l'eau. Ils ont récupéré nos habits de clowns et nous ont donné des uniformes rayés de bagnards. Cette nuit-là, il y a eu des rumeurs de départ. On n'osait y croire mais on l'espérait de toutes nos forces. Le lendemain matin, un gradé SS nous réunit devant la gare de marchandises et nous explique qu'on part pour Buchenwald, « le meilleur camp d'Allemagne ». Qu'on y sera bien traités, qu'on aura à manger, qu'on travaillera dans les usines de guerre. Dans sa grande générosité, il nous annonce un voyage à cinquante par wagon avec les portes ouvertes et du ravitaillement. Notre interprète l'a entendu ajouter : « Vous n'auriez pas dû venir ici. Oubliez ce que vous avez vu. » On est montés dans les wagons, gardés par des SS ukrainiens qui avaient l'air moins cruels que les autres. Le train a commencé à s'ébranler, la gare d'Auschwitz-Birkenau s'éloignait lentement et nous, on n'avait qu'une peur, c'est que le train fasse machine arrière. On longeait les barbelés et les baraquements, Robert était assis près de moi et on a aperçu un groupe de jeunes Juives qui agitaient les bras vers nous. Elles avaient beau être maigres et couvertes de haillons, elles étaient belles. C'était poignant de les voir nous faire signe et nous sourire. Elles nous ont lancé leur ration de pain malgré nos protestations. L'une d'elles était française, elle venait de Montmartre. Elle nous a crié : « Dites aux Alliés de se dépêcher ! S'ils tardent trop, ils ne trouveront plus personne ici… » C'est la dernière image qu'on a emportée d'Auschwitz. Depuis, je n'ai cessé de penser à ces jeunes femmes. Et aux camarades qu'on a laissés là-bas, trop faibles pour être transportés.

— André, dis-moi comment était Robert. Est-ce qu'il allait bien ? Il n'était pas trop épuisé ?

Je l'ai presque supplié. Il boit quelques gorgées et me sourit :

— Il tenait bien le coup. Il était sûr qu'on serait bientôt libérés et que Buchenwald serait « un Compiègne allemand ». Comme nous tous, il ressentait un grand soulagement de quitter Auschwitz. Et puis le voyage se faisait dans des conditions plus humaines, on ne souffrait pas, certains en profitaient pour dormir. C'est là que Robert m'a confié qu'il avait perdu sa part d'enfance.

Le regard d'André s'échappe vers tes yeux flottants derrière les lunettes d'écaille. Tu rêvassais, le visage appuyé contre la portière. Tu te demandais tout haut si je t'aurais embrassé avec ta dégaine de clown, cette tête rasée aux yeux agrandis. Tu promettais à André qu'un jour on en rirait tous devant un bon petit vin, dans ce bistro de la rue Dauphine qui était votre quartier général. Et puis tu avais évoqué ce Tchèque qui t'avait lancé son quignon de pain au-dessus des barbelés. Un infirmier condamné à ne soigner que des moribonds. Sa femme et son petit garçon étaient « partis en fumée ». Il t'appelait « Ami français », espérant que tu n'étais pas antisémite. Il avait fait ses études en France. À quoi pouvait-il encore se raccrocher ? Il t'avait jeté ce quignon économisé à grand-peine. Le pain n'avait pas eu le temps de toucher le sol que déjà trois hommes chiens se jetaient dessus, prêts à s'entretuer pour ce trophée. Ils étaient si maigres... Tu aurais pu les terrasser tous les trois d'un geste. Ils grondaient et montraient les dents, risquant tout dans ce combat incertain. Tu mourais de faim. Tu avais laissé le quignon au plus déterminé, le regardant fuir sur ses jambes tremblantes. En te penchant pour aider les autres à se relever, leur regard hanté t'avait poignardé. Des morts qui ignoraient qu'ils étaient morts.

— Note qu'avec cette tête de veau, moi aussi je ferais peur à Youki ! lui as-tu lancé ce jour-là en croisant ton regard dans la vitre.

Et tu as ri, t'émerveillant de sentir un si violent désir de vivre et d'aimer, comme s'il s'était renforcé au contact de la mort.

— Rends-toi compte, mon petit père. Dans ce lieu où tout espoir a été anéanti, où les hommes sont réduits à la bête, certains arrivent encore à rester humains, solidaires, fraternels. Quand on voit ça, comment ne pas espérer en l'homme ? Tu verras, de cette horreur naîtra une conscience élargie, une espérance nouvelle. Je te prédis que les saisons à venir seront encore plus belles. On inventera d'autres façons d'être ensemble, on s'aimera moins mal.

André me sourit :

— Tu vois, même là-bas, c'était Robert ! Avec son optimisme et son humour, il nous faisait un bien fou. Il était très populaire.

— Mais pourquoi vous êtes-vous séparés ? Tu es resté à Buchenwald et il est parti, c'est ça ?

Le regard d'André se voile. Je sens sa réticence et mon ventre se contracte.

— À Buchenwald, les résistants communistes avaient réussi à infiltrer l'administration du camp. Ils occupaient les postes de Kapos, de chefs de block ou d'hommes à tout faire que les SS attribuaient en général aux « triangles verts » : des prisonniers de droit commun violents et sadiques. Une solidarité s'était installée. Elle rendait la vie au camp un peu moins inhumaine, même si on y mourait autant qu'ailleurs. À notre arrivée, les camarades nous ont dit de faire attention en renseignant notre profession. Choisir un métier « utile ». Par exemple, dire qu'on était électricien ou bûcheron nous permettrait de rester ici. Les derniers arrivés, s'ils étaient considérés comme inutiles, partaient par les « mauvais transports ». Ils étaient transférés dans des camps plus durs, où la mortalité était très élevée.

Le gros de notre convoi devait être conduit à Flossenbürg, un camp à la réputation terrible. Et Robert s'était déclaré comme homme de lettres. Je l'ai supplié de changer sa profession, je pouvais m'arranger pour qu'il reste à Buchenwald. Mais il a refusé.

— Mais pourquoi ?...

Je crois que j'ai crié. Le sang bat à mes oreilles.

— Il m'a répondu qu'il ne voulait pas dévier sa destinée, me répond André. Qu'on serait bientôt libérés, que c'était une question de semaines, et qu'en attendant il voulait aller aussi loin qu'il pourrait, voir d'autres camps. Il a ajouté : « J'ai pris conscience de mon destin à Auschwitz et il commence à me passionner. Je n'ai pas choisi de venir ici mais maintenant que j'y suis, je veux voir jusqu'où les Allemands peuvent aller. Quand je reviendrai, j'écrirai sur tout ça. Ne t'en fais pas pour moi, j'ai une étoile pour veiller sur moi et une Sirène à retrouver. Je ne risque rien. »

Mais NON ! ai-je pensé. Robert, pourquoi cette confiance aveugle en ton fichu destin ? À quoi te servait de ne pas croire en Dieu si tu confiais ta vie à une étoile ?

Ma main se crispait sur la table. J'étais tellement en colère contre toi. Comme je t'en voulais d'avoir négligé ta survie au profit d'une exigence déplacée. Pourtant je la connaissais, ton exigence. Elle t'avait poussé à rejoindre la Résistance. C'est en son nom que tu avais risqué ta vie, que tu avais été arrêté et déporté. Qu'elle ne t'ait pas abandonné là-bas, dans cet enfer, était le signe que ton moral restait solide.

Mais Robert, je t'en voulais de refuser de te mettre

à l'abri. Si tu avais pu fermer les yeux, attendre que l'orage passe, prendre ton mal en patience… En fait, j'aurais préféré que tu deviennes quelqu'un d'autre, si ça pouvait te sauver la vie.

— Tu sais, moi aussi j'en ai voulu à Robert de son entêtement, avoue André comme s'il lisait en moi. Tous mes arguments n'auraient rien changé. Le 23 mai, ça fera un an qu'on s'est dit au revoir dans une baraque pouilleuse, entre des châlits croulants de moribonds. Un an… tu te rends compte ? Quand on s'est quittés, on était persuadés de se retrouver quelques semaines plus tard dans un pays libre. On se disait : il suffit de tenir quelques semaines, ce sera dur mais on y arrivera. Si Robert avait su ce qui l'attendait, est-ce qu'il serait resté ? J'ai eu le temps d'y réfléchir. Je crois qu'il serait parti quand même.

Bien sûr. Parce que tu as toujours affronté ton destin avec une forme de sérénité. Tu avances, ouvert à tout ce qui peut se présenter, persuadé que le mauvais ne peut pas durer, que tôt ou tard l'horizon finira par s'éclaircir.

— Oui mais s'il était resté, tu aurais pu veiller sur lui !

— C'est ce que je croyais, me dit André. Mais j'étais naïf. J'ai vu mourir tant de gars plus solides que moi. À Buchenwald, il n'y avait pas de chambre à gaz, mais la mort régnait en maîtresse. C'était un lieu à la beauté majestueuse et funèbre, avec ces forêts qui semblaient avoir assisté au premier matin du monde. Il n'y avait pas d'oiseaux. Ils avaient fui la fumée des crématoires. Le temps changeait sans cesse, comme l'humeur des SS. À un orage glacial succédait une explosion de lumière irréelle. Là-bas on crevait de faim, de froid, de dysenterie, d'une pneumonie ou d'une infection. On mourait au travail, sous les coups d'un Kapo qu'on avait croisé au mauvais moment. Je n'ai pu sauver personne, ma Youki. Je n'aurais pas sauvé Robert. Alors… peut-être qu'il a pris la bonne décision. En fin de compte, la seule chose qui pouvait nous sauver c'était peut-être le hasard, ou le destin.

Je ne voulais pas laisser partir André, même si je voyais bien que nos retrouvailles l'avaient épuisé. Il me semblait que le quitter m'aurait éloigné de toi. Je lui ai fait promettre de nous revoir vite.

Aujourd'hui, nous avons rejoint Prévert sous un beau soleil pour déjeuner dans un de ces petits caboulots que tu affectionnes, et où l'on trouve encore un peu de viande malgré les restrictions.

Je vois souvent Prévert depuis qu'il m'a invitée à la première triomphale des *Enfants du paradis.* Avec la Libération et le succès de son film, il a repris du poil de la bête. Un nouvel amour l'a consolé. Il écrit de la poésie et va publier son premier recueil. Mais je crois qu'il ne s'attendait pas à trouver André si changé. Je le lisais sur son visage, même s'il faisait son possible pour ne rien montrer.

— Bon, maintenant on n'attend plus que Robert, a-t-il dit de sa voix traînante en allumant une cigarette. Il faut qu'il se dépêche, la belle saison arrive, celle qu'il préfère…

Quand il a prononcé ces mots, j'ai pensé à ce poème de toi que j'aime tant, à cette voix qui murmure à l'oreille de ceux qui souffrent :

Et vous ? ne l'entendez-vous pas ?
Elle dit « La peine sera de peu de durée »
Elle dit « La belle saison est proche ».

Ne l'entendez-vous pas ?

Et toi, Robert, est-ce que tu l'entends ? Est-ce qu'elle parvient jusqu'à toi ?

Peut-être es-tu déjà en chemin, voyant défiler à travers la vitre d'un train des villes allemandes ravagées par les bombardements alliés. Cette pensée m'a remplie de joie, et j'ai levé mon verre à la fin de nos tourments.

C'est là qu'André a raconté qu'à Royallieu, Robert surveillait les arrivées à chaque convoi et lui disait avec un sourire malicieux :

— Dis donc, mon petit père, peut-être qu'on va voir arriver Prévert ! Trois copains, c'est mieux que deux !

En entendant ça, les yeux de Prévert se sont remplis de larmes.

22 MAI

Robert est vivant ! Il est très affaibli, on l'a admis dans un hôpital russe. Mais le principal c'est qu'il est vivant !

Je respire enfin.

Le messager des jours heureux s'appelle Christian Leininger. C'est un officier alsacien du 11e cuirassiers. L'autre jour, en allant au Lutetia j'ai déchiffré son nom sur la liste des déportés qui venaient de rentrer et découvert qu'il venait de Flöha ! J'ai eu de la peine à le contacter. Après son arrestation et son internement à Compiègne, on a attribué son appartement à un couple qui s'est débarrassé sans vergogne de toutes ses affaires, les revendant à la sauvette. Rentrant de déportation, il a trouvé ces gens chez lui. Ils prétendaient avoir le droit d'y rester et l'ont mis à la porte. Il loge dans un hôtel bon marché qu'il paie avec le petit pécule qu'on lui a donné au Lutetia, en attendant de retrouver sa famille en Alsace.

Je lui avais laissé un message au Lutetia, et c'est ainsi que nous avons fini par nous trouver. Il a beau être aussi maigre que Rémy Roure et André, il m'a paru en meilleur état. Il se dégage de lui une volonté impressionnante. Il était un peu cérémonieux, je l'ai mis à l'aise en lui disant que les amis de Robert étaient aussi les miens.

Au fil des jours, je lis dans la presse des témoignages plus effrayants les uns que les autres sur la libération des camps. À l'approche des armées alliées, les SS ont vidé les lieux et massacré les intransportables pour ne laisser que des cadavres et des moribonds. À Dachau, les Américains ont mis la main sur un ordre d'Heinrich Himmler précisant qu'aucun déporté ne devait arriver vivant aux mains de l'ennemi. Il fallait éliminer tous les témoins.

Ces articles m'ont plongée dans une angoisse grandissante. Je ne dors plus, poursuivie par d'horribles visions.

Christian Leininger m'a rassurée tout de suite : tu es vivant. D'après les témoignages qu'il a recueillis, tu es arrivé à Terezín, en Tchécoslovaquie, au moment de la libération du camp. Après t'avoir examiné, les Russes t'ont transporté à l'hôpital.

— Je l'ai quitté à Liebotchau, dans un massif montagneux qu'on appelle l'Erzgebirge, a-t-il précisé. Il était très affaibli, mais il n'était pas malade. Il va se retaper à l'hôpital et dès qu'il sera en état de faire le voyage, ils le rapatrieront.

Quand il m'a dit ça, j'ai pleuré comme une idiote. Il a attendu gentiment que je sèche mes larmes. J'avais tant de questions à lui poser que je ne savais par laquelle commencer. Alors j'ai tout repris depuis le début : Compiègne, Auschwitz et Buchenwald, les crématoires et le chêne de Goethe, dont la légende disait que la mort entraînerait celle de l'Allemagne, et qui a brûlé quand les Alliés ont bombardé Buchenwald.

Il ignorait la mort du chêne. Ça l'a fait sourire.

Après, je ne savais plus rien. Ta piste s'arrêtait en Bavière, au camp de Flossenbürg.

— On vous a dit beaucoup de choses, madame, m'a-t-il dit gravement. Je peux vous raconter ce que je sais avec la franchise que j'aurais pour un camarade, mais pourrez-vous le supporter ?

Je l'ai rassuré. S'il m'arrivait de pleurnicher, je n'étais pas une faible femme. Il pouvait me parler sans détour.

— Flossenbürg était un camp particulièrement dur, a-t-il commencé. Il se trouvait à huit cents mètres d'altitude et ses baraquements étaient étagés le long d'une pente raide. Il y avait un immense escalier, qu'il fallait gravir matin et soir en courant, sous la menace des coups. L'usine Messerschmitt d'à côté profitait de la main-d'œuvre à bas prix des déportés. D'autres travaillaient dans les carrières alentour, en plein air, par tous les temps. La mortalité était très élevée. Si nous étions restés, nous n'aurions pas tenu longtemps. Heureusement pour nous, un SS a voulu jouer un bon tour à son collègue de Flöha, qui lui réclamait deux cents spécialistes pour son usine. On y fabriquait le fuselage de petits avions de chasse, les Messerschmitt 109. L'officier SS s'est amusé à rassembler tous les déportés « inutiles » qu'il pouvait trouver, riant tout haut de sa blague, et nous a expédiés à son collègue. Dans notre groupe, il n'y avait pas un mécanicien, pas un ingénieur. Que des avocats, des professeurs, des militaires... Et deux poètes ! L'un d'eux était votre mari.

L'Arbeitslager Flöha était installé au cœur d'un village tranquille au nom de fleur. On vous a fait entrer dans une grande cour fermée par un portail où le mot « TÜLLFABRIK » était écrit en grosses lettres. Dans la cour, deux bâtiments imposants en briques rouges se dressaient l'un près de l'autre, abritant l'usine et le camp lui-même. Le Kommando était placé sous l'autorité de l'adjudant Brendel. Il y régnait en despote arrogant et trafiquait sur vos rations alimentaires, revendant au marché noir une partie de la nourriture qui vous était destinée. L'ancienne usine textile avait été reconvertie pour les besoins militaires. Vous veniez compléter des équipes d'ouvriers civils allemands, italiens et tchèques. Leur fréquentation vous apportait un peu de la liberté du dehors. Passé la déconvenue de découvrir que son collègue s'était payé sa tête, l'adjudant Brendel avait déclaré que ce n'était pas grave : les Français étaient plus dégourdis que les autres, ils apprendraient vite.

Au début, tu étais plutôt satisfait de ton sort. Après Auschwitz, Buchenwald et Flossenbürg, le Kommando de Flöha paraissait bon enfant. Et puis vous aviez la chance de travailler à l'abri des intempéries. Le quotidien aurait été presque supportable si vous n'aviez pas été affamés et livrés aux caprices de Kapos sadiques qui étaient tous des « droit commun » que les SS avaient tirés des prisons du coin.

— Robert avait été affecté à l'assemblage des tôles de flancs de carlingue. Il devait faire équipe avec un travailleur libre hollandais, mais Robert était si maladroit qu'il le rendait fou. Pire que ça, à la fin du premier jour, le Kapo qui le surveillait était persuadé d'avoir affaire à un saboteur. Et les saboteurs risquaient la pendaison. Mon ami Michel Garder, qui est devenu notre interprète car il parle huit langues, a dû intercéder pour lui. Il a réussi à le sauver, et à partir de là on l'a cantonné au balayage des locaux. Ce qu'il faisait à son rythme… a-t-il précisé en souriant. Il appelait ça le « phal mou » : le mal fou.

J'ai souri malgré ma terreur rétrospective. Tu n'es pas bricoleur pour deux sous, c'est un éternel sujet de plaisanterie pour ceux qui te connaissent. Ta maladresse légendaire, ce jour-là, a failli te coûter la vie.

— Si je comprends bien, Robert et moi devons beaucoup à Michel Garder, ai-je dit. J'aimerais le rencontrer.

À l'évocation de son ami, le visage de Christian Leininger s'éclaire. Tous deux alsaciens, ils se sont connus au 11e cuirassiers. À Flöha, ils avaient projeté de s'évader ensemble. Mais quelques jours avant le jour J, un camion qui vous transportait à Chemnitz pour votre douche mensuelle s'est renversé : la ridelle de gauche a basculé, vous projetant sur la route. Les derniers tombés ont écrasé les autres. Tu as eu de la chance : des cadavres ont amorti ta chute. Mais Leininger s'en est tiré avec une fracture du bassin qui ruinait son projet d'évasion. Michel Garder a dû trouver un autre complice. Ils se sont enfuis par une nuit froide de janvier où la neige tombait dru. Ils ont été repris.

— Comme Michel était le seul à parler allemand, tchèque, russe et polonais, il est resté suspendu à une exécution que Brendel retardait de jour en jour car il avait besoin de lui. Votre mari disait qu'il fallait être fou pour s'évader avec le crâne rasé et le matricule tatoué d'Auschwitz, dans un pays où régnait la terreur nazie. Il n'avait pas tort. Mais quand on est militaire, l'évasion est une seconde nature, presque un devoir…

Christian Leininger me confie qu'avant de faire ta connaissance, il pensait que les poètes étaient de doux rêveurs. Il avait été très surpris d'en rencontrer un dans la Résistance. Vous étiez très différents, il incarnait tout ce que tu détestais : un militaire attaché à l'ordre et à la religion. Mais vous aviez le même amour de la liberté. Peu à peu, vous avez appris à vous connaître et découvert que ce qui vous rapprochait était bien plus essentiel. Il savourait ton humour décapant, ta fantaisie, et était fasciné par tes consultations de chiromancie. Tu avais même initié Michel Garder, qui s'exerçait à lire les lignes de la main avec moins de talent que toi.

Un soir par semaine, tu déchiffrais les rêves devant un public conquis et tes interprétations déridaient les plus dépressifs. Si les détenus avaient rêvé de la tour

Eiffel, de la colonne Vendôme ou de l'Obélisque, tu triomphais : « J'en étais sûr, c'est un rêve érotique ! »

Leininger ajoute que ceux qui se sont frottés à ton ironie redoutable s'en souviennent encore. Dans ce domaine, seul Michel Volmer, encore un Alsacien, se hissait à ton niveau. Vous rivalisiez d'esprit caustique. Un jour, il t'a dit : « Heureusement qu'on ne nous a pas envoyés dans les mines de Silésie… Tu serais devenu un poète mineur ! » Tu en as été vexé au point de ne plus lui adresser la parole pendant deux jours.

Je souris. Sur le chapitre de ta valeur littéraire, tu peux te montrer susceptible. J'ai en mémoire quelques colères d'anthologie et ce critique snobinard qui a redescendu l'escalier de la rue Mazarine avec un œil au beurre noir, pour avoir insinué que tu t'étais laissé aller à quelques facilités de plume.

— À vivre confinés, on devenait claustrophobes, poursuit Leininger. On survivait comme on pouvait, la faim au ventre, dans la terreur des Kapos et des SS. Mais Robert nous apportait un souffle de rêve et de liberté. Je me souviens d'un jour particulièrement sombre. La veille, on avait pendu trois détenus l'un après l'autre. Nous avions été forcés d'assister à leur supplice sans baisser les yeux. La corde de l'un avait cassé, il s'était rompu les jambes en tombant, les SS avaient dû le porter pour le pendre de nouveau. À la fin, l'adjudant Brendel nous avait asséné : « J'ai le droit de vie et de mort sur chacun de vous », et nous avions senti combien c'était vrai. Le lendemain, le moral était bas, l'atmosphère pesante. Le dimanche après-midi, on avait le droit de se reposer au dortoir. Robert est venu nous voir et nous a raconté qu'une très jolie femme était en bas, parlant avec Brendel. Il nous a décrit ses longs cheveux soyeux, son élégance raffinée, son corps sensuel. « Elle a demandé à nous voir, elle va monter dans un instant. Mais attention les gars, il va falloir vous pomponner un peu. Parce que là vous allez lui faire peur, avec vos tronches de croque-morts ! » Nous nous sommes mis à retaper nerveusement nos paillasses, vérifier la tenue de nos uniformes rayés, redresser nos cols, frotter nos joues pour leur redonner des couleurs. Une excitation joyeuse envahissait le dortoir. Au bout d'un moment, nous voyant piaffer, Robert est allé ouvrir la porte et a dit : « Entrez, chère madame. » Puis il est revenu et nous a avoué que la belle visiteuse n'existait pas. Il l'avait inventée pour chasser nos idées noires. Son ami Henri Rödel lui a répondu, exprimant l'avis général : « Tu es un magicien ! Tu as réussi à nous faire avaler qu'une créature de rêve pouvait apparaître dans ce lieu sinistre, rien que pour nous. Pendant un instant, on y a cru et tu nous as rendus heureux. Alors merci, mon frère. Merci de nous rappeler que la beauté nous attend derrière ces murs. »

De sa voix ferme et précise, Christian me raconte la monotonie de l'horreur. Et moi je me raccroche à toi, à ta lumière. Tu me guides à travers les ombres, vers cet horizon que tes yeux contemplent à travers la nuit. Ne m'abandonne pas. Sans toi, j'ai peur et j'ai froid, je suis hantée par ces corps pendus qui tressautent sans trouver la paix.

— Au début de l'année 45, l'avancée des Alliés rendait les SS très nerveux. Le ravitaillement devenait difficile, nos conditions de vie empiraient. Jusqu'à l'été 44, Robert a reçu vos paquets : il les partageait avec Henri Rödel, ça leur a permis de tenir. Quand les liaisons avec la France ont été coupées, nous avons été privés de colis : notre état général s'est dégradé. Beaucoup sont tombés malades. Rödel a attrapé la tuberculose, il crachait du sang et toussait comme un perdu. Les maigres rations qu'on nous distribuait deux fois par jour étaient très insuffisantes. Et il y avait ce Kapo, Willy, une petite frappe qui lésait ceux dont la tête ne lui revenait pas. Il n'aimait pas Robert, il lui donnait une louche de soupe où il n'y avait presque que de l'eau. Un soir, Robert lui a fait signe de racler un peu au fond. Pour toute réponse, Willy lui a envoyé son poing dans la figure. Alors Robert lui a jeté sa gamelle de soupe brûlante au visage. Willy a quitté la pièce en hurlant et là, il y a eu un grand silence. Willy était protégé par les SS. Il comptait parmi ses amants le *Kapoküche*, le responsable de la cuisine, une brute sadique qu'on appelait L'Édenté. L'Édenté est arrivé fou de rage avec deux armoires à glace et ils ont tabassé Robert sous nos yeux. Ils l'ont frappé presque jusqu'à le tuer. Quand ils sont partis, Robert avait à peine la force de ramper dans son sang, tâtonnant à la recherche de ses lunettes brisées. Henri Rödel et Michel Volmer l'ont aidé à atteindre les lavabos pour laver son visage qui n'était qu'une plaie. Le lendemain il a reçu vingt-cinq coups de schlague. Pendant dix jours, il n'a pas pu s'asseoir ni dormir sur le dos. Mais il a enduré tout ça sans une plainte. Ce jour-là, il a gagné l'admiration de tous. Dans mon jargon de soldat, je dirais qu'il s'est conduit en brave.

Robert, comment te dire le mal que ça m'a fait

de t'imaginer roué de coups par ces brutes, privé de lunettes alors que ta myopie s'est aggravée ? Si j'avais été seule, je crois que je me serais effondrée. Mais en m'accordant sa confiance, Leininger m'obligeait à la mériter. Alors j'ai pris sur moi, je me suis raccrochée au fait que tu étais vivant. Et même si le récit s'enfonçait dans les ténèbres, j'ai décidé que je tiendrais bon, que je l'écouterais jusqu'au bout sans me noyer dans ma peur.

— Est-ce qu'il s'en est remis ? A-t-il gardé des séquelles ? ai-je demandé à voix basse.

— Une profonde entaille au front et des traces sur le visage, m'a dit Leininger. Il a eu du mal à marcher pendant des semaines, mais il ne s'en est pas trop mal sorti. Certains sont ressortis invalides d'une correction « maison ». Votre mari est plus robuste qu'il n'en a l'air. Quand le Kommando a été évacué, il était capable de marcher, contrairement à beaucoup d'autres.

Dans la nuit du 12 avril 45, l'interprète Michel Garder a tenté une nouvelle évasion et a été repris. Ligoté avec ses deux complices russes, il attend son exécution. Cette fois, il sait qu'il n'y coupera pas. Les gibets sont déjà dressés dans la cour, mais tu as surpris tout le monde en assurant que Michel ne serait pas pendu.

À l'aube du 14 avril, l'adjudant Brendel apprend que la 4e D.B. américaine est à sept kilomètres de Flöha. Aussitôt c'est le branle-bas de combat, les SS et les Kapos fondent sur les dortoirs et vous jettent dehors à coups de crosse : « *Los ! Los ! Heraus ! Schnell !* » Christian Leininger vous crie de ne rien oublier. Vous ne reviendrez pas. Dans la précipitation, certains n'ont pas le temps de prendre leurs claquettes. Tu jettes une couverture grise sur tes épaules et aides ton ami Henri Rödel à descendre l'escalier. Rassemblés à la hâte dans la cour, vous formez un troupeau bien mal en point. Les malades sont nombreux, certains grelottent de fièvre et tiennent à peine debout. Le grand portail s'ouvre et vous quittez cette Tüllfabrik qui est votre prison depuis un an.

Leininger garde pour lui l'angoisse qui le tenaille depuis qu'il a surpris l'échange de deux SS dans l'escalier. L'un disait à l'autre « On devrait les achever ici », et l'autre lui a répondu : « On fera ça en route. » Cette phrase résonne en lui comme un signal d'alarme. À partir de maintenant, il n'aura plus de repos, il ne baissera pas la garde.

Votre colonne s'ébranle lentement, prenant la route qui grimpe en lacets le long du flanc nord de l'Erzgebirge. Vous vous enfoncez dans la forêt et chaque pas est plus difficile que le précédent. L'adjudant Brendel vous accorde une demi-heure de pause tous les seize kilomètres. Le premier soir, vous vous écroulez de fatigue sur le sol d'une grange. On ne vous a rien donné à manger depuis le départ. Leininger s'inquiète, les plus faibles ne tiendront pas un deuxième jour à cette cadence.

Le lendemain, il faut repartir avec un bol d'ersatz pour tromper la faim. Sur la route de Marienberg, vous n'en pouvez plus, c'est en vain que les gardes vous frappent et vous hurlent dessus. Le prenant à part, un vieux territorial enrôlé de force dans la SS propose à Leininger de le conduire aux lignes américaines : une fois là-bas, il échangera sa vie contre la sienne. Christian

Leininger refuse de vous abandonner pour sauver sa peau. Il se sent responsable de vous, vous êtes liés à la vie à la mort.

Très lentement, vous traversez un village où personne n'a d'yeux pour vous. Les passants réservent leur compassion aux SS. Près d'une rivière, des enfants vous jettent les pierres destinées à leurs ricochets. Vous êtes devenus les croque-mitaines des légendes allemandes. Vous inspirez la peur et la haine.

Sur la route de Reitzenhain, il n'y a plus assez d'hommes valides pour soutenir les plus faibles. Impatienté, Brendel fait arrêter la colonne. Quelques instants plus tard, un garde revient à bord d'un camion conduit par un paysan du coin. Les Kapos y installent les invalides, invitant ceux qui sont épuisés à y grimper à leur tour. Quand Michel Garder et Christian Leininger traduisent, un souffle d'espoir parcourt la colonne et vous êtes nombreux à clopiner vers le salut qu'on vous tend. Leininger regarde le camion se remplir, il voit quatre SS fanatiques monter près du chauffeur, armés jusqu'aux dents. Le signal rouge s'allume en lui. Un pressentiment.

Le formuler à voix haute le condamnerait à une mort immédiate. Alors il fait barrage à ceux qui approchent :

— Pas toi ! Tu peux marcher !

Il repousse le petit André Bessière qui boite sans claquettes depuis deux jours et lui montre ses pieds en sang. Il t'écarte et tu protestes, tu as à peine la force de lui dire que tu n'en peux plus, tu n'es plus capable de faire un pas.

— Fous le camp ! Tu peux encore marcher !

Tes yeux étincellent de colère devant cette injustice.

Une fois chargé, le camion démarre, vous dépasse et disparaît entre les arbres. La colonne repart, les SS tirent au revolver pour vous faire accélérer, leurs balles frôlent vos mollets. Quand vous vous arrêtez enfin, dans une ferme près de la gare de Reitzenhain, vous êtes brisés de fatigue. Peut-être te consoles-tu à l'idée que ton ami Henri Rödel a eu la chance de faire la route en camion. Dans son état, un kilomètre de plus l'aurait achevé.

Alors que vous attendez dans la cour sans avoir le droit de vous asseoir, le camion revient. Mais il ne ramène que les SS et une pile de couvertures grises.

— Où sont les propriétaires des couvertures ? demande Michel Garder à un garde.

— *Alle kaputt…*, répond le vieux territorial d'une voix éteinte.

Christian Leininger et Michel Garder se figent. Leurs camarades ont été conduits dans le bois de Reitzenhain et fusillés. Les assassins ont abandonné leurs dépouilles sur place, leur jetant quelques poignées de terre pour tout linceul.

À cet instant, mon cœur se serre à la pensée de cette pauvre madame Rödel. Avant que nos courriers ne commencent à nous être retournés, elle avait annoncé à son mari la naissance de leur premier enfant, un petit garçon dans lequel elle voulait voir le présage d'un avenir heureux.

En même temps, je ressens un soulagement violent à l'idée que tu as échappé à ce massacre, grâce à l'ange gardien qui se tient devant moi. Quand je veux lui exprimer ma gratitude, il m'arrête : il a fait ce qu'il devait faire. Les camarades qu'il n'a pu sauver lui restent sur la conscience.

Dans le sinistre voyage qu'il retrace, vous êtes le troupeau fragile et lui le chien de berger qui tente de vous protéger des loups, rusant avec les SS pour les empêcher de tirer sur les traînards, vous criant d'ôter vos couvertures grises au passage de ces avions alliés qui allaient vous bombarder et que la vue de vos uniformes rayés a arrêtés à temps.

C'est encore lui qui apporte au petit Bessière ces claquettes retirées à un mort qui n'en avait plus besoin.

Et toi, où es-tu dans ce chaos ? La mort d'Henri Rödel t'a porté un coup terrible. Tu avances comme un somnambule, tes yeux myopes rivés au sol pour ne pas tomber, trébuchant et titubant.

J'imagine ta tristesse d'avoir perdu un ami, la rage qui roule et gronde en toi. Derrière toi, des coups de feu éclatent, des camarades s'écroulent. Celui qui tombe est abattu sur-le-champ.

La liberté n'a jamais été si proche, la liberté n'a jamais été si loin.

Ta fatigue est ce mur auquel tu te cognes à chaque pas.

Près d'un hameau, un SS hilare prête son pistolet à un gamin pour qu'il achève un prisonnier à sa place.

En quatre jours, vous n'avez mangé que quatre pommes de terre et une betterave. Vous vous jetez sur un pissenlit, une flaque d'eau, une poignée de brins d'herbe.

Votre marche est rythmée par les coups de feu qui éclaircissent vos rangs.

À la halte suivante, vous apprenez la mort d'Hitler. La radio allemande annonce : « Notre bienheureux Führer est mort à la tête de ses troupes. »

L'adjudant Brendel est plus sombre que jamais. De toutes parts, les routes lui sont coupées par l'avancée des Alliés. Que va-t-il faire de vous ? Vous êtes un fardeau encombrant. Vous l'incriminez.

Sans tes lunettes, la nuit tu es aveugle. Dans la grange opaque où on vous a parqués, tu es désorienté. Tu t'égares dans le clan des Soviétiques. Depuis le début, les Russes, déshérités parmi les déshérités, forment contre vous un bloc hostile. À Flöha tu en plaisantais, imitant les prières de ton ami Rödel : *« Mon Dieu, délivrez-nous des Russes. Les Allemands, on s'en chargera nous-mêmes. »*

Christian Leininger et Michel Garder sont réveillés par tes appels au secours. Ils se précipitent et t'arrachent à tes agresseurs qui t'ont battu à mort. Ils t'auraient tué pour te voler tes hardes, eux qui portent depuis trois ans la même tenue qui tombe en lambeaux.

Tes amis te sauvent la vie. Ton corps se recroqueville sous la douleur. Tes yeux sont noyés de larmes.

Les miens aussi.

— Pleurez, madame, me dit ton ange gardien. Parfois c'est nécessaire. Mais sachez qu'après cette nuit tragique, votre mari a été conduit en camion jusqu'à Terezín. Les SS avaient fui au matin sans demander leur reste. Je l'ai quitté là, mais il n'était pas seul : Michel Volmer et le petit Bessière étaient avec lui. Et cette fois, ils étaient entre de bonnes mains, celles des territoriaux. Quand ils sont arrivés là-bas, les Russes venaient de libérer le camp. Ils ont été confiés à la Croix-Rouge.

Après son départ, je relis ces mots que tu m'as envoyés de l'enfer :

Nos retrouvailles embelliront notre vie pour au moins trente ans. De mon côté, je prends une bonne gorgée de jeunesse ; je reviendrai rempli d'amour et de forces.

Je les relis jusqu'à ce que mes yeux brûlent, jusqu'à ce que la force de ta tendresse me ramène du côté des vivants.

13 JUILLET

Au Lutetia, depuis début juillet il n'y a plus qu'une permanence militaire dirigée par un lieutenant de ton convoi. Il supervise l'accueil des derniers déportés. Mais tu n'es jamais sur la liste des arrivants. Huit jours après sa visite, Christian Leininger m'a téléphoné pour me dire que le petit Bessière était rentré très affaibli de Terezín. Il avait le typhus et un début de tuberculose, son état inquiétait les médecins.

— J'ai demandé un ordre de mission pour retourner là-bas, m'a dit Leininger. Je vais chercher les retardataires.

— Dans votre état ? C'est de la folie ! me suis-je écriée. Envoyez quelqu'un d'autre.

— Ne vous inquiétez pas pour moi, madame, me

dit-il. Je dois y retourner. J'en ai besoin, pour trouver la paix. Je vous ramènerai Robert.

Faut-il qu'il t'aime, pour retourner dans cet endroit qui a failli être sa tombe ! Sa force ranime la mienne. Je lui confierais ma vie sans hésiter. Je lui ai confié mon dernier espoir.

Il est parti il y a quelques jours. Moi, je suis allée voir cette pauvre madame Rödel. Quelle tristesse de la trouver si défaite avec ce beau bébé dans les bras ! Leininger lui a raconté les circonstances terribles de la mort d'Henri. Elle se raccroche à sa foi pour ne pas sombrer. Elle tient pour l'enfant, mais elle fait peine à voir. À Flöha, son mari écrivait des poèmes sur du papier cigarette. Il les cachait avec les tiens, dans une petite boîte à chocolats que je t'avais envoyée. Je lui ai promis qu'à ton retour, nous lui donnerions les poèmes d'Henri.

Christian Leininger m'a dit qu'André Bessière avait été transféré à l'hôpital Bichat. Profitant du chaos d'un service hospitalier saturé par l'afflux des déportés, je me fraie un chemin jusqu'à la salle commune du service des blessés pulmonaires où « le petit Bessière » a été installé parmi les tuberculeux. Cette salle ressemble à un mouroir sinistre, si j'étais la mère de ce gosse, je le sortirais de là en vitesse avant qu'on me le rende entre quatre planches. Mais à mon arrivée, il n'est pas dans son lit et son voisin de droite me confirme entre deux quintes de toux qu'il lui a emprunté ses béquilles et a filé sans demander son reste.

— Vu son état, il ne doit pas être allé bien loin, ajoute-t-il avec une grimace.

Je le remercie, lui trouvant une mine à calancher dans

la semaine. Je ne compte pas m'attarder plus longtemps dans ce bouillon de culture et après avoir arpenté les couloirs à sa recherche, je ressors de l'hôpital en me demandant où il a bien pu filer.

Et là, à quelques centaines de mètres devant moi, j'aperçois un fantôme fragile qui traverse le boulevard Ney inondé de soleil, chancelant entre les voitures au risque de se faire renverser. Une fois sur l'autre rive, il reprend son souffle contre un réverbère. Le temps que je le rattrape, il s'est traîné jusqu'au café qui fait l'angle de la rue Marcadet et je le retrouve en terrasse. Il s'est écroulé sur une chaise, pâle à s'évanouir.

Il est si jeune. Ses cheveux tondus lui font un front démesuré, ciré par la sueur. Ses yeux noirs flottent dans leurs orbites. Il semble avoir emprunté le corps d'un autre, les habits d'un autre. Et surtout, il a l'air perdu. Comme je vais l'aborder, le serveur s'approche et lui demande :

— Qu'est-ce qui vous ferait plaisir ? C'est pour le patron.

— C'est gentil, répond le jeune homme. Remerciez-le pour moi. Je prendrai un café crème, mais j'aimerais aussi un croissant, alors…

— Le croissant c'est pour moi, dis-je en me présentant.

— Vous êtes Youki ? murmure-t-il, m'invitant à m'asseoir. La Sirène de Desnos ?

Je hoche la tête en souriant et il m'adresse un regard étonné, à la troublante fixité. Je devine sa curiosité.

— Mais alors… Desnos n'est pas rentré ? interroge-t-il gravement.

— Pas encore, dis-je. Christian Leininger est parti le

chercher à Terezín. Mais vous, André, comment vous sentez-vous ?

— Pas flambant, dit-il. Les toubibs disent que mon poumon est touché, mais s'ils me mettent avec les tubards, je vais y passer ! Alors j'ai préféré...

— ... Filer en douce ? Vous avez bien fait. Pour soigner ce poumon, on doit pouvoir trouver mieux que ce nid de microbes !

Il me sourit. Nous voilà complices. Pendant qu'il grignote de petites bouchées de croissant, nous bavardons de choses anodines. Il évoque les anecdotes que tu racontais à Flöha sur notre vie montparnassienne. Avant l'extinction des feux, pour distraire les plus jeunes, tu évoquais Kiki et Man Ray, Picasso et Pascin, Jean-Louis et Madeleine, et ta Youki, bien sûr. Dans les châlits infestés de poux, tu ressuscitais les petits bars de l'aube, les cuites de Prévert et les nuits au Bal nègre et tu détaillais pour ton public affamé les buffets pantagruéliques de l'inauguration de la Coupole.

— Je suis rentré dans la Résistance au lycée, me dit-il. Quand la Gestapo m'a attrapé, je venais de fêter mes dix-sept ans, alors vous pensez, tout ça me faisait rêver ! Desnos, il avait toujours plein d'histoires, on l'aurait écouté toute la nuit si on n'avait pas été si fatigués.

Il parle de toi avec un respect mêlé d'admiration, un attachement qui me touche. Il me confie qu'à Flöha, tu leur lisais de longs extraits d'un poème surréaliste écrit sur des petits bouts de papier cigarette. Tu l'avais baptisé *Le Cuirassier nègre.* Tu avais même commencé un roman d'amour.

— Comme il était très distrait, c'est son ami Rödel

qui était chargé de cacher la boîte en fer où ils rangeaient leurs poèmes.

— Rödel avait cette boîte sur lui quand il est mort ?

Ma question le laisse sans voix, alors je lui explique que Leininger m'a raconté votre dernière marche et la fin tragique d'Henri Rödel.

— Non, il l'avait confiée à Desnos avant de monter dans le camion, me dit-il. Mais la nuit où les Russes l'ont attaqué pour lui voler ses affaires, ils l'ont prise. Pour Desnos, ça a été un coup terrible. Comme si on lui avait volé son trésor le plus précieux. Jusque-là, il tenait bon. Mais après la mort d'Henri et la disparition de la boîte, son moral s'est effondré. Quand on est arrivés à Terezín, la Croix-Rouge nous a distribué des colis, mais les Russes n'en avaient pas. Desnos a proposé le sien à celui qui lui rendrait ses poèmes ! On n'avait pratiquement rien mangé depuis le départ de Flöha, il crevait de faim et il était prêt à donner sa ration pour cette fichue boîte… Il ne l'a pas récupérée, les Russes avaient dû la bazarder en voyant qu'elle ne contenait que des papiers.

J'ai la gorge serrée. Ce jeune homme ignore que tu t'es souvent privé de repas pour écrire ta poésie. Il ne mesure pas l'importance de ces vers griffonnés sur du papier cigarette.

Le petit Bessière devine mon inquiétude. Il me fixe de ses yeux trop grands et me dit de ne pas m'en faire, que tu vas t'en sortir. La dernière fois qu'il t'a vu, tu faisais quelques pas devant l'infirmerie du camp de Terezín, sous les arcades de pierre d'une galerie qui ressemblait au cloître d'un couvent. Deux déportés te soutenaient, tu n'étais pas encore assez solide pour marcher seul. Tu avais l'air heureux de le voir :

— Ah ! te voilà, mon petit père…

Il t'a demandé comment tu allais. Les derniers temps, la dysenterie t'avait terriblement affaibli. Tu as répondu avec un sourire las :

— À force de bouffer du charbon à en péter des flammes, je me sens un peu mieux. Je crois que j'ai passé le moment critique.

Son récit ne me rassure pas. J'insiste : est-ce qu'il t'a trouvé en meilleure forme ? Avais-tu l'air d'un convalescent en voie de guérison ?

— En fait, répond-il doucement, il avait l'air au bout du rouleau. Épuisé, les yeux très cernés. Il était si maigre, complètement voûté. Mais regardez-moi : je ne suis pas mieux ! Et pourtant je vis, je marche, je vous parle. Et je compte bien m'en sortir, tuberculose ou pas. Alors vous voyez, il y a de l'espoir ! conclut-il avec un sourire déchirant.

Tout à coup, il se souvient que ses parents doivent passer le voir et me demande de le raccompagner à l'hôpital. Il s'inquiéteraient de ne pas le trouver dans son lit.

Tandis que nous marchons tout doucement sur le boulevard et qu'il s'appuie à mon bras, il me confie encore :

— Vous savez, madame… Si j'ai tenu, là-bas, c'est grâce à lui. Je ne savais pas à quoi me raccrocher, alors je me suis raccroché à lui. Le 12 février, on a passé toute la nuit debout dans la cour. Les Alliés avaient repris Strasbourg et ils avaient annoncé que pour un Français tué, ils fusilleraient dix Allemands. À Flöha, l'adjudant Brendel nous a punis en nous gardant toute la nuit à l'appel. Tout à coup, j'ai réalisé que c'était la nuit de mes dix-neuf ans. Quand je l'ai dit à Desnos, il m'a chuchoté : « C'est gentil de m'avoir invité à ton anniversaire ! » Il a réussi à me faire sourire. Et puis il m'a dit que la jeunesse n'était pas forcément le temps du bonheur. Le lendemain, il a lu les lignes de ma main. Sa paume était chaude et douce, son contact m'a apaisé. Il m'a prédit que j'aurais trois enfants, que je travaillerais en entreprise. Que je galérerais pour le fric avant de connaître la fortune dans le dernier tiers de ma vie. Et… vous savez quoi ? Pendant la dernière marche, je n'ai pas arrêté d'y penser. Je me disais : tu ne peux pas mourir, tu dois avoir trois mioches !

Je suis rentrée à la maison. Tout est tranquille. La rue Mazarine résonne des bruits familiers du soir : la concierge sort les poubelles, l'eau se déverse dans les canalisations, j'entends l'écho de la conversation des voisins. Jules s'est installé sur ton fauteuil et attend que tu viennes lui ébouriffer le poil. Minouche a sa mine rêveuse de coureuse de matous, je crains que nous ayons bientôt une nouvelle portée sur les bras. Je suis assise à la table de la salle à manger, devant cette nature morte de Foujita qui manque à Théodore Fraenkel : il te l'écrit dans sa dernière lettre, postée de Moscou. Il espère rentrer avant toi, pour avoir le plaisir de te dire que tu l'as fait attendre.

J'ai décidé de t'écrire une lettre. Je te l'enverrai à Terezín, et j'espère qu'elle te ratera de peu parce que tu seras déjà en route pour Paris.

Tu as écrit dans *Le veilleur du Pont-au-Change* :

« Nous ne vous parlons pas de nos souffrances mais de notre espoir. »

Je ne te parlerai pas de mon angoisse, de mes nuits froides dans un lit vide, de mes nuits vides près d'un corps qui ne m'était rien.

Je veux te parler de mon espoir, cette chanson douloureuse qui me tient aux aguets. Je veux te parler de notre avenir, du fort de Belle-Île où nous irons nous retrouver. Rien que nous deux, et puis la mer.

D'abord je t'emmènerai à la campagne te refaire une santé, je veillerai sur toi, je te ferai respirer l'herbe fraîche, le parfum de ma peau mouillée, l'arôme du figuier et des abricots mûrs.

Nous ferons quelques pas comme des petits vieux à la promenade, bras dessus bras dessous, et les gens nous prendront pour des amoureux sages et bourgeois, monsieur et madame Desnos en villégiature.

Ils ne soupçonneront pas notre amour d'orages et d'arcs-en-ciel. Ils ne sauront rien du chemin que j'ai fait pour te rejoindre, à travers les terreurs et les ombres.

Je ne suis pas sûre de t'avoir rattrapé. Tu avais pris tellement d'avance. Mais j'ai fait de mon mieux et je pense arriver à te surprendre.

Robert, j'ai confié mon espoir à Christian Leininger. Ton ange gardien est bien capable de te sauver une dernière fois.

Si tu lis cette lettre, je veux que tu la lises debout, souriant et en bonne santé.

J'ai rencontré tes amis, ils m'ont déchiré l'âme et élevé le cœur, ou l'inverse. Grâce à eux, j'ai compris ce que tu avais souffert, et avec quel courage.

J'ignore de quoi tu pouvais bien parler avec Henri Rödel, dans ces longues conversations sur la foi qui laissaient penser à Michel Volmer que tu allais te convertir. J'espère que tu me le diras un jour.

Je ne sais pas non plus à quoi tu te raccrochais, sur la route, pour continuer à avancer au-delà de tes forces, pour traverser la nuit.

Tu garderas tes secrets, ils t'appartiennent.

Ce qui m'appartient, c'est de t'aimer assez fort pour que les fantômes restent à leur place et que la vie l'emporte sur la mort.

En lisant ce journal, j'espère que tu me feras confiance sur ce point.

Je t'embrasse plus haut que la tour Eiffel. Dépêche-toi de rentrer.

24

10 SEPTEMBRE 1945

C'est le matin du 1er août que j'ai appris ta mort.

Les chats se promenaient sur les toits lavés par la pluie de la nuit.

J'avais mis une jolie robe, je crois que tu l'aurais aimée.

Je pensais à Christian Leininger en route pour Terezín, je me sentais légère et joyeuse.

Au coup de sonnette je me suis précipitée avec, comme toujours, ce bond dans la poitrine à l'idée que tu serais peut-être là, maigre et souriant derrière la porte. Ce n'était pas toi, c'était notre ami Pierre Bost. À sa tête de circonstance, j'ai su. Avant qu'il dise un mot, avant qu'il ne s'asseye près de moi et ne déplie ce journal tchèque, avant qu'il ne me montre ton nom qui se détachait parmi tous ces mots étrangers, dans un article daté du 1er juillet. Avant qu'il me lise la traduction de ces quelques lignes qui annonçaient que le poète Robert Desnos était mort le 8 juin 1945 à Terezín, dans les bras d'un étudiant tchèque nommé Josef Stuna.

Je n'ai pas bougé, je n'ai pas pleuré, j'étais comme

anesthésiée. Je lui ai juste demandé si ce journal avait pu se tromper, te confondre avec un autre.

— Non, Youki, a-t-il répondu tristement. C'est bien Robert. Je suis désolé.

Des semaines suivantes, je n'ai que de vagues souvenirs. J'avais conscience de m'arc-bouter. Je repoussais toute émotion, je faisais le dos rond devant le chagrin des autres, je savais que la première larme effondrerait la digue.

J'ai affronté la tristesse de nos amis que ta mort rendait orphelins.

Et puis le Doc est rentré de Moscou en uniforme de colonel de l'escadrille Normandie-Niemen, avec cette belle étoile rouge qu'il avait gagnée en pilonnant les Boches. Il lui a suffi de me serrer dans ses bras pour fendiller mon armure.

Avec Théodore Fraenkel, c'était un peu de toi qui revenait me poignarder, le poison des jours heureux et des nuits sans amour, ce que j'avais raté, ce que j'avais gaspillé. L'idée torturante que tu étais mort seul et loin de moi, sans savoir combien je t'aimais.

Depuis la visite de Pierre Bost, les petits messages que tu me laissais sur la table de la cuisine rue Lacretelle, ces mots lancés comme des SOS en pleine mer revenaient me tourmenter :

« Il est huit heures moins dix. Je suis tellement seul sans toi. »

« Où es-tu ? Rien de toi. Pas un signe ! Cette attente me brise le cœur. »

« Youki ma chère Youki
Tu m'avais dit de venir, que tu serais là.
Je t'avais dit que je viendrais mais tu feras comme
[tu voudras...
Tu n'es pas là.
Je suis très malheureux
Mais je ne te reproche rien. »

La nuit, je les relisais jusqu'à ne plus rien ressentir. La douleur et l'alcool m'abrutissaient pour quelques heures. À l'aube, j'étais transpercée par le rappel de ta mort. La réalité me piquait comme un scorpion. Je finissais par croire que notre histoire n'était qu'une succession de rendez-vous manqués.

— Non, Youki. Robert savait parfaitement ce qu'il faisait quand il est tombé amoureux de toi, m'a dit le Doc. D'ailleurs, en bon médecin, je l'avais averti des risques qu'il courait à s'éprendre d'une femme fatale... Dans ton chagrin, il y a une part que je ne peux pas soigner. Mais pour ce qui est de la culpabilité...

Il a tiré de sa sacoche deux feuillets couverts de ton écriture. Ton testament.

Tu y léguais tous tes biens à Théodore Fraenkel, *« ou à son défaut à Paul Deharme »*, *« à charge pour eux d'assurer la jouissance matérielle de tous ces biens et argent à Youki Foujita, à qui je suis redevable des seules joies que j'ai connues »*.

Tu as écrit ces lignes le 6 novembre 1932, dans cet appartement que tu avais baptisé « la salle d'attente », où je te désertais quand tu avais besoin de moi.

— Tu vois ? m'a-t-il dit quand j'ai eu fini de lire. On se reproche toujours de n'avoir pas bien aimé. Mais tu l'as rendu heureux. Robert était un homme exigeant et complexe, il se serait lassé d'une gentille épouse. Il disait de toi : « J'ai trouvé une femme à ma mesure. » Une femme à laquelle se mesurer. Il avait raison. En son absence tu as tenu bon, tu as été courageuse, digne de lui. Je ne peux pas en dire autant de Ghita…, n'a-t-il pu s'empêcher d'ajouter.

— Ne sois pas trop dur avec elle, ai-je répondu. Elle était perdue sans toi, elle s'est raccrochée à ses amis, à son monde.

— Je ne lui reproche pas sa légèreté ni sa frivolité…, m'a-t-il coupée avec amertume. Je l'ai aimée pour ça, ses défauts me charmaient, y compris cette manière d'être déconnectée de la vie. Tu vois, je peux lui pardonner beaucoup de choses. Même d'avoir passé les dernières années à se distraire avec les amis de son frère pour oublier l'inconfort de l'Occupation… Mais un soir, Lodia a été averti d'une rafle et il ne savait où cacher son petit garçon. En désespoir de cause, il a appelé ma femme. Elle a répondu : « C'est impossible, je vais au théâtre. » Heureusement mon neveu a survécu à cette nuit. Robert lui a sauvé la vie, des gens courageux l'ont caché. Mais comment pourrais-je rester marié à quelqu'un qui a répondu « je vais au théâtre » quand la vie d'un enfant était en jeu ?

— Elle a dû avoir peur. Je ne sais pas ce que j'aurais fait à sa place.

— Tu le sais très bien. Quand Robert t'a demandé de cacher le jeune réfractaire au S.T.O., tu n'as pas hésité un instant.

J'aurais pu lui répondre que ce n'est pas si simple,

que pour beaucoup de gens, le courage ou la lâcheté se décident en quelques fractions de seconde. Mais je n'ai rien dit, parce que pour Théodore et toi le courage va de soi, il découle d'une pensée claire et d'un cœur généreux.

J'ai compris que cet égoïsme de Ghita resterait fiché entre eux comme une écharde. Si Théodore tentait de l'oublier, elle le blesserait à chaque étreinte. Ça me peine, ce gâchis qui vient s'ajouter à tous les autres.

La guerre a fait voler nos vies en éclats. Elle nous a déchirés à belles dents, dispersant des morceaux de nous à tous les vents.

25 OCTOBRE

Le 15 octobre, nous étions quelques-uns à attendre l'avion de Prague qui ramenait tes cendres. Aragon était là, mais je ne peux oublier que depuis des mois il parade en ville en déclarant partout qu'on ne te reverra pas. Je l'ai à peine salué, je suis restée avec Éluard, Jean-Louis Barrault et le Doc, ce noyau d'affection qui me protégeait de moi-même.

Quand l'avion militaire s'est posé sur la piste, un petit homme rondouillard avec un chapeau mou en est descendu, tirant nonchalamment sur sa cigarette. C'était le conseiller culturel de Prague. Dans ses mains grassouillettes, il tenait ce qui restait de toi. Un vent glacé nous sifflait aux oreilles. Nous nous serrions les uns contre les autres, gris de rage et de mélancolie, engoncés dans nos habits noirs, face à cet homme qui serait allé fumer sur ta tombe sans sourciller.

À la fin Jean-Louis n'y tenait plus, il m'a enlevée. Une fois dans sa voiture, il m'a dit :

— Je n'en pouvais plus, Youki. C'était insupportable. Tellement loin de lui ! Je voudrais recréer Robert, je voudrais revenir en arrière... Non, je voudrais que tout ça n'ait jamais existé. Viens, on va aller lui dire au revoir.

— Où ça ?

— Là où tu l'as quitté.

En roulant vers Compiègne, Jean-Louis m'a confié que lorsqu'il avait appris ta mort, il était allé rugir dans les bois.

— J'ai perdu mon frère choisi, mon meilleur ami. Je n'avais pas de mots. Juste un cri qui me traversait le corps. Mon chagrin est sans limites, je ne peux même pas imaginer le tien.

— Jean-Louis, je n'ai pas la force de revoir le pont, la gare. Un jour, je te montrerai. Mais là, je ne peux pas.

— Où veux-tu aller ? m'a-t-il dit doucement.

Je l'ai conduit devant la petite maison que tu rêvais d'acheter, en bordure de la forêt. Le panneau à vendre avait été enlevé, pourtant la maison semblait inhabitée. Elle n'était pas très grande mais elle était à notre taille. Et surtout, elle avait une grande cheminée pour accueillir nos amis. Son perron de pierre était couvert de feuilles mortes, la vigne vierge habillait ses murs gris d'un manteau flamboyant.

— Je me suis renseignée au mois de juin. Je voulais lui faire la surprise. Elle n'est pas très chère, et comme les Jeander réservaient à Robert un poste de directeur culturel à *Libération-Soir*... En économisant un peu, c'était possible.

— Elle est belle, a dit Jean-Louis.

— Tu te rends compte qu'on a passé nos dernières vacances ici ? On ne savait pas qu'il y retournerait si vite ! Sinon je l'aurais emmené en Bretagne. Il n'a pas revu la mer. Lui qui l'aimait tant.

— Ne t'inquiète pas, va, m'a-t-il répondu. La mer, il l'a emportée avec lui.

Il s'est enfoncé dans la forêt pour nous laisser en tête à tête.

Je ne savais pas quoi te dire. Je ne savais pas si tu m'écoutais.

Tu n'es pas dans cette boîte noire, pas plus que dans le caveau de famille où on va te ranger dans quelques jours.

Pour moi, tu es partout. Ton absence occupe l'espace.

Depuis ton départ, je t'associe à ce que je vis, à chaque gorgée de vin, à chaque moment partagé avec nos amis. Pour te rejoindre, j'ai mis mes pas dans les tiens, j'ai dormi sur ton épaule, arpenté tes rêves et ta poésie.

Je sais que Jean-Louis a raison, que tôt ou tard il faudra que je te laisse partir, que ma vie se sépare de la tienne.

Je n'ai pas pu te dire au revoir. Je ne pouvais formuler que cette prière : Reste encore un peu.

Je ne suis pas encore prête. Je n'ai pas accompli tout le chemin.

Quelques jours plus tard, une autre cérémonie nous

attendait à la légation de Tchécoslovaquie. Cette fois, nous étions plus nombreux. Éluard a lu le discours qu'il avait écrit pour toi.

Ton ami a bien parlé de toi, de ta force et de ta tendresse. Il a dit que dans ta poésie, l'idée de liberté « courait comme un feu terrible », et « claquait comme un drapeau ».

Ta liberté, personne n'aurait pu te la prendre. Pour ça, je suis bien tranquille. Malgré tout ce qu'ils t'ont fait, les Allemands n'ont jamais pu briser ton esprit. Tu es resté fidèle à toi-même, guidé jusqu'au bout par la révolte, la liberté et l'amour. Ils ne t'ont pas transformé en loup. Tu disais : ***plutôt dupe que salaud.***

Tu n'étais pas une victime, tu n'es pas devenu un bourreau.

Après la cérémonie, deux jeunes gens sont venus se présenter. C'était Josef Stuna et Alena Tesarova, les étudiants tchèques qui étaient avec toi quand tu es mort. Je les ai invités rue Mazarine. Jean-Louis et Madeleine se sont joints à nous, je voulais partager avec eux le récit de tes derniers moments. Alena était la plus timide mais Josef parlait peu de français. Le plus souvent, il s'exprimait en tchèque et Alena traduisait.

Quand les Russes ont libéré le camp de Terezín, ils se sont retrouvés face à une armée de moribonds ravagés par la vermine et les maladies. La Croix-Rouge a installé à la hâte des infirmeries de quarantaine dans les locaux insalubres où les nazis parquaient les détenus depuis quatre ans. Débordée, elle ne pouvait faire face aux épidémies. Les malades étaient regroupés sur des paillasses à même le sol.

On t'avait gavé de charbon de bois pour atténuer les effets de la dysenterie mais des taches rouges étaient apparues sur ta peau, trahissant le typhus. Tu étais très faible, tu n'arrivais plus à t'alimenter. Tu restais allongé sur ta paillasse.

Josef et Alena étaient étudiants en médecine. Ils avaient demandé à se joindre à la Croix-Rouge. Appelé un matin dans ta baraque, Josef a sursauté en lisant ton nom sur la liste des malades. Avant la guerre, il avait lu des poèmes de toi traduits en tchèque dans une revue praguoise. Il les avait aimés, il s'en souvenait encore. Il n'arrivait pas à croire qu'il puisse s'agir du même Robert Desnos.

Il a appelé Alena, qui l'assistait et lui servait d'interprète. C'était le matin du 4 juin. Ils se sont approchés de toi. Il raconte la scène et Alena me traduit à mesure :

— Il était si maigre... En le voyant je l'ai reconnu, j'avais vu sa photographie dans le livre *Nadja* d'André Breton. Je lui ai demandé : « Connaissez-vous le poète Robert Desnos ? » Je n'oublierai jamais son regard... Dans cette baraque sinistre qui ressemblait à un mouroir, ma question est tombée sur lui comme un soleil. Son visage s'est illuminé. Il m'a répondu : « ***Oui, oui ! Robert Desnos, poète français, c'est moi !*** »

— Il a dit aussi : « ***C'est mon matin le plus matinal*** », ajoute Alena qui semble aussi émue que nous.

Jean-Louis, Madeleine et moi sourions de ce miracle. Ainsi, tu n'es pas mort comme un animal achevé en bord de route, ou comme un fantôme glissant lentement hors de la vie. On t'a rendu ton identité de poète, on t'a restitué ton nom. J'ai envie de les embrasser, ces jeunes gens intimidés qui ont fait tant de chemin pour nous parler de toi.

— Il était mourant, on ne pouvait pas le sauver, traduit Alena à mesure que Josef poursuit son récit. On a fait tout ce qu'on pouvait pour soulager ses souffrances. Il avait un moral magnifique. Il était confiant, sûr qu'il allait guérir. Il nous disait : « Vous viendrez me voir, je vous présenterai ma femme et mes amis, je vous emmènerai chez Picasso. » Il disait qu'à son retour, il ferait un travail physique au grand air. Et que lorsqu'il aurait retrouvé sa forme et que tout aurait mûri en lui, il écrirait sur ce qu'il venait de vivre. Il parlait de Paris, de ses amis artistes et écrivains, et il parlait beaucoup de vous, madame…

Je leur souris. Jusqu'au bout tu as cru que tu gagnerais contre la mort. Ton envie de vivre était si forte, elle se heurtait à ton corps exténué comme à une cage trop étroite.

— À la fin il n'avait plus la force de parler, continue Alena. Il me demandait de lui raconter des histoires. Je partais d'un souvenir d'enfance et j'inventais. J'essayais de l'emmener loin de cet endroit sinistre, loin de la guerre et de la mort. Il m'écoutait, parfois il souriait. Il ne se plaignait de rien, nous demandait seulement à boire. La maladie l'assoiffait, mais là-bas, l'eau était insalubre. On devait la faire bouillir par petites quantités. Un jour, je lui ai apporté une rose qui avait poussé derrière les barbelés du camp. Il l'a gardée précieusement. Elle s'est fanée, il n'a pas voulu s'en séparer.

— À partir du 6 juin, continue Josef à travers la traduction d'Alena, il est rentré dans une phase d'agonie qui a duré deux jours. Nous ne l'avons pas quitté. Il n'était plus tout à fait conscient, il était entre le rêve et la veille. Il n'avait plus la force de parler, mais ses lèvres bougeaient encore. Il est mort le matin du 8 juin, à cinq heures trente. Nous avons entendu le dernier battement de son cœur. Il est mort avec une expression paisible, presque heureuse. En le voyant mourir, nous avons compris que c'était non seulement un grand poète, mais aussi un homme dans le plein sens du mot, qui savait mourir comme un homme.

Il y a quelque chose de doux et de solennel dans la précision de ces mots où roule le bel accent tchèque. Je regarde Josef, qui se sent privilégié d'avoir pu te rencontrer, toi dont il admirait la poésie, et qui est heureux de t'avoir apporté un peu de chaleur au dernier moment de ta vie. Je contemple le visage pur d'Alena, qui t'a fait cadeau de l'unique rose qui avait poussé dans cet enfer, sans rien savoir de Rrose Sélavy, ni de sa monture qui franchit les montagnes.

Leur simplicité me bouleverse.

Ils ont adouci ton passage vers la mort. Après Christian Leininger, tu as trouvé sur ta route d'autres anges gardiens. Nous les remercions avec des mots maladroits, des yeux rougis. Grâce à eux, la paix se fraie un chemin en nous, je sens ma colère refluer.

Je leur promets que lorsque je m'en sentirai capable, j'irai à Terezín pour découvrir ce lieu où ils t'ont veillé.

La petite rose fanée a été incinérée avec toi. C'était ton seul trésor, avec le beau tatouage que Foujita t'avait fait sur l'épaule et la monture de tes lunettes brisées, qu'on m'a rendue avec tes cendres.

J'ai entendu Alena et Josef parler à Jean-Louis de la

beauté de ton squelette, de l'harmonie de ses proportions. Toi qui ne t'es jamais trouvé beau, qu'aurais-tu pensé de cet éloge funèbre ? Je crois qu'il t'aurait fait rire.

En les écoutant, j'ai souffert de n'avoir pu embrasser ton corps, lui dire adieu, reconnaître dans sa froideur l'étrangeté de la mort, et sentir au bout de mes lèvres que tu n'étais plus là.

22 DÉCEMBRE 1945

Hier, j'ai retrouvé un ensemble de textes réunis sous le titre : *Trois livres de Prophéties* que tu avais écrits en juillet 1925. Ces prophéties, les avais-tu montrées à quiconque ? Je n'en suis pas sûre. Tu ne me les as jamais fait lire. Peut-être craignais-tu que l'annonce répétée de ta mort précoce ne jette une ombre sur mes rêves. En les feuilletant, leur justesse m'a troublée.

Celle-ci, par exemple :

Mais bienheureux celui-là qui verra les années 5. S'il est capable d'aimer jusqu'à sa perte, l'Univers sera pour lui fertile en retraite précise mais tourmentée. Car je ne vois nul repos désormais pour les cœurs battants.

Ou encore celle-là :

Que puis[-je] bien faire si loin de Paris et durant si longtemps, si longtemps.

Robert, mon cœur battant, toi qui as aimé jusqu'au bout de tes forces, tu n'avais jamais vécu un si long exil loin de ta ville. Paris t'était vitale au point qu'il me semblait parfois que ton sang circulait sous ses ponts.

Tu es enfin rentré chez toi. Tes cendres reposent à Montparnasse, dans ce caveau de famille que tu évoquais dans *La Liberté ou l'amour !*, le premier livre que j'ai lu de toi :

Pas plus que l'océan, pas plus que le désert, pas plus que les glaciers, les murs du cimetière n'assignent de limites à mon existence tout imaginaire.

Pendant cet enterrement lugubre, j'ai senti que tu étais partout sauf dans cette niche de pierre où reposent tes parents. Mais il fallait bien leur donner quelque chose, n'est-ce pas ? Ils ont été les premiers à t'aimer. Maladroitement, imparfaitement, mais de leur mieux.

Avec sa verve habituelle, Jeanson m'a reproché de faire dire une messe pour toi à Saint-Germain-des-Prés. Mais comme je le lui ai répondu, je ne voyais pas où réunir tant d'amis à la fois. Chez nous, c'était trop petit ! Alors bien sûr, les copains ont été nombreux à rouspéter et à camper sur le parvis avec Prévert et Éluard, trouvant qu'ils étaient mieux là, à deviser et à fumer en pensant à toi. Je savais que tu ne t'en formaliserais pas. Et puis cette église, c'est un peu la tienne : son carillon berçait tes insomnies et ton écriture. Elle était le repère familier de notre vie, elle a été celui de mon angoisse, de mon attente. Ce n'était pas un mauvais endroit pour te rendre hommage, même si tu aurais sûrement préféré le Flore ou les Deux Magots. François Mauriac était content de prier pour toi, comme Henri Rödel avait dû le faire avant lui à Flöha. Tu as tellement d'amis différents. Chacun a le droit de s'adresser à toi de la manière qu'il préfère.

Le Doc a quitté Ghita. Elle l'aime toujours et souffre beaucoup, je la soutiens de mon mieux. Son frère Jean a été arrêté avec sa famille alors qu'il tentait de fuir vers Merano. Il est incarcéré à Fresnes. Son procès aura lieu au début de l'année.

Je vais régulièrement le visiter. Les journaux se régalent déjà du jugement de celui qu'on surnomme «le Führer de la presse française». Je sais bien qu'il ne l'a pas volé, ce procès. Il a échangé son honneur contre le pouvoir et l'argent, la meilleure table à la Tour d'Argent, les plus belles filles de Paris, le privilège d'être courtisé par tous les collabos, les voyous et les affairistes. Mais aujourd'hui il n'est plus personne, il est seul dans sa cellule, tous ses amis l'ont lâché. Il ne lui reste que sa famille, sa sœur, ses avocats et moi.

Jusqu'ici il gardait un bon moral. Il était persuadé que le procès lui permettrait de s'expliquer, de prouver qu'il s'était trompé de bonne foi, que ça ne faisait pas de lui un mauvais homme. Parler lui avait toujours réussi, il pensait que son éloquence le sauverait encore. Je l'écoutais sans rien dire, ce n'était pas à moi de juger de sa sincérité. Je me suis si souvent menti, je sais que c'est parfois le seul moyen de rester debout.

Mais la prison bourdonne de rumeurs, il entend les échos des procès de Brasillach, de Pétain et de Laval, de son ancien ami Lafont qui l'a chargé avant d'être fusillé, et il comprend peu à peu qu'il ne trouvera aucune indulgence chez ses jurés. La plupart ont été choisis parmi ces résistants contre lesquels il réclamait hier la plus grande rigueur. Quelle pitié auraient-ils pour Jean Luchaire, l'éminence grise d'Otto Abetz, le « super traître » qui briguait encore un poste de ministre à Sigmaringen ?

Quand je suis allée le voir hier, sa pâleur m'a frappée. La tuberculose dont il est atteint l'épuise et lui donne ce teint translucide qui souligne le bleu des veines. Il a beaucoup maigri, il grelotte dans cette cellule glacée qui ressemble à celle où tu attendais tes bourreaux de la Gestapo. À côté du tien, son sort est magnanime. Il n'est pas soumis à des sévices cruels, juste suspendu à un verdict qui lui vaudra sans doute le peloton d'exécution. Tu l'avais prédit, un jour où nous parlions de lui.

— C'est courageux de venir me voir, Youki, m'a-t-il dit en arrivant. Plus personne ne prend le risque de me serrer la main. Je n'ai plus d'argent, je n'ai plus d'amis. De ce côté des barreaux, on voit la vie autrement. Mais vous, comment allez-vous ?

Je lui ai répondu que je préférais ne pas me le demander pour l'instant, me concentrer sur de petites choses, sur ces moments que j'arrive à sauver, qui sont comme des bois flottant à la surface d'un raz de marée.

— C'est un peu ce que je fais aussi, m'a dit Jean avec une voix enrouée que cisaille sans cesse une toux menaçante. Ici, le temps est court et interminable. Ma seule consolation est d'avoir trouvé Dieu. Il m'aura fallu ce silence et ce face à face avec moi-même pour le rencontrer, moi qui étais étranger à toute mystique... Grâce à Lui, j'arrive enfin à trouver le calme, une forme de sérénité. J'ai écrit à ma fille Corinne. Je veux qu'elle comprenne qu'elle va être forcée de grandir, même si je ne l'y ai pas aidée. Je l'ai entraînée avec moi, je croyais la protéger… Maintenant elle est seule et malade, et ils ne lui feront aucun cadeau.

— Elle n'est pas seule, il lui reste sa mère, ses frère et sœurs… Et Ghita veille sur elle, ai-je ajouté.

— Ma sœur va s'en aller. Elle en a besoin, et mon nom est devenu lourd à porter. Elle a le projet de partir en Amérique latine. Je l'y encourage. Là-bas elle guérira ses plaies, elle oubliera Théodore.

J'ai pensé que le Doc n'était pas le genre d'homme qu'on oublie. Mais là-bas, Ghita pourrait recommencer sa vie sous un autre ciel, et peut-être y trouverait-elle la paix.

— Je vous ai apporté une cape qui appartenait à Robert, lui ai-je dit. Je sais que vous avez toujours froid. Je l'ai récupérée à Compiègne après son départ. Elle est un peu râpée mais elle est bien chaude, j'espère qu'ils vous autoriseront à la garder. Une amie l'a donnée à Robert le matin de son arrestation. Quand il était enfermé ici, elle lui servait de couverture. Il disait qu'elle lui avait sauvé la vie.

— Je vous remercie, m'a répondu Jean, mais ne croyez-vous pas que Desnos en serait offensé ? Je n'ai rien fait pour le sauver. Les hommes comme lui étaient un clou dans notre chaussure. Nous devions les écarter pour avancer. Vous voyez, je suis franc, je ne voudrais pas que vous regrettiez ce cadeau.

— Robert a voyagé plus loin que nous, lui ai-je répondu. Il est allé au-delà de nos repères, au-delà de l'humain et de l'inhumain. Là-bas, la vie avait un prix dérisoire : celui que vos amis nazis avaient fixé. Et pourtant, elle n'avait jamais été aussi précieuse. S'il était revenu, ça n'aurait pas été pour vous condamner à mort. De ça je suis certaine. Prenez ce manteau, ce n'est pas grand-chose mais il vous tiendra chaud.

En quittant la prison, je me suis souvenue que tu disais qu'il valait mieux être dupe que salaud. Cette ligne de conduite ne t'aurait pas placé sur les rangs de ceux qui envoient à la mort les traîtres d'hier. Je crois que comme Galtier, tu aurais trouvé que c'est la défaite des vainqueurs que d'endosser la cruauté des bourreaux, de torturer les tortionnaires.

22 FÉVRIER 1946

Aujourd'hui, ça fait deux ans que la Gestapo a frappé à notre porte.

Ce matin, on a fusillé Jean Luchaire au fort de Châtillon.

Le docteur Leuret m'a raconté sa fin, la collation qu'il a avalée en silence, la dernière cigarette, les pas enfin libres des chaînes. Il avait choisi de mourir bien habillé, dans un de ses costumes d'autrefois. Un soleil pâle montait dans le ciel quand on l'a fait grimper dans le fourgon cellulaire. Par faveur, on lui avait laissé les mains libres. Il avait revêtu ta cape en laine noire « pour ne pas qu'en le voyant frissonner, on s'imagine qu'il avait peur ».

En descendant devant le stand de tir du fort de Châtillon, Luchaire a vu le cercueil ouvert qu'on avait préparé pour lui.

Il a refusé le bandeau, il voulait regarder sa mort en face.

Il s'est écroulé à la première salve.

Vous étiez nés en juillet, à un an d'écart. Vous êtes morts tous les deux avant d'avoir fêté vos quarante-cinq ans.

Je suis sûre que tu es heureux de savoir que ta cape a réchauffé les derniers instants d'un condamné à mort.

À la fin, quand j'allais le voir, je réalisais que j'aurais pu être à sa place. Étais-je si différente de ces femmes qu'on frappe d'indignité nationale, ces actrices dont on efface les noms sur les génériques ? J'aimais la fête, je ne supportais pas l'idée de devoir me ranger, vivre en sourdine, étouffer mes élans. Si tu n'avais pas été là pour veiller sur moi, me serais-je égarée à mon tour ? Aurais-je succombé à des liaisons risquées ?

Tu me donnais l'exemple du courage et de l'intégrité, tu refusais les compromis. Avec tes amis, vous n'aviez pas renoncé à la noce. Votre joie de vivre se renforçait dans le combat pour la liberté. Vous n'aviez jamais été plus vivants, plus amoureux.

En m'aimant, tu m'as sauvée d'un destin amer.

Amer amour.

Ah ! meurs, amour ! écrivais-tu.

Mais l'amer, c'est la vie sans amour.

La mer amère, la mer à boire.

Peut-être est-ce tout ce qu'il me reste.

Pourtant il y en a, des gentils, des beaux parleurs, des tendres.

Les rues de Paris sont pleines d'Américains aux mains douces, de charmants mythomanes, de héros de l'ombre cherchant une dernière aventure. Ils peuvent faire la blague un moment mais c'est perdu d'avance, Robert… Comment pourraient-ils rivaliser avec toi ?

Tu les as vaincus depuis longtemps.

Tu es un Ulysse retenu loin d'Ithaque, ton simple souvenir anéantit tous les prétendants.

En écrivant ça, je t'entends rire de ta belle victoire.

C'est de bonne guerre.

22 NOVEMBRE 1958

Je suis retombée sur ce journal en triant des vieux papiers. Comme c'est étrange de le parcourir et d'y retrouver mes émotions intactes.

Le temps a passé mais tu ne m'as pas quittée.

Dans le poème que Prévert a composé pour toi, il dit que tu t'es juste un peu éloigné de moi.

Ce passage me fait venir les larmes aux yeux à chaque fois.

Oui, tu t'es un peu éloigné et j'en ai profité pour faire des bêtises. Je n'en suis pas fière, mais c'était comme si j'avais dépensé toutes mes forces à te chercher, à t'attendre.

Après, j'ai survécu comme on se noie, m'appliquant à tout oublier. Je buvais trop, certains de nos copains m'ont délaissée. Non seulement je ne leur jette pas la pierre mais je les comprends, ce n'était pas beau à voir.

Je vais mieux maintenant.

Un ami « qui me voulait du bien » m'a forcée à accepter un travail dans une galerie de peinture. Je ne m'attendais pas à aimer faire la galeriste et je crois que je n'y suis pas mauvaise. En dehors de ça, ce qui m'importe c'est de défendre ton œuvre, de la faire connaître.

L'autre jour, j'ai revu Alain Brieux. Titi a tellement changé que tu aurais du mal à le reconnaître. Il s'est caché jusqu'à la Libération. Aujourd'hui il est libraire, ce qui ne t'étonnerait pas. Il m'a parlé d'un rêve récurrent qu'il fait à ton sujet : il te voit venir vers lui sur le Pont-Neuf, tu portes la longue cape noire que sa mère t'avait donnée. Il court vers toi, transporté de joie, mais en approchant il découvre avec horreur que la cape flotte autour de ton cadavre.

On vient de tourner un film à ta mémoire. Jean Barral, le réalisateur, y a réuni beaucoup de nos amis, de Barrault à Labisse et à Théodore Fraenkel. Il tenait à filmer André Breton mais je l'avais prévenu que ce ne serait pas facile. À ma grande surprise, Breton a accepté. Pourtant il déteste la caméra, cet œil qui voit tout le paralyse. La scène a été tournée dans son atelier de la rue Fontaine. Il était si inquiet qu'on avait placardé son texte sur chaque mur en guise d'antisèches. Il déambulait dans son atelier, le regard vif et nerveux, comme un lion grisonnant qui ne veut rien céder de son territoire. Sa douce Élisa se tenait en coulisses, impuissante à l'apaiser.

Il y a quelque chose de déchirant dans la beauté de cette jeune femme, comme une blessure secrète. Elle m'a gentiment accueillie, m'a offert à boire et m'a dit :

— Vous savez, André a tout gardé de Desnos. La moindre note qu'il lui avait écrite, les cartes postales, les dessins hypnotiques... Il ne veut pas qu'on y touche.

Nous nous sommes tues pendant que la caméra tournait. Malgré son trac, Breton parlait avec la même autorité magnétique qu'autrefois, il nous en imposait à tous. Il t'a parfaitement décrit en une phrase :

« De lui se dégageait une grande puissance de refus et d'attaque, en dissonance frappante – il était très brun –, avec le regard étrangement lointain, l'œil d'un bleu clair voilé de "dormeur éveillé" s'il en fut. »

Tu es tout entier dans ces quelques mots.

Après le tournage, il semblait soulagé. Il est venu me parler, à sa manière un peu guindée, courtoise et touchante. J'ai senti qu'il me redoutait, comme si j'étais toujours la Youki d'autrefois, prête à lui décocher une flèche assassine. Avec les années je me suis arrondie, je suis moins tranchante, je sais apprivoiser les vieux lions. Il a fini par se détendre un peu.

Pendant que l'équipe se restaurait dans la cuisine, il m'a prise à part :

— Vous savez, depuis que j'ai appris les conditions atroces de la mort de Desnos, je pense à un épisode particulier de nos *sommeils* de 1922. Un soir, alors qu'il était plongé dans le sommeil hypnotique, il s'est levé brusquement, renversant les chaises, et il s'est mis à gémir d'une voix désespérée : « ***Je suis balayé par la boue… Pourtant j'étais le grand chef des balayeurs…*** » Je l'ai interrogé, poursuit Breton : « Comment ? Vous étiez chef des balayeurs ? » « ***Oui !*** a-t-il crié en tapant du poing sur la table. ***Oui, j'ai été nommé "chef des balayeurs" par mon concierge. Il m'a dit : "Va et balaie tout." Mais voilà que maintenant c'est la boue qui me balaie, la boue, la boue…*** » Et il pleurait en répétant ces mots.

Comme toujours, au réveil il n'en avait aucun souvenir. Mais depuis sa mort, ce souvenir me poursuit...

Très émue, je lui ai dit que c'était la tâche qu'on t'avait confiée à Flöha. Je lui ai parlé des lignes de la main, de l'avenir que tu restituais à tes amis terrorisés. Il m'écoutait gravement, hochant la tête de temps à autre.

— Je ne sais comment vous dire ça..., m'a-t-il répondu, mais je me sens toujours lié à lui. Par-delà tout ce qui a pu nous séparer, nous opposer. Vous savez, je n'ai manqué aucun des rendez-vous qu'il m'avait fixés à travers le temps. Le dernier a eu lieu au mois d'octobre 1949 à Fontainebleau. J'y étais.

Je ne sais ce que ma sage Mitsou aurait pensé de tout cela. Moi, cela ne m'a pas paru si étrange. T'aimer m'a appris à percevoir les traces invisibles, les signes que le hasard sème sur notre route pour l'éclairer.

Je garde ton dernier message sur ma table de nuit. À côté, j'ai mis une lettre qu'Antonin Artaud m'a envoyée après ta mort. Elle accompagnait le très beau texte que lui avait inspiré ta pièce, *La Place de l'Étoile*, que Gaston Ferdière venait de faire paraître. Antonin m'écrivait :

« Je voudrais qu'en le lisant, on comprenne quelque chose qui est que je veux revoir un jour Robert Desnos pour lui demander ce qu'il pense de sa fin et de tout ce qu'il a souffert, et que je suis sûr que je le reverrai. »

Moi aussi Robert, je sais que je te reverrai. En attendant, je me promène dans la ville, je rends visite à tes lieux préférés, je me perds dans le quartier de l'Horloge ou à l'ombre de la tour Saint-Jacques, je traverse les ponts à ta recherche, j'écoute les cloches de Saint-Merri répondre à celles de Saint-Eustache, j'arpente la rue de Seine avec Prévert et inévitablement nous parlons de toi, blagueurs inconsolables guettant ton ombre à l'angle de la rue Guénégaud.

Parfois tu m'adresses des messages, comme cette mouette venue d'on ne sait où qui s'est posée un soir sur le bord de la fenêtre de la rue Mazarine. Ou ce poème que tu avais écrit en 1926 pour *La Mystérieuse* et qui m'est revenu transformé par la traduction tchèque, comme si tu l'avais réécrit après la marche de la mort, après la fin, après l'absence, pour le second visage de ton unique amour :

J'ai rêvé tellement fort de toi,
J'ai tellement marché, tellement parlé,
Tellement aimé ton ombre,
Qu'il ne me reste plus rien de toi.
Il me reste d'être l'ombre parmi les ombres
D'être cent fois plus ombre que l'ombre
D'être l'ombre qui viendra et reviendra
[dans ta vie ensoleillée.

Robert Desnos chez lui, rue Mazarine (photo D.R.)

CITATIONS DE ROBERT DESNOS
en italique dans le roman

PREMIÈRE PARTIE

EXERGUE « L'Évadé », *Fortunes*, Poésie/Gallimard, 1969.

1 **P. 15** « Tandis que je demeure », *Œuvres*, collection Quarto, Gallimard, 1999. | **P. 20** *La Liberté ou l'amour !*, L'Imaginaire, Gallimard, 1982. | **P. 23** *La Liberté ou l'amour !*

2 **P. 27** « Quartier Saint-Merri », *Fortunes.* | **P. 29** « Quartier Saint-Merri », *Fortunes.* | **P. 36** « L'Étoile de mer », *Cahiers Robert Desnos*, nouvelle série n° 5. | **P. 37** « Jack l'Égareur », *Destinée arbitraire*, Poésie/Gallimard, 1975. | **P. 41** *La Liberté ou l'amour !*

3 **P. 43** « La Voix de Robert Desnos », *Corps et biens*, Poésie/Gallimard, 1968. « The Night of Loveless Nights », *Fortunes.* | **P. 46** « The Night of Loveless Nights », *Fortunes.* | **P. 47** « J'ai tant rêvé de toi », *Corps et biens.* | **P. 48** « J'ai tant rêvé de toi », *Corps et biens.* | **P. 49** « Rrose Sélavy », *Corps et biens.* « Rrose Sélavy », *Corps et biens.* | **P. 51** « Aux sans cou », *Fortunes.* | **P. 56** « Jamais d'autre que toi », *Corps et biens.* | **P. 60** *La Liberté ou l'amour !*

4 **P. 62** « Siramour », *Fortunes.* | **P. 63** « Siramour », *Fortunes.* | **P. 71** « Siramour », *Fortunes.* | **P. 72** « The Night of Loveless Nights », *Fortunes.* « Quartier Saint-Merri », *Fortunes.* | **P. 74** « The Night of Loveless Nights », *Fortunes.* | **P. 75** *La Liberté ou l'amour !* | **P. 80** « Ô douleurs de l'amour ! », *Corps et biens.*

5 **P. 82** *Le Soir.* L'agenda de Desnos, BLJD. | **P. 88** « Rrose Sélavy », *Corps et biens.* | **P. 92** « La Voix de Robert Desnos », *Corps et biens.* | **P. 94** « Au bout du monde », *Fortunes.* | **P. 96** « Les Quatre sans cou », *Fortunes.* | **P. 97** « Rrose Sélavy », *Corps et biens.* | **P. 98** « Les Hommes sur la terre », *Fortunes.* | **P. 100** « Rrose Sélavy », *Corps et biens.* | **P. 103** « Les Hommes sur la terre », *Fortunes.* | **P. 110** « La Part de la lionne », *Nouvelles Hébrides*, L'Imaginaire, Gallimard, 2016. « The Night of Loveless Nights », *Fortunes.*

6 **P. 113** « Un jour qu'il faisait nuit », *Corps et biens.* | **P. 115** « Sirène-anémone », *Corps et biens.* | **P. 121** « Avec le cœur du chêne », *Corps et biens.* | **P. 123** « L'Aumonyme », *Corps et biens.* | **P. 126** « Les Espaces du sommeil », *Corps et biens.* | **P. 128** *Trois livres de Prophéties, Œuvres.* | **P. 129** *Trois livres de Prophéties, Œuvres.*

7 **P. 137** « Les Quatre sans cou », *Fortunes.* | **P. 140** « À l'aube », *Destinée arbitraire.* | **P. 145** *Trois livres de Prophéties.* | **P. 155** « The Night of Loveless Nights », *Fortunes.* | **P. 157** « The Night of Loveless Nights », *Fortunes.* | **P. 158** *Troisième manifeste du surréalisme, Œuvres.*

DEUXIÈME PARTIE

EXERGUE « L'Évadé », *Fortunes.*

8 **P. 162** *Le Voyage en Bourgogne, Œuvres.* | **P. 164** « Soir », *Destinée arbitraire.* | **P. 168** « Rrose Sélavy », *Nouvelles Hébrides.* | **P. 175** « The Night of Loveless Nights », *Fortunes.*

9 **P. 183** « Ô jeunesse », *Destinée arbitraire.* | **P. 184** « Chanson », *Destinée arbitraire.* | **P. 186** « Tour de la tombe », *Destinée arbitraire.* | **P. 187** « Nuits », *Destinée arbitraire.* | **P. 196** « Lumière de mes nuits Youki », *Œuvres.* « Siramour », *Fortunes.* | **P. 200** « Le bel après-minuit », *Destinée arbitraire.*

10 **P. 202** « Hommes », *Fortunes.* « Vers le piton noir », *Fortunes.* | **P. 203** *La Ménagerie de Tristan, Œuvres. La Parterre de Hyacinthe, Œuvres.* | **P. 208** « Ô jeunesse », *Destinée arbitraire.* | **P. 209** *Robert Desnos* de Anne Egger, Fayard, 2007. | **P. 212** « La Grande Complainte de Fantômas », *Œuvres.* | **P. 218** « Chanson du jour et de la suivante nuit », *Destinée arbitraire.* | **P. 219** Correspondance Desnos, BLJD. | **P. 224** « Âge, voyages et paysages », *Œuvres.*

11 **P. 227** « Les Hommes sur la terre », *Fortunes.* | **P. 229** *Robert Desnos* de Anne Egger. | **P. 241** « Aux sans cou », *Fortunes.* | **P. 252** « Les Quatre sans cou », *Fortunes.*

12 **P. 257** « Âge, voyages et paysages », *Œuvres.* « Âge, voyages et paysages », *Œuvres.* | **P. 261** « L'Évadé », *Fortunes.* | **P. 266** « Quartier Saint-Merri », *Fortunes.* | **P. 274** « L'Évadé », *Fortunes*

13 **P. 279** « Savez-vous la nouvelle ? García Lorca va mourir », *Œuvres.* | **P. 281** « No Pasaran », *Œuvres.* | **P. 288** « Et avec ça, madame ? », *Œuvres.* « Érotisme de la mémoire », *Œuvres.* | **P. 293** Archives de *La Clef des Songes*, BLJD. *La Clef des Songes, Œuvres.* | **P. 295** « Et avec ça, madame ? », *Œuvres.* | **P. 296** « Et avec ça, madame ? », *Fortunes.*

TROISIÈME PARTIE

EXERGUE « Le veilleur du Pont-au-Change », *Destinée arbitraire.*

14 **P. 300** *Mines de rien*, Le temps qu'il fait, 1985. | **P. 302**

Correspondance à Youki, BLJD. | **P. 304** *Aujourd'hui*, BLJD. | **P. 310** «Aujourd'hui je me suis promené…», *Destinée arbitraire*. «Le Satyre», *Fortunes*. | **P. 312** Correspondance Desnos, BLJD. «Les Beaux-draps», *Mines de rien*. «Les Beaux-draps», *Mines de rien*. | **P. 313** «La Clef des Songes», BLJD. | **P. 320** «Un inédit de Monsieur Louis Destouches», *Mines de rien*. «Histoire d'un chameau», *Destinée arbitraire*.

15 **P. 324** «Cet ami que je n'ai pas revu», *Œuvres*. | **P. 326** «Cet ami que je n'ai pas revu…», *Œuvres*. | **P. 328** «Histoire d'une ourse», *Destinée arbitraire*. | **P. 329** «Histoire d'un taureau», *Destinée arbitraire*. | **P. 330** *Aujourd'hui*. | **P. 338** «Quartier Saint-Merri», *Fortunes*. | **P. 339** «Quartier Saint-Merri», *Fortunes*. «Couplets de la rue Saint-Martin», *Destinée arbitraire*. | **P. 342** Préface de *Fortunes*. | **P. 345** «Demain», *Destinée arbitraire*.

16 **P. 351** «Le zèbre», *Chantefables*, Gründ, 2010. | **P. 355** *Le vin est tiré…*, L'Imaginaire, Gallimard, 1992. *Le vin est tiré…* | **P. 361** «La Clairière», *Contrée*. «L'Équinoxe», *Contrée*. | **P. 322** *Comment j'ai écrit certains de mes livres*, Raymond Roussel, L'Imaginaire, Gallimard, 1995. | **P. 362** *Robert Desnos, le roman d'une vie 1900-1945*, Dominique Desanti, Mercure de France, 1999. | **P. 365** *Les Confidences de Youki*, Fayard, 1999. «Le Sort», *Contrée*. | **P. 367** Traduire la poésie, *Œuvres*. | **P. 369** Lettre à Éluard, BLJD. | **P. 370** «La Moisson», *Contrée*. | **P. 372** «La Cascade», *Contrée*.

17 **P. 377** «La Ville», *Contrée*. | **P. 386** «La Peste», *Contrée*. | **P. 393** «Le Sort», *Contrée*. | **P. 394** «La Voix», *Contrée*. «La Voix», *Contrée*. | **P. 395** «Ce cœur qui haïssait la guerre», *Destinée arbitraire*.

18 **P. 398** «Ce cœur qui haïssait la guerre», *Destinée arbitraire*. | **P. 399** «Le Legs», *Destinée arbitraire*. | **P. 403** «La Sieste», *Contrée*. | **P. 408** «La Rivière», *Contrée*. | **P. 412**

« La fourmi », Chantefables. | **P. 416** « Pétrus d'Aubervilliers », *Destinée arbitraire.* | **P. 418** « L'Asile », *Contrée.*

19 **P. 424** *Robert Desnos* de Anne Egger. | **P. 428** « Incantation », *Œuvres.* | **P. 433** « Le Réveil », *Contrée.* | **P. 434** « La Moisson », *Contrée.* | **P. 435** « Art poétique », *Destinée arbitraire.* | **P. 440** *Calixto,* Poésie/Gallimard, 2013.

20 **P. 445** *Réflexions sur la poésie, Œuvres.* | **P. 451** « Vaincre le jour, vaincre la nuit... », *Destinée arbitraire.* | **P. 452** « Le veilleur du Pont-au-Change », *Destinée arbitraire.* | **P. 457** « Le veilleur du Pont-au-Change », *Destinée arbitraire.* | **P. 458** « Le veilleur du Pont-au-Change », *Destinée arbitraire.* « Le veilleur du Pont-au-Change », *Destinée arbitraire.* | **P. 459** « Journal 1944 », *Œuvres.* | **P. 462** « Journal 1944 », *Œuvres.* | **P. 463** « Journal 1944 », *Œuvres.* | **P. 465** « Journal 1944 », *Œuvres.* | **P. 467** « L'épitaphe », *Contrée.* | **P. 469** « Siramour », *Fortunes.*

QUATRIÈME PARTIE

EXERGUE « 7 janvier 1945 », *Quatre lettres de déportation à Youki, Œuvres.*

21 **P. 481** « Soir », *Destinée arbitraire.* | **P. 494** Correspondance à Youki, BLJD. | **P. 494** Correspondance à Youki, BLJD. | **P. 501** *Les Confidences de Youki.* « Lou la requine », *Les Nuits blanches.*

22 **P. 507** *Destination Auschwitz avec Robert Desnos*, André Bessière, éditions L'Harmattan, 2001. | **p. 511** Correspondance à Youki, BLJD. | **P. 512** « 4 juin 1944 », *Quatre lettres de déportation à Youki.* | **P. 517** « La belle que voilà », *Destinée arbitraire.* « 15 juillet 1944 », *Quatre lettres de déportation à Youki.* | **P. 517** « 15 juillet 1944 », *Quatre lettres de déportation à Youki. Quatre lettres de déportation à Youki.* | **P. 529** « 7 janvier 1945 », *Quatre lettres de déportation à Youki.* | **P. 530** « Jamais d'autre que

toi», *Corps et biens.* | **P. 531** «Cœur en bouche», *Corps et biens.* | **P. 532** «7 janvier 1945», *Quatre lettres de déportation à Youki.* «Rrose Sélavy», *Corps et biens.* «7 janvier 1945», *Quatre lettres de déportation à Youki.* | **P. 536** *Destination Auschwitz avec Robert Desnos, André Bessière.*

23 **P. 551** «La Voix», *Contrée.* | **P. 565** *Destination Auschwitz avec Robert Desnos*, André Bessière. | **P. 566** «15 juillet 1944», *Quatre lettres de déportation à Youki.* | **P. 572** «Le veilleur du Pont-au-Change», *Destinée arbitraire.*

24 **P. 576** *Correspondance à Youki,* BLJD. | **P. 577** Testament, BLJD. | **P. 582** *Destination Auschwitz avec Robert Desnos* d'André Bessière. | **P. 583** *Destination Auschwitz avec Robert Desnos* d'André Bessière. | **P. 586** *Trois livres de Prophéties, Œuvres. Trois livres de Prophéties, Œuvres*; *La Liberté ou l'amour!* | **P. 592** «Rrose Sélavy», *Corps et biens.* | **P. 595** *L'Anneau de Saturne, Picabia-Dada*, Germaine Everling, Fayard, 1970. | **P. 597** «Le dernier poème», traduction tchèque de «J'ai tant rêvé de toi».

ŒUVRES DE ROBERT DESNOS

Corps et biens, Poésie/Gallimard, 1968
Fortunes, Poésie/Gallimard, 1969
Destinée arbitraire, Poésie/Gallimard, 1975
La Liberté ou l'amour! suivi de *Deuil pour deuil*, L'Imaginaire, Gallimard, 1982
Mines de rien, Le temps qu'il fait, 1985
Le vin est tiré... L'Imaginaire, Gallimard, 1992
Chantefables, éditions Gründ, 2010
Contrée suivi de *Calixto*, Poésie/Gallimard, 2013
Nouvelles Hébrides, L'Imaginaire, Gallimard, 2016

Œuvres, collection Quarto, Gallimard, 1999

BLJD : Fonds de la bibliothèque littéraire Jacques-Doucet

Les citations de Jacques Prévert sont extraites de :

« Aujourd'hui », *Œuvres complètes*, tome II, Bibliothèque de La Pléiade, Gallimard, 1996

« Le tableau des merveilles », *Spectacle*, Gallimard, 1972

SOURCES

Écrire ce roman tenait du numéro de funambule. Il fallait demeurer sur le fil ténu de la fiction tout en demeurant le plus fidèle possible à la vérité de l'histoire et des vies de tous les protagonistes. Inventer entre les clous, remplir les blancs, rejoindre la vérité par le biais de la fiction, ou en tout cas une vérité possible. Ce Robert Desnos est le mien, il ne saurait se substituer au vrai ni en épuiser la richesse, mais je veux croire qu'il lui ressemble.

Parmi les nombreux ouvrages que j'ai consultés pour ce roman, je veux rendre hommage à ceux qui m'ont été les plus précieux :

Jean-Louis Barrault, *Souvenirs pour demain*, Seuil, 2010. Les souvenirs de Jean-Louis Barrault m'ont donné l'impression de le rencontrer en personne et m'ont permis de donner chair au personnage de cet artiste exigeant et généreux.

André Bessière,
Destination Auschwitz avec Robert Desnos, éditions L'Harmattan, 2001.

D'un enfer à l'autre, ils étaient d'un convoi pour Auschwitz, Buchet-Chastel, 1997.

Revivre après, L'impossible oubli de la déportation, Éditions du Félin Kiron, 2006.

André Bessière, disparu en janvier 2017, a fait partie du « Convoi des Tatoués » du 27 avril 1944 et est resté avec Robert Desnos presque jusqu'à la fin.

Ses livres, d'une sobriété bouleversante, composent une incroyable fresque de la déportation, du destin et du hasard. En racontant la vie, la mort ou la survie de ses camarades d'infortune, il rend toute son humanité à ce voyage au bout de l'inhumain.

Youki Desnos, *Les Confidences de Youki*, Fayard, 1999

Je remercie Youki Desnos de m'avoir donné, à travers ses mémoires, quelques pistes pour me rapprocher d'elle et lui rendre toute sa dimension romanesque.

Robert Desnos, dir. par Marie-Claire Dumas, Cahier Desnos, L'Herne, 1987.

Ce numéro des Cahiers de l'Herne regorge de témoignages précieux, de textes inédits, et contient en particulier les hommages émouvants d'Alain Brieux, d'Alena Tesarova, d'Alejo Carpentier, de Théodore Fraenkel…

Anne Egger, *Robert Desnos*, Fayard, 2007.

Cette biographie passionnante dit (presque) tout de Robert Desnos.

Je m'y suis promenée durant deux ans à sa recherche, avec bonheur.

Jean Galtier-Boissière,

Mon journal pendant l'Occupation, Libretto, 2016.

Mon journal depuis la Libération 1944-1945, Libretto, 2016.

Le journal de Jean Galtier-Boissière est un bijou d'humour

caustique qui m'a permis de restituer l'atmosphère de l'Occupation et de la Libération de Paris.

L'Étoile de mer, Cahiers Robert Desnos, L'Association des amis de Robert Desnos, 2001.

Les numéros de cette collection sont une mine de témoignages sur Desnos, d'extraits de correspondances, d'anecdotes.

Pierre Seghers, *La Résistance et ses poètes*, France 1940-1945, Seghers, 2004.

Ce livre indispensable m'a permis d'approcher de plus près la Résistance des poètes, leur état d'esprit, leurs souffrances et leur espoir.

Je ne peux citer tous les livres qui ont nourri ce roman, mais je dois en citer quelques-uns, sans lesquels je n'aurais pu faire revivre les amis de Desnos, ses combats, le Paris qui fut le sien :

Marcelle Auclair, *Enfances et mort de García Lorca*, Seuil, 1968.
Carole Aurouet, *Prévert; portrait d'une vie,* Ramsay, 2007.
Pierre Berger, *Robert Desnos*, Poètes d'aujourd'hui, Seghers, 1977.
Jean-Marc Berlière et Laurent Chabrun, *Les Policiers français sous l'Occupation (d'après les archives inédites de l'Épuration)*, Perrin, 2001.
Jacques Biélinky, *Un journaliste juif à Paris sous l'Occupation*, éditions du Cerf, 2011.
Brassaï, *Conversations avec Picasso*, Gallimard, 1964.
André Breton, *Manifestes du Surréalisme*, Folio/Gallimard, 1985.
Simone Breton, *Lettres à Denise Levy, 1919-1929*, Joëlle Losfeld, 2005.

Sylvie Buisson, *Foujita et ses amis du Montparnasse*, Alternatives, 2010.
François Buot, *Crevel*, Grasset, 1991.
Alain Chevrier, *La « Clef des songes » de Robert Desnos*, L'Âge d'Homme, 2016.
Katherine Conley, *Robert Desnos, Surrealism, and the Marvelous in Everyday Life*, University of Nebraska Press, 2002.
Gérard de Cortanze, *Le Roman de Hemingway*, éditions du Rocher, 2011.
Yves Courrière, *Jacques Prévert*, Folio/Gallimard, 2002.
Pierre Daix, *Aragon retrouvé, 1916-1927*, Taillandier, 2015.
Laurent Danchin et André Roumieux, *Artaud et l'asile*, Séguier, 1996.
Pierre-Marie Doudonnat, *Je suis Partout, 1930-1944, Les Maurrassiens devant la tentation fasciste*, La Table ronde, 1973.
Marie-Claire Dumas, Robert Desnos ou l'exploration des limites, Klincksieck, 1980.
Philippe Forest, *Aragon*, Gallimard, 2015.
Jean-Charles Gateau, *Paul Éluard ou le frère voyant*, Robert Laffont, 1988.
Henry Gidel, *Picasso*, Flammarion, 2002.
Serge Klarsfeld, *Vichy-Auschwitz, Le rôle de Vichy dans la solution finale.*
La Shoah en France, tomes I & II, Fayard, 2001.
Arthur Koestler, *Un testament espagnol*, Albin Michel, 1986.
Jacques Lambert, *De Montmartre à Montparnasse : La vraie vie de bohème (1900-1939)*, Éditions de Mark Polizzotti, André Breton, Gallimard, 1999.
Stéphan Lévy-Kuentz, *Pascin et le tourment*, Éditions de la Différence, 2007. Max Chaleil, *Paris*, 2014.
Herbert Lottman, *Man Ray à Montparnasse*, Hachette littératures, 2001.
Man Ray, *Autoportrait*, Babel/Actes Sud, 1999.

George Martelli, *L'Homme qui a sauvé Londres. Michel Hollard, le héros méconnu*, Les Arènes, 2016.
Cédric Meletta, *Jean Luchaire, L'enfant perdu des années sombres*, Perrin, 2013.
Kiki de Montparnasse, *Souvenirs retrouvés*, José Corti, 2005.
Pablo Neruda, *J'avoue que j'ai vécu*, Folio/Gallimard, 1987.
Henri Noguères, *La Vie quotidienne en France au temps du Front populaire, 1935-1938*, Hachette, 1977.
Georges Orwell, *Hommage à la Catalogne, 1936-1937*, 10/18.
Alan Riding, *Et la fête continue, La vie culturelle à Paris sous l'Occupation*, Plon, 2012.
Georges Sebbag, André Breton, *L'Amour-folie*, Jean-Michel Place, 2004.
André Verdet, *La Nuit n'est pas la nuit*, Melis éditions, 2002.
Joseph Weissmann, *Après la rafle*, J'ai lu, 2013.
Les Résistants, Témoignages, 1940-1945, présenté par Laurent Joffrin, Omnibus, 2013.

REMERCIEMENTS

À Anne Egger, dont la passionnante biographie, qui fourmille de détails et d'informations, m'a donné la matière première de ce roman. Sans son immense travail, mon chemin vers Desnos aurait été plus tortueux.

À l'Association des Amis de Robert Desnos, et tout particulièrement à Jacques Fraenkel et à Marie-Claire Dumas, pour m'avoir accueillie avec tant de bienveillance et avoir éclairé mes recherches par leurs analyses, leurs encouragements et leur enthousiasme. Et à Julie Nice, qui a fléché mon chemin vers eux.

À la Bibliothèque Littéraire Jacques Doucet et à sa directrice Isabelle Diu. Je n'oublierai jamais les émotions ressenties à la lecture des manuscrits, des correspondances et des agendas de Robert Desnos. À Paul Cougnard, pour son amabilité et la diligence avec laquelle il accédait à mes requêtes. À Lily Masson qui a accepté avec tant de gentillesse de revisiter pour moi ses souvenirs desnosiens.

À Carole Aurouet, qui m'a éclairée sur le Groupe Octobre et mis à ma disposition sa bibliographie impressionnante.

À Jennifer Richard, ma chère Roomate, qui fut ma consultante audiovisuelle pour ce roman et m'a apporté une aide précieuse.

À Baptiste Beaulieu, « conseiller médical » diligent.

Aux lecteurs qui m'ont suivie de chapitre en chapitre, patiemment, me faisant des retours précieux à chaque étape. Ils ont été l'équipe de secours des traversées en solitaire, les balises clignotant dans le brouillard, lecteurs attentifs et amis hors pair. Un immense merci à Marie Boulic, Sophie Dagès, Roxane Defer, Sarah Gastel, Letizia Goffi, Guy Peccoux et Laurence Valentin.

À Céline Hardoin, qui m'a été précieuse pour faire parler les officiers allemands.

À tous ceux qui ont enduré ma passion desnosienne deux ans durant, m'ont écoutée ne parler que de Robert, m'ont vue ne vivre (presque) que pour lui… À mes frères et à ma sœur, à ma mère qui a abrité les débuts de cette histoire, à ma Ninnog qui n'en pouvait plus de partager sa mère avec « Robert ». À Berengère, amie attentionnée et ambassadrice de choc.

De la même auteure :

La Part des flammes, Éditions Héloïse d'Ormesson, 2015 ; Le Livre de Poche, 2016.

L'Ancre des rêves, Le Livre de Poche, 2017.

La Femme révélée, Grasset, 2020.

Composition réalisée par Soft Office

Achevé d'imprimer en novembre 2020 en France par
Laballery
N° d'impression : 008427
Dépôt légal 1re publication : septembre 2018
Édition 06 – novembre 2020
LIBRAIRIE GÉNÉRALE FRANÇAISE
21, rue du Montparnasse – 75298 Paris Cedex 06

40/1325/9